CV.

PCC

A IRMANDADE DO CRIME_CARLOS AMORIM

22ª edição

EDITORA RECORD
RIO DE JANEIRO • SÃO PAULO

2025

CIP-Brasil. Catalogação-na-fonte
Sindicato Nacional dos Editores de Livros, RJ.

A543c
22ª ed.
Amorim, Carlos
CV-PCC: a irmandade do crime / Carlos Amorim. – 22ª ed. – Rio de Janeiro: Record, 2025.
472p.:

ISBN 978-85-01-05825-6

1. Comando Vermelho (Crime organizado). 2. Primeiro Comando da Capital (Crime organizado). 3. Crime organizado – Brasil – História. 4. Crime e criminosos – Brasil. I. Título.

03-1767
CDD – 364.1060981
CDU – 343.341(81)

Copyright © 2003 by Carlos Amorim

Projeto gráfico: Porto+Martinez
Composição: DFL
Foto da quarta capa: Jorge William/Agência O Globo

Partes deste livro foram anteriormente publicadas por esta Editora em *Comando vermelho – A história secreta do crime organizado*, do mesmo autor.

Direitos exclusivos desta edição reservados pela
EDITORA RECORD LTDA.
Rua Argentina, 171 – Rio de Janeiro, RJ – 20921-380 – Tel.: (21) 2585-2000

Impresso no Brasil

ISBN 978-85-01-05825-6

Seja um leitor preferencial Record.
Cadastre-se no site www.record.com.br e receba informações sobre nossos lançamentos
e nossas promoções.

EDITORA AFILIADA

Atendimento e venda direta ao leitor:
sac@record.com.br

ESTE LIVRO é dedicado a meus filhos.
É dedicado também à memória de meu irmão,
Sérgio.
Ele nos deixou tão cedo, que até hoje
é difícil entender o que aconteceu.

Para Mariê – essa mulher de olhos doces –, que me
faz melhor a cada dia.

PARA *TIM LOPES*, mulato inconformado com a situação do país. Foi meu companheiro de jornalismo em *O Globo*. Viveu no morro da Mangueira, no Rio – e se transformou numa figura especial.

Um repórter que não reunia as qualidades exatas para a televisão, onde terminou a carreira. Era feio, um tanto mal-encarado. Falava pouco – mas tinha um humor requintado em poucas palavras. Comia no bandejão do jornal: ganhava pouco. Mas era um dos únicos que arriscava a vida por uma boa história. Histórias que ele produziu e que outros repórteres "narraram" na televisão. Ele não era um habitante típico da TV.

Mesmo assim ganhou os prêmios. Tim Lopes morreu fazendo uma reportagem para a TV Globo, a maior rede do país.

Levou um tiro em cada pé (ou perna), para não tentar fugir. Teve o peito e a barriga cortados com uma espada samurai, um requinte de crueldade de seu algoz, o traficante Elias Pereira da Silva, um homem ensandecido que gosta de matar. É conhecido como Elias Maluco. A espada samurai sempre foi usada por ele em "ocasiões especiais", quando desejava fazer com que a comunidade, a população local, ficasse muito impressionada com uma execução.

O corpo do repórter foi carbonizado, esquartejado e enterrado no alto de uma favela na zona norte do Rio.

Tim Lopes estava condenado à morte por uma seção regional do Comando Vermelho, responsável pelo negócio das drogas no Complexo do Alemão, uma área que reúne 14 favelas. A área é comandada pelo traficante Marcinho VP, um dos líderes do Comando Vermelho Jovem (CVJ). O repórter havia denunciado a existência de uma "feira livre" para a venda de drogas. A reportagem seguinte tentava demonstrar que os bailes populares daquela parte pobre da cidade estimulavam a prostituição de adolescentes, além do consumo de drogas.

Tim Lopes foi seqüestrado na favela do Cruzeiro, em 2 de junho de 2002, e enterrado 34 dias depois, quando um teste de DNA reconheceu alguns ossos e tecidos musculares do jornalista.

No local onde foi executado, a polícia desenterrou vários fragmentos de outras vítimas da violência.

Naquele lugar há registros de 60 desaparecidos. É possível supor que o cemitério esconde mesmo dezenas de outros corpos.

O local é chamado – cinicamente – de "forno de microondas", porque os mortos são simplesmente cortados em pedaços e incinerados em barris lotados de gasolina.

Durante o jogo do Brasil com a Bélgica, na Copa do Mundo no Japão, onde logo depois conquistamos o pentacampeonato mundial de futebol – título inédito –, apareceu na torcida uma faixa com os dizeres:

"Tim Lopes, não terá sido em vão."

Ainda nesses dias, conversando por telefone com o jornalista Marcelo Pontes, assessor de imprensa do ex-ministro da Fazenda, Pedro Malan, contemporâneo – como eu – de Tim Lopes em *O Globo*, ouvi a interrogação aflita:

– O que foi que fizeram com o Tim?

O que fizeram não foi só com o Tim. Foi com todos nós.

SUMÁRIO

13   O que foi que mudou

45   *PRIMEIRA PARTE: APRISIONADOS*
47   O presídio é como uma mancha de tinta num tapete persa
75   Presos comuns traficam drogas – presos políticos traficam informação
119   A Noite de São Bartolomeu – é hora do massacre

141   *SEGUNDA PARTE: UMA FALSA LIBERDADE*
143   O Bando do Cordão de Ouro
177   De novo, o novo ano vermelho
211   Os colombianos querem sócios locais: vai começar a guerra
239   Toninho Turco está morto – bola pra frente!

259   *TERCEIRA PARTE: A INDÚSTRIA DO CRIME*
261   Do mesmo lado da cerca!
307   Todo dia morre um – é a lei do CV
337   A seleção brasileira do crime
369   Salve, Federação!
449   Um grito parado no ar
457   Fotos e documentos
459   Agradecimentos
461   Índice onomástico

O QUE FOI QUE MUDOU

NO MEIO DA NOITE, prédios públicos são atacados com rajadas de fuzis automáticos e metralhadoras. Bombas explodem em frente a repartições públicas. Comboios de homens armados percorrem as ruas depois da meia-noite. Param o trânsito em grandes avenidas, saqueiam – pessoas são mortas sem nenhuma razão. Magistrados são emboscados e mortos a tiros. Funcionários de alto escalão são ameaçados. Pelo mar chegam armas e drogas. É o cenário de uma guerra que não se quer admitir. Escolas, comércio e bancos fecham a mando de meninos descalços, que se dizem porta-vozes de grandes traficantes e bandidos. Todos obedecem. Inimigos dos bandos armados são apanhados, julgados e executados sumariamente. Os policiais escondem suas identidades e se protegem atrás de barricadas. Trinta mil presos chegam a se rebelar de uma só vez, atendendo ao comando de uma liderança de cinco homens.

Agora não é mais uma ameaça. A sombra ganhou contornos próprios. Porque o crime organizado no Brasil é uma realidade terrível. Atinge todas as estruturas da sociedade, da comunidade mais simples, onde se instala o traficante, aos poderes da República. Passa pela polícia, a justiça e a política. A atividade ilegal está globalizada e o país é um mercado privilegiado no tabuleiro do crime organizado. Estamos tão envolvidos, que a velha máxima de "Big" Paul Castellano, o poderoso chefão da Família Gambino, a maior e mais influente da Máfia de Nova York, tem por aqui um significado profético:

– Não preciso mais de pistoleiros. Agora eu quero deputados e senadores.*

Investigações oficiais mostram que gente eleita pelo povo se envolve com tráfico e matanças. A expansão da atividade criminal do país se dá numa velocidade epidêmica. Pior: é uma epidemia para a qual não se conhece direito o melhor remédio. É tão grave que levou o general Alberto Cardoso, ministro-chefe do Gabinete de Segurança Institucional da Presidência da República, a declarar ao jornal *O Globo* de 23 de agosto de 2000:

– Quando digo que estamos perto de um ponto de não-retorno, quero dizer que está muito avançado o problema da violência no Brasil.

O ex-presidente Fernando Henrique Cardoso, em fim de governo, ao dar entrevista ao programa *Canal Livre*, da Rede Bandeirantes de Televisão, chegou a dizer:

– Quando assumi o governo (em 1994), o problema era a inflação. Era a minha prioridade. Agora o problema é a violência e a segurança pública.

O governo do socialista Luís Inácio Lula da Silva, do Partido dos Trabalhadores, eleito com a terceira maior votação da história da humanidade, ainda não tem um plano de combate ao crime organizado e não desenvolveu uma política de segurança para o cidadão. As vítimas da violência no Brasil, anualmente, somam mais do que as pessoas mortas em todas as guerras pós-Vietnã. A guerra devastadora dos Estados Unidos contra Saddam Hussein, travada quando escrevi esta abertura do livro, não matou por dia mais do que nós matamos aqui mesmo, neste dito "paraíso tropical".

---

*No inesquecível filme de Francis Ford Copolla, *O poderoso chefão*, "Big" Paul Castellano é o personagem de Marlon Brando, *don* Corleone. A Família Gambino foi apresentada como Corleone, em razão da sua origem na cidade do mesmo nome na Sicília. Durante décadas, Paul Castellano comandou a mais importante facção da Máfia em Nova York. Morreu num atentado a tiros, numa pizzaria em Manhattan, durante uma guerra entre as quadrilhas da Cosa Nostra. A frase, para os brasileiros, soa familiar. Há muitos pistoleiros, e o crime agora sente falta de legisladores.

Mas o caos não é privilégio brasileiro. O governo americano acaba de criar um "ministério da defesa interna" (curiosamente, o mesmo nome de um ministério da ditadura Pinochet, no Chile), cuja tarefa é combater o terrorismo e o tráfico de drogas. Lá já se pensa em fichar qualquer pessoa, especialmente os estrangeiros, que se habilite a alugar casas e apartamentos. Pensam até em tirar impressões digitais de todos os residentes nos Estados Unidos que tenham origem árabe. O terrorismo e as drogas – associados à imigração clandestina – levam as nações européias a endurecer suas leis. O que antes era generosa hospitalidade, vira caso de polícia. Talvez tudo tenha ido longe demais.

O Brasil – infelizmente – não está preparado para enfrentar o crescimento da violência urbana e do crime organizado. Às polícias falta treinamento, equipamento adequado, salários capazes de frear a corrupção e o envolvimento direto de policiais nas organizações criminosas. O Código Penal é dos anos 40 do século passado. Como lembra o jornalista Fernando Mitre, no *Jornal da Tarde*:

"O Código Penal é de um tempo em que as maiores ameaças à segurança pública eram a navalha e a capoeira."

Certamente, as leis brasileiras não estão adequadas a um país onde a televisão mostra que as favelas e bairros pobres são dominados por bandos armados até com metralhadoras antiaéreas e foguetes. O mesmo armamento que aparece nas imagens do conflito no Oriente Médio é visto na periferia de São Paulo e nos morros do Rio de Janeiro. Desde que publiquei a primeira parte desta reportagem, com seguidas edições entre 1994 e 2000, muita coisa mudou e é difícil acompanhar todos os desdobramentos. O tráfico de drogas, o contrabando de armas de guerra e as operações de lavagem de dinheiro se tornaram o negócio de maior liquidez do planeta.

Depois da publicação da primeira versão desta investigação, intitulada de *Comando Vermelho – A história secreta do crime organizado*, as pessoas me faziam insistentes perguntas. "Você não teve medo de alguma represália?" Esta foi a pergunta mais freqüente. A resposta é não. Entre os criminosos citados na reportagem, nenhum se sentiu ofendido ou caluniado. Toda a narrativa que os envolvia estava apoiada em fatos e documentos. Além do mais, os homens do Comando Vermelho são orgulhosos do que fazem – e aqui não coloco nenhum juízo de valor. Entre a bandidagem, é comum o sujeito dizer "já matei tantos" ou "já roubei tanto". Nós olhamos para isto com as lentes do mundo civilizado – e esquecemos que lá embaixo, no porão da sociedade, as regras são outras. Falta civilização. Na cadeia, o sentenciado faz questão de revelar – a todo momento – que é um bandido de carreira, com extensa folha penal. Isto o ajuda a obter respeito dos demais. É um método de sobrevivência. Na rua, a carreira ajuda nos negócios. O outro vai pensar duas vezes antes de tentar enganar alguém com fama de profissional do crime.

Quando a primeira versão desta reportagem veio a público, em setembro de 1994, passou a ser freqüente a apreensão de alguns de seus exemplares junto com armas e drogas, durante operações policiais. Pelo que pude ler em jornais e ver na televisão, ao longo desses anos, o livro se transformou num *best seller* no mundo do crime. Em fevereiro de 2001, o *Band Cidade*, jornal local da Rede Bandeirantes de Televisão, em São Paulo, mostrou o resultado de uma ação policial contra o crime organizado. Além de fuzis, granadas, metralhadoras e pistolas, foi encontrado um exemplar do livro num aparelho do Primeiro Comando da Capital – o PCC –, organização que trilha a mesma estrada do Comando Vermelho. Entusiasmado com a matéria, o repórter disse:

– Junto com as armas de grosso calibre, telefones celulares e uma contabilidade relacionada ao tráfico de drogas, a polícia apreendeu um exemplar do livro *Comando Vermelho*, da facção criminosa do Rio.

O repórter não se deu conta de que o livro não era *da* facção criminosa, era *sobre* o Comando Vermelho. Pequena diferença semântica que me causou silencioso constrangimento.

Mas não é certo imaginar que só o tráfico de drogas se interessou pelo livro. Foi tema de conferências na Universidade Federal do Rio de Janeiro, na Câmara Americana do Comércio, na Escola Superior das Polícias Militares e no Centro de Formação de Oficiais do Estado-Maior das Forças Armadas. Pode ser encontrado nas bibliotecas do Congresso americano e da Casa Branca. Sei disso porque um amigo, o jornalista Geneton de Moraes Neto, do Canal GNT, fez a pesquisa em Washington. *Comando Vermelho – A história secreta do crime organizado* também está nas prateleiras da Drug Enforcement Administration (DEA), o órgão da justiça americana encarregado de combater o narcotráfico. Está nas mesas de alguns executivos do FBI, hoje envolvidos no chamado "Plano Colômbia", que pretende enfrentar a guerrilha e a produção de cocaína naquele país vizinho ao Brasil, mesmo com a ameaça de uma "vietnamização" do conflito. Tenho informações diretas, cuja fonte não posso revelar. Repórter tem dessas coisas. Uma boa informação às vezes é obtida em troca de alguns segredos.

A publicação obteve repercussão internacional. Houve comentários e reportagens no *The New York Times* e no *Miami Herald*, americanos; no *The Globe and Mail*, canadense; na revista alemã *Der Spiegel* e na televisão sueca. O melhor é que o livro terminou sendo referência bibliográfica de um estudo das Nações Unidas sobre a violência e a recuperação de sentenciados na América Latina. O Ilanud (Instituto Latino-Americano das Nações Unidas Para a Prevenção do Delito e Tratamento do Delinqüente) cita o livro como fonte de informação. Isto poderia fazer com que o autor se sentisse lisonjeado, recompensado, envaidecido. Mas não é assim. Tento estabelecer um nexo histórico na questão do crime organizado e da violência urbana. Tento descrever e analisar, o menos subjetivamente possível, a questão do terror imposto ao meu país. Hoje vivemos com medo – um medo que decorre, diretamente, dos últimos vinte anos de crescimento da miséria e da desesperança. Não tenho nenhum orgulho especial de ter escrito este livro. Quem o lê, num país de poucos leitores, talvez tenha a impressão de que esta é uma história de mocinhos e bandidos. Certamente, não é.

A crise da violência, da imensa influência das drogas em nosso cotidiano, não é um assunto afastado dos leitores. A droga está nas escolas, dentro das salas de aula, na vizinhança. Com ela, a violência. As estatísticas policiais mostram que a cocaína e o crack – a mais suja de todas as drogas – estão presentes em 70% dos crimes violentos. Para se drogar, rapazes da classe média já roubam e matam. Roubam os próprios pais. Nos últimos cinco anos, a crônica polícial brasileira registra um número crescente de adolescentes de famílias abastadas envolvidos com o crime. Meninas-mulheres de bandidos, agora é moda. Uma cultura do crime e do terror já está estabelecida em amplas camadas de jovens brasileiros. Nos bailes *funk* e nas festas *rap*, a juventude grita: "pega o X-9, bota no pneu". Numa tradução literal desse idioma, o verso significa: "pega o informante da polícia e queima ele com pneus". Um dos mais expressivos cantores e compositores desta nova tendência musical tem 28 anos e é morador de um bairro pobre controlado pelo Comando Vermelho, a Cidade de Deus, tornada famosa no cinema, na zona oeste do Rio. Atropelado pela ignorância da censura oficial, que quase o prendeu, MV Bill documenta em sua poesia crua, na letra de "Soldado do morro":

"Na·vida que eu levo eu não posso brincar,
eu carrego uma nove (milímetros) e uma HK (Heckler Koch G3,
fuzil automático alemão).
Se pá e se pan , eu sou mais um soldado morto.
Vinte e quatro horas de tensão,
ligado na polícia, bolado com os alemão (inimigos).
Disposição até o osso.
Tem mais um pente (de balas) lotado no meu bolso.
Qualquer roupa agora posso comprar.
Tem um monte de cachorra (meninas) querendo me dar.
De olho grande no dinheiro, esquecem do perigo."

A poesia e a literatura populares no Brasil sempre foram um registro histórico do modo de vida. É assim desde os tempos do cangaço, quando os repentistas nordestinos cantavam as glórias e os horrores da questão dos excluídos do meio rural. Hoje os excluídos estão em toda parte. O azar é que milhares deles estão de armas na mão. E são muito mais numerosos do que os parcos cangaceiros que percorreram o sertão. São muito mais organizados também. Dispõem de tecnologia, atuam na Internet. Têm muito menos a perder. Estão na vizinhança. Só no bairro do Morumbi, em São Paulo, com uma das maiores concentrações de renda da capital paulista e do país, há 14 favelas. No Rio de Janeiro, espelho do Brasil no exterior, há mais de 600 neste novo milênio. A população de rua no Brasil só pode ser somada em centenas de milhares. Aquele que tem alguma coisa convive lado a lado com quem não tem nada. Isto é – explicitamente – a razão do aumento da criminalidade. Acredito que estamos vivendo uma situação que contraria os clássicos. Não é uma luta de classes. É uma guerra civil, não declarada, entre os que têm alguma coisa e os que não têm nada. É um confronto de largo espectro social, entre aqueles que esperam alguma ascensão e aqueles outros que não esperam mais nada. O criminoso é um exemplo do extrato social modificado. Virou uma categoria própria. Nas comunidades pobres, onde as leis estabelecidas não são vigentes, o criminoso é aceito como categoria social do bairro. Um bandido que fugiu espetacularmente da cadeia em São Paulo, usando um helicóptero seqüestrado, exigiu dos jornalistas:

– Não me chamem nem de bandido nem de marginal: eu sou um criminoso, um elemento da criminalidade.

O autor da frase esclarecedora é Dionísio de Aquino Severo, 42 anos, assaltante de bancos e seqüestrador, filiado ao Primeiro Comando da Capital (PCC), a organização de delinqüentes que seguiu o exemplo do CV em São Paulo. Recapturado, foi apresentado à imprensa com pompa e circunstância. Irônico, sorridente, tratava os repórteres como seres inferiores. Até que Sandro Barbosa, da Rede Bandeirantes, perguntou:

– Você se inspirou na fuga do Escadinha? (Luís Carlos dos Reis Encina, o Escadinha, um dos fundadores do CV, escapou de helicóptero do presídio da da Ilha Grande, o berço do Comando Vermelho.)

E o bandido respondeu:

– Ah, finalmente, uma pergunta inteligente!

Dionísio de Aquino foi levado para o Centro de Detenção de Belém, cadeia dominada pelo Primeiro Comando da Capital. Quatro dias depois, foi esfaqueado até a morte. Justamente na véspera de prestar um depoimento sobre o assassinato do prefeito de Santo André, Celso Daniel, na Grande São Paulo, vítima de um seqüestro. Todo mundo acha que foi "queima de arquivo". A polícia assegura que foi "briga entre facções".

A moderna sociedade brasileira está dividida. O desemprego, que atinge 12 milhões de trabalhadores qualificados, e a violência, que mata mais do que uma guerra de verdade, são o pesadelo atual. O conflito instalado no país desenha cenários aterradores. Um garoto que fumou crack, aos dez anos de idade, investe armado contra um "empregado rico", que ganha 400 dólares por mês. Nessa guerra, não há vencidos, nem vencedores.

É necessário registrar um erro de interpretação que cometi ao longo das cinco primeiras versões desta reportagem. Pela análise dos acontecimentos passados, acreditava que o tráfico de drogas iria ampliar a relação simbiótica com as comunidades pobres. Por autodefesa e por instinto. Anos após a publicação deste material, isto não se verifica. As lideranças do crime organizado, intimamente relacionadas com populações carentes, foram encarceradas, mortas e substituídas por uma nova geração de traficantes. Agora é a terceira geração de traficantes. Estes acreditam mais no terror puro e simples do que na cooperação com o meio em que vivem. Depois de pouco mais de 20 anos de tráfico organizado, está no poder uma gente cuja média de idades é inferior a 30 anos. Além do mais, o negócio da droga no Brasil ultrapassou as fronteiras do crime comum e chegou ao sistema financeiro e aos figurões da política. Nos anos da formação do Comando Vermelho, ali pelo início da década de 80 do século passado, éramos um simples corredor de passagem da cocaína colombiana para os Estados Unidos e a Europa, com alguma venda local. Muitos acreditam que somos agora o segundo mercado consumidor em todo o mundo, seguindo os Estados Unidos bem de perto. Os olhos dos barões mundiais do tráfico nos olham fixamente.

Nesse momento, o bandido da favela é o de menos – o que importa são os grandes negócios, envolvendo milhões de dólares anualmente. Um estudo da ONU assegura que os números globais do tráfico estão entre 600 e 800 bilhões de dólares a cada ano. Em 1993 – e não faz tanto tempo assim – a contabilidade do mundo das drogas somava 360 bilhões de dólares. Dobrou em uma década.

Não há como movimentar tais quantias sem o sistema financeiro, o mercado de capitais e as grandes operações de lavagem de dinheiro. Os nossos "chefões do crime organizado" viraram fichas pequenas no mundo dos narcóticos. Ainda comandam a distribuição no varejo, mas não sabem mais quem são os seus patrões. Um importante investigador do crime organizado, o inglês Peter Lilley, consultor de segurança de grandes corporações mundiais, afirma que o dinheiro ilegal em circulação no planeta alcança a cifra extraordinária de 1,5 trilhão de dólares. Três vezes mais do que o produto interno bruto brasileiro. (E o Brasil está entre as dez maiores economias do planeta.) Tal quantidade de dinheiro não poderia ser movimentada fora dos sistemas bancário e de capitais em escala global. Simplesmente, porque não existe essa quantidade de dólares em papel-moeda. Não dá – definitivamente – para colocar 1,5 trilhão de dólares sobre uma mesa. É dinheiro envolvido nas grandes operações de lavagem do tráfico de drogas, do contrabando internacional de armas de guerra e possivelmente do terrorismo. Só para se ter uma idéia: com 25 milhões de dólares é possível comprar, no mercado negro das armas, uma bomba atômica de um megaton, igual àquela que destruiu Hiroshima. Em seu livro *Negócios ilícitos transformados em atividades legais*, Peter Lilley escreveu:

A ascensão do crime organizado é hoje um fato aceito, ainda que lamentável, nos negócios realizados em todo o mundo. As enormes massas de dinheiro geradas por essas atividades precisam ser legitimadas pela lavagem e incorporação nos sistemas bancários e empresariais internacionais. Paralelamente, ocorrem a globalização e a internacionalização dos mercados, a sofisticação da tecnologia de informações e o aparecimento de ambientes políticos e econômicos inseguros, em regiões como a antiga União Soviética. Os criminosos estão explorando todas essas tendências e operando na vanguarda, para garantir que sejam lavados os recursos ilegalmente gerados. Avaliou-se, por exemplo, que a indústria de drogas ilegais movimenta 400 bilhões de dólares por ano (e este número é mais modesto do que os estudos da ONU) – o que a torna mais rica do que a indústria de petróleo e gás natural. As drogas têm 400 milhões de clientes regulares. Duzentos bilhões de dólares são lavados com sucesso a cada ano, no mundo todo.

O Programa das Nações Unidas para o Controle Internacional de Drogas (UNDCP) informa que a Colômbia, que em 1990 tinha 40 mil hectares de lavouras de coca, tem atualmente 122,5 mil hectares de área plantada com a matéria-prima da cocaína. Em todo o mundo, diz o estudo publicado pela *Folha de S. Paulo*, em 31 de janeiro de 2001, há 144 milhões de consumidores de maconha, a droga tida como a mais leve de todas. Esta projeção, no entanto, torna a maconha a droga ilegal de maior alcance.

Vinte anos depois da instalação do crime organizado no Brasil, cujo marco é a fundação do Comando Vermelho nos porões do presídio da Ilha Grande, não cabem mais ilusões. O bandido que comanda a boca-de-fumo nas favelas do Rio, ou os pontos de venda de drogas na periferia de São Paulo, é agora só a ponta aparente do *iceberg*. A face oculta do crime, em escala mundial, está em suntuosos escritórios do império das finanças. Um corretor que diga ao seu cliente que ele pode obter uma remuneração de 40% numa aplicação de curto prazo, sem fazer muitas perguntas, mas com garantias de retorno, dificilmente vai encontrar resistência. E possivelmente não será questionado: "Isso é legal?" O negócio pode até parecer não ser muito ortodoxo, mas na linguagem do mundo das finanças é "bom". O investimento de um milhão de dólares pode se transformar em 1,4 milhão de dólares em 40 dias. Um por cento ao dia, em dólares. A "aplicação" do investidor, pessoa séria e bom cidadão em seu país, pode estar sendo realizada nas lavouras de coca da Colômbia. Ou nas plantações de papoula – a matéria-prima do ópio – na

Ásia Central e no Extremo Oriente. Pode também estar sendo aplicado no tráfico de fuzis automáticos para as guerras étnicas da África. Por que não no terrorismo islâmico? Por que não na periferia de São Paulo?

No final do governo FHC, no Brasil, o então presidente do Banco Central, Armínio Fraga, em declaração ao jornal *O Globo*, disse que é preciso acabar com os paraísos fiscais, classificados como "esconderijos fiscais". Mas a diretora de fiscalização do BC, Teresa Grossi, apresenta uma versão *light* para o envolvimento do sistema financeiro na lavagem de dinheiro. Para ela, "os casos detectados até agora (no país) envolvem profissionais da instituição e não o banco". Entre 1999 e 2001 – contrariando o otimismo de Teresa Grossi – o Banco Central recebeu 4.051 comunicações dos bancos a respeito de indícios de lavagem de dinheiro. Parece um número um tanto absurdo de "profissionais das instituições". Ainda segundo o BC, 200 remessas diárias de dinheiro para o exterior são monitoradas. Ou seja: a bagatela de 63.400 transferências por ano, aproximadamente, descontando sábados e domingos. Mas esta soma, seguramente, não inclui movimentações eletrônicas, feitas por Internet ou telefone. Não significa que tudo isso seja ilegal, mas dá uma boa idéia do tamanho da encrenca.

Em 12 de novembro de 1999, numa entrevista publicada no jornal *O Globo*, o presidente Fernando Henrique Cardoso, sob o título "FH: Temos que pegar os donos do narcotráfico", garantia:

> *Existe efetivamente um início de enraizamento* (do narcotráfico, do crime organizado nos setores político e governamental), o que me preocupa muito. Você vê policiais envolvidos, políticos envolvidos, às vezes com mandato, pessoas ligadas à Justiça sendo acusadas. Para a sorte do Brasil, esse enraizamento não atingiu os níveis mais elevados de nenhuma dessas instituições. Mas pode, se não atuarmos.

Com uma tal declaração do próprio ex-presidente da República, vale perguntar: qual nível mais elevado resta atingir? No ano de 2003, surgiram denúncias de que, no Supremo Tribunal, sentenças eram vendidas para o crime organizado, libertando, por meio de *habeas corpus*, notórios traficantes, em troca de impressionantes quantias de dinheiro. A contaminação, entre os integrantes da Justiça, aparece nos jornais como fato consumado.

O governo brasileiro faz alguns esforços para combater o narcotráfico. É verdade. A Polícia Federal é recordista continental na apreensão de cocaína e maconha. O delegado Ronaldo Urbano, vice-diretor da Divisão de Repressão a Entorpecentes da Polícia Federal, afirma que foram apreendidas 146 toneladas de maconha e 8,4 toneladas de cocaína em 2001. Números semelhantes se repetem em 2002. Mas nossos governantes – apesar das tímidas Comissões Parlamentares de Inquérito e das operações militares de fronteira – não se dão conta de que a droga, nesses dias, é um tipo de comércio que supera o da construção civil, estaleiros e grandes setores da indústria. É uma das atividades econômicas mais rentáveis da Terra. Na prática, o governo continua a ver o problema como uma simples questão policial, quando é um desafio de sobrevivência e de soberania. No mundo real, aquele ao qual os governantes não estão muito habituados, os sinais de trânsito se tornam armadilhas para as pessoas comuns, os prefeitos são assassinados, os grandes publicitários são seqüestrados (de Roberto Medina, atacado pelo Comando Vermelho, a Washington Olivetto, vítima de uma organização internacional), os animadores de televisão viram alvos ocasionais. Como a ciranda da violência não pára, optei por um marco nesta nova pesquisa sobre a criminalidade e a violência urbana: a rebelião de presos em Bangu Um, no Rio de Janeiro, em 11 de setembro de 2002, com alguns desdobramentos até abril de 2003. Se não houvesse uma limitação no campo da pesquisa, não haveria como entregar este livro aos leitores. Mesmo assim, pretendi salpicar alguns acontecimentos recentes, como o assassinato do repórter Tim Lopes, até o último momento. Já caíram bombas americanas sobre Bagdá. As vias expressas do Rio de Janeiro, ocupadas pelo exército este ano, estão devolvidas ao terror. Ao entardecer, o cidadão comum evita circular pelas principais vias de acesso à mais famosa cidade do país. As empresas de frete terrestre planejam suas viagens considerando que os caminhões vão chegar ao Rio de Janeiro com a luz do dia. Porque, à noite, o poder público não pode assegurar as cargas e as pessoas.

Recentemente, assistimos ao surgimento de uma nova organização de criminosos comuns, o Primeiro Comando da Capital (PCC), incrustado nas cadeias paulistas, repetindo literalmente a experiência do Comando Vermelho, em detalhes que veremos ao longo desta reportagem. Acompanhamos – perplexos – a trajetória espantosa de Fernandinho Beira-Mar, bandido da Baixada Fluminense que ganhou o título de "maior traficante da América do Sul". Preso pelo exército colombiano, em abril de 2001, foi comparado a Pablo Escobar, o legendário chefe do Cartel de Medellín. É um exagero? Fernandinho Beira-Mar adquiriu uma notoriedade absolutamente fora de série. Em junho de 2002, o presidente norte-americano George W. Bush assinou um decreto considerando Beira-Mar uma ameaça à segurança pública dos Estados Unidos. Ele pode ser processado pela Suprema Corte americana e condenado a 30 anos de prisão, com uma multa adicional de 10 milhões de dólares. O crime é tráfico internacional de drogas. Outros seis estrangeiros também estão apontados no decreto presidencial. Nesta lista já estiveram Pablo Escobar, os irmãos Gilberto e Miguel Rodríguez Orejuela, do Cartel de Cali, e o chefe do cartel de Tijuana, no México, Ramon Eduardo Arellano-Felix, que morreu num choque com a polícia de Mazatlan, no México, no dia 10 de fevereiro de 2002. A história de Fernandinho, com toda essa notoriedade, também será detalhada neste livro. Os homens ligados à inteligência da polícia do Rio garantem que ele movimenta 240 milhões de dólares por ano. É, provavelmente, o maior traficante brasileiro, expoente do Comando Vermelho, com influência no Paraguai, na Bolívia e na Colômbia. Mas Pablo Escobar foi o maior traficante do mundo. Vamos reivindicar, num futuro próximo, mais este título, além de pentacampeão mundial de futebol? A operação criminosa de Fernandinho Beira-Mar rende, segundo a polícia, quatro milhões de dólares de lucro líquido por mês, cerca de 44 milhões de dólares por ano. Sem impostos. É uma das mais rentáveis empresas do país.

O berço do Comando Vermelho, o presídio da Ilha Grande, na baía de Angra dos Reis, não existe mais. Foi implodido durante um fim de semana, quase em segredo. A pressa foi muita. A penitenciária foi demolida à força de dinamite, sem que se tirasse o equipamento das cozinhas, as portas, grades, instalações sanitárias. Veio tudo abaixo numa manhã chuvosa de domingo, em 1995, sem imprensa, bem longe das câmeras. (Só a Globo e a Band têm alguns segundos de imagens da demolição.) As primeiras informações davam conta de que um grupo hoteleiro internacional estava trocando aquela área pela construção de cinco novos presídios no continente. Até hoje isso não aconteceu. Até agora não se tem uma explicação oficial para o assunto. Com o fim do "Caldeirão do Diabo", como era conhecido o pior presídio brasileiro, a Ilha Grande agora só é lembrada pelas milionárias mansões de seus veranistas. Entre elas estão algumas das maiores fortunas brasileiras. O presídio era um problema naquela ilha. Foi reduzido a cinzas, repentinamente. Dele não sobrou nada. Nem houve a cobertura jornalística necessária. Os donos de jornais, revistas e televisões tinham casas na ilha. Ficaram todos em silêncio.

Durante os últimos anos, tenho me dedicado a aprofundar a pesquisa sobre o crime organizado. Mas, ao rever e atualizar o texto, me veio a vontade de reafirmar algumas questões que vêm desde a primeira edição. Esta não é uma obra de ficção. Todos os nomes, datas e locais são verdadeiros. Algumas informações que surgem nesta reportagem partiram de pessoas que preferem não ser identificadas. Gente que por alguma razão se sente em perigo ou vulnerável à justiça. Nestes casos, optei por checar as informações com outras fontes ou documentos que pudessem ser citados. Durante doze anos recolhi depoimentos, opiniões e dados oficiais sobre o Comando Vermelho. (Agora esta conta chega a mais de 20 anos e inclui várias outras organizações.) Houve momentos em que foi necessário descer ao submundo para ouvir uma história original. Foi preciso andar pelas favelas, olhar de perto a cara do crime. (O crime que olhei de frente foi o crime avulso, pequeno, hoje quase desimportante. O inimigo público número um há bastante tempo não está mais nas favelas.)

A idéia da pesquisa surgiu depois que assisti a uma violenta batalha entre policiais e uma das quadrilhas ligadas à primeira formação do Comando Vermelho. No final, havia centenas de homens da lei contra um único bandido. Ele resistiu durante onze horas, num pequeno apartamento da Ilha do Governador, no Rio de Janeiro, cercado pelo que havia de melhor na polícia carioca. Uma cena iraquiana. Quatro mil tiros foram disparados. A intensidade do combate e a determinação do assaltante de bancos deixaram em minha mente uma pergunta que levei muito tempo para responder: por que alguém desiste de viver apenas para manter de pé um juramento de lealdade entre criminosos comuns? Não é fácil entender. O tiroteio da rua Altinópolis revelou pela primeira vez ao grande público a existência do Comando Vermelho. O ano era 1981. E o Comando Vermelho foi a primeira forma de organização do criminoso comum no Brasil. Agora existem muitas outras, mostrando que o crime continua num processo de organização tão rápido que é difícil de acompanhar.

Mudanças ocorreram, ao longo desses anos. Mas fico feliz de poder dizer que nenhuma das fontes originais da história sofreu qualquer tipo de constrangimento ou represália. De 1994 para cá, vários personagens deixaram a história. Miguelão, chefe dos cabos eleitorais da campanha do ex-governador do estado do Rio, Wellington Moreira Franco, foi assassinado a tiros. Uma típica queima de arquivo. José Carlos Gregório, o Gordo, legendário bandido carioca e fundador do Comando Vermelho, também foi morto. Denir Leandro da Silva, o Dênis da Rocinha, encontrou morte violenta no interior do presídio de segurança máxima Bangu Um. Ernaldo Pinto de Medeiros, o Uê, expoente da criminalidade, foi morto em 11 de setembro de 2002, durante uma rebelião no presídio de Bangu Um. Willian da Silva Lima, fundador do CV, está em liberdade, depois de quase 30 anos em regime penal fechado. José Carlos dos Reis Encina, o Escadinha, encontrou o benefício do regime semi-aberto e deve se livrar completamente em pouco tempo. No dia 26 de fevereiro de 2003, o traficante Adilson Balbino, rival histórico dos "vermelhos", também morreu numa emboscada.

Gente sai e gente entra nesta história que parece não ter fim. Agora personagens novos ganham espaço na mídia e no submundo: José Márcio Felício, o Geléia, ou Geleião, comandante do PCC paulista. Ele liderou a maior rebelião de presos da história das cadeias no país, organizando a revolta simultânea de 29 penitenciárias no estado de São Paulo. A principal arma envolvida era um telefone celular. (O mesmo tipo de aparelho utilizado pela Al Qaeda, de Osama Bin Laden, para coordenar o ataque ao World Trade Center.) Através de uma terceira pessoa, que esteve com o líder do PCC na prisão, perguntei se era verdade que a organização paulista e o CV carioca estavam juntos. A resposta foi breve:

– Estamos associados. É tudo que posso dizer agora.

(Geléia e seu companheiro, César Augusto Rosa da Silva, o Cesinha, foram expulsos da organização em dezembro de 2002, depois de uma violenta disputa pelo poder no PCC. Os novos líderes são Marcos William Camacho, o Marcola, e Julinho Carambola. Este último seria agora o elo de ligação entre o grupo paulista e o Comando Vermelho.)

Associados. Uma expressão comercial. É assim, reunindo interesses diferentes, às vezes divergentes, que as organizações do crime são construídas. Ao ser transferido de São Paulo para o Rio, onde esteve por alguns meses no presídio de Bangu Um, que reúne a elite da bandidagem carioca, José Márcio Felício declarou:

– Agora vou fazer o meu doutorado no crime.

A frase parece uma analogia à expressão dos velhos revolucionários bolcheviques: a prisão é a universidade do revolucionário. Em nossas cadeias, os presos freqüentam, de fato, uma universidade do crime.

O objetivo deste trabalho é revelar os bastidores do crime organizado no Rio de Janeiro e em São Paulo, além de suas ramificações no país e no exterior. Uma história que muitas vezes coloca o criminoso, o político e a lei do mesmo lado da cerca. Hoje, estranhamente, existe no Rio uma organização criminosa chamada Amigos dos Amigos (ADA), formada por ex-militares das tropas especiais do exército e dos Fuzileiros Navais (o governo reconhece 12 casos), policiais, ex-policiais expulsos das corporações e traficantes. É o braço direito – e armado – do Terceiro Comando, arquiinimigo do Comando Vermelho desde os tempos da Ilha Grande. A ADA foi construída pelo traficante Celso Luiz Rodrigues, o Celsinho da Vila Vintém. O Terceiro Comando foi reorganizado por Ernaldo Pinto de Medeiros, o Uê. Condenado a 277 anos de cadeia, pena que ele cumpriu em Bangu Um até ser assassinado na rebelião de 11 de setembro de 2002. Chegou a ser o responsável pelos contatos internacionais do grupo, especialmente com os exportadores de cocaína da Colômbia. Dizem até que foi o tesoureiro da organização. Uê se tornou "alemão", o designativo dos inimigos do CV. O Terceiro Comando – ou 3C – chegou a conquistar, aliado à ADA, parte significativa do tráfico de drogas no Rio.

As duas organizações, juntas, controlavam algo parecido com 40% do tráfico de drogas no Rio, que é a porta de entrada da cocaína no Brasil. Pressionado, o Comando Vermelho reacendeu a guerra pelo controle das favelas e se associou ao PCC, para manter a hegemonia do tráfico em todo o país. O Comando Vermelho ainda é a maior e a mais importante das organizações do crime. Neste grupo estão os principais interlocutores com os grandes exportadores de drogas, especialmente colombianos, bolivianos e paraguaios. É também pelos corredores do tráfico do CV que chegam ao Brasil as armas de guerra. O arsenal do crime – vale lembrar – não está preocupado com a ação da polícia. Fuzis, metralhadoras, granadas e foguetes são necessários para enfrentar os grupos rivais. No alto das favelas, nos esconderijos dos bairros pobres, o Estado moderno simplesmente não está presente. Não constitui problema maior para o traficante. Em junho de 2002, a polícia descobriu que já existem fábricas de granadas do crime organizado. Munição para revólveres e pistolas é manipulada artesanalmente. Balas de fuzil são recarregadas, utilizando equipamentos importados. Por quê? Porque no mercado clandestino das armas de guerra uma simples carga de fuzil custa um dólar. Nos enfrentamentos entre as quadrilhas, em fortes tiroteios, são gastos de 500 a mil disparos. A guerra pelo controle do tráfico de drogas custa uma fortuna. É preciso criatividade para reduzir os custos. Como em qualquer empresa moderna.

Fernandinho Beira-Mar e a comissão dirigente do Comando Vermelho estão agora empenhados em unificar todo o tráfico de drogas. Um velho sonho que Pablo Escobar tentou e não conseguiu.

Na virada dos anos 70 para os 80 do século passado, um grupo de homens armados se reuniu numa vila montanhosa nos arredores de Medellín, na Colômbia. Entre eles estava Pablo Escobar, o líder de quadrilha mais bem-sucedido do mundo. Este homem fazia tanto dinheiro com a cocaína, que se deu ao luxo de construir uma cidade para a população pobre de sua terra, num lugarejo conhecido como Los Olivos. Os *descamisados* de Medellín foram morar numa área de 20 quarteirões onde havia quase tudo daquilo que faltava aos pobres: água encanada, saneamento, luz, gás – e o melhor –, casinhas brancas de três cômodos com banheiro e cozinha. Na pequena cidade de Pablo Escobar não havia crimes. Ali ele cevava a mão-de-obra para sua organização, o Cartel de Medellín. Ali ele era adorado como um santo, inclusive com retratos, medalhas e velas acesas.

Naquela reunião, Pablo explicou aos comandantes do Cartel (dizem que o encontro foi protegido pelo Exército colombiano) os planos que tinha para o futuro do negócio da droga: unificar todas as organizações do tráfico, pela persuasão ou pela força. Ele queria ser o dono do mundo branco da cocaína. Como sabemos, Pablo foi metralhado por um grupo de elite da guarda presidencial. Morreu na madrugada de uma segunda-feira, 2 de dezembro de 1993. Durante os anos 90, o Cartel de Medellín foi destruído. O Cartel de Cali – principal concorrente de Escobar – também foi destruído. O narcotráfico na Colômbia se pulverizou em centenas de pequenas máfias do pó. E assim o combate ao tráfico e à produção de cocaína se tornou muito mais difícil.

Fernandinho Beira-Mar sonha com a unificação do tráfico sob uma

32   CV_PCC *A IRMANDADE DO CRIME*

única bandeira. Luiz Fernando da Costa, garoto pobre da favela Beira-Mar, na Baixada Fluminense, o maior traficante brasileiro, está a um passo de reunir o negócio em torno de uma entidade que ele chama de Federação. Os aliados Comando Vermelho, PCC e Comando Vermelho Jovem eliminaram, na rebelião de Bangu Um, o principal líder adversário, Ernaldo Pinto de Medeiros, o Uê. Ele foi espancado, esfaqueado e teve o corpo carbonizado debaixo de três colchões que os presos queimaram. Em seguida, o traficante Celsinho da Vila Vintém, chefe da ADA (Amigos dos Amigos, como na Máfia siciliana *Amici dei tutti Amici*), se rendeu. Fernandinho Beira-Mar, numa ligação telefônica de dentro do presídio, interceptada pela polícia, exclamou:

– Tá dominado. Tá tudo dominado. As duas torres caíram.

Considerando a data de 11 de setembro, ele se referia ao atentado ao World Trade Center, em Nova York, onde as duas torres gêmeas foram derrubadas pelos homens da Al-Qaeda. A versão brasileira de Pablo Escobar comemorava a queda dos dois principais rivais – um morto e o outro dominado. Com este feito extraordinário, praticado dentro de um presídio tido como de segurança máxima, pretendia influenciar as quadrilhas atuando em liberdade. De outro lado, em São Paulo, o PCC ataca e destrói parte da Seita Satânica e do CDL, organizações ativas dentro e fora das cadeias paulistas. Os homens do PCC já eliminaram a maioria dos chefes desses grupos, assassinados em revoltas carcerárias. Na rua, o método é o de chacinar os adversários em bares e pontos-de-venda de drogas na periferia, principalmente da zona sul da capital paulista. O crime organizado em São Paulo, que se ocupava basicamente do roubo armado, entrou de cabeça no tráfico. Um homem da confiança de Fernandinho Beira-Mar, o traficante Claudair Lopes de Faria, o CL, comanda o negócio da droga nos estados de São Paulo, Paraná e Mato Grosso do Sul. A Federação estende as suas garras por quase todo o país.

O sonho de Pablo Escobar se consolida no Brasil. Por quê? Porque aqui não há centenas de milhares de produtores de coca, com seus sindicatos e organizações, nem refino de cocaína em larga escala. A questão, entre nós, é muito mais simples: vender a droga no varejo. As rivalidades, portanto, são muito menores. Pela persuasão ou pela força, a Federação cresce e se estabelece. Já tem força suficiente para produzir um "apagão" no comércio, nos transportes, nas escolas e nos bancos de uma cidade do tamanho do Rio de Janeiro, como se viu no dia 30 de setembro de 2002, quando os traficantes mandaram fechar os serviços públicos em 40 bairros da cidade. Na semana do carnaval de 2003, aproveitando a presença da imprensa mundial, os traficantes atacaram em mais de 70 pontos do Rio e da Baixada Fluminense. O motivo dos ataques foi o encarceramento em cela surda (solitária) de Fernandinho Beira-Mar e a sua posterior transferência para o presídio de segurança em Presidente Bernardes, interior de São Paulo. Nos anos 80 e 90, quando queriam pressionar as autoridades carcerárias e o sistema penal, os traficantes promoviam rebeliões e assassinatos dentro das penitenciárias. Agora estão mais ousados e atacam diretamente o poder público com atentados e ações terroristas. Juízes são mortos, diretores de presídio sofrem ameaças, tribunais são atingidos por granadas e rajadas de balas.

São Paulo é o novo cenário da expansão do crime organizado. O PCC, que se intitula o "partido do crime", é a força hegemônica. Cresce numa velocidade alucinante. Aparentemente, controla 30 mil detentos em todo o estado. É uma grife quase irresistível para o jovem seduzido pelo crime. Ser do "partido" é uma espécie de credencial que atesta a qualidade do criminoso. A sociedade certamente tem métodos, dentro dos princípios democráticos, para encontrar um conjunto de medidas que possa deter – ou tornar mais aceitável – o drama de um país acuado pela violência. Mas não parece haver muitos interessados no estudo deste fenômeno – nem dentro, nem fora do governo. Recentemente, o Planalto determinou a criação de uma força-tarefa contra o crime organizado. Mas isto só aconteceu depois que várias entidades públicas, especialmente representantes da justiça, sofreram atentados. No Rio, a sede da Prefeitura foi atacada de noite, com tiros de fuzil que quebraram muitas janelas e não feriram ninguém. A munição utilizada – incluindo duas granadas que não explodiram – era velha e enferrujada. Coisa típica de bom bandido, que guarda a boa arma para o "alemão", o inimigo no negócio das drogas. O ataque à Prefeitura do Rio levou as autoridades públicas a imaginar a decretação de uma espécie de "estado de emergência", com a suspensão de algumas garantias constitucionais. Isto não foi feito – obviamente – num ano de eleições presidenciais, em 2002. As Forças Armadas foram chamadas a ter alguma atitude. O que não aconteceu – evidentemente – num ano de eleições presidenciais. Durante a votação do primeiro turno das eleições presidenciais de 2002, quando o operário socialista-cristão Luís Inácio Lula da Silva ganhava em todas as pesquisas de intenção de voto, o Exército foi mobilizado. Colocou tanques e soldados nas ruas. Mas – o tempo todo – numa posição passiva. Estava visível, mas permanecia invisível.

Em 2003, três mil soldados foram mobilizados para deter a violência no Rio. Os bandos armados sumiram por um tempo, o que fez aumentar a polêmica em torno da participação das Forças Armadas na luta contra o crime. Os defensores da idéia apresentaram a relativa calma na cidade como forte argumento. Os que não gostaram dessa iniciativa – entre eles os próprios comandos militares – afirmaram que o equipamento e o treinamento dos soldados eram inadequados para ações tipicamente policiais. No fundo, o medo dos militares era que tenentes e capitães pudessem substituir os gerentes do tráfico, que acabariam presos ou mortos. O poder de corrupção das drogas é visto como irresistível.

Mas o pesadelo brasileiro – lamentavelmente – não se limita ao terror da violência urbana. Outra questão pouco observada é o recrudescimento da luta no campo. Conhecemos bem o Movimento dos Sem-Terra (MST), que se distraía invadindo regularmente e tomando vinho na Fazenda Córrego da Ponte, da família do ex-presidente Fernando Henrique Cardoso. Na crise do Oriente Médio, representantes do grupo, que tem financiamento mundial, estavam junto com o líder palestino Iasser Arafat, durante o cerco de Ramalah. Mas pouca gente se interessa pelo

Movimento Revolucionário dos Sem-Terra (MRST), ramo extremista que também luta pela reforma agrária no país. Este tem orientação marxista-leninista, acredita na luta armada no campo, não apenas para assentar famílias de lavradores, mas para mudar o regime da propriedade rural, de privada para coletiva. O MRST mantém contato com a guerrilha latino-americana, particularmente as Forças Armadas Revolucionárias da Colômbia-Exército do Povo (FARC-EP). Em abril de 2002, o jornalista Roberto Godoy, especialista em questões militares, publicou no *Jornal da Tarde* uma reportagem em que revela conexões do grupo com os revolucionários colombianos. Godoy entrevistou o guerrilheiro Carlos Bernardes, conhecido como Comandante Bernal. Ele é um dos dez integrantes do comando superior das FARC-EP. Na reportagem do *Jornal da Tarde*, Roberto Godoy escreveu:

> (...) De acordo com os informes da inteligência da Polícia Federal, os integrantes do MRST são submetidos a treinamento pesado em campos clandestinos instalados no Serro, município do Vale do Jequitinhonha, e em uma área de terreno hostil conhecida como Itaipu, a 400 quilômetros de Porto Velho (Rondônia). Seus recursos viriam de entidades internacionais não-governamentais, interessadas em financiar a insurgência de esquerda na América Latina. Com dinheiro na mão, o movimento revolucionário compra equipamento pesado: fuzis russos AK-47 (Automatik Kalashinikov 47) e americanos AR-15 (os conhecidos fuzis M16 do exército dos Estados Unidos), além de submetralhadoras Uzi israelenses – quase tudo fornecido por traficantes de armas leves com base no Paraguai.

Se não bastasse o MRST, existe ainda uma outra formação radical atuando no campo. É a Liga Operário-Camponesa (LOC), que costuma percorrer terras do sul do Pará, num movimento armado que já ocupou pequenas vilas e algumas aldeias. Está quase exatamente no mesmo território em que o PC do B (Partido Comunista do Brasil) instalou uma guerrilha que durou dois anos, na região do rio Araguaia, nos anos 70. A Liga Operário-Camponesa atua ainda em Rondônia, onde em julho de 1998 assaltou uma agência postal levando cerca de 46 mil reais. Nas áreas em que age, a LOC se esconde em grutas e regiões de mata fechada. O colombiano Bernal, a respeito do grupo, comenta o seguinte:

– Interrompemos as expropriações para financiamento da luta popular, para evitar que seja atribuída à organização (FARC-EP) um processo sistemático de exportação da guerrilha e do terrorismo no continente.

(Este teria sido um dos motivos da vinda ao Brasil do revolucionário colombiano, que chegou a participar de palestras no meio universitário. Desde 1998, ele atua junto a lideranças populares no país. A Polícia Federal e dois dos serviços de inteligência militar já registraram cinco entradas dele em território brasileiro.)

Em janeiro de 2003, a Divisão de Repressão ao Crime Ornagizado (DRACO) da polícia carioca iniciou uma investigação para saber se guerrilheiros das FARCs estariam infiltrados nas favelas, agindo com os traficantes. Ligações telefônicas interceptadas, em espanhol, despertaram suspeita. Todos os telefonemas partiam da área do subúrbio de Bangu – justamente onde estão os cinco presídios que concentram os detentos do Comando Vermelho. Convencida de que havia um plano para resgatar presos no Complexo Penitenciário de Bangu, utilizando explosivos (um detonador norte-americano foi encontrado numa mata próxima), a cúpula da polícia solicitou uma reunião com a governadora Rosinha Mateus. O encontro, super-reservado, foi na residência oficial. Durou a noite e parte da madrugada de uma terça-feira. Um dos delegados, da área de inteligência, participante da reunião, me contou:

– Nós dissemos à governadora que os colombianos podem ser em número de dez e estariam ali para treinar mil homens do Comando Vermelho.

Enquanto as ações terroristas se tornam mais ousadas e violentas, o secretário de Assuntos Penitenciários, Astério Pereira dos Santos, revelava ao *Jornal do Brasil* de 28 de fevereiro de 2003:

"Nós podemos ter a presença de guerrilheiros estrangeiros trabalhando aqui. Não sei se seriam colombianos, mas tudo leva a crer que sejam." As Forças Armadas Revolucionárias da Colômbia têm uma espécie de representante diplomático informal no Brasil. É conhecido como "Comandante Olivério", um ex-padre católico que representa o maior grupo guerrilheiro das Américas em nosso país. Estive com Olivério três vezes nos últimos dois anos. Ao longo desta reportagem, você vai encontrar uma entrevista com o colombiano, resultado de nossas conversas.

Ao avançar na pesquisa sobre o crime organizado no Brasil e suas ramificações internacionais, é necessário estar em um novo plano de observação, onde figuras notáveis, algumas eleitas pelo povo, quase assumem publicamente a sua relação com o narcotráfico. Um dos estados da federação, o Espírito Santo, esteve ameaçado de intervenção, porque o cumprimento da lei não estava assegurado, segundo a sede local da Ordem dos Advogados do Brasil (OAB). A questão se transformou em "briga política de ano eleitoral". O ex-presidente Fernando Henrique se meteu pessoalmente no assunto e a intervenção não aconteceu, apesar de óbvia. (O crime organizado, fortalecido com o episódio, detonaria uma bomba na sede da OAB, em Vitória, na quinta-feira 25 de julho de 2002.) Acuado, o então ministro da Justiça, Miguel Reale Jr., renunciou ao cargo. Nos últimos quatro anos, cinco ministros ocuparam a pasta da Justiça no Brasil. A propósito deste episódio, o jornalista Elio Gaspari, um dos mais ácidos críticos do governo, publicou um artigo na *Folha de S. Paulo*, em 10 de julho de 2002, sob o título "O crime ganhou e o ministro caiu":

FFHH (como o articulista gosta de se referir ao presidente reeleito em 1998) começou o fim do seu governo ao criar uma situação na qual o advogado Miguel Reale Jr. teve que escolher entre sua biografia e a permanência num cargo onde com freqüência serve-se melhor deixando-o do que nele permanecendo.

(...) Seria muita ingenuidade acreditar que os morros brasileiros produzem tipos como Elias Maluco (o traficante Elias Pereira da Silva, acusado de comandar o massacre do jornalista Tim Lopes) por geração espontânea. O crime é forte porque tem força e, por ter força, derruba ministro da Justiça. (...)

Ganhou, entre outros, o presidente da Assembléia (Legislativa) capixaba, (deputado estadual) José Carlos Gratz, ex-bicheiro assumido, do PFL. Ganhou e comemorou: Eu tinha certeza de que o pedido (de intervenção federal no Espírito Santo) seria engavetado.

No dia 11 de julho, o Conselho de Defesa dos Direitos da Pessoa Humana (CDDPH), um dos signatários do pedido de intervenção se manifestou, através de três de seus representantes:

(...) foi com extrema perplexidade que reagimos ao arquivamento da representação pelo procurador-geral da República (Geraldo Brindeiro), em 8 de julho. (...) a persistência de uma criminalidade violenta e organizada naquele Estado, que se prolonga por mais de uma década, sob o signo da impunidade; a percepção de que se encontra infiltrada em diferentes instituições estaduais; a existência de padrão grave e sistemático de violação dos direitos da pessoa humana, em virtude de dezenas de execuções sumárias e arbitrárias, bem como de ameaças de morte, em relação às quais prevalece, como regra, a impunidade; e a impossibilidade, incapacidade ou omissão das autoridades estaduais (justificariam a intervenção no Espírito Santo).

O ex-presidente Fernando Henrique Cardoso, em carta ao "amigo" e ex-ministro da Justiça se disse "traído" em todo esse episódio. Se o presidente se sente traído, como é que nós devemos nos sentir? Fica a impressão de que este é um país que convive de forma mais ou menos harmoniosa com o crime organizado. No discurso das autoridades públicas, rosnados ameaçadores – na prática, o jeitinho brasileiro vai encontrando soluções. Sob o manto da impotência oficial, o modelo do Comando Vermelho é seguido em muitos pontos do território nacional. Não apenas pelas lições de organização que tem dado, mas também porque a vida das populações pobres (e as condições dos encarcerados) pioraram muito. E porque é tamanha a desigualdade, que os excluídos praticamente são convidados ao crime.

O general Cardoso declarou:

– Uma das causas imediatas da violência nas grandes cidades é o contraste nas metrópoles, onde convivem muito próximas pobreza e riqueza, miséria e ostentação. Isto tende a criar, dentro do quadro dessa violência, ressentimentos e justificativas para se fazerem expropriações, ou seja, tirar do rico que tem muito.

Numa entrevista ao programa *Canal Livre*, da Rede Bandeirantes de Televisão, em 7 de julho de 2002, o general foi entrevistado. Tive a oportunidade de dirigir uma pergunta ao ministro da Segurança Institucional. Disse a ele que nas favelas, bairros pobres e periferias das grandes cidades, justamente onde se instala o narcotráfico, os chefes de quadrilha estavam se transformando em "prefeitos, administradores, polícia, resolvem até questões sociais". O general respondeu de forma clara e direta:

– (Nesse ponto), o Amorim tem razão. Ele tem razão.

As elites nacionais reagiram de forma cínica aos 20 anos de crescimento da violência. Protegidas nos carros blindados, por trás de sistemas de segurança, tentaram manter inalterados os seus modos de viver. Agora também são vítimas. O efetivo das empresas particulares de guarda é maior do que o das Forças Armadas. Há mais de meio milhão de guardas privados – a maioria incompetente –, alguns com antecedentes criminais. A casta privilegiada, no entanto, tem uma grande dificuldade de compreender como foi que tudo começou. E começou no desconhecimento da real situação do país, no uso eleitoral das massas populares empobrecidas. Começou na sensação de que o terror estava longe dos seus lares, localizado de forma geográfica (ou geopolítica?) nas periferias e favelas. Não é mais assim. O crime – organizado ou avulso – está em todo lugar.

40 CV_PCC *A IRMANDADE DO CRIME*

Representantes das elites são atacados com uma freqüência tão trágica quanto surpreendente. A proteção de que dispõem é frágil, diante do aparato militarizado dos bandidos. O prefeito do município paulista de Santo André, Celso Daniel (PT), mesmo estando em um carro blindado, foi seqüestrado e arrastado para o cativeiro. Depois foi simplesmente fuzilado numa estrada deserta. O executor foi um garoto de 17 anos de idade.

Mesmo assim, não é inteligente imaginar as nossas cidades separadas por muros e corredores de passagem, como querem os segmentos mais autoritários, separando pobres e ricos. Não é possível separar miséria de opulência num mesmo bairro. Não há nenhuma política do arame farpado que faça sentido. A não ser – talvez – para começar uma guerra de verdade.

Nos últimos dois anos, a cada revés sofrido na batalha urbana – ou a cada vez que as condições carcerárias se tornavam mais duras –, as facções criminosas do Rio e de São Paulo passaram a atacar diretamente os símbolos dos poderes públicos. Um desafio de caráter político e uma advertência de que estão cada vez mais fortes. Delegacias policiais foram atingidas por granadas e rajadas dos fuzis automáticos. Carros-bomba, como não se via deste o atentado ao quartel-general do então II Exército (hoje Comando Militar do Sudeste), praticado pela guerrilha dos anos 70, em São Paulo, voltaram a ocupar as manchetes dos jornais. Prédios da Justiça foram os alvos, e diretores de presídios começaram a ter parentes seqüestrados. Em pelo menos um caso, em setembro de 2000, houve um crime de morte: a diretora do presídio de Bangu Um, a cadeia de segurança do Rio de Janeiro, Sidneya dos Santos de Jesus, foi emboscada e morta a tiros na porta de casa, depois de encaminhar um dossiê à CPI do narcotráfico. Isto nos nivela à Colômbia – ou à Itália, modéstia à parte, da época dos juízes de "mãos limpas", que enfrentaram a Máfia siciliana. É bom repetir que o acontecimento mais momentoso dos últimos tempos ocorreu quando a sede da Prefeitura do Rio de Janeiro foi atacada com várias dezenas de disparos de fuzis FAL, AK-47 e AR-15.

Aconteceu quando o ex-presidente Fernando Henrique Cardoso estava na cidade, recepcionando alguns chefes de estado estrangeiros e exercitando a sua melhor faceta, a de estadista internacional. O ex-presidente apareceu nas fotos dos jornais, ao lado do prefeito do Rio, César Maia, segurando várias cápsulas de calibre 7.62. Foi nesse ponto que se iniciou uma discussão, através da mídia: é ou não é o caso de decretar uma espécie de "estado de emergência" para enfrentar os bandidos? Há quem pretenda a suspensão temporária das garantias constitucionais. A política do arame farpado. O secretário da Segurança, Roberto Aguiar, por ocasião do incidente, declarou estar um tanto espantado com o mal estado de conservação das cápsulas de fuzil encontradas. Neste mesmo dia, liguei para uma fonte de confiança na polícia carioca e perguntei o que isto poderia significar. O informante foi categórico:

– Acho que eles (os bandidos do Comando Vermelho) estavam recebendo novos estoques de munição e decidiram queimar os antigos. Como não estavam muito a fim de simplesmente enterrar os velhos, pensaram em oferecer ao país, justamente no momento em que havia delegações estrangeiras, um bom motivo de divertimento. Espetáculo pirotécnico.

Hoje vivemos num país em que os empresários – ou as pessoas simplesmente ricas – fazem seguros contra seqüestros. Alguns chegam à cifra impressionante de dois ou três milhões de dólares. Empresas de âmbito mundial, como a Control Risk, formada por ex-agentes do Mossad israelense, um dos serviços secretos mais avançados do mundo, asseguram que podem negociar qualquer situação de risco. Instruem gente de dinheiro a comprar dois carros idênticos, blindados, com vidros que impedem a visão externa. Servem para que o suposto seqüestrável escolha a cada manhã qual vai usar, sem avisar aos seus seguranças. Além disso, contam com motociclistas armados, que seguem os carros no caminho do trabalho. Estes funcionam como batedores – ou como testemunhas que podem acompanhar um seqüestro bem realizado, orientando, via rádio, as forças de repressão. Assim como os seguros de saúde, prosperam no Brasil os seguros contra ataques criminosos. Muitos deles oferecem câmeras dentro dos carros e residências, monitoradas via satélite. Vivemos uma situação realmente crítica. Quem tem algum dinheiro é uma vítima potencial. Mesmo que seja alguém que anda no serviço público de transportes – e que nem de longe sonhe em possuir um carro popular. Em São Paulo, a capital brasileira dos seqüestros-relâmpago, pessoas são abordadas em pontos de ônibus para pagamento de resgates. E levadas para inusitados cativeiros – barracas no meio do mato, por exemplo, em terrenos baldios, onde se inicia a negociação com telefones celulares pré-pagos. As somas exigidas para a libertação das vítimas giram em torno de 100 dólares. As famílias atingidas, temendo pela vida do refém, são forçadas a pedir empréstimos na vizinhança, para salvar o ente querido.

Os prejuízos provocados pela onda de violência ainda não foram completamente contabilizados. Mas somam cifras impensáveis para um país que pretende – entre outras coisas – adquirir um assento no Conselho de Segurança da ONU. (Nem conseguimos lidar com a segurança interna, mas pretendemos ajudar a policiar o planeta.) Só no estado do Rio de Janeiro, de acordo com *O Globo* de 21 de junho de 2002, as perdas já representam 10% do PIB. Algo em torno de 8 bilhões de reais por ano. Usando como referência o orçamento do estado, o número chega a inacreditáveis 44% dos 18 bilhões de reais de que a administração dispõe para pagar todas as contas, incluindo o funcionalismo, saúde, educação, segurança. O ralo por onde escoa todo esse dinheiro: pagamento de indenizações e seguros, gastos em equipamentos de segurança e blindagens que deixam de ser investidos, falências no comércio e na indústria, perdas no turismo. A lista é extensa demais para ser detalhada nesta abertura.

Apesar de todas as mudanças ocorridas desde a primeira versão desta reportagem, para que os antecedentes do crime organizado façam sentido, mantive praticamente intocada a história da primeira formação dos bandidos comuns, herdeiros da experiência da luta armada comunista dos anos 60 e 70 do século passado. É algo que vale lembrar para sempre.

Então, vamos caminhar juntos nessa aventura pela selva urbana em que o Brasil se transformou? Podemos começar pelos corredores da Ilha

Grande, berço do crime organizado. Passar pelas grandes quadrilhas de assaltantes e seqüestradores. Até chegar às associações no submundo, para jogar um pouco de luz sobre a face oculta do crime: os homens que financiam e gerenciam o mundo dos narcóticos, do contrabando de armas e da lavagem de dinheiro em larga escala.

Carlos Amorim

Abril de 2003

PRIMEIRA PARTE: *APRISIONADOS*

" Enfim, não nos enganávamos Estávamos ali para morrer. **"**

(A frase é do escritor Graciliano Ramos, anotada em *Memórias do cárcere*. Graciliano esteve preso na Ilha Grande, em 1936, sem julgamento, acusado de crimes contra o Estado Novo, a ditadura de Getúlio Vargas. É um dos mais importantes cronistas da tragédia de um presídio onde não existia nenhuma lei e nenhum respeito.)

O PRESÍDIO É COMO UMA MANCHA DE TINTA NUM TAPETE PERSA

1

A TARDE DESABA SOBRE os contornos da ilha. As últimas luzes atravessam as grades e transformam as galerias da penitenciária em um cenário de claro e escuro fantasmagórico. Anoitece na Ilha Grande. Os últimos raios do sol acrescentam esse aspecto estranho ao presídio Cândido Mendes. Cada interno que se move nos corredores deixa o rastro de uma sombra. Como se cada um fosse ele e mais um. Porque o sol, em seu afogamento nas águas do Atlântico, está agora exatamente na altura da grade das celas. Faz lembrar o entendimento das regras internas da cadeia. Tem pelo menos duas possibilidades – luz e sombra. Vida e morte. A ilha é cheia de mistérios, violência e contrastes. Aqui começa uma história que não promete o fim desejado. Mesmo quando a cadeia não existir mais, as sombras ainda vão acompanhar os martírios e as glórias de quem esteve por aqui.

É sobre este tabuleiro de sombras que o capitão anda lentamente, através dos corredores. Um velho hábito do militar, que prefere circular entre os presos e ser o primeiro a saber das novidades. Dentro de uma penitenciária, informação é artigo de primeira necessidade. Conversando aqui e ali, no interior das galerias, é mais fácil ouvir uma queixa, saber que alguém vai morrer, descobrir o que está sendo tramado para a próxima fuga. Nesse passeio solitário – e sempre desarmado – o oficial ganha a confiança dos presos. Ele é o comandante do destacamento da Polícia Militar na Ilha Grande – na prática um diretor do presídio – e sabe que a única maneira de manter a paz é negociar antes que o pior aconteça. O capitão Nelson Bastos Salmon negocia com moeda forte: o respeito mútuo.

Ao entardecer de um dia qualquer de junho de 1979, o capitão cumpre a dura rotina. Caminha pelas galerias. Ouve os próprios passos no chão de cimento que guarda as histórias que fizeram a fama dessa cadeia – uma das piores do mundo. As paredes estão sujas, marcadas pelas intermináveis infiltrações da chuva que o telhado não segura. Águas de um telhado onde faltam milhares de telhas. Os corredores e as celas são úmidos. "As paredes choram", disse, certa vez, um presidiário. E nesse início de inverno, os presos acendem pequenas fogueiras nas celas. Queimam trapos de roupas e um pouco de lenha que conseguem nas áreas externas. O presídio da Ilha Grande está no meio de uma floresta tropical.

As grades têm a ferrugem das décadas. E muitos lugares ainda exibem cicatrizes das incontáveis rebeliões e incêndios. O Cândido Mendes tem segredos: mortes violentas, estupros, o preso contra o preso, a guarda contra todos. Porque essa é uma cadeia de muitos horrores. É a mais pobre de todo o sistema carcerário do estado do Rio. Faltam comida, colchões, uniformes para os presos, cobertores para um inverno de ventos frios que vêm do mar. Faltam armas e munição para os soldados – e é comum que eles mesmos as comprem em caráter particular. Papel higiênico, aqui, é coisa de que nunca se ouviu falar.

A cadeia, construída para abrigar 540 presos, está superlotada. Os 1.284 homens encarcerados ali, no ano de 1979, se vestem como mendigos. Lutam por um prato extra de comida. Disputam a facadas um maço de cigarros ou uma "bagana" de maconha. Cocaína e armas de fogo podem ser razões para um motim. Eles compram e vendem as "moças" como mercadorias de câmbio alto. É fácil identificá-los na prisão: os homossexuais – muitas vezes rapazes subjugados pela força – raspam as sobrancelhas e os pêlos das pernas, dos braços, do peito. As "moças" sempre têm dono. Por "elas" muita gente já matou e já morreu.

É preciso coragem para andar sozinho e desarmado nesses corredores. A multidão de presidiários está condenada a penas tão longas que seria preciso inventar um novo calendário para somar todas elas. Os piores criminosos do Rio estão trancados nas quatro galerias que formam o presídio, contrariando tanto o projeto arquitetônico do prédio quanto as intenções da Justiça. A cadeia foi criada na Primeira República, quando ali existia um posto de fiscalização sanitária para os navios que podiam trazer a febre tifóide da Europa e as mazelas da África. Na década de 1920, é construída a cadeia para os presos idosos e para aqueles em fase de término da pena.

A partir de 1960, a Ilha Grande se transforma num depósito para os mais perigosos. Vira "prisão de segurança máxima". E ainda se comete o erro de juntar o bandido dito irrecuperável com o velho presidiário, que trabalha de colono nas lavouras em torno do presídio. Muitos homens condenados por crimes menores também enfrentam a convivência com o que há de pior nos arquivos do Tribunal de Justiça. A Ilha Grande ganha *status* de um curso de pós-doutorado no crime. Quem entra ladrão sai assaltante. Aquele que tentava a sorte sozinho, sai chefe de quadrilha.

O presídio é como uma mancha de tinta num tapete persa. Uma triste contradição. Ocupa cinqüenta dos 120 quilômetros quadrados de um paraíso tropical. A ilha, no mais belo trecho do litoral sul do Estado do Rio, vira a lata de lixo do sistema penal. São mais de cem praias de beleza rara. Para chegar ao presídio, uma estrada de terra se enrosca por quinze quilômetros de vales e morros cobertos pela mata atlântica. O ponto mais alto da serra está a 586 metros acima do nível do mar. Pode-se ver em toda a volta o espetáculo da Ilha Grande, onde moram quatorze mil pessoas – inclusive os condenados a viver no paraíso. De um lado, milionárias casas de veraneio; do outro, o "Caldeirão do Diabo". E, no meio, humildes vilas de pescadores que já habitavam a ilha antes da construção da cadeia. É uma mistura explosiva. Quando conseguem livrar-se dos muros de três metros de altura que cercam o presídio, os fugitivos vão direto para as lanchas dos veranistas ou para os barcos dos pescadores. O resultado óbvio: mortes, reféns, naufrágios, carne no mar para os tubarões que freqüentam algumas áreas da baía de Angra dos Reis. O livro

Exílio na Ilha Grande, escrito por André Torres, um ex-sentenciado que encontrou publicação na Editora Vozes, relata uma fuga pelo mar numa canoa furada. Experiência ímpar: a frágil embarcação afundando sob sentinela paciente das barbatanas.

A Ilha Grande ficou conhecida como "Caldeirão do Diabo", numa alusão ao presídio francês de Caiena, na Ilha do Diabo, extremo norte do continente sul-americano. Ali se tratava o ser humano como bicho, no meio da selva e do calor amazônicos. O "Caldeirão" da Guiana Francesa foi desativado em 1946, depois que um preso mundialmente famoso denunciou as miseráveis condições da colônia penal. A história de Henry Charrière – o Papillon – virou best seller internacional, com quatorze milhões de livros vendidos, e sucesso de Hollywood com o ator Steve McQueen no papel principal. Quando o livro foi publicado, o governo francês teve vergonha de manter a cadeia. Aqui, até o momento em que se dá a origem do Comando Vermelho, o nosso "Caldeirão" resistia à fama de ser uma das mais injustas penas jamais impostas a um sentenciado. O presídio da Ilha Grande era por si mesmo uma condenação adicional.

No tempo em que o Instituto Penal Cândido Mendes se chamava Colônia Correcional de Dois Rios, a Ilha Grande teve muitos prisioneiros ilustres, em geral condenados por crimes políticos no período autoritário de Getúlio Vargas ou – mais tarde – nos anos de chumbo da ditadura militar pós-64. Um deles escreveu sobre a Ilha. Em *Memórias do cárcere*, o escritor Graciliano Ramos descreve a vida no presídio:

" (...) A gente mais ou menos válida tinha saído para o trabalho, e no curral se desmoronava o rebotalho da prisão, tipos sombrios, lentos, aquecendo-se ao sol, catando bichos miúdos. Os males interiores refletiam-se nas caras lívidas, escaveiradas. E os externos expunham-se claros, feridas horríveis. Homens de calças arregaçadas exibiam as pernas cobertas de algodão negro, purulento. As mucuranas haviam causado esses destroços, e em vão queriam dar cabo delas. Na imensa porcaria, os infames piolhos entravam nas carnes, as chagas alastravam-se, não havia meio de reduzir a praga. Deficiência de tratamento, nenhuma higiene, quatro ou seis chuveiros para novecentos indivíduos. Enfim, não nos enganávamos. Estávamos ali para morrer."

Graciliano Ramos esteve na Colônia Correcional em 1936, acusado de crimes contra o Estado. Nunca foi a julgamento. Quando chegou à Colônia, foi recebido pelo encarregado da segurança do presídio. O homem fez um discurso que o escritor registrou:

"Aqui não há direito. Escutem. Nenhum direito. Quem foi grande esqueça-se disto. Aqui não há grandes. É tudo igual. Os que têm protetores ficam lá fora. Atenção. Vocês não vêm corrigir-se, estão ouvindo? Não vêm corrigir-se: vêm morrer!"

A colônia penal da Ilha Grande tinha mudado muito em todos aqueles anos. Os antigos galpões de madeira, com chão de areia e cercados por arame farpado, foram substituídos pelas galerias de três andares da penitenciária moderna. Muito da brutalidade daqueles tempos, no entanto, resistiu ao progresso.

2

NESSA TARDE DE JUNHO, o capitão Nelson Salmon não sabe que uma guerra está para começar. Uma guerra que vai dar ao presídio um recorde mundial: o maior número de mortos no interior de uma penitenciária num mesmo dia e de uma só vez. Um recorde que só foi quebrado em outubro de 1992, com a rebelião na Casa de Detenção de São Paulo, onde morreram 111 presos, quando a tropa da choque invadiu a penitenciária e promoveu um massacre até agora não explicado.

O capitão nada sabe sobre a tempestade de ódios que se aproxima. Mas daqui a pouco vai descobrir o primeiro sinal da batalha que se avizinha. O comandante segue pela Galeria D, território da Falange Zona Norte, também conhecida como Falange Jacaré. Os homens que habitam esta parte da penitenciária têm em comum a origem: favelas e bairros proletários de Del Castilho, Bonsucesso, Benfica, Jacaré – aquela área pobre e violenta da Zona Norte do Rio de Janeiro. São os mais perigosos dentro do presídio, mantêm entre si uma certa solidariedade, uma relação de autodefesa, um sentimento de gangue. E impõem o terror a bordo dessa ilha. Cobram pedágio para qualquer outro preso que queira se deslocar pela galeria. Roubam, estupram, fazem acertos com a administração para funcionar como "polícia" das celas. São odiados e – principalmente – temidos pela massa carcerária. Quem reage aos xerifes da Zona Norte tem sorte se escapar vivo.

A maioria das regalias pertence justamente a eles: o trabalho externo, o direito de circular fora dos muros, uma espécie de controle da distribui-

54   CV_PCC *A IRMANDADE DO CRIME*

ção da comida. Isto sem falar no melhor de todos os "direitos": assaltar as remessas de doces, frutas, cigarros, revistas e jornais, rádios, pilhas e quase tudo o que as famílias enviam para os detentos mais fracos. A Falange Zona Norte é quem manda nos corredores da Ilha Grande. É contra ela que vai começar uma das lutas mais sangrentas da história do sistema penal brasileiro.

Quando passa pela cela de um dos presos daquele setor, o comandante se vê diante de uma cena insólita: Giovani Szabo, filho de um sindicalista italiano e uma judia sobrevivente do campo de concentração de Auschwitz, está sentado sobre a cama, completamente absorto na leitura de um livro onde faz anotações e sublinha trechos com uma caneta vermelha. O gosto pelo estudo e a literatura na Galeria D é uma coisa tão estranha que faz o capitão parar para ver de perto. Nelson Salmon teve a intuição de que algo estava errado. O preso levou um susto quando ele entrou na cela, puxando conversa.

– Eu não sabia que você se interessa pelos livros – diz o comandante.

– Pois é, capitão. Tô aqui lendo um pouquinho. Coisa sem importância, só pra passar o tempo – responde o preso.

Mas o comandante percebe uma tentativa de esconder o verdadeiro motivo da leitura. Observa também que o livro está com uma sobrecapa feita de uma página de jornal cuidadosamente aplicada sobre a capa original.

– Deixa eu dar uma olhada? – pede o comandante.

Bom cabrito não berra. Malandro, quando é apanhado, reconhece. E Giovani Szabo não vê alternativa a não ser entregar o livro ao diretor do presídio. O comandante abre a primeira página e por pouco não deixa escapar o espanto. A publicação é *A guerrilha vista por dentro*, reportagem de um correspondente de guerra inglês, Wilfred Bulcher, que acompanhou durante anos a luta popular no Vietnã. É um relato de uma aventura guerrilheira nas selvas por onde passava a trilha Ho Chi Min, levando homens e armas do vietcongue desde Hanói, a capital comunista do Vietnã, até Saigon, ao sul do país. Este livro teve edição reduzida no Brasil e foi recolhido durante os governos militares por conter instruções e comentários sobre a luta armada. Técnicas e programas de ação militar do vietcongue são revelados em detalhes pelo repórter inglês. Uma tal publicação nas mãos de Giovani Szabo, assaltante condenado a décadas de cadeia, é de espantar. Mais espantoso ainda é o fato deste livro estar dentro da Ilha Grande.

– Szabo, vou levar isso pra dar uma olhada. Depois eu devolvo.

O comandante consegue dizer isso calmamente. Disfarça a excitação da descoberta e deixa a cela. Volta direto para o gabinete e mergulha na leitura surpreendente. Wilfred Bulcher mostra na reportagem como o vietcongue fabricava munição, inclusive com uma fórmula para se produzir pólvora caseira. Explica também como funcionava o sistema de túneis para a fuga dos comandos guerrilheiros, com iluminação a partir de geradores movidos a roda de bicicleta. Detalhes e mais detalhes da incrível iniciativa de guerra do Exército Popular de Libertação Nacional do Vietnã. O livro ainda fala dos códigos, do correio baseado em bilhetes entregues de mão em mão, de aldeia em aldeia. Um manual da guerra revolucionária que contém longas explanações de tática e estratégia, além de depoimentos dos doutrinadores e secretários políticos da guerrilha no Sudeste Asiático. Enfim, dinamite pura.

Naquela noite o capitão não consegue encontrar o sono. Lê de um fôlego só a experiência de um exército irregular que derrotou a maior potência militar do mundo, os Estados Unidos. E faz a descoberta mais importante: os trechos do livro que foram sublinhados por Giovani Szabo, se retirados do contexto, formam um manual de procedimentos, conselhos práticos para o combate. A insônia do comandante da Ilha Grande tem motivos. E uma pergunta angustia o oficial:

– Para que serve isso?

Provavelmente, conclui, os presos estão preparando uma rebelião em larga escala. Conclusão equivocada. O capitão Nelson Salmon tem que esperar até a manhã seguinte para entender direito o que está acontecendo.

56   **CV_PCC** *A IRMANDADE DO CRIME*

3

GIOVANI SZABO entra de má vontade no gabinete do diretor. Essas conversas com a administração são mal recebidas pela massa carcerária. Parecem coisa de entregação, de dedo-duro. O assaltante tem uma reputação a zelar. Além do mais, uma suspeita de traição pode significar a morte. Ao entrar na sala do comandante, Szabo sabe que arrisca a vida. Mas sabe também que não vai poder esconder o segredo por mais tempo. O importante é não mentir – mas não revelar toda a verdade. Esconder o que for possível e ainda tentar preservar uma boa relação com o capitão. O assaltante também deve ter dormido mal a noite passada.

Quando o oficial pergunta para o que servem os trechos sublinhados de *A guerrilha vista por dentro*, Szabo tem resposta pronta:

– Capitão, o negócio é o seguinte: a gente tá lendo uns livros assim pra poder se prevenir contra o pessoal do "fundão". É de lá que vêm umas idéias novas que estão deixando todo mundo de cabelo em pé. O pessoal da LSN tá começando um movimento pra dominar o presídio. Eles aprenderam com os políticos um tal de socialismo científico e um tal de materialismo histórico. E agora querem formar grupos que eles chamam de célula ou coletivo. Eles acham que vão influenciar a massa pra acabar com a gente e mandar na cadeia. Isso aí vai sobrar até pro senhor.

– Tá certo, Szabo. Já entendi o recado.

O capitão Nelson Bastos Salmon dispensa o preso. Mas ele ainda não tinha entendido muito bem o que poderia acontecer. Fazer perguntas mais concretas provavelmente não ajudaria muito. O assaltante não ia abrir os detalhes. Na carreira desse oficial de cinqüenta anos constam serviços para o DOI-CODI do Comando Militar do Leste. Ou seja: ele lutou contra as organizações de esquerda que desencadearam a guerrilha urbana no Rio. Esta pode ter sido, inclusive, uma das razões para assumir a chefia do destacamento da Ilha Grande. Naquela época não havia mais presos políticos na Galeria B, também conhecida como Galeria da Lei de Segurança Nacional – ou "fundão". Sessenta e seis homens condenados por atividades revolucionárias passaram pela Galeria B, entre 1969 e 1975, quando os presos políticos começaram a ser transferidos para uma unidade especial do Departamento do Sistema Penitenciário (Desipe), no Complexo Penitenciário da Frei Caneca, no centro do Rio de Janeiro. Ali aguardaram a anistia, que devolveu todos eles à liberdade. Os presos políticos foram embora, mas deixaram muitas marcas na vida do presídio da Ilha Grande.

Naquele mesmo setor do Instituto Penal Cândido Mendes – a Galeria B – estavam os presos comuns condenados por crimes previstos na LSN, como assaltos a bancos e instituições financeiras. O governo militar tentou despolitizar as ações armadas da esquerda, tratando-as como "simples banditismo comum", o que permitia também uma boa argumentação para enfrentar as pressões internacionais em prol de anistia e contra as denúncias de tortura. Nivelando o militante e o bandido, o sistema cometeu um grave erro. O encontro dos integrantes das organizações revolucionárias com o criminoso comum rendeu um fruto perigoso: o Comando Vermelho.

A iniciativa do regime militar, transformada em legislação especial aprovada apressadamente pelo Congresso Nacional, foi regulamentada pelo Artigo 27 do Decreto-Lei 898 de 1969. A medida da junta de ministros militares, que substituiu o presidente Costa e Silva, foi enviada ao legislativo federal em caráter de urgência e aprovada numa sessão extraordinária da Câmara dos Deputados, onde o governo contava com folgada maioria da Aliança Renovadora Nacional (Arena). A morte do general-presidente levou ao poder o segmento mais duro do regime, dis-

58   CV_PCC *A IRMANDADE DO CRIME*

posto a eliminar radicalmente toda oposição não-parlamentar. O alvo principal da repressão eram os setores da esquerda que enveredaram para a luta armada a partir de 1967. (Naquele ano, um dos membros do comitê central do Partido Comunista Brasileiro (PCB), de tendência moderada, Carlos Marighela, participara do congresso da Organização Latino-Americana de Solidariedade, em Cuba, voltando de lá com a perspectiva de desencadear o movimento guerrilheiro no Brasil, nos moldes do que propôs Ernesto "Che" Guevara, morto neste mesmo ano na Bolívia.) O aparelho de repressão, incluindo grupos paramilitares e clandestinos, cresceu em número e influência política.

A chamada "comunidade de informações" empregou mais de quarenta mil pessoas, entre agentes federais, militares, polícias civis e das PMs requisitados para a repressão política – além de um número incontável de informantes. Os órgãos de segurança tinham gente infiltrada nos sindicatos, nas universidades, nas redações dos principais jornais do país, nas comunidades eclesiásticas. Enfim, espiões para todo lado. A enorme quantidade de informações obtidas era encaminhada para o Serviço Secreto do Exército, o Cisa da Aeronáutica, o Cenimar da Marinha, o SNI, o DOPS da Polícia Federal e outros organismos civis e militares. A partir de 1970, a repressão política precisou colocar ordem na casa. Havia muita rivalidade e inveja entre os encarregados da destruição das organizações de esquerda.

As vitórias no combate à guerrilha valiam dividendos políticos e pessoais. Algumas vezes, valiam muito dinheiro. Foram criados centros coordenadores da luta anticomunista, como a Operação Bandeirantes (Oban), em São Paulo, e a Operação Cavalo de Aço, no Rio. Depois, tudo foi centralizado nos Destacamentos de Operação e Informações da Coordenação de Defesa Interna – os DOI-CODI –, subordinados aos comandos regionais do Exército. Mesmo as polícias estaduais prestavam contas ao novo braço armado do regime.

Naquele momento de reforma da Lei de Segurança Nacional e criação do Artigo 27, os principais grupos revolucionários envolvidos em ações militares contra o regime eram a Aliança Libertadora Nacional (ALN), o Movimento Revolucionário 8 de Outubro (MR-8), a Vanguarda Popular Revolucionária (VPR), a Vanguarda Armada Revolucionária Palmares (VAR-Palmares), a Ação Popular e o Partido Comunista do Brasil (PC do B). Seis anos depois da nova lei, todos estavam representados na Galeria B do presídio da Ilha Grande. Além dessas organizações, surgiam também o Partido Revolucionário dos Trabalhadores (PRT), o Partido Comunista Brasileiro Revolucionário (PCBR) e muitas e muitas outras siglas de menor importância, resultado das incontáveis divisões ideológicas na esquerda armada. Até 1975, todas elas também passaram pelo "fundão" da Ilha Grande.

O Artigo 27 da LSN, redigido com assistência jurídica de ministros do Supremo Tribunal Federal, agravava as penas para assalto, roubo e depredação nas instituições financeiras e de crédito Estes crimes deixavam de ser julgados pelo Código de Processo Penal e passavam para o âmbito dos tribunais militares. As auditorias das três armas viram desfilar os mais variados tipos de criminosos comuns. Gente que hoje qualquer criança conhece pelo noticiário de jornais e televisões – Escadinha, Gordo, Bagulhão e dezenas de personagens do submundo – enfrentou o Conselho de Sentença. As penas, aumentadas pela nova LSN, iam de dez a 24 anos de prisão. O parágrafo único do Artigo 27 estabelecia ainda: "Se dessas ações resultar a morte de alguém, a pena em grau mínimo será de prisão perpétua e, em grau máximo, a pena de morte." Uma lei de guerra, que chegou a condenar ao pelotão de fuzilamento, na Bahia, o militante Theodomiro Romeiro dos Santos. Ele matou um sargento da Aeronáutica. A sentença, tempos depois, foi transformada em prisão perpétua. Mas Theodomiro fugiu. Até hoje, no ano 2002, o único cidadão brasileiro sentenciado à morte na Nova República continua – provavelmente – vivendo no exterior, depois de obter asilo político.

60 **CV_PCC** *A IRMANDADE DO CRIME*

4

A CONVIVÊNCIA ENTRE PRESOS políticos e bandidos comuns tem história no Brasil. Em 1917, as notícias da revolução bolchevista na Rússia provocaram forte agitação sindical no Rio, Recife e São Paulo. Os sindicatos operários tinham sido fundados por imigrantes italianos, espanhóis e alemães influenciados pelo anarquismo europeu. Muitos dos líderes anarquistas eram fugitivos da justiça em seus países de origem. Em terras brasileiras, o movimento revolucionário soviético inflamou os corações anarquistas – até porque esses sindicalistas acreditavam que o partido de Lenin era inspirado pelas mesmas idéias deles. Não compreendiam a essência do bolchevismo, que apontava para a ditadura do proletariado, um governo altamente centralizador, enquanto os anarquistas sonhavam "com o fim de toda forma de Estado", como diria Bakunin, um dos luminares do anarco-sindicalismo. O ano de 1917 ficou conhecido no Brasil como "o ano vermelho". Greves políticas, barricadas nas principais cidades do país, choques entre a cavalaria do Exército e os anarquistas. Cento e treze tipos diferentes de jornais foram criados, representando as "sociedades de resistência", o nome preferido dos sindicatos anarquistas.

O "ano vermelho" levou muita gente à cadeia. No Recife, um desses presos se torna famoso e entra para a história política do Nordeste. Gregório Bezerra, anos mais tarde, será um dos líderes do levante comunista de 1935. Será também membro do Comitê Central do PCB. Vai amargar longas prisões até ser trocado, em 1969, pelo embaixador americano Charles Burke Elbrick, seqüestrado no Rio de Janeiro por um comando guerrilheiro. Dez anos depois, ao voltar do exílio na França e na União Soviética, Gregório Bezerra publica um livro de memórias pela editora Civilização Brasileira. Fala do contato com presos comuns na Casa de Detenção do Recife, conta como transformou guardas penitenciários e bandidos em militantes comunistas. Bezerra conheceu e ficou amigo de remanescentes dos bandos de cangaceiros que agiam em Pernambuco, Rio Grande do Norte e Alagoas. Com um desses bandoleiros ele discutia a Revolução Russa. Vou tomar emprestados alguns trechos das memórias de Gregório Bezerra:

(...) em 7 de agosto de 1917 fui encarcerado. Achava-me "enterrado vivo" no fundo da prisão, na velha Casa de Detenção do Recife, aguardando julgamento, por ter caído nas mãos da polícia sob acusação de ser um "perturbador da ordem pública" e de "insuflar operários contra patrões", o que me valeu uma condenação de sete anos. (...) já tinha feito amizade com grande parte dos presos, entre os quais se destacava a figura legendária do cangaceiro Antônio Silvino, por quem tinha grande admiração desde a minha infância, pelo que dele ouvia falar. (...). Antônio Silvino foi o bandido mais famoso, mais popular e mais humano da história do cangaço. Não só por sua bravura na luta com a polícia, mas também pela tática de combate que adotou ao longo de vinte anos duros e cruentos. Era um homem querido por toda a população pobre do Nordeste brasileiro, pela maneira respeitosa e humana como tratava os habitantes da região. Tornei-me amigo deste caudilho sertanejo e dele recebi muitos conselhos, que serviram para orientar-me no convívio com os demais presos comuns. (...) Gostava de conversar com ele, porque me dava notícias dos acontecimentos na Rússia. Por ele soube que os bolchevistas tinham derrubado o governo. Ele acrescentava: o povo reunido é mais poderoso do que tudo, e a revolução bolchevista vai se espalhar por todo o mundo.

Como se vê, a cooperação entre presos políticos e comuns pode ir muito além da imaginação. Um relacionamento que continua depois do levante comunista de 1935. Militantes do Partido Comunista Brasileiro (PCB) e da Aliança Nacional Libertadora (ANL) dividiram celas com pessoas condenadas por assalto, arrombamento, contrabando e contravenções como o jogo e a prostituição. O comunista Gregório Bezerra, quando se envolveu no levante, era militar e manteve longa influência sobre presos comuns ao voltar à Casa de Detenção, condenado novamente. Em seu livro de memórias, Gregório Bezerra descreve mais um contato com os presos comuns. E faz uma revelação: conseguiu recrutar cinco guardas para o Partido Comunista.

> O meu cão-de-fila, o meu guarda-civil, exercia sobre mim tremenda vigilância: quando encontrava uma ponta de cigarro defronte de minha grade ou nas vizinhanças de minha cela, abria e esfarinhava o fumo para ver se havia algo escrito. (...) Um dia o vi passeando para lá e para cá. Ora tirava o quepe da cabeça, ora o recolocava, soprava pela boca como um boi acuado, voltava a andar para um lado e para o outro. Ele passou e eu sem pensar o chamei:
> – Está passando mal ou está aperreado?
> – Que tem o senhor com isso?
> – Do ponto de vista de preso, não tenho nada. Mas, como criatura humana, tenho. Não posso ver ninguém sofrer.
> – Realmente, estou muito aperreado. Tenho um filho passando muito mal e vai morrer, porque não tenho dinheiro para levá-lo ao médico.
> Não vacilei: meti a mão no bolso e lhe entreguei cinqüenta mil-réis. (...) No dia seguinte, estava alegre e buscou um pretexto para falar comigo.

Este guarda, que Gregório Bezerra cativou com um gesto de humanidade, passou a cooperar com os presos políticos. "Um mês depois", acrescenta o revolucionário pernambucano, "meu cão-de-fila era um membro do Partido e nos prestou valiosos serviços na prisão." Outros quatro homens da segurança do presídio foram convencidos a formar uma célula comunista do PCB, com tarefas de correio entre a cadeia e o Partido.

Em 1980, em companhia do jornalista Francisco Viana, me encontrei com Gregório Bezerra. Já bem velho e doente, estava morando com amigos, num prédio de apartamentos na rua Cosme Velho, Zona Sul do Rio de Janeiro. Ele me disse na ocasião que os presos comuns, quando reunidos aos presos políticos, "viviam uma experiência educadora". "Passavam a entender melhor o mundo e a luta de classes", explicou, "compreendendo as razões que produzem o crime e a violência." O mais importante da conversa com o velho comunista se resume num comentário:

– A influência dos prisioneiros políticos se dava basicamente pela força do exemplo, pelo idealismo e altruísmo, pelo fato de que, mesmo encarcerados, continuávamos mantendo a organização e a disciplina revolucionárias.

Outro preso político, o jornalista Álvaro Caldas, relata como essa organização dentro da cadeia impressionava o bandido comum. Preso pelo DOI-CODI do Comando Militar do Leste, em 1970, ele cumpriu a fase final da pena na Prisão Especial da Polícia Militar, no Regimento Caetano de Farias, no Rio. Lá conheceu Miltinho do Pó, criminoso de muitas histórias, traficante e estelionatário. Miltinho conversava muito com o jornalista preso. Dizia não compreender por que os presos políticos eram tão disciplinados e solidários no relacionamento com a massa carcerária.

– Tudo o que as famílias mandavam para os políticos era reunido num fundo comum e depois dividido entre todos em partes iguais. Eu mesmo, que nunca recebia nada do mundo exterior, ganhava a minha parte – disse Miltinho do Pó.

Se depoimentos como este fossem levados em conta, certamente os juristas do regime militar não teriam editado o Artigo 27 da LSN.

Durante os anos do Estado Novo, a polícia de Getúlio Vargas e os tribunais de exceção encheram as penitenciárias brasileiras de opositores do regime. Militantes da esquerda e criminosos comuns cumpriram juntos longas penas. Algumas se estenderam até a anistia política, em 18 de abril de 1945. A partir desta convivência, muitos homens deixaram para trás as carreiras no crime e optaram pela militância revolucionária. O contato com intelectuais, militares radicais, políticos e sindicalistas fez a cabeça de punguistas e escroques. Gente que descobriu uma explicação para a própria miséria, que aprendeu a ler e escrever com professores presos. Nada disso, no entanto, produziu uma modificação substancial na formação de quadrilhas ou no desenvolvimento de um senso de organização para o criminoso comum. Nas ruas, o crime continuava o mesmo: avulso, violento, desorganizado. O fenômeno da conscientização e o surgimento do chamado crime organizado só vão aparecer na década de 70, quando a ditadura militar abre outra vez a porta da cadeia para a oposição.

Até isso acontecer, a quadrilha que mais trabalho dera à polícia foi aquela organizada, no Rio de Janeiro, pelo estivador Sebastião de Souza. Tião Medonho assaltou um trem pagador e roubou uma incrível fortuna para os anos 60. O golpe foi tão bem planejado que a polícia disse aos jornais que era obra de uma quadrilha internacional. Na mesma época, outro bandido – Mineirinho – ganha a primeira página na imprensa por se declarar uma espécie de Robin Hood. Ele roubava caminhões de leite e carne para distribuir aos favelados no Morro da Mangueira. As duas quadrilhas foram rapidamente destruídas pela polícia. E os dois líderes foram mortos.

Mas o final da década de 60 iria mostrar um grupo cujo nível de sofisticação beirava o crime organizado. Lúcio Flávio Vilar Lírio montou a maior quadrilha de assaltos a banco do país. Tinha 51 homens, divididos em quatro grupos. Lúcio colocou seus parentes diretos no comando da quadrilha: o irmão Nijini, o cunhado Fernando Gomes de Carvalho – o Fernando CO –, e Liéce de Paula Pinto, que ele chamava de primo. Esses eram os responsáveis pela ordem interna do grupo, cuidavam do dinheiro arrecadado nos assaltos. Nos anos 1968-71, as espetaculares ações armadas da quadrilha de Lúcio Flávio chegaram a ser confundidas com operações da guerrilha urbana.

Lúcio Flávio teve a coragem de assaltar uma agência bancária em frente à Escola Superior de Guerra, no bairro da Urca, no Rio, onde praticamente só residem famílias de militares e onde há muitas patrulhas do Exército armadas com fuzis automáticos. Ele não só roubou o banco como voltou lá no dia seguinte. O gerente da agência disse ao jornal *O Globo* que os assaltantes eram iniciantes e estavam muito nervosos, porque "deixaram o cofre cheio e só levaram o dinheiro das caixas". O grupo voltou ao banco. No segundo assalto, o gerente foi obrigado a carregar pessoalmente o dinheiro do cofre para dentro dos carros da fuga. Lúcio Flávio é autor de uma frase que dá bem a idéia da espécie de bandido que era:

– Eu nunca roubei trabalhador. Só roubo banco, que tem seguro e o dinheiro ali não é de ninguém.

Tive a oportunidade de ouvir Lúcio Flávio dizendo isso. Foi a primeira vez que um bandido deu entrevista coletiva à imprensa. Na sede da Secretaria de Polícia Civil do Rio de Janeiro, ele foi apresentado aos jornalistas depois de ser preso em Belo Horizonte, no dia 30 de janeiro de 1974. Nesta mesma entrevista, que eu acompanhava como repórter da revista *Manchete*, o assaltante disse que era "um bandido diferente dos outros". Aliás, era quase louro, de olhos verdes, filho da classe média da Zona Norte da cidade. Mas a diferença não estava só no aspecto e nas palavras. Outra extravagância do bandido mais famoso do país parece ter sido a colaboração com a esquerda armada. O jornalista e escritor José Louzeiro, autor de *Lúcio Flávio – o passageiro da agonia*, diz que o assaltante "tinha contato com gente do capitão Carlos Lamarca", comandante da Vanguarda Popular Revolucionária (VPR).

– Lúcio era meu amigo – conta Louzeiro. – Eu era um repórter policial conhecido e ele sempre me procurava nos raros momentos de liberdade que tinha. Foi assim que soube dos detalhes da história dele e pude escrever o livro e o roteiro do *Passageiro da agonia* para o cinema. Foi assim também que soube da cooperação com Lamarca. Não posso precisar como isto aconteceu, mas parece que envolveu dinheiro e armas. Lúcio era muito consciente. Sabia que era bandido por desajuste social.

A quadrilha acabou mal. Cinqüenta dos 51 homens morreram, a maioria na cadeia. O único sobrevivente, Wilsão, se casou com uma advogada da Secretaria de Justiça e aparentemente abandonou o crime. Lúcio Flávio foi assassinado no presídio Hélio Gomes com dezenove facadas, no dia 30 de janeiro de 1975, quando completava exatamente um ano desde a última fuga. O grupo do "bandido dos olhos verdes", apesar de bastante organizado, não passava de uma quadrilha com estrutura familiar. Destruída a cabeça, o corpo secou e morreu. O assassinato de Lúcio Flávio tem muitas versões. A mais convincente delas é a de que o assassinato foi encomendado por gente ligada ao ex-policial Mariel Mariscotte de Mattos, membro do Esquadrão da Morte formado dentro da polícia carioca. Esta é a tese defendida pelo biógrafo de Lúcio Flávio, José Louzeiro. Mariel cobrava de Lúcio uma taxa de proteção e pelo menos uma vez ajudou o assaltante a fugir e a conseguir armas para os assaltos. Na penitenciária, ele foi visitado por agentes federais. E surgiu a preocupação de que ele pudesse estar revelando a cooperação dos policiais cariocas nos crimes da quadrilha. Seria este o motivo do crime.

Mas uma outra versão se fortalece: Lúcio teria sido morto por ordens de uma das falanges da Ilha Grande, onde esteve preso e onde, já naquela época, os grupos disputavam o controle das penitenciárias. O matador – Mário Pedro da Silva, o Marujo – era um sentenciado da Galeria D. Ele teria a missão de convencer Lúcio Flávio a entrar para o grupo. Lúcio abriria mão da notória independência que tinha no mundo do crime. Em troca, uma nova quadrilha, garantia de fuga, dinheiro, armas, mais segurança sem precisar subornar policiais para continuar vivo. O bandido mais célebre do país – é claro – não queria aceitar.

A última tentativa de convencer Lúcio Flávio pode ter acontecido durante um banho de sol no pátio do presídio Hélio Gomes, no Rio. Marujo estava ali para depor em alguns processos. A conversa foi áspera. Lúcio terminou se aborrecendo e deu um tapa na cara do outro na frente de todo mundo. Com isso, assinou a própria sentença de morte. As dezenove facadas desferidas quando Lúcio Flávio dormia eram uma "conta de sangue". No dicionário do submundo, isso significa um acerto, uma "parada de honra". O número de ferimentos corresponderia a uma facada para cada homem da falange. Estranha confirmação de um pesadelo que há anos acompanhava o assaltante. Lúcio Flávio sonhava com a própria morte a facadas.

5

DE NOVO OS PASSOS no corredor da prisão. Agora o comandante anda pelas galerias a maior parte do tempo. Depois da descoberta de *A guerrilha vista por dentro* nas mãos de Giovani Szabo, o capitão Nelson Salmon inicia uma discreta mas insistente investigação. Ele quer saber exatamente o que se passa nas celas do Instituto Penal Cândido Mendes. A Ilha Grande, de repente, parece mais perigosa do que o habitual. A cada nova informação recebida, o oficial faz mentalmente a pergunta necessária:

– A quem isto interessa?

É a única maneira de perceber a trama dentro das tramas de um presídio. O capitão sabe que há três tipos de informantes entre os presos: o que fala para prejudicar alguém, o que revela segredos para obter favores e aquele que ajuda sinceramente. Discernir entre essas três possibilidades é fundamental para que uma "notícia" vinda da massa carcerária possa ser levada em conta.

O cenário é o de um tabuleiro de xadrez para seis jogadores. Como se fosse possível jogar xadrez assim. Seis grupos dentro da Ilha se organizavam para controlar a casa quando cheguei lá, contando com a própria administração. Cada um dos grupos ou falanges tinha uma estratégia própria, um código interno de "leis", normas de conduta e outros modelos de identificação. Muitas vezes, uma "notícia" vinha da massa carcerária só para nos confundir. Era preciso checar cada detalhe para ter uma idéia mais clara do que estava acontecendo.

O Departamento do Sistema Penitenciário (Desipe) costumava destacar os presos conforme essas afinidades particulares. Por exemplo: os presos políticos e os condenados pela LSN tinham nas fichas uma tarja vermelha de identificação e iam direto para a Galeria B. O pessoal que na rua pertencia às quadrilhas da Zona Norte do Rio de Janeiro era destacado para a galeria da Falange Jacaré. E assim por diante. Quando o capitão Nelson Salmon começou a desvendar os segredos da Ilha Grande, o processo de organização dos presos já estava muito adiantado. O oficial, que hoje é tenente-coronel e ocupa um posto importante na hierarquia da corporação, passou doze anos no presídio, entre março de 1979 e março de 1991. A experiência o transformou na melhor testemunha do surgimento do Comando Vermelho. Os detalhes dessa história me foram contados por ele. Mantivemos dois encontros e trocamos alguma correspondência.

Em 1979 – o ano da fundação da organização –, o comandante Salmon tenta jogar xadrez com os 1.284 internos da Ilha Grande. De uma certa forma, todos os condenados têm um tipo qualquer de filiação aos grupos que controlam a vida e a morte dentro das celas. A Falange Zona Sul comanda a maior parte da Galeria C. Tem dez homens, chefiados por Joanei Pereira da Silva e Antônio Magrinho. A especialidade do grupo é o jogo e o tráfico de drogas no presídio. Entre os homens da Falange Zona Sul, Carlos Henrique de Souza Abrantes – o Carlão – é um assassino perigoso, capaz de executar sem o menor constrangimento a política de violência que garante o pequeno reinado da quadrilha na Ilha Grande. O resto da "turma" da Zona Sul: Osvaldo Aguiar Filho, Antônio Carlos Marçal, Valderi José da Silva – o Maneta –, Neline Marques, Adilson Balbino, José Renato e Alfredo Gonçalves Alves – o Alfredo Dedinho. A Falange exerce influência sobre cem internos, especialmente porque se responsabiliza por uma série de tarefas de interesse comum, colaborando com a administração na manutenção de instalações e serviços da cadeia.

A Falange da Coréia é a dona de um pedaço da Galeria C. O chefe é Merci da Silva Fernandes. O segundo na liderança é Maurício dos Santos – o Maurinho. Apesar de reunir catorze homens, o grupo é dos menos articulados dentro do presídio. Enfrenta uma dificuldade básica: o território é dividido com a Zona Sul. Território dividido, poder dividido. Mesmo assim, a quadrilha consegue ter algum tráfico de influência junto aos guardas, facilita a vida de seus colaboradores e aliados. Cem presos acatam as ordens dos líderes da gangue. A prática de violência sexual e o ataque para roubar outros presos são a característica desses "falangistas". O resto do grupo: Manoel da Silva – o Leleu –, Íris Gomes da Silva, Bueno Gerônimo dos Santos, Jorge da Silva – o Zé Dumba –, Carlos Alberto Veras, Cristiano de Oliveira, Adalto Paulino, Clarindo Jorge de Oliveira – o Negão Tereza –, Roberto de Moraes, Mário Rita de Oliveira – o Rita –, Waldir Klaus Carela e Carlos Alberto Klaus Carela – os dois últimos conhecidos como os Irmãos Carela. Mais tarde, quando estoura a guerra que vai dar a hegemonia do presídio ao Comando Vermelho, os dois grupos da Galeria C se unem e formam o Terceiro Comando.

Outra falange da Ilha Grande reúne os "Independentes" ou "Neutros". Na verdade, uma neutralidade aparente, porque esses homens são uma força de apoio da Falange Jacaré. Do grupo faz parte o assaltante Giovani Szabo. O líder é José Alberto David Monteiro – o Tenente. O segundo em comando é Neudo Ferreira – o Mosca. Szabo vem em terceiro lugar. Ao todo, são onze os sentenciados "independentes": Osvaldo Gomes Nequicé, Jairo Leite, Orlando dos Santos Lobianco, Adilson Aguiar, José da Costa Ramos, João Firmino Neto e Domingo Jorge Lobo – o Dominguinho. Os "neutros" têm atuação reconhecida por mais de duzentos presidiários da Ilha Grande.

Quinze homens comandam a cadeia em 1979. A Falange Zona Norte ou Falange Jacaré é que determina para onde o vento sopra. A massa carcerária faz o que eles querem, já que controlam duzentos dos mais perigosos internos do paraíso. As outras falanges mantêm com a Jacaré uma prudente relação de respeito e colaboração. Os únicos inimigos do grupo estão trancados no "fundão", praticamente incomunicáveis, sem contato com o resto do presídio. Lá se organiza a Falange LSN, embrião do Comando Vermelho, sob orientação de alguns presos que tiveram a vida carcerária tremendamente influenciada pelos condenados de origem política. A Zona Norte tem três comandantes: André Luiz Miranda Costa, Valdir Pereira do Nascimento, Luiz Carlos Pantoja dos Santos – o Parazão. Extremamente violentos, lideram os criminosos que são autores da maioria dos assassinatos no presídio. A Falange Jacaré administra o pedágio na Galeria D e no próprio pátio coletivo do Presidio Cândido Mendes. Tráfico de drogas e armas, só com a participação ou autorização do grupo, que recolhe um "dízimo". Ou seja: toda a atividade criminosa na cadeia só serve para aumentar o poder dos "jacarés". Somando a área de ação das falanges Zona Sul, da Coréia e Jacaré, mais de quatrocentos presos formam o maior segmento organizado dentro da Ilha Grande.

Gente ligada à Falange Jacaré faz a seleção dos novatos. Quem chega à Ilha Grande condenado é "examinado" pelos detentos que prestam serviços à administração. O que interessa é saber se o cara serve para "soldado", se vai "virar moça" ou se não serve para nada. Entrar para a falange, só com uma folha penal que "ateste a qualidade" do bandido: crime de morte, assalto violento, tráfico e – principalmente – um nome na praça. Os crimes passionais, os estupros de meninas (quando acontecem fora de um assalto ou seqüestro) e outros delitos avulsos não passam na seleção. Não são considerados "crimes de homem" e só merecem desprezo por parte dos "falangistas", que são sempre gente de quadrilhas.

O processo de fazer um novato "virar moça" é simples. O sujeito é "selecionado" quando chega, especialmente se é daqueles que entra no presídio assustado, acuado pelos guardas, temendo os companheiros de cadeia. Esse é forte candidato. Particularmente se é jovem e saudável, se o corpo não apresenta sinais de deformações ou cicatrizes muito feias. O que vai acontecer com ele também é bem simples: o homem encarregado da primeira seleção avisa que chegou alguém que reúne as condições necessárias e a quadrilha faz o resto. O preso vai ser currado por cinco ou seis presidiários numa só noite. Vai ficar amarrado, amordaçado e permanentemente sob a ameaça dos estoques, que são facas artesanais.

No dia seguinte, a "moça" terá vergonha de contar o que aconteceu.

Vai segurar a barra – e não sabe que o mesmo processo se repete durante a noite seguinte e na próxima e na outra também. Pode durar uma semana. Depois de um certo tempo, o novato está tão desmoralizado que não tem outra saída a não ser a prostituição controlada pela quadrilha. Ele vira mercadoria de preço alto. Pode até "casar" com alguém na cadeia. Passa a morar na cela do "marido", cuida da limpeza, faz comida e carinhos como qualquer "mulherzinha". Apesar de parecer um destino irremediável, há uma maneira de evitar: logo na primeira tentativa de curra, o novato reage com violência e tem que conseguir acabar com algum dos estupradores. Ele pode morrer – mas pode também sobreviver e conseguir uma transferência. Todo bandido sabe que num presídio é preciso seguir os mandamentos da lei do cão. O primeiro deles é bem claro: "Cadeia é lugar de homem!"

O jornalista Percival de Souza, que lançou a biografia do delegado Sérgio Fleury, um dos expoentes da repressão no Brasil durante a ditadura militar, relata um caso assim no livro *O prisioneiro da grade de ferro*. Aconteceu na Casa de Detenção de São Paulo. A descrição está num capítulo de título curioso, quase engraçado: "Elementos Enrabados". A história é a seguinte: dois assaltantes chegam ao presídio querendo ganhar autoridade e dominam o xerife da cela onde foram alojados – o xerife apanha na cara, se desmoraliza. Os demais presos, com medo de morrer, aceitam as ordens da nova liderança.

– Todo mundo nu – gritam os novos xerifes.

E os presos obedecem. Depois, outra ordem:

– Agora todo mundo de quatro, com a bundinha pra cima.

E os presos obedecem. Armados com facas, os xerifes vão simplesmente comendo todo mundo. No dia seguinte, dois dos violentados matam os estupradores: um foi estrangulado, o outro teve o crânio partido e o cérebro perfurado por uma escova de dentes introduzida pelo ouvido. Como martelo, para furar a cabeça do estuprador, o preso usou um salto de sapato. Todos os presos daquela galeria acompanharam satisfeitos o crime. Ninguém disse uma palavra ou fez qualquer movimento para salvar os estupradores. E ninguém – é claro – iria denunciar os matadores. Mas eles se apresentaram voluntariamente. Fizeram questão de assumir os assassinatos, para todo mundo saber que tinham recuperado a honra e a dignidade dentro da cadeia.

Na Ilha Grande, naquele ano de 1979, ocorrências como a que Percival descreve são rotineiras. A maioria dos estupros – vale repetir – é praticada pela Falange Jacaré e seus aliados. São "soldados" da quadrilha: José Amaro Luiz, Paulo Roberto Sanches, Carlos Arlindo Ferreira, Wanderley Machado Amorim, Jorge Marcelo da Paixão – o Gim Macaco –, Sérgio Roberto de Almeida, Artur Sanches Filho, José Cristiano da Silva, Ozório Costa – o Caveirinha –, João Carlos da Silva e Antônio José da Silva – o Tatuagem. Depois da guerra, quase todos eles vão estar mortos. Na batalha final contra a Falange Jacaré, o Comando Vermelho consegue encurralar trinta homens numa cela. O massacre vai mudar a ordem natural das coisas dentro do presídio.

PRESOS COMUNS TRAFICAM DROGAS – PRESOS POLÍTICOS TRAFICAM INFORMAÇÃO

1

ALÍPIO CRISTIANO DE FREITAS chegou à Ilha Grande no mês de fevereiro de 1974. E já entrou na cadeia com fama de valente. De fato, é um sujeito extremamente duro e convencido de ter uma missão entre os homens: fazer a revolução socialista no Brasil. Dele se dizia:

– Deu porrada na cara de torturador do DOI-CODI, durante um interrogatório!

É verdade. Quando este português, naturalizado brasileiro, entrou na Ilha Grande, condenado a sessenta anos de prisão por crimes políticos, trazia uma larga experiência de confrontos com a lei e os órgãos de segurança. Nascido em Bragança, Portugal, ordenou-se padre em 1953. Chegou ao Brasil quatro anos depois. Além de padre, era professor de história e filosofia. A primeira estação da longa aventura até a Ilha Grande começa na Universidade Federal do Maranhão, onde ele dá aulas e ajuda a organizar a Juventude Católica. Participa também das lutas no campo, defende a reforma agrária e até a invasão de terras. A miséria do lavrador nordestino toca o coração do padre.

Alípio de Freitas se envolve profundamente na preparação dos líderes rurais e termina por fazer parte do Secretariado Nacional das Ligas Camponesas, fundadas por Francisco Julião. Em 1962, nove anos depois de ordenar-se pela Santa Madre Igreja, Alípio de Freitas abandona o sacerdócio e mergulha na luta política. Neste mesmo ano é seqüestrado pela polícia em Recife. Escapa. É preso novamente em 1963, em João Pessoa, Paraíba, acusado de insuflar incêndios nos canaviais de três estados. Responde ao processo em liberdade. Com o golpe militar de 1964, deixa o país e consegue asilo no México.

O padre não desiste. Disciplinado, autoconfiante, profundamente convencido dos ideais revolucionários despertados com a luta camponesa, Alípio de Freitas volta ao Brasil clandestinamente. Entra para a Ação Popular Marxista-Leninista (APML), uma organização de esquerda originária da Juventude Católica, enraizada nos setores progressistas e populares da Igreja no Nordeste. Mas o grupo não satisfaz. O padre critica a linha política da organização e parte para outra tarefa ainda mais difícil: funda um partido, o Partido Revolucionário dos Trabalhadores (PRT). A nova sigla da esquerda, em 1969, adota a estratégia guerrilheira tão característica da época. O PRT prepara ações de propaganda armada em vários pontos do país. O próprio padre pega em armas e participa de "expropriações". Ou seja: assalta bancos. É com toda essa bagagem de experiências que Alípio Cristiano de Freitas chega ao Instituto Penal Cândido Mendes. A fama de durão o acompanha.

O episódio do DOI-CODI fez nascer uma legenda em torno do padre. Aconteceu no dia 18 de maio de 1970, quando Alípio de Freitas foi preso no Rio. Segundo ele mesmo relata, durante uma sessão de interrogatório no quartel da Polícia do Exército, na rua Barão de Mesquita, Zona Norte da cidade, ele atacou o oficial responsável pelo inquérito do PRT. O depoimento a seguir foi prestado à Anistia Internacional e, mais tarde, reproduzido no livro de memórias *Resistir é preciso*, da Editora Record. Acompanhe as palavras do padre:

> (...) fui conduzido a uma cela que me pareceu um escritório, onde estavam uns vinte soldados e alguns graduados. Então, um dos meus captores, a quem chamavam dr. Léo, e mais tarde soube ser um torturador contumaz e histérico (capitão Leão), perguntou meu nome e mandou que respondesse alto, para que todos ouvissem. Fiquei calado. Por certo habituado a ser obedecido prontamente, enfureceu-se com meu silêncio e ordenou de novo, agora gritando:

– Qual o teu nome? Diz logo!

Diante da minha recusa, investiu sobre mim. Mas nem ele, nem qualquer dos presentes, esperava uma reação minha. Por isso, veio desprevenido. Foi quando o meu braço se esticou e lhe acertei um murro, que descarregava todo o meu ódio, em plena cara. Ele se estatelou. Houve um momento de perplexidade na sala, apenas um momento. Como uma matilha, todo o grupo avançou e me cobriu de socos e pontapés.

Este revolucionário determinado e radical vai parar na Galeria LSN. Entre 1974 e 1975, deixa na Ilha Grande as marcas de um talento nato: organizar. E ele é capaz de organizar qualquer coisa, do pessoal da faxina ao sistema de comunicação clandestino entre os presos, da distribuição de comida ao secretariado do coletivo de presos políticos que vai funcionar na Ilha Grande até a remoção dos militantes para a Divisão de Segurança Especial (DSE) do Desipe, no Complexo Penitenciário da Frei Caneca, no Rio de Janeiro, em 1975. O padre Alípio não foi o único a servir de exemplo e a dar, involuntariamente, orientação aos presos comuns do "fundão". Outros condenados tiveram papel importante. Mas o padre chega à Ilha Grande com uma experiência anterior junto aos internos do Presídio do Carandiru, em São Paulo, onde passou boa parte dos nove anos da pena cumprida até a anistia.

Na cadeia paulista, os presos políticos tinham um coletivo muito ativo. Recorriam à greve de fome com freqüência. (Uma delas durou quase trinta dias.) E obtinham bons resultados. Especialmente quando perceberam que o regime militar tinha medo de que um preso político morresse de fome na prisão, fato que iria provocar enorme repercussão no exterior. Com esse trunfo nas mãos, o coletivo do Carandiru conseguiu grandes vitórias. A dispensa do uso de uniforme e a liberação da entrada de jornais e revistas nas celas foram algumas delas. A greve de fome mobilizava o secretário de Justiça, o governador, o cardeal-arcebispo de São Paulo e até o núncio apostólico. A vida na prisão efetivamente melhorara para os militantes encarcerados. Talvez por isso os presos políticos tenham começado a prestar mais atenção ao que acontecia em volta. O tratamento dispensado aos presos comuns, segundo Alípio de Freitas, era "aviltante, desumano". É ele quem conta:

– A certa altura da nossa prisão no Carandiru, demo-nos conta de que éramos uma ilha privilegiada em meio à imensa massa carcerária (mais de seis mil presos) do presídio. Propusemo-nos a fazer alguma coisa, mesmo que indiretamente viesse a beneficiar a administração do presídio. Discutimos o assunto longamente. Tudo na prisão é longamente discutido. Quando chegamos a um acordo, elaboramos uma proposta de trabalho e a levamos até a administração. Imediatamente, o coronel Guedes (diretor do presídio) acedeu ao nosso propósito, sem criar qualquer tipo de objeção. Até eliminou as resistências que encontramos em certos interesses criados no presídio ao longo dos anos.

O padre Alípio de Freitas continua:

– Reorganizamos o serviço médico, tomamos conta da enfermaria, acabando com as mordomias daqueles que ficavam eternamente lá para se beneficiar do tratamento especial dos doentes. Assumimos o controle da farmácia, o que prejudicou de vez os traficantes de psicotrópicos. Também o serviço médico-dentário entrou em funcionamento, o que é difícil em qualquer presídio.

O coletivo do Carandiru fez mais. Além de promover essa "revolução" nos serviços médicos e assistenciais da penitenciária, montou dois cursos supletivos: um primário, outro de datilografia e desenho. As aulas iam de meio-dia às nove e meia da noite. É fácil imaginar como eram as aulas. A ênfase social e política parece evidente. Um processo de conscientização teve início, mas não prosperou muito. Provavelmente, não avançou tanto quanto na Ilha Grande, porque lá não há registro de uma organização de presos comuns, depois da anistia. Mas os presos políticos tiveram no Carandiru uma iniciativa importantíssima: tomaram conta de todo o departamento jurídico da cadeia, de maneira profissional, usando advogados condenados. De acordo com o padre Alípio, "um atendimento responsável e sem discriminação". Alípio fala mais:

– Só pode entender o que isso significa quem, quando preso, precisou mendigar um simples recurso ou teve que arrancar os olhos da cara e pagar a outro preso para redigir um recurso, quase sempre mal-alinhavado e inútil.

Em pouco tempo, os presos políticos promoveram reformas e fizeram funcionar serviços que nunca antes atenderam ao preso comum. Esta assistência prestada pelos militantes de esquerda gerou um forte laço de amizade e respeito com a massa carcerária. O Pavilhão Cinco, onde ficavam encarcerados presos políticos e comuns, ganhou um apelido expressivo: "Milagre". Na Ilha Grande, o departamento de assistência jurídica aos presos também foi um fator de mobilização da massa carcerária. Mas ali, ao contrário do Carandiru, não foram os presos políticos que agiram. Foi a Igreja Católica, através da Pastoral Penal da Arquidiocese do Rio de Janeiro.

Em São Paulo, o trabalho dos militantes condenados sofreu muitos reveses, os mais duros provocados por eles mesmos. Não se entendiam muito bem. Um dos grandes vícios da esquerda brasileira são os "rachas" inumeráveis. Até na cadeia, onde o inimigo pode sufocar qualquer oposição com relativa facilidade. Quando o Presídio Tiradentes foi derrubado para dar passagem ao metrô, houve a unificação de todos os presos políticos paulistas no Carandiru. As divergências entre as várias organizações na cadeia vieram à tona com toda a força. O primeiro coletivo, do Carandiru, teve que aceitar um outro, vindo do Tiradentes. Logo surgiria o terceiro coletivo. Vamos recorrer mais uma vez ao padre Alípio:

– Era uma situação desgastante, mas inconciliável. Além dos problemas extramuros, os coletivos arcavam com os novos problemas advindos das últimas greves de fome. No princípio, chegou a haver até uma certa animosidade, que impedia que se praticasse esporte juntos. Até no local de visitas, a divisão podia ser percebida claramente. Cada coletivo tinha as suas próprias atividades, organizando seu estudo, seu trabalho e sua solidariedade.

É duro de entender como algo assim pode acontecer. Presos na mesma cadeia – em geral na mesma galeria – sofrem com as diferenças de orientação política e ideológica. Enfrentando um sistema penal basicamente cruel e desumano, ainda assim não conseguem se unir até o fim. Nas experiências da convivência entre presos políticos e comuns na Ilha Grande, as divergências ideológicas também foram notadas. E os presos comuns, instintivamente, se aliavam aos grupos mais ativos.

No Rio de Janeiro, a convivência entre militantes de esquerda e criminosos esteve suspensa entre 1946 e 1964. Foi reativada com a rebelião dos marinheiros que ocuparam o Sindicato dos Metalúrgicos na rua Ana Nery. O movimento foi um dos estopins do golpe que derrubou o presidente João Goulart. A justiça militar considerou o caso uma transgressão disciplinar, punindo de sessenta a oitenta marinheiros com base no código penal das Forças Armadas, que estabelece: "Os condenados devem cumprir sentença nos estabelecimentos penais comuns, submetidos ao regime do estabelecimento."

Foram todos trancafiados no Complexo Penitenciário da Frei Caneca. O ambiente carcerário era muito hostil – e os presos políticos se organizaram em grupos sólidos para resistir às pressões na cadeia. Em 1967, foram todos para a Lemos de Brito. O diretor do presídio à época, João Marcelo de Araújo Júnior, conta o que aconteceu:

– Essa gente começou a se organizar para enfrentar hostilidades dentro da cadeia e, lentamente, foi chamando para si os presos comuns. Nos anos da luta armada, começaram a dirigir de dentro da penitenciária os assaltos a banco com fins políticos e alguns seqüestros. Mais tarde se verificou que o dinheiro arrecadado com o primeiro assalto a banco da guerrilha ficou guardado dentro da Penitenciária Milton Dias Moreira. A maioria dos presos políticos, por ser mais habilitada, trabalhava nos setores administrativos, no hospital e na Divisão Legal. Eles tinham trânsito livre pela praça Getúlio Vargas, que é um grande pátio dentro dos muros do presídio, unindo vários prédios. Com eles trabalhavam também estagiários da Faculdade Nacional de Direito. Foi assim que conseguiram mandar e receber instruções, de dentro para fora da cadeia.

82   CV_PCC *A IRMANDADE DO CRIME*

O professor de Direito João Marcelo, que chegou a secretário de Justiça durante o governo Moreira Franco, no estado do Rio, no início dos anos 90, explica como ficou sabendo das articulações dos presos políticos:

– Um dia veio a mim um preso que trabalhava na Divisão Legal. Era um estelionatário que estava prestes a cumprir a pena. Faltava pouco para sair e ele estava preocupado com as atividades dos presos políticos. Ele me disse: "Doutor, tem armas com os marinheiros e o dinheiro daquele assalto tá num cafofo [esconderijo] de uma cela da Milton Dias Moreira. A maior parte do dinheiro já saiu, mas o senhor ainda encontra algum por lá. Quem monta todo o esquema são os estagiários, que funcionam como pombos-correio." Eu não podia me basear apenas no relato de um preso, ainda mais sendo um estelionatário. Por isso, mandei colocar uma máquina fotográfica na janela do meu gabinete e destaquei um funcionário para fotografar todo mundo que entrasse na Divisão Legal. Passei também a informação para o diretor do Milton Dias Moreira, o advogado Valdo de Souza Aguiar Temporal. Ele ordenou uma revista nas celas e encontrou parte do dinheiro do assalto a banco.

A denúncia estava confirmada. O diretor João Marcelo preparou um relatório, juntou as fotos e mandou para o diretor do Desipe, Antônio Vicente da Costa Júnior. Inexplicavelmente, o conteúdo do relatório vazou. Talvez a organização dos presos políticos tivesse um contato dentro do próprio gabinete do Desipe. O certo é que, no dia 26 de maio de 1969, nove dos presos que estavam envolvidos – os cabeças do movimento – escaparam da prisão As palavras são de João Marcelo:

– A fuga foi espetacular. Um dos estagiários veio com uma Kombi, que ficou estacionada na porta da penitenciária, na rua Frei Caneca. Ele matou o guarda que ficava no portão das viaturas. Como esses presos tinham passagem livre pelo pátio, foi só correr para o portão e fugir. Eles ainda colocaram um cadeado no outro portão, de pedestres. E pela porta das viaturas ninguém conseguia sair mais, uma vez que a chave estava no bolso do guarda morto do lado de fora do presídio.

O incidente na Lemos de Brito provoca a ira da Marinha. Em dezembro de 1969, um navio de aviso oceanográfico parte do píer da praça

Mauá para a Ilha Grande. A bordo, os marinheiros rebeldes e outros presos políticos que já engordavam o cordão dos condenados pela ditadura. No dia 6 de janeiro de 1970, o diretor da Lemos de Brito pede exoneração. Ele se lembra de que a transferência dos presos políticos "foi uma cena muito triste, era como um navio negreiro". João Marcelo Araújo Júnior conta mais:

– Foi a partir dai que começou esse fenômeno, que mais tarde iria desembocar no Comando Vermelho. A Ilha Grande era um estabelecimento disciplinar, uma prisão de castigo. Só tinha barra-pesada. Os presos políticos levaram para lá a sua organização, logo fortalecida com a chegada de outros condenados pela Lei de Segurança Nacional. Entre eles estavam agora deputados, funcionários públicos, universitários. O mesmo processo de união para enfrentar o ambiente se repete. Com mais força. O preso ideológico não se contém com a prisão. Ao contrário, ele cresce. Na Ilha Grande, ocorreu um fenômeno ideológico por contaminação. Acabou gerando o Comando Vermelho, que perdeu a formação política original, nobre como movimento de libertação nacional, mas que absorveu a estrutura para se organizar como crime comum. Os bandidos adotaram o princípio da organização para verticalizar o poder dentro do grupo.

Os marinheiros revoltosos – entre eles um traidor, o cabo Anselmo, que trabalhava para a polícia e recebia dinheiro da CIA – fizeram contato com vários presos comuns. Isso aconteceu primeiro na Frei Caneca, e depois na Ilha Grande. Três desses prisioneiros freqüentaram as reuniões e os grupos de estudo dos revolucionários. Nelson Nogueira dos Santos, Sérgio Túlio e Apolinário de Souza, condenados por assalto a mão armada e crimes de morte, foram os primeiros a passar por um processo de conscientização.

2

OS PRESOS POLÍTICOS enviados para a Galeria B da Ilha Grande fizeram logo de saída uma exigência: manter isolamento em relação aos presos comuns. Pode parecer uma decisão elitista, mas escondia um objetivo estratégico, de longo prazo. Os quadros das organizações de esquerda tentavam formar um grupo diferenciado dentro da cadeia, mantendo as características das estruturas de militância que trouxeram da rua. Ou seja: tinham secretários, dirigentes, tarefas internas, obrigações políticas. A idéia era reproduzir dentro do presídio o modo de vida típico do revolucionário, sustentando a tradição que vinha desde o "ano vermelho" de 1917. Com isso, deixavam claro que eram de fato presos políticos, enquanto o regime militar se esforçava para apresentá-los como bandidos comuns, punidos por delitos vulgares, assalto ou morte. A postura de resistência como um grupo diferenciado garantia algum reconhecimento internacional e alargava o caminho da anistia. Porque no Brasil existiam presos políticos! Esse era o objetivo.

O Departamento do Sistema Penitenciário e a direção do Instituto Penal Cândido Mendes concordaram com a reivindicação. As autoridades carcerárias do Rio parece que não entenderam nada. A Galeria B foi dividida ao meio por um muro de alvenaria com um portão de ferro. Do lado de cá, os presos políticos; do lado de lá, os bandidos condenados pela LSN. Obra rápida, desconfiança acelerada. A massa carcerária não recebeu nada bem essa iniciativa. Durante um bom tempo, os dois lados da Galeria B se estranharam. Os presos políticos eram chamados de "bacanas". Uma designação perigosa. Na linguagem do crime, "bacana" é sempre a vítima potencial. Com esse primeiro *round*, quase dá certo a idéia de que os presos políticos seriam engolidos pela massa e submetidos à lei do cão. O sistema apostava que logo começariam os conflitos, e os revolucionários perderiam na queda-de-braço com a massa de criminosos do presídio.

Mas alguns dos militantes detidos fizeram valer a força do carisma, impuseram currículos impressionantes como o do padre Alípio. Além do mais, os presos políticos entravam na cadeia como autores de "crimes de homem", violência armada, seqüestros. E eram gente de uma espécie de "quadrilha". Na visão pouco elaborada do criminoso comum, as organizações revolucionárias não passavam de grupos de quadrilheiros bem organizados. A motivação ideológica é sofisticada demais para entrar com facilidade na cabeça de um bandido comum. Muitas vezes, um preso político contava a história de um assalto a banco e recebia à queima-roupa a pergunta difícil de responder:

– Mas quanto é que você levava nisso?

As ações armadas da esquerda eram cuidadosamente planejadaș. Num assalto a banco, por exemplo, o tempo que um sinal de trânsito levava para abrir e fechar era medido meticulosamente. O grupo – ou comando – entrava na agência bancária com o sinal aberto na rua e saía com o sinal aberto novamente. Você está diante de uma situação crítica se foge de um assalto e dá de cara com um sinal fechado e o tráfego todo parado. E dificilmente uma unidade de operações da guerrilha urbana seria surpreendida dentro de um banco, porque deixava do lado de fora uma "força de choque". O grupo encarregado de conter a repressão, na rua, usava armamento de impacto, como as metralhadoras calibre 45 e os rifles de cartucho 20 ou 12. Bombas incendiárias – tipo molotov – podiam ser usadas para provocar confusão e eram muito eficientes se explodissem dentro de um carro da polícia. Esses coquetéis-molotov tinham fórmula especial, desenvolvida por estudantes de química. Em vez de ser apenas uma bomba de gasolina com mecha de pano para acender, usavam ácido sulfúrico, óleo queimado e uma mistura de clorato de potássio e açúcar. O óleo servia para manter o fogo por mais tempo, podendo ser substituído por sabão em pó, que tem o mesmo efeito. O ácido provoca uma explosão mais violenta e perigosa. A mistura de clorato e açúcar serve como detonador e dispensa a mecha. Quando ácido e clorato entram em contato, explodem.

Outros explosivos também faziam parte do arsenal da guerrilha: bombas de fragmentação com pregos e parafusos acondicionados junto à pólvora e enxofre num tubo de PVC ou numa lata do tamanho de uma cerveja. Ou um tipo de combinado químico chamado "termita", que queima com uma temperatura de 1.600 graus e pode derreter em minutos um bloco de motor. A criatividade se somava à audácia para suprir este arsenal improvisado na luta armada contra o regime militar. Os comandos guerrilheiros usavam um personagem conhecido como "o crítico", um militante que não entrava na ação mas a tudo assistia. Sua tarefa era apontar os erros na elaboração e execução do plano. O Grupo Tático Armado (GTA) da Aliança Libertadora Nacional em São Paulo foi o primeiro a se valer deste artifício. Curiosamente, a quadrilha de Lúcio Flávio tinha um "crítico", garçom de um conhecido restaurante na Zona Sul do Rio. Esta é uma lição que Lúcio pode ter aprendido nos contatos com o pessoal da Vanguarda Popular Revolucionária.

As organizações de esquerda, toda vez que saíam dos porões da clandestinidade para uma operação armada, deixavam em algum ponto da cidade um "plantão médico". Eram estudantes de medicina e de enfermagem, com material cirúrgico e de primeiros socorros. Se alguém fosse ferido num assalto a banco ou seqüestro, esse "serviço médico" tentava resolver o problema. A rotina dos paramédicos da guerrilha resultou na redação de manuais de atendimento a feridos de bala, queimaduras e fraturas – as ocorrências mais comuns em combate. A melhor maneira de um ferido ser apanhado é procurar um hospital público. Essa lição os presos comuns também aprenderam. E aprenderam, principalmente, que um companheiro ferido em estado grave pode ser socorrido nessas pequenas clínicas cirúrgicas particulares que existem nas grandes cidades, algumas de estética e cirurgia plástica. Ali não há segurança. Um pequeno grupo pode simplesmente tomar de assalto o lugar e submeter o ferido a um tratamento de emergência. Provavelmente as mãos de um cirurgião vão tremer se ele tiver que operar sob a mira de um revólver. Mas a chance de a operação dar resultado é sempre melhor do que morrer perdendo sangue. Mais de uma vez os bandidos do Comando Vermelho recorreram a tal expediente para salvar a vida de um companheiro.

Nas ações armadas, a esquerda sempre usava carros roubados horas antes, para que as placas ainda não constassem dos registros policiais. Eram carros "tomados" nos estacionamentos no exato momento em que os donos abriam as portas, especialmente em supermercados e shoppings. Muitas vezes, não eram os automóveis mais potentes. Eram os mais discretos, como os utilitários de serviço. Apesar de não serem velozes, passavam despercebidos. No trânsito sempre congestionado, afinal não há muito que correr. E os carros sempre eram posicionados de modo a que não houvesse testemunhas do grupo embarcando neles. Por exemplo: o carro da fuga ficava uma esquina antes do banco e os assaltantes saíam a pé. Outros automóveis eram usados na cobertura – um batedor na frente, um atrás para segurar a polícia.

Acidentes de trânsito também eram deliberadamente provocados para engarrafar as ruas e impedir o deslocamento rápido da polícia. Além disso, o carro principal era abandonado poucos quarteirões adiante, em alguns minutos. O grupo que esteve no centro da ação passava para outro veículo estrategicamente estacionado. A mobilização da polícia leva em geral de cinco a dez minutos. Tempo mais do que suficiente para a fuga se consumar. Tudo isso foi "ensinado" aos presos comuns dentro das penitenciárias, nas longuíssimas conversas de quem não tem nada a fazer, a não ser matar o tempo. De certo modo, o que os bandidos comuns fazem hoje é uma paródia das técnicas da guerrilha urbana.

A experiência da luta armada foi mesmo transferida aos bandidos comuns lentamente, no convívio eventual dentro das cadeias, tanto na

Ilha Grande quanto no Complexo Penitenciário da Frei Caneca. Ou no Carandiru. Mas foi na Ilha que esta relação se tornou mais produtiva para o criminoso comum. Lá estavam representantes do Movimento Revolucionário 8 de Outubro (MR-8), da Aliança Libertadora Nacional (ALN ou Alina), da Vanguarda Popular Revolucionária (VPR) e da VAR-Palmares. Esses tinham para contar operações complexas, que envolviam estruturas intrincadas e muitos recursos: os seqüestros de diplomatas e os assaltos a residências milionárias.

Um desses roubos ocorreu no bairro de Santa Teresa, no Rio, e rendeu 2,5 milhões de dólares. Um comando formado por militantes de várias organizações invadiu a casa de Ana Capriglione, que teria ligações amorosas com um ex-governador de São Paulo. Um cofre pesando mais de duzentos quilos foi levado da mansão e desapareceu. Nenhum tiro foi disparado. E o comandante da operação, Carlos Lamarca, um capitão que desertou do Exército, chegou a levar um pontapé de um menino e se envolver numa discussão com a babá. Esse foi o único incidente durante o assalto.

Dois jornalistas baianos, Emiliano José e Oldack Miranda, escreveram a biografia de Lamarca. Foi uma pesquisa cuidadosa, através de documentos e entrevistas sobre a guerrilha. Eles contam como foi o assalto ao cofre de Santa Teresa:

– Eram três horas da tarde, 18 de julho de 1969. A mansão da rua Bernardino dos Santos número 2, foi invadida por treze agentes federais em busca de papéis subversivos. Os interrogatórios são feitos ali mesmo, em separado. Uma hora depois as coisas começam a ficar mais claras. Os agentes vão embora, ninguém é preso, mas um cofre de duzentos quilos, grudado no fundo de um armário embutido, no segundo andar, havia desaparecido. (...) Dentro do cofre também havia documentos, posteriormente publicados numa revista uruguaia. Um deles acusava o ex-governador paulista de vender ao governo boliviano vacinas Sabin doadas pela Organização Mundial da Saúde.

Histórias como essa, contadas nos corredores da Ilha Grande, faziam a alegria da bandidagem.

Outra técnica da luta armada na troca de experiências entre os dois tipos de prisioneiros: roubar vários bancos vizinhos de uma só vez. O risco é o mesmo, exigindo apenas mais homens e armas. E o lucro pode ser maior. Muitas vezes, os grupos armados de esquerda bloqueavam o tráfego nas ruas onde ocorriam os assaltos. Com os carros todos parados, nada de polícia. Os criminosos comuns aprenderam ainda que o dinheiro proveniente dos assaltos – que os bandidos do Comando Vermelho até hoje também chamam de "expropriação" ou "retomada" – deveria ser aplicado para render algum tipo de juros. Os militantes compravam dólares e ações na bolsa. Os bandidos que absorveram a lição compram cocaína, armas e imóveis. O armamento da guerrilha, inclusive as bombas incendiárias e de fragmentação, é facilmente encontrado agora nas seguranças das bocas-de-fumo e nas quadrilhas de assaltantes de banco. Só que, em vez de improvisar, os "soldados" do Comando Vermelho usam granadas e foguetes importados ou roubados das Forças Armadas. As metralhadoras não são mais as INA 45, que a guerrilha "retomava" da polícia. São Beretta, Ingran e Uzi de 9mm – ou fuzis automáticos AR-15, AK-47 russos, Galil israelenses, comprados junto aos barões da cocaína colombiana. As melhores armas do mundo!

A preocupação das organizações de esquerda em formar uma rede de "aparelhos" também foi incorporada ao crime. Casas são compradas ou alugadas em vários pontos, próximos à operação de venda de drogas, para servir de depósito de material ou abrigo para os mais procurados. Em geral, esses "aparelhos", ou "paióis", têm a fachada absolutamente discreta de residências pacatas ou pequenos negócios. Ficam nas áreas vizinhas às grandes favelas controladas pelo Comando Vermelho. Locais de rápido acesso para transferir a droga ou simplesmente passar uma noite em segurança. Mas o crime organizado foi muito além do que a luta armada revolucionária tinha conseguido nos anos 70, tanto em matéria de infraestrutura quanto na disciplina e organização internas. O bandido co-

90   CV_PCC *A IRMANDADE DO CRIME*

mum conseguiu romper o isolamento social que atormentava os grupos guerrilheiros, desenvolvendo laços de confiança com a população carente. Os militantes viviam clandestinos e sem qualquer ajuda, a não ser a fé que os movia. Os homens que servem ao crime organizado contam com a colaboração – ou pelo menos o silêncio – que os protege.

3

NA ILHA GRANDE, enquanto os presos comuns traficavam drogas, os presos políticos traficavam papéis e informações. A maioria dos depoimentos sobre a tortura no Brasil, divulgados no exterior, saiu de dentro dos presídios. Muitas orientações e análises políticas partiam da Galeria B do Cândido Mendes para os poucos grupos que ainda restavam ativos na rua. Papéis saíam. E papéis entravam. O correio – como acontece ainda hoje para o Comando Vermelho carioca e para o PCC paulista – sempre esteve baseado nas visitas de parentes e advogados dos presos políticos. Esse sistema de comunicação com o exterior nunca se interrompeu, mesmo nos momentos em que as autoridades carcerárias decretavam a incomunicabilidade. Todas as greves de fome dos presos políticos eram acompanhadas por reivindicações e declarações de principio que saíam nos jornais. Muitos livros e publicações – mesmo as clandestinas – chegavam ao coletivo da Galeria LSN. *A guerrilha vista por dentro*, que o comandante Nelson Salmon encontrou com o assaltante Giovani Szabo, era apenas um dos muitos livros a circular na Ilha.

Um documento da Aliança Libertadora Nacional (ALN), escrito pelo próprio fundador do grupo, Carlos Marighela, chegou às mãos do assaltante de bancos Carlos Alberto Mesquita, em 1975. *O pequeno manual do guerrilheiro urbano* – uma bíblia da luta armada – continha ensinamentos básicos para operações militares de pequenos grupos guerrilheiros, "mesmo aqueles que possam ser formados espontaneamente a partir da luta popular". Como o próprio nome diz, o texto de Marighela, ilustrado com desenhos, era mesmo um "guia prático da ação armada". É muito difícil determinar como e por que o documento foi introduzido no presídio. Mais difícil ainda é descobrir quem o entregou a Carlos Alberto Mesquita. O assaltante foi o número dois entre os oito primeiros líderes do Comando Vermelho.

Mais uma publicação predileta da esquerda revolucionária entrou na Ilha Grande: o livro *Revolução na revolução?*, escrito pelo francês Régis Debray, um amigo e seguidor do guerrilheiro mais famoso do mundo, Ernesto "Che" Guevara. Este livro foi editado em Cuba, em 1966. No mesmo ano, a editora argentina Siglo XXI também o publicou. Não havia uma edição brasileira, mas o texto de Debray foi traduzido do espanhol e teve ampla circulação na juventude universitária, que era a base da luta armada nos anos 70. *Revolução na revolução?* afirmava que a libertação dos povos partia do exemplo e da disposição de luta de "uma vanguarda armada revolucionária", que seria capaz de sobreviver à repressão e "apontar o caminho da revolução" Entre outras coisas, o livro afirmava que "a execução de um notório torturador vale mais do que mil discursos". Anos depois, na paródia que produziu da luta armada, o Comando Vermelho afirmaria: a execução de um delator vale mais do que mil discursos.

O livro de Régis Debray foi apreendido pela polícia no "aparelho" de José Saldanha – o Zé do Bigode – depois do maior tiroteio da história policial do Rio de Janeiro. Zé do Bigode era o número cinco da primeira liderança do Comando Vermelho e estava foragido da Ilha Grande. O livro ficou um bom tempo guardado na gaveta do diretor do Departamento de Polícia Especializada, delegado Rogério Mont Karp, enquanto ele pensava no que aquilo poderia significar. Quando o bandido morreu, o jornal *O Globo* publicou um editorial cobrando das autoridades uma ação mais enérgica contra esse novo tipo de bandido. Dizia o jornal, no dia 8 de abril de 1981:

> Fica claro que a sua sofisticação [dos bandidos da quadrilha do Zé do Bigode] não se limitava ao tipo de armamento que usavam: sua pericu-

losidade era, em conseqüência, muito maior. Usavam as técnicas da guerrilha, codificadas, na década de 60, por Marighela e Guevara. Aprenderam-nas, certamente, na cadeia, onde conviveram com terroristas de esquerda.

Outra publicação, fundamental para a formação de grupos armados, percorreu as galerias da Ilha Grande: *Guerra de guerrilhas*, do papa da luta armada na América Latina, "Che" Guevara. Este livro foi transformado em apostila mimeografada e contrabandeado lentamente para o interior do presídio. Tinha mais de quarenta páginas em tamanho ofício, redigidas com máquina de escrever elétrica em espaço um. Na capa, um desenho do rosto de Guevara, feito à mão e com aquele aspecto sombrio das fotografias solarizadas. *Guerra de guerrilhas* foi o mais completo manual para operações irregulares de que se tem notícia. Foi preparado tomando por base a própria experiência pessoal do comandante Guevara em Sierra Maestra, durante a revolução cubana, além das lutas que ele ajudou a organizar no Congo, região central da África. O manual do "Che" era explícito quanto à escolha do armamento para as unidades guerrilheiras: no campo ou na selva, armas de precisão e de longo alcance, capazes de surpreender o inimigo nas emboscadas, antes que pudesse se aproximar; nas cidades e nas zonas periféricas, armas automáticas de disparo rápido, especialmente as metralhadoras e as pistolas. Granadas, bombas e armadilhas – segundo "Che" – eram fundamentais. Hoje os "soldados vermelhos" usam fuzis de longo alcance no alto das favelas, de onde podem atingir a polícia sem serem vistos. Nas áreas onde podem ser surpreendidos, usam pistolas e metralhadoras, granadas e armadilhas.

O manual destacava a importância da articulação de uma rede de abastecimento e informações. Segundo ele, o contato com o mundo exterior, fora das zonas de combate, era decisivo para sobreviver. Imagine isso sendo lido e comentado nas "zonas de combate" da Ilha Grande.

Os presos comuns do "fundão" tiveram contato também com textos clássicos da literatura marxista. *O Manifesto do Partido Comunista*, escrito por Karl Marx e Friedrich Engels, em 1848, e *A concepção materialista da história*, do russo Afanassiev, fizeram parte de planos de estudos dentro do presídio. Outros dois livros da literatura básica do marxismo também foram lidos: *A história da riqueza do homem*, do historiador Leo Hubberman, e *Conceitos elementares de filosofia*, de Martha Hannecker. Os prisioneiros políticos empregavam nesses grupos um método definido: alguém era escolhido para ler um capítulo e fazer depois um relatório em voz alta – a seguir, havia uma discussão coletiva. Muitas vezes, os presos comuns da Galeria LSN entravam nos grupos. Outras vezes, organizavam eles mesmos a discussão. Sobre isso há um depoimento inquestionável: o primeiro e mais importante líder do Comando Vermelho, William da Silva Lima – o Professor –, diz que leu muitos livros na cadeia. Como nessa história todo mundo escreveu memórias, Willian não ia ficar de fora. O fundador do Comando Vermelho publicou *Quatrocentos contra um – uma história do Comando Vermelho*, pela Editora Vozes:

> (...) Quando os presos políticos se beneficiaram da anistia que marcou o fim do Estado Novo, deixaram na cadeia presos comuns politizados, questionadores das causas da delinqüência e conhecedores dos ideais do socialismo. Essas pessoas, por sua vez, de alguma forma permaneceram estudando e passando suas informações adiante. (...) Na década de 60 ainda se encontrava presos assim, que passavam de mão em mão, entre si, artigos e livros que falavam de revolução. (...) O entrosamento já era grande, e 1968 batia às portas. Repercutiam fortemente na prisão os movimentos de massa contra a ditadura, e chegavam notícias da preparação da luta armada. Agora, Che Guevara e Régis Debray eram lidos. Não tardaria contato com grupos guerrilheiros em vias de criação.

As palavras do Professor dão bem a idéia do quanto ele se desenvolveu nos contatos que manteve na cadeia. Dizem que, ao contrário da maioria dos militantes da esquerda, ele leu *O capital* – conhecimento que ainda hoje falta a muito comunista de carreira. O livro de Willian da

Silva Lima foi lançado no auditório da Associação Brasileira de Imprensa (ABI), no dia 5 de abril de 1991, durante um seminário sobre criminalidade dirigido pelo Instituto de Estudos da Religião (ISER), de orientação católica. O texto final foi copidescado por César Queiroz Benjamin, um ex-militante do Movimento Revolucionário 8 de Outubro (MR-8), que trabalhou sobre um original de mais de quatrocentas páginas. Duas semanas após o lançamento, no dia 19 de abril, o fundador do Comando Vermelho, com autorização do Desipe, manteve um encontro com jornalistas estrangeiros no Hospital Penitenciário. Esta foi a segunda vez na história do sistema penal brasileiro que um preso comum deu entrevista coletiva à imprensa. Na noite de autógrafos na ABI, quem assinava os livros em nome de Willian era a mulher dele, Simone Barros Corrêa Menezes.

4

WILLIAN DA SILVA LIMA, um pernambucano de cinqüenta anos, talvez ainda se considere um guerrilheiro, depois de tantos anos de prisão. Teve aquela infância difícil que faz parte da maioria das biografias de quem entrou para o crime ainda adolescente. Desajustes familiares, dificuldades para sobreviver, falta de opção numa sociedade altamente discriminatória e repressora. Hoje o Professor já deixou o presídio de segurança máxima Bangu Um, lutando por uma forma legal de libertação, após quase cumprir o que diz a lei: "ninguém ficará mais de 30 anos em regime fechado". Ele foi preso nos anos 70... do século XX. Bangu Um, no Rio de Janeiro, é uma unidade carcerária construída especialmente para os líderes do crime organizado. Ali estão os fundadores do Comando Vermelho, os chefes do Terceiro Comando, que nem por isso deixaram de comandar o tráfico de drogas, os grandes assaltos e os seqüestros. Advogados funcionam como correio – e o telefone celular melhorou muito a vida dos chefes das quadrilhas. O Professor tenta o regime semiaberto e logo estará livre. Depois de tudo o que viveu, não pode mais ser considerado um preso comum. Provavelmente, não é mais um delinqüente. Creio, inclusive, que deve ser ajudado na reabilitação. Fora de uma cadeia, possivelmente vai se tornar líder de alguma outra coisa. Talvez de um movimento social.

Willian conhece bem as cadeias do Rio. Foi preso pela primeira vez em 1962, por assalto a mão armada. Cumpriu pena na Penitenciária Lemos de Brito e recebeu, em 22 de novembro de 1965, o benefício da liberdade condicional. Volta às celas em 16 de janeiro de 1968, desta vez na Milton Dias Moreira. Foi assalto a banco. Cumpriu a pena toda, até 11 de agosto de 1971. Quatro anos depois, em 8 de abril de 74, atravessa de novo os portões da cadeia. É trancado primeiro na Lemos de Brito, sendo transferido em alguns meses para a Ilha Grande. Willian estava condenado até o ano 2010. Vai direto para a Galeria LSN. De acordo com o comandante Nelson Salmon, Willian se torna amigo de um preso muito especial no "fundão" – o padre Alípio.

Os primeiros contatos de Willian com a esquerda ocorreram logo depois do movimento militar de 64. Quando deixou a prisão, um ano depois, levava no bolso uma carta de apresentação redigida por um preso político e endereçada a uma pequena indústria gráfica onde, ao que tudo indica, funcionava uma célula comunista. Willian encontrou a editora à beira da falência. Teve vergonha de ficar trabalhando apenas por favor. Esta poderia ter sido uma boa oportunidade para mudar de vida, deixar o crime. Mas o destino não ajudou.

"Na cabeça", revela Willian, em seu livro, "muito idealismo e poesia. Na prática, a necessidade de sobreviver sozinho, sendo um marginal. A expectativa de desenvolver meu lado intelectual e político frustrou-se."

O Professor é um homem de inteligência acima da média. Não teve uma boa instrução, mas aprendeu rápido na dura escola das ruas. Quando deixou a gráfica, voltou aos assaltos e – logo depois – à prisão. Sempre teve uma visível capacidade de liderança. Influenciava rapidamente os companheiros. Na rua, ganhava estatura de chefe de bando rapidamente. Willian é mesmo uma figura impressionante. Todos os depoimentos a respeito dele mostram que é um sujeito de uma só palavra. Toma a decisão e vai até o fim. Não dá para calcular o número de vezes em que participou de tentativas de fuga, rebeliões. Willian tem um problema neurológico, resultado de uma violenta pancada que levou na cabeça durante uma rebelião. Um guarda quase abriu sua cabeça ao meio com uma barra de ferro. Mas na imensa ficha criminal não há acusações de crueldade, nunca foi processado por homicídio, estupro ou qualquer coisa do gêne-

98 **CV_PCC** *A IRMANDADE DO CRIME*

ro. Tráfico de drogas parece não fazer parte do currículo deste que é agora um dos mais importantes criminosos encarcerados. Importante não por sua periculosidade – mas por sua capacidade. O destino fechou-lhe a porta da recuperação no episódio da gráfica. E abriu, naquele momento, o caminho do crime organizado.

Na Galeria B da Ilha Grande, Willian encontrou a matéria-prima para a fundação do Comando Vermelho. Ele já conhecia o presídio, onde passara alguns meses em 1971. A descrição que faz das condições desumanas da cadeia é de impressionar:

– O ambiente era paranóico, dominado por desconfianças e medo, não apenas da violência dos guardas, mas também da ação das quadrilhas formadas por presos para roubar, estuprar e matar seus companheiros. Os presos ainda formavam uma massa amorfa, dividida. Matava-se com freqüência, por rivalidades internas, por diferenças trazidas da rua ou por encomenda da própria polícia, que explorava de forma escravagista o trabalho obrigatório e gratuito. O maior inimigo da massa da Ilha Grande era, na ocasião, ela mesma, que estava dividida e dominada pelo terror.

A prisão da Ilha Grande não negava ser uma das piores do mundo. Foi exatamente trabalhando sob essas inimagináveis condições de vida que ele e seus companheiros conseguiriam construir o alicerce de uma organização que se tornaria mais poderosa, naquela ocasião, que o próprio sistema penitenciário. "Da primeira vez", diz o Professor, "não suspeitava que, anos depois, da resistência a essa situação começaria a nascer na Ilha Grande um novo estado de espírito entre a massa carcerária." A união dos presos comuns para resistir ao clima geral de barbaridade no Instituto Penal Cândido Mendes tinha uma base objetiva: sobreviver. Para não morrer, para não ser roubado pelos grupos já existentes, para continuar "vivendo como homem" era preciso reagir. As falanges Jacaré, Coréia, Zona Sul e os independentes comandavam a rotina de terror que dominava milhares de prisioneiros.

A reação aos crimes das falanges dentro do presídio começa no "fundão", de maneira tímida. Mas logo adquire uma velocidade capaz de impressionar qualquer pesquisador. Oito presos da Galeria B, que tiveram contato muito próximo com os militantes das organizações revolucionárias, formam um grupo coeso. Uma fé cega, uma "questão de princípio": responder à violência das falanges. Se preciso, com violência ainda maior. O grupo embrionário do Comando Vermelho já sabia que muito sangue seria derramado nos corredores da Ilha Grande. Isso começou em fins de 1974. Nessa época, trinta presos políticos ainda estavam na Galeria LSN. Entre eles, alguns que seriam muito importantes no trabalho de conscientização. Padre Alípio é um dos mais significativos elos de ligação entre os militantes e a massa carcerária A respeito da experiência deste revolucionário na Ilha Grande, o repórter Aroldo Machado ouviu o preso Osvaldo da Silva Calil, o Vadinho, assaltante de bancos. A entrevista foi publicada na edição de 22 de outubro de 1981 da revista *IstoÉ*. Um trecho é esclarecedor:

– Fiquei com os marinheiros presos em 64. Depois, com os rapazes da ALN, MR-8, VAR-Palmares, Colina (Comando de Libertação Nacional), Juventude Operária e Juventude Universitária [ambas ligadas a setores radicalizados da Igreja]. No começo estranhei um pouco Mas, com o passar dos anos, eles fizeram a minha cabeça, e cheguei até a ler a Bíblia.

Quando os presos políticos foram sendo transferidos ou libertados, a experiência ficou. Vadinho conta mais:

– Os alunos passaram a professores. Convencemos os presos de que eles tinham que estudar e se organizar. Foi assim que tudo começou.

O advogado José Carlos Tórtima esteve preso no "fundão" quando tudo isso aconteceu. É uma voz discordante. Quando era procurador-chefe da Defensoria Pública do Rio de Janeiro disse que a ligação da esquerda armada com o Comando Vermelho "não passa de uma invenção da direita". No dia 11 de fevereiro de 1993, Tórtima concordou em revelar sua versão para fatos ocorridos na Ilha Grande, onde esteve durante um ano e meio, condenado por supostos crimes políticos:

– Antes de tudo, é preciso que se diga que é uma mentira essa história de que os presos comuns aprenderam como se organizar e noções de guerrilha urbana com os presos políticos. O conteúdo ideológico deles é de tal forma individualista que de maneira nenhuma poderiam absorver a proposta de apoio coletivo. Digo isso com a autoridade de quem nunca se arrependeu do que fez. A direita nos empurrou para a luta armada porque todas as saídas do processo democrático estavam fechadas. O que aconteceu na Ilha Grande foi que um ou outro preso comum – no máximo dois ou três – assumiram uma posição diferente da dos outros. E uma das conseqüências disto foi a regeneração total desses presos. Eles entenderam que o crime era uma alternativa alienada em termos de negação dos valores sociais vigentes. Lembro-me do nome de um desses presos: José André Borges.

O advogado José Carlos Tórtima disse também que a convivência com os bandidos na Galeria LSN não foi nada tranqüila:

– No começo houve conflitos. Nós nos baseávamos numa conduta rígida. Não admitíamos drogas, violência sexual, jogo ou brigas. Um chefe de quadrilha que estava preso conosco chegou a ameaçar um preso político chamado Lucivan. Os presos políticos reagiram e deram uma surra no bandido. Tínhamos que usar a linguagem da força, a única que eles entendiam – se não, seríamos exterminados. Quando eles ameaçavam um preso político, dizíamos: "A longa mão da revolução vai buscá-los aonde estiverem, se alguma coisa acontecer a algum de nós." A partir daí, começou a haver mais respeito. Aos poucos eles foram se acomodando às nossas regras, e foram percebendo que um coletivo unido tinha melhores condições de enfrentar as adversidades da prisão. Na segunda greve de fome que fizemos, a maioria dos presos comuns aderiu.

O sentido íntimo do depoimento de José Carlos Tórtima é o seguinte: os presos políticos não ensinaram a criar uma organização criminosa, mas a convivência passou para os prisioneiros comuns um "novo significado de solidariedade". O que veio a seguir foi por conta e obra dos criminosos comuns. É bom lembrar que o advogado deixou a Ilha Grande em meados de 1971, antes do período crítico para a criação do Comando Vermelho, nos anos pós-74. Tórtima fala mais:

– Eles adotaram uma hierarquia militar e autoritária. O Bagulhão (Rogério Lengruber, um dos líderes dos presos comuns, hoje morto) era chamado de "Marechal". Ninguém ousaria discutir uma ordem do Rogério. Enquanto isso, na nossa organização, tudo era questionado e discutido por todos. Aí está mais uma evidência das diferenças ideológicas entre o Comando Vermelho e os grupos de esquerda. Repudio claramente qualquer insinuação de que os presos comuns foram formados pelos políticos. Isto é um mito veiculado pela direita.

Ai está a opinião de uma testemunha ocular.

5

O "FUNDÃO" ABRIGAVA 120 condenados. Em cada cela da Galeria LSN podiam estar de doze a 24 presidiários. Noventa deles eram presos comuns, a "primeira linha", a primeira "tropa de choque" do Comando Vermelho. Os oito líderes iniciais eram os mais respeitados – aqueles cuja palavra valia como um conselho ou como sentença. O resultado da ação desses homens se alastrou pelo presídio devagar. A maioria deles estava em regime de isolamento e ficava restrita aos limites da Galeria B. Poucas vezes podiam ir ao pátio central do Cândido Mendes, um lugar de encontros e mortes conhecido como "areão", o grande pátio de areia onde décadas atrás ficavam os "currais de homens" da antiga Colônia Penal de Dois Rios – aquela que manteve preso sem culpa o escritor Graciliano Ramos. Os primeiros chefões da organização tinham uma folha penal de fazer medo. A relação a seguir e por ordem de importância:

1. **Willian da Silva Lima**, o **Professor**. Um especialista em formação de quadrilhas e assaltos a banco. Sobre ele já falamos bastante.

2. **Carlos Alberto Mesquita**, também conhecido como **Professor**. Mineiro de cinqüenta anos, um veterano de fugas na Ilha Grande. Antes mesmo de o Comando Vermelho organizar as grandes escapadas, já tinha conseguido "romper". Fugiu seqüestrando um barqueiro no dia 3 de março de 1974. Menos de um ano depois já estava de volta, com mais uma condenação por assalto a banco. No total, quinze anos de prisão.

Um fato muito estranho marca a carreira do segundo Professor na hierarquia do grupo: ele recebeu o benefício da liberdade condicional em 1983, concedido pelo juiz Mota Macedo, mas nunca pegou o alvará de soltura e continuou na cadeia pelo menos até 15 de agosto de 1984. Daí em diante, o Desipe e a Secretaria de Justiça não sabem dizer o que aconteceu com ele. Não consegui descobrir se Carlos Alberto Mesquita foi legalmente libertado. Não sei se está vivo ou morto.

3. Paulo Nunes Filho, o Flávio ou Careca. Foi preso pela primeira vez em 18 de maio de 1971. Assalto a banco. Condenado pela Lei de Segurança, foi mandado para a Ilha Grande. Uma pena que acabou com a vida dele. No dia 10 de março de 1980, foi transferido para o Hospital Penitenciário e logo em seguida para o Hospital Municipal Souza Aguiar. Vinte dias depois de deixar a cadeia, estava morto. Os arquivos a respeito do terceiro homem na hierarquia do primeiro núcleo do Comando Vermelho são muito pouco informativos. O Desipe sequer sabe dizer do que foi que ele morreu. Por incrível que pareça, até 1991, a polícia do Rio não se preocupou em investigar os antecedentes da organização.

4. Paulo César Chaves, o PC Branco, hoje com 53, é um homem de traços finos Poderia passar por pessoa pacata. Tem cabelos pretos, olhos castanhos, fala devagar e – dizem – conta piadas surpreendentes, algumas inventadas na hora. Filho de pai desconhecido. A mãe é Irene da Piedade Chaves. PC tem dois filhos, um de onze e outro de 24 anos. Como ele, são filhos que não têm o registro civil. Já teve emprego fixo. Foi impressor numa indústria gráfica e motorista. Viveu no bairro da Saúde, zona portuária do Rio – um lugar de malandragem tradicional, de boemia e samba de breque. Também morou no Catete, junto ao centro do Rio, onde se escondia da polícia nas pensões e hotéis baratos – naqueles em que ninguém precisa preencher ficha de hospedagem. Foi processado 21 vezes por assalto a mão armada e homicídio. Condenado pelo Artigo 27 da Lei de Segurança Nacional, teve os direitos políticos cassados no dia 28 de abril de 1975 pela 3ª Auditoria do Exército. Contra ele foram expedidos mais de dez mandados de prisão. Uma ficha de dar medo. Paulo César Chaves foi o redator oficial dos documentos do Comando Vermelho. Escreve bem e foi quem melhor definiu as reivindicações dos presos.

5. **José Jorge Saldanha, o Zé do Bigode.** Foi com a morte deste homem, no maior tiroteio da história polícial do Rio, que pela primeira vez se ouviu falar da organização Comando Vermelho. Assaltante de bancos, foi condenado em 5 de dezembro de 1972. Mais uma vez, o artigo 27 da Lei de Segurança Nacional manda um criminoso comum para a Galeria B da Ilha Grande. Somando todas as condenações, Zé do Bigode deveria ficar na cadeia até o mês de maio do ano 2030. Mas fugiu em 21 de agosto de 1980. Depois da fuga, viveu poucos meses. Morreu como viveu – em confronto armado com a sociedade que o rejeitou desde menino. Dos primeiros integrantes do Comando Vermelho, José Jorge Saldanha era o mais apaixonado pela idéia de organizar a massa carcerária na Ilha Grande e neutralizar o poder das falanges inimigas. Depois de fugir da prisão num barco a remo, foi um dos principais chefes de quadrilha de assalto a banco e ganhou o titulo de "o homem mais procurado" pela polícia do Rio. Um verdadeiro "inimigo público número um". O grupo que ele comandava arrecadou fundos para financiar a fuga de outros membros da organização. Essa "caixinha" do Comando Vermelho serviu inclusive para comprar uma lancha chamada *Miss Jupira*. Com ela, fugas espetaculares foram realizadas. Zé do Bigode tinha 1,68m de altura. O tamanho não dava idéia da coragem desse homem.

6. **Eucanan de Azevedo, o Canã.** Mulato forte da Baixada Fluminense. Bandido que impunha tremendo respeito. Trinta e seis anos de idade, 1,80m de altura, pai de três filhos. Com apenas o curso primário completo, nunca conseguiu ser mais do que servente de obras. Até que roubou pela primeira vez. E fez rápida carreira no crime. Enfrentou os tribunais treze vezes, mas nunca recebeu condenação pela Justiça Militar. De qualquer modo, ao chegar à Ilha Grande, foi direto para a Galeria LSN.

7. **Iassy de Castro, o Iacy.** Preso no dia 17 de novembro de 1972, foi sentenciado a quinze anos de Ilha Grande. O crime: assalto a banco, seguido de morte. Teve os direitos políticos cassados pelos tribunais milita-

res, como se assaltante tivesse algum tipo de direito político ou se preocupasse com isso. Morou no "paraíso" até o dia 20 de maio de 1986, quando ganhou liberdade condicional. Seis anos depois, quando levantei a ficha criminal de Iacy na Secretaria de Justiça, ninguém sabia informar se ele estava vivo ou morto. Até hoje não se sabe o que foi que aconteceu com ele.

8. Apolinário de Souza, o Nanai. Nasceu no Rio de Janeiro, na noite do *réveillon* de 1948. Foi preso pela primeira vez aos 24 anos, por assalto a banco. Tomou, logo de saída, dez anos de prisão (depois reduzidos a seis) em julgamento pelo Conselho de Sentença da 3ª Auditoria do Exército. Freqüentou praticamente todos os tribunais militares do estado. No total, 61 anos de cadeia e dez anos de suspensão dos direitos políticos. Negro, alto e magro, dotado de extraordinário senso de humor. Ninguém conseguia ficar perto dele sem rir. Na cadeia, organizava batucadas e cantava sambas famosos. Filho de um pastor evangélico, pregava a Bíblia entre os condenados, com um enfoque de salvação social, quase revolucionário. Montou um grupo evangélico muito forte entre os presos. Fugiu da Ilha Grande no dia 25 de agosto de 1980. Viveu pouco mais de dois meses em liberdade. Em 18 de novembro daquele mesmo ano, morreu num tiroteio em Santa Cruz, Zona Oeste do Rio de Janeiro, depois de participar de um resgate de companheiros presos na Ilha Grande.

No ano de 1975 aumenta a combatividade desse grupo. Cresce a influência sobre os presos comuns da Galeria B. A Falange LSN vai tomando forma e define a primeira palavra de ordem: "O inimigo está fora das celas. Aqui dentro somos todos irmãos e companheiros."

Um recado bem claro para as quadrilhas que atormentavam a vida no interior da cadeia. Com esta primeira manifestação de repúdio aos crimes das outras falanges, os presos do "fundão" lançavam um grito de guerra que também valia como sentença irrevogável. Uma sentença que foi posta em prática imediatamente: dentro da Galeria B ficava proibido, sob pena de morte, desrespeitar um companheiro. Essa declaração de intenções dos primeiros líderes do "fundão" foi perfeitamente entendida do lado de fora da galeria. A Falange Jacaré também começa a perceber que a guerra é inevitável. Uma questão de tempo.

Muita gente pode pensar que essa atitude dos presos comuns foi literalmente ditada pelos militantes encarcerados ali ao lado. Não foi. Todos são unânimes em dizer isso, inclusive os próprios criminosos. Acontece que justamente naquele momento começam as jornadas da anistia ampla, geral e irrestrita. O movimento pela libertação dos opositores do regime ganha as ruas, obtém espaço na imprensa nacional e estrangeira. O governo do general Ernesto Geisel defende a tese da abertura política, prevendo não uma anistia, mas uma "revisão de punições" para a oposição. De todo modo, é a questão da liberdade que está em jogo. Na verdade, a estratégia da ditadura era difícil de ser posta em prática sem perder o controle da situação.

É certo que as organizações de esquerda estavam desbaratadas e o governo não esperava uma reação do tipo revolucionária. Mas dentro do próprio regime havia forças políticas em choque. Onze anos depois do golpe militar, levar o país do arbítrio para uma democracia, ainda que tutelada pelas Forças Armadas, era uma tarefa perigosa. Nos porões da repressão, o setor mais radical se agita e resiste. O país é varrido de ponta a ponta pelo terrorismo de extrema direita, que se atribui hoje em dia à própria comunidade de informações e aos órgãos que estiveram diretamente envolvidos na luta antiguerrilheira. Bancas de jornais explodem, sindicalistas são assassinados, parlamentares sofrem ameaças. Um clima barra-pesada tenta fazer o general Geisel recuar. Ao que tudo indica, a idéia era criar o momento propício para um golpe dentro do golpe. Coisa semelhante já tinha acontecido durante a sucessão do general Costa e Silva, com vantagem para a linha dura. Por que não tentar outra vez?

Dois episódios marcam o período: a morte do jornalista Wladimir Herzog e o assassinato coletivo do Comitê Central do Partido Comunista do Brasil (PC do B). Os dois casos aconteceram em São Paulo. Na morte de Vlado, cai o general-comandante regional do Exército, Ednardo

D'Ávilla Mello, exonerado pessoalmente pelo presidente da República. No segundo, toda a cúpula dos órgãos de segurança em São Paulo é remanejada discretamente. Esses acontecimentos provocam grande impacto sobre a opinião pública – e servem como demonstração de que Geisel não vai desistir do projeto de abertura. Com isso, ganha ímpeto ainda maior o processo de luta pela anistia. E os principais interessados nisso – os próprios presos políticos – têm que se posicionar. Na Ilha Grande, a Galeria B passa por acirradas discussões e os militantes que ainda estão lá contribuem para o processo da anistia com uma pitada de ação: greve de fome por tempo indeterminado O movimento atinge ao mesmo tempo a Divisão Especial de Segurança, no Complexo da Frei Caneca. Eles sabem: nessa altura do campeonato, a última coisa que o regime poderia desejar é a morte por inanição de um preso político.

Mais do que nunca, os trinta militantes que restam aprisionados no "paraíso" procuram se diferenciar da massa carcerária em geral. Fecham-se, protegem suas estruturas políticas. Era fundamental demonstrar que constituíam um grupo à parte. A greve de fome de 1975 pretendia obter – e obteve indiretamente – a transferência de todos para o Rio, onde ficariam com os 32 militantes já transferidos. Os presos comuns estranham o isolamento dos "companheiros" revolucionários e tratam de usar uma arma que aprenderam justamente com eles: criam uma comissão para negociar com os militantes um novo período de cooperação. Willian da Silva Lima presidiu essa comissão. Ele conta o que aconteceu:

A unidade já não ultrapassava mais o portão de ferro que nos separava dos integrantes das organizações armadas. Eles não se misturavam, rompendo assim, talvez sem saber, uma velha tradição das cadeias, em que revolucionários e presos comuns (...) cresciam juntos num mesmo ideal (...). Terminara o período de cooperação entre os dois coletivos.

São palavras de um preso incomum. É possivelmente o preso comum mais qualificado do sistema carcerário brasileiro. Ele nos dá, em suas memórias, informações que se mostram incontestáveis. Nesse momento ele já percebe que, nos próximos meses, as celas dos ativistas políticos vão se esvaziar com as transferências. Mas a administração da Ilha Grande não permite que os criminosos sejam rearrumados nos espaços vazios, contribuindo para diminuir o problema da superpopulação na galeria. Para os delinqüentes comuns, só resta o caminho de se organizar e tentar virar a mesa. A lei do mais forte na cadeia é a única que a massa e a própria administração entendem. Presos comuns não têm anistia – e sabem disso. Agora isolados, têm que enfrentar a convivência forçada dentro da Galeria B. Mas isso não era tão ruim assim. Condenados a passar juntos as próximas décadas, os ocupantes do "fundão" tinham tempo de sobra para pensar nos problemas do presídio e na estratégia a ser adotada contra os grupos rivais. A comissão que procurou negociar com os presos políticos continua ativa. Torna-se "comissão permanente". Só que agora negocia diretamente com o Desipe. Mais ainda: vira "comissão dirigente", o primeiro secretariado de presos comuns de que se tem notícia na história do Brasil.

As reivindicações são definidas em conjunto. Reuniões intermináveis dentro das celas – ou bilhetes que passam de mão em mão pelos velhos corredores do Cândido Mendes As mais expressivas dessas queixas tiveram apoio unânime: fim dos espancamentos quando alguém é apanhado numa transgressão do regulamento da cadeia; liberdade de circulação pela galeria, o que implica a abertura das portas de aço das celas durante todo o dia; melhor tratamento para as visitas, sempre submetidas a revistas vexatórias e que não podem pernoitar na ilha, mesmo em dia de tempestades e mar revolto.

Esta última reivindicação tinha efeito mobilizador sobre toda a massa carcerária – e o primeiro núcleo do Comando Vermelho aprendeu logo que só devia fazer exigências que beneficiassem a todos. Não era nada interessante que uma reivindicação atendida fosse privilégio deles. O pernoite das visitas era na prática o início de uma longa luta pela conquista das "celas-bordel". Uma expressão muito engraçada, criada na Ilha Grande para designar as visitas conjugais íntimas. Hoje elas são rotina no sistema carcerário do Rio. Na época, eram reivindicação importante.

Lá pelo meio do ano de 1975, a comissão da Falange LSN já tinha alcançado certo reconhecimento oficial. Pôde inclusive divulgar no exterior uma carta denunciando a morte por espancamento de dois detentos. Espancamento – é claro – praticado pelos guardas. Para contrabandear o documento, eles foram ajudados por parentes dos presos políticos, que tinham feito amizade com familiares dos presos comuns. Uma cooperação que provavelmente encerrou um largo período de proximidade entre eles.

Um dado é fundamental para entender o modo pelo qual o núcleo que deu origem ao Comando Vermelho foi ganhando a confiança do conjunto dos prisioneiros: enquanto as demais falanges se organizaram em torno de seus próprios interesses – e geralmente pelo terror – o grupo do "fundão" se esforçava para melhorar as condições carcerárias e reprimia o crime entre os próprios criminosos. Ironias da história!

Ainda neste mesmo ano, um encontro dentro do presídio dá novo *status* ao "fundão": as autoridades públicas são obrigadas a marcar encontro com os presos para discutir as reivindicações. O então secretário de Justiça do Estado, Almeida Camargo, e o diretor do Departamento do Sistema Penitenciário, o promotor Augusto Frederico Thompson, se reúnem com os líderes da Falange LSN. Um dos presos, Nelson Nogueira dos Santos, lê para eles uma lista de problemas e exige soluções. Foi a primeira de uma série de confrontações entre o grupo e a administração penal. O presídio todo acompanhou o encontro num suspense tenso. Ali podia acontecer tudo, inclusive um motim e a transformação dos interlocutores oficiais em reféns. A morte dos dois presos pelos guardas – eles agonizaram em frente ao portão do presídio sem qualquer socorro e diante de centenas de testemunhas – ainda estava bem viva na memória de todos. No raciocínio dos representantes da lei também devia estar bem fresca a lembrança de que aqueles presos foram capazes de fazer chegar a denúncia à sede da Anistia Internacional, em Londres.

Mesmo tendo isso em mente – ou talvez exatamente por isso –, a resposta às reivindicações foi dura. O diretor do Desipe ameaça dividir o grupo pelas demais galerias. Uma atitude dessas poderia resultar num banho de sangue. Seria essa a verdadeira intenção? É pouco provável que o governo do estado tivesse qualquer interesse em jogar gasolina na fogueira. Os presos do "fundão" já tinham dado muitas demonstrações de liderança e organização. O remanejamento poderia acelerar todo o processo. Ou poderia detonar precocemente a guerra entre as falanges. O melhor exemplo disso veio logo a seguir: o pessoal da Falange LSN se recusa a aceitar as transferências. E surge quase imediatamente uma dissidência de conseqüências trágicas. Uma briga termina com a morte de um presidiário. Aconteceu dentro de uma cela, dias depois do encontro com os porta-vozes do governo. O episódio teve muitas versões: para a administração do presídio, um fato corriqueiro; para os fundadores do Comando Vermelho, um tipo de traição imperdoável. Argumentam que o assassino agiu a mando da Falange Jacaré. O objetivo: desmoralizar a liderança do "fundão", provar que havia divergências sérias no "território vermelho". A resposta foi rápida. E o preso foi condenado à morte e executado a golpes de estoques.

A morte daquele que ousou desafiar a nova lei da Galeria LSN reata a coesão interna do grupo. Na cadeia, é vencer ou morrer – sempre. Episódios como este selam a hegemonia dos elementos mais avançados do "fundão". Houve outros, muitos outros. Mortes, muitas mortes. Aos poucos, de 1975 a 1977, o núcleo principal vai sendo ampliado de oito para 31 homens. É um esforço lento. Reuniões, tarefas, conscientização para o sentido de organização que eles querem imprimir ao movimento. Um a um, os novos integrantes da falange vão se chegando. Todos – sem nenhuma exceção – criminosos considerados da mais alta periculosidade. No "fundão", aliás, não havia santos. Certamente ali não havia inocentes, gente que não tivesse feito por merecer cadeia dura. Na psicologia particularíssima do crime, isso é motivo de orgulho – e não de autopiedade. Aqui vale a máxima "quanto pior melhor", desde que seja leal a seus companheiros e fiel ao código de conduta que estava sendo desenhado pacientemente pelos iniciadores do Comando Vermelho.

Dos 23 presos que se uniram ao núcleo inicial do Comando Vermelho, muitos são bem conhecidos do grande público. Têm notoriedade nacional e até internacional. Eles vieram, aceitaram as regras do jogo e prometeram obedecer à comissão que continuava existindo:

1. **Maurílio Teixeira Maia, o Xará.** Dono de uma extensa folha penal, é ao mesmo tempo um homem discreto e que aparece pouco nos registros da administração penitenciária. Dele se sabe muito pouco.

2. **Luiz Carlos Salgado**, um homem sem apelidos. Carioca, casado, nasceu no subúrbio de Marechal Hermes, no verão de 1947. Matou pela primeira vez em 1974. Assaltou bancos e pegou 38 anos de cadeia, a maior parte dos quais no Presídio Hélio Gomes e na Ilha Grande. Está condenado até o ano de 2010. É um experiente organizador do trabalho carcerário, a serviço de um ideal: recrutar novos companheiros e destruir os inimigos. Hoje em dia está em regime semi-aberto no Presídio Vicente Piragibe, em Bangu.

3. **Ubirajara Lúcio Rocha da Silva, o Bira Charuto.** Favelado do Morro do Tuiuti, integrou a Falange Zona Norte na Ilha Grande, antes de aderir ao Comando Vermelho. Chegou condenado por assalto, formação de quadrilha e ligações com o tráfico de maconha na Zona Oeste do Rio de Janeiro. Nos violentos anos de luta interna nos presídios, Bira Charuto vai ocupar um papel de destaque. Primeiro na Ilha, e depois no Presídio Hélio Gomes, vai ser um dos responsáveis pelo cumprimento das sentenças de morte. Vai controlar os robôs, presos de longas sentenças que assumem os assassinatos mesmo sem tê-los cometido. Ele morreu com um tiro na cabeça no dia 12 de abril de 1985. Dizem que foi baleado pelos próprios sobrinhos, quando tentava impedir que os rapazes assaltassem um banco. Bira Charuto estava cumprindo o resto da pena em regime de prisão-albergue. Passava o dia na rua, voltava ao presídio para dormir.

4. **Climério Ribeiro Simas.** Um músico condenado por homicídio. Depois da primeira pena, matou de novo e virou ladrão de bancos. A condenação acabou no dia 6 de junho de 1990. Mas – estranhamente – nunca solicitou o alvará de soltura. Ninguém sabe o que aconteceu com ele.

5. Júlio Augusto Diegues, o Portuguezinho. Este é um veterano assaltante de bancos. Passou pelo Conselho de Sentença de quase todas as auditorias militares. Integrou, durante mais ou menos um ano, o bando de Lúcio Flávio. Era conhecido por ser um bandido prudente, planejador. Mas não hesitava em apertar o gatilho. Ainda vamos falar muito dele ao longo deste livro.

6. Paulo César Espada, um assaltante de bancos condenado a 16 anos de prisão. Calmo, fala mansa, tinha um apelido de acordo com o temperamento: **Cansaço.** Fugiu da Ilha Grande e participou da grande quadrilha de assaltantes montada pelos líderes do Comando Vermelho para obter fundos para a organização. Foi recapturado no dia 30 de abril de 1981. Não tenho outras informações sobre o que aconteceu depois.

7. Almir do Amaral. Assaltante de várias condenações. Enfrentou mais de uma vez os tribunais militares e foi encarcerado na Galeria LSN com uma longa pena a cumprir. Da vida dele não se tem muitos detalhes. É impossível dizer se está vivo ou morto.

8. Sérgio Silva Santos, o Serginho da Ivete. Um dos mais perigosos entre eles. Assaltante audacioso, é autor de fugas extraordinárias pelas ruas da cidade depois dos roubos. Chefe de quadrilha antes de chegar à Ilha Grande, submete-se à disciplina da Comissão. Depois de fugir, vai trabalhar para engordar os fundos da organização. Ou seja: vai assaltar bancos para financiar a fuga de companheiros do "fundão". Torna-se um abnegado membro do grupo. Volta à Ilha Grande para tentar um resgate de presos que conseguiram sair do presídio e se internar na mata. Morre, mais tarde, em confronto com a polícia.

9. Expedito Rafael da Silva se torna o gerente dos negócios da organização dentro da Ilha Grande. É ele quem vai administrar a "caixinha" do Comando Vermelho no presídio.

10. Nelson Gonçalves da Anunciação. Um bandido de inclinações artísticas. Muito querido na cadeia. Cantava bem e vivia puxando o "samba das grades". É uma tradição nas prisões: alguém canta o samba, os companheiros acompanham batendo palmas, fazendo reco-reco com colheres e canecas nas grades da cela. Muitas vezes, essa batucada abafa o barulho de um crime de morte ou de uma tentativa de fuga. Mas Nelson era tido como um preso exemplar, um excelente camarada.

11. Juarez de Paulo Ramos. Não consegui saber nada sobre ele.

12. Édson Alves Alkimim. Chegou à Ilha em 1969. Pegou a reforma da Lei de Segurança. Teve condenações por dois códigos legais diferentes, pelo mesmo tipo de crime. Uma situação bem curiosa. É dos veteranos das primeiras tentativas de organização dos presos comuns, sob influência dos marinheiros.

13. Almir Barbosa. Não sei nada sobre ele. Tentei em todas as fontes que concordaram em cooperar anonimamente com esta reportagem. Não foi possível.

14. Francisco Viriato de Oliveira, o Japonês. Um dos mais terríveis criminosos encarcerados no Instituto Penal Cândido Mendes. Cearense, à época com 46 anos, filho de Clóvis Franco Oliveira e Maria de Jesus Oliveira. Matou a própria mulher diante da filha de 15 anos. Pior: teria obrigado a menina a presenciar os últimos momentos da mulher que ele acusava de traição. Teve, além da menina, outros três filhos. Foi condenado a um século de prisão. Respondeu a 33 processos que resultaram em 16 diferentes mandados de prisão preventiva. Seria tedioso descrever todas as infrações do Código Penal que Viriato cometeu, incluindo dezessete violações do Artigo 121 – os crimes contra a vida. Em 1971, foi julgado pela primeira vez numa auditoria militar. Destino: Ilha Grande. Até 1996, foi um dos principais chefões do Comando Vermelho. Em maio de 1999, Francisco Viriato e um de seus filhos, o assaltante Washington Luís de Oliveira, foram mortos a tiros dentro do presídio Milton Dias Moreira. Executados por homens do Terceiro Comando. (Nunca se apurou como as armas entraram na cadeia.) Um mês depois do crime, o Comando Vermelho enforcou dois presos, supostamente os assassinos de Viriato. O governo do Rio transferiu para Bangu Quatro, inaugurado naquele ano, os 200 detentos que integravam o Terceiro Comando e seus aliados.

15. **Paulo Gomes, o Paulinho de Niterói.** Preso por assaltos e tráfico de drogas. Anos depois, em liberdade, foi acusado de chefiar uma quadrilha especializada em seqüestros. Controla uma parte importante da venda de cocaína em Niterói e São Gonçalo, na região metropolitana do Rio.

16. **Silvio de Carvalho, o Silvio Maldição.** Na época da formação do Comando Vermelho, tinha 32 anos. Mulato de cabelos ondulados e meio grisalhos, era notado pelo bom humor, pela simpatia. Homem inteligente, tinha sempre idéias inovadoras no convívio da prisão. Chefiou um bando especializado em roubar carros-fortes e bancos. Em 1982, foragido da cadeia, invadiu a Favela do Rebu, no subúrbio carioca de Senador Camará. À frente de um grupo de cem homens armados, destruiu a quadrilha de Ademir Dragão, um traficante que se impunha à comunidade pelo terror. Silvio de Carvalho tornou-se o maior atacadista de maconha da Zona Oeste do Rio. Travou durante dois anos uma guerra sem tréguas com a polícia. Morreu com um tiro de escopeta na cabeça no dia 2 de abril de 1985, quando 250 soldados da PM ocuparam a favela. A morte do traficante provocou uma grande revolta dos moradores, que apedrejaram a polícia e tentaram invadir o hospital onde o criminoso foi socorrido. Sílvio Maldição era uma espécie de benfeitor da comunidade, construiu escolas, um posto médico, foi o juiz e a polícia da favela. Toda a carreira de crimes desse homem esteve associada ao Comando Vermelho.

17. **Ricardo Duram de Araújo.** É dos primeiros condenados pela LSN a viver no "fundão". Já estava lá em 1970. Foi um dos presos a conviver com os marinheiros revoltosos de 1964. Ficou muito amigo de vários deles.

18. **Valdomiro Alves de Jesus, o Dudu.** Homem de confiança do núcleo inicial do Comando Vermelho, esse traficante de 23 anos vai ter uma morte trágica, anos depois, executado pelos próprios companheiros.

19. **Rogério Lengruber, o Bagulhão.** O apelido já indica o traficante de "bagulhos". Foi, até 1992, um destacado integrante da Comissão Dirigente do Comando Vermelho. Gostava de se denominar Marechal e certamente foi o homem forte da organização por mais de cinco anos.

Era feirante antes de entrar no mundo do crime. Completou o curso secundário – fato poucas vezes anotado nos arquivos do Desipe, já que mais de 80% dos presidiários têm apenas o primário incompleto, retrato da sociedade de onde saíram. Lengruber era muito forte, de quase 1,90m de altura. Mulato de cabelos ondulados, fácil de reconhecer pelas deformações que apresentava nos dedos da mão esquerda. Na direita, também tinha cicatrizes de uma carreira criminosa que começou quando era pouco mais do que um rapaz. Foi processado por tráfico de entorpecentes em 1972. Pelo Artigo 27 da Lei de Segurança Nacional, foi condenado um ano depois: dez anos de cadeia por assalto a banco. Ao todo, foram 34 as vezes em que ele enfrentou os tribunais. Condenações a perder de vista. Foi apontado como um dos elementos mais duros na primeira linha do Comando Vermelho, responsável pela aplicação da lei interna do grupo. Chefiou a organização no Presídio Bangu Um. Diabético em alto grau, morreu na cadeia.

20. **Expedito de Souza, o Capenga.** A respeito deste homem até a polícia sabe pouco. Não era uma figura muito popular na Ilha Grande. Parece que ficava intencionalmente meio de lado, passando pela sombra. Mas estava integrado ao grupo original do Comando Vermelho, segundo as investigações do comandante Nelson Salmon.

21. **Paulo da Cunha Franco.** Este é um veterano de fugas das cadeias cariocas. Vai se transformar, anos depois, num dos mais importantes líderes do Comando Vermelho no Complexo Penitenciário da Frei Caneca. Em 1983, participa do massacre de integrantes das organizações rivais nos presídios do continente. É movido pelo ódio contra a polícia e o sistema penal. Sua filha, Valdinéia Macedo, de treze anos, foi morta com um tiro na cabeça na Ilha Grande, durante uma visita. A menina ficou na linha de tiro quando dois detentos tentaram escapar.

22. **Jorge Gomes de Moraes, o Da Donga.** Foi o primeiro assaltante de bancos no Rio de Janeiro. Chefiava uma quadrilha que deu muito trabalho à polícia. Já está morto.

23. **Francisco Rosa da Silva, o Horroroso.** Fazia jus ao apelido. A natureza não foi generosa com ele. Era um homem extremamente feio e

mal-encarado. Mas, dizem seus companheiros, muito boa-praça e piadista. Foi caçado impiedosamente por se destacar no roubo de bancos e instituições financeiras. Era tido como um criminoso cruel, capaz de matar à toa – na versão da polícia. Horroroso integrou a quadrilha de Antônio de Barros Cavalcante, o Antônio Branco. Trabalhou com Liece de Paula, um dos comandantes do grupo de Lúcio Flávio Vilar Lírio. Morreu em violento tiroteio com a tropa de choque da Polícia Militar, durante uma rebelião no Galpão da Quinta da Boa Vista, Zona Norte do Rio, em dezembro de 1974. Este é provavelmente o presídio mais promíscuo do mundo. Hoje, pelo menos 20% dos presos detidos ali são portadores do vírus da AIDS. Durante a tentativa de fuga, Horroroso, Marta Rocha (Rivaldo Carneiro de Moraes) e Antônio Branco tomaram o diretor do Galpão como refém. Era um coronel da PM, Darcy Bittencourt da Costa. Os amotinados repetiram as exigências dos guerrilheiros que seqüestraram o embaixador americano quinze anos antes: avião e salvo-conduto para asilo político no México. Como eram condenados pela LSN, entendiam que mereciam o benefício do asilo. Resultado: a tropa de choque invadiu a galeria onde estavam encurralados, depois de oito horas de cerco. Houve enorme fuzilaria. Morreram todos, inclusive o diretor do presídio. Os três assaltantes mortos estavam no Galpão da Quinta para aguardar julgamento em mais um processo. Tinham vindo da Ilha Grande.

Nos anos que se seguiram, até fins de 1978, outros presos ilustres aumentaram o caudal do Comando Vermelho. Mais adiante vamos falar desses que chegaram por último e que construíram a lista dos grandes chefões do crime organizado no Rio. Do núcleo inicial da organização, poucos sobreviveram à vida de fugas, rebeliões e confrontos com a polícia. Dois deles foram executados na rua, depois de escapar da Ilha Grande, porque se recusaram a dividir os lucros do crime com o Comando Vermelho. Valdomiro Alves de Jesus, o Dudu, fugiu da cadeia e se associou ao advogado André Luiz Teixeira dos Santos na venda de drogas. O dinheiro devido ao Comando Vermelho não era entregue – ou era entregue com dois ou três meses de atraso. Os espertos investiam no mercado de capitais e no dólar. Acabaram fuzilados e enterrados num terreno baldio, nos fundos da Favela da Varginha, em Manguinhos. Os corpos nunca foram encontrados.

Durante a metade de uma década, entre 1974 e 1979, a força da organização ficou limitada pelos muros do Instituto Penal Cândido Mendes. Foi o período da afirmação de um princípio: organizar para sobreviver – unir para resistir. Esta é a fase bonita da história. Coisa de cinema. Um punhado de homens oprimidos por um sistema carcerário violento e corrupto. Lutaram por reivindicações justas – certamente! Obtiveram o atendimento da maioria das exigências. As companheiras e esposas já dormiam no presídio. Um abrigo foi construído exatamente para isso. As celas da Galeria B ainda não estavam definitivamente abertas, mas alguns presos "vermelhos" começam a circular pelo presídio. Esses prisioneiros puderam participar das peladas no pátio. Daí surgiu a idéia de fundar um time, como veremos mais adiante. Foi realmente a fase "heróica" da organização, antes que tudo descesse pelo ralo do tráfico de drogas em larga escala, das matanças nos morros, do "tudo por dinheiro". Foi a época em que os presos comuns viram os ativistas políticos indo embora, um a um. No dia 29 de agosto de 1979, a anistia geral aparece na primeira página dos jornais. A lei tinha sido sancionada na véspera pelo presidente João Figueiredo. Na Ilha Grande, o comentário típico do criminoso profissional: "Isso não é coisa de bandido sério!"

A NOITE DE SÃO BARTOLOMEU
– É HORA DO MASSACRE

1

– CAPITÃO, O TREM VAI sair esta noite. É coisa grande. Dá até pra derrubar toda a diretoria da cadeia.

Trem é sinônimo de fuga em massa. Mas o capitão Nelson Salmon precisa engolir o nervosismo. Não pode pedir detalhes. Aquele é um encontro casual e o preso fala apressado, disfarçando que está passando a vassoura no chão da sala. Parece uma informação sincera. É um interno independente, não tem problemas com as falanges, circula por todo lado sem ser importunado. Provavelmente, é uma "notícia" digna de confiança. O comandante da Polícia Militar na Ilha Grande responde de maneira também discreta:

– Obrigado, irmão.

E toma as providências necessárias. O oficial de dia no corpo da guarda, um tenente, é chamado às pressas. Um destacamento de oito soldados recebe instruções e munição. Anoitece. "É preciso agir depressa", pensa o comandante Salmon. Ele sabe que uma fuga assim só pode começar com homens que já estão fora do presídio, trabalhando como colonos ou recebendo parentes na casa de visitas. Ninguém se arriscaria a pular os muros sem uma rebelião dentro das galerias, algo muito forte para atrair a guarda toda. Sendo assim, sobra a escolha óbvia: a casa de visitas, também conhecida como "casa de passagem". O comandante espera a noite cair. Só mais uns minutos. Os soldados se espalham em torno da pequena construção, a cem metros do portão do Instituto Penal Cândido Mendes. Já estão tão perto que dá para ouvir vozes. As janelas estão encostadas. Impedem que se veja exatamente a posição das pessoas – impedem sobretudo que se saiba quem está lá dentro. Agora já está escuro. Hora de agir.

– Olha aí, rapaziada: esse trem não vai mais sair! – diz o comandante entrando na casa, acompanhado pelo tenente e alguns dos soldados.

Onze presos do Comando Vermelho estão dentro da casa. Sete deles são membros do coletivo que dirige a organização. Esta é a noite de 18 de agosto de 1979. Uma dica aparentemente desinteressada impede a fuga. Mas, nesta mesma noite, o comandante Nelson Salmon vai cometer um erro que quase custa a vida dele. Depois de falar com os presos, achando que basta o aviso, ele volta para o gabinete, dentro da cadeia. Pouco depois – aí pelas nove e meia da noite – vai para casa, numa área de residências oficiais do outro lado do Instituto Penal. Erro grave – e só não foi pior porque ele teve a intuição de deixar dois homens de emboscada no caminho que leva para a floresta.

– Eu achei que estava tudo resolvido – conta Salmon – e que a minha entrada na "casa de passagem" tinha funcionado como advertência de que a fuga era impossível. Preso esperto sabe que não pode tentar escapar quando se espera que ela faça justamente isso. É óbvio. A guarda estaria reforçada. Haveria um "confere" [nome que se dá à contagem dos presos em cada galeria] rigoroso. Mas aqueles presos eram muito audaciosos. Tentaram assim mesmo.

Eles não têm o comportamento típico do bandido, que atende mais ao instinto do que ao raciocínio. Os presos em fuga decidem seguir com o plano, mesmo tendo sido delatados. Usam a surpresa, a coragem. E seguem em frente. Na saída da "casa de passagem", em vez de seguir para o portão, tomam o caminho que vai dar na floresta. Vestem calças *jeans*, jaquetas – o uniforme das fugas pelo mato. No alojamento, o capitão já está deitado. Às 11 horas da noite estala o tiroteio. Uma rajada de metralhadora. Dois revólveres disparando. Os presos têm uma arma contrabandeada para dentro da Ilha Grande. Um dos soldados está com uma INA calibre 45. O outro tem um 38 padrão. A INA é uma das piores armas do mundo, uma metralhadora impraticável para combates longos. Esquenta demais – até ficar impossível continuar disparando.

Durante o cerco à guerrilha do Caparaó, em 1966, na Serra da Mantiqueira, em Minas Gerais, o Exército usava metralhadoras iguais a esta. A tática de "espantar o tigre" consistia em disparar sem parar, forçando os guerrilheiros do Movimento Nacional Revolucionário (MNR) para o alto da montanha. Encurralados, só teriam o caminho da rendição ou a tentativa de romper o cerco e se expor ao confronto direto. As metralhadoras INA do Exército funcionavam sem parar, verdadeiras máquinas de costura do *special warfare*, o manual de luta anti-revolucionária dos boinas-verdes americanos. Sabendo das deficiências do armamento, o Exército distribuiu sacos de lona com água para a tropa, de modo a esfriar o cano das metralhadoras. Sedentos e cansados da subida pela montanhas do Caparaó, os soldados bebiam a água e urinavam no cano da INA. Na Ilha Grande, a INA-45 é a melhor arma nesse ano de 1979. Além da metralhadora condenada nos combates de treze anos atrás, ainda estão em serviço no presídio os fuzis alemães de repetição Mauser. Arma pesada, de cinco tiros, com ferrolho para extrair as cápsulas deflagradas, o fuzil da Ilha Grande foi fabricado no ano de 1898. Um século depois, essas peças de museu caçam fugitivos na mata atlântica.

Começa a confusão na trilha da floresta. Os onze condenados do Comando Vermelho agora têm certeza de que o trem não sai de jeito nenhum. Voltam para o Instituto Penal. Sabem que vem aí o castigo nas celas solitárias, as "surdas". Mas voltam assim mesmo – é melhor do que morrer fuzilado. Com o tiroteio, o comandante pula da cama, se veste como pode, saca o revólver e corre para fora da casa. No caminho, vai juntando os soldados que também ouviram os tiros. Os prisioneiros são cercados. Feito gado. Armas apontadas. Gritos. Palavrões. O trem não sai mesmo!

– Fui surpreendido por toda essa confusão – diz o comandante Salmon. – Nunca podia imaginar que ainda teríamos tantas aventuras naquela noite. Depois que os detentos foram reconduzidos para as celas,

APRISIONADOS *123*

ordenei um "confere" geral e revista nas celas. Não há nada mais irritante para o preso do que esse tipo de situação. Por incrível que pareça, muitos deles criavam cães dentro das celas. Ou seja: a revista significava praticamente a noite toda de pé, enquanto a guarda mexia em todos os pertences deles.

O comandante pensa o que fazer em seguida. Imagina que tipo de plano tinha sido traçado pelos homens da Galeria B. Aquela só podia ser uma fuga com resgate pelo mar. Alguém tinha uma lancha esperando próximo aos rochedos da ilha. O capitão tem um palpite: o Saco do Sardinha, uma pequena enseada onde um barco ficaria protegido por algumas horas. Vai começar a terceira – e mais séria – aventura da noite. A tropa entra na mata e segue pela trilha de vários quilômetros que conduz ao ponto de resgate. Como não têm certeza de nada, os soldados estão despreocupados. Falam alto, acendem lanternas. A caminhada dura quase duas horas. Ao chegar no trecho em que se vê o mar e a pequena enseada, o comandante pede que os soldados façam silêncio. Andam mais devagar. Prestam mais atenção. Já na beira de um barranco, exatamente em frente ao Saco do Sardinha, o comandante percebe uma luz no escuro do mar. Uma lanterna pisca para ele. É claro que deve haver um código de resposta. Ele não sabe qual. Mas arrisca um sinal qualquer. Pisca a própria lanterna três vezes. Explode uma fuzilaria infernal em cima da tropa.

– Todo mundo no chão! – grita o comandante.

Ele percebe que podem ter aberto a porta de um desastre total, um massacre em cima dele e dos soldados. Do mar vêm tiros de metralhadoras, revólveres, pistolas automáticas. Uma barreira de fogo mortal. O comandante escorrega, despenca do alto do barranco para o mar. Perde a arma na queda. E recebe uma saraivada de balas de todos os calibres imaginários. Os tiros assoviam por todo lado. "Um milagre", pensa o oficial, que não é atingido. O balanço do mar pode ter ajudado a piorar a pontaria dos homens que estão ali para resgatar os fugitivos. Não tenho bem certeza, mas acho que só um soldado foi ferido de raspão, além do comandante, que se arranhou um pouco na queda. Seja como for, a coisa toda durou apenas três ou quatro minutos. As armas da polícia não tinham alcance para atingir o barco. Aliás, ninguém viu o barco. Mas todos ouviram muito bem quando o motor foi ligado. Pelo ruído que provocou, deve ter sido uma embarcação bem grande, com motores de centro. Em poucos instantes estava tudo quieto outra vez – a tranqüilidade do paraíso.

2

O **EPISÓDIO DA FUGA** frustrada joga mais lenha no Caldeirão do Diabo. Agora é a guerra aberta entre as falanges da Ilha Grande. O Comando Vermelho decide que a delação não pode passar impune. Uma reunião na Galeria B, dias depois, reafirma o código de ética da penitenciária: alguém deve morrer.

– O cagüeta tem que levar um troco!

A sentença de morte é irrecorrível. Alguém vai mesmo morrer. Todos os homens que aceitam a orientação do Comando Vermelho, dentro e fora da Galeria LSN, procuram a pista que leve ao delator. Numa cadeia é impossível manter segredos por muito tempo. O encarceramento prolongado faz com que as pessoas falem muito. Sobre tudo – sobre todos. Qualquer momento de convivência na comunidade – trabalho, missa, banho de sol, futebol – é aproveitado até a última gota. No caso do delator, por uma dessas infelicidades da vida, as melhores informações apontam na direção da pessoa errada. É um preso que há tempos carrega a suspeita de colaborar com a administração do presídio. Só para piorar: é interno do território da Falange Jacaré, na Galeria C. Foi assassinado a facadas no dia 13 de setembro de 1979. Mas não tinha nada a ver com o peixe. O nome daquele que deu a informação ao comandante Salmon até hoje é um mistério. O oficial soube proteger o verdadeiro informante. A morte do inocente é o sinal da tormenta.

O conflito entre as duas organizações explode no momento em que o Desipe usa uma tática para confundir a opinião pública em relação ao tipo de criminoso que estava na Galeria da Lei de Segurança Nacional. Os movimentos pela anistia cresceram de importância naquele ano e o país inteiro já tinha consciência de que o perdão para os presos políticos era inevitável. Mais do que isto: a anistia era uma etapa básica para a restauração da ordem democrática no Brasil. Mas como aplicar o perdão para todos os condenados pela legislação de exceção da ditadura militar, se no meio deles estavam os criminosos comuns condenados pelos tribunais militares? O artificio usado para equiparar o crime revolucionário ao banditismo comum, através do famoso artigo 27 da LSN, agora cria urna situação perigosa: os homens do Comando Vermelho provavelmente teriam base legal para exigir anistia também para seus crimes. Os juristas a serviço do governo do general João Figueiredo acham uma saída. Em 28 de agosto daquele ano, às nove e meia da manhã, o general-presidente sanciona o Decreto-Lei 6.683. Todos os delitos relacionados com a luta política são perdoados. Com uma única ressalva, bem visível no parágrafo segundo do decreto que acaba com quinze anos de perseguições:

> Excetuam-se à anistia os que foram condenados pela prática de crimes de terrorismo, assalto, seqüestro e atentado pessoal.

Naqueles dias, no interior do Instituto Penal Cândido Mendes, o problema era grave. A lei era difícil de caracterizar em relação ao que pudesse ser chamado de "terrorismo", mas era fácil de entender no que toca aos "assaltos". Aqui o regime pegava o bandido comum, diferenciando-o do militante revolucionário. No Rio, o Departamento do Sistema Penitenciário decidiu quebrar de vez o isolamento que existia entre os presos da LSN e o restante da massa carcerária. O "fundão" deixava de ser um território escondido atrás dos portões de ferro da Galeria B. As portas das celas foram abertas. O acesso ao pátio coletivo estava garantido. Ou seja: quanto mais os homens da Galeria B se misturassem por todo o presídio, melhor. Willian da Silva Lima, o fundador do Comando Vermelho, comenta:

– Continuaríamos a reivindicar, para nós, a extensão de quaisquer direitos que viessem a ser concedidos a pessoas que haviam cometido os mesmos crimes que nós – principalmente assaltos a bancos – e estavam enquadradas conosco na mesma lei.

Essa posição, defendida por ele, não teve o menor resultado prático. Examinando os acontecimentos daquele período, é fácil entender que os legisladores do regime tinham visão de longo alcance. Pouco antes de o Desipe abrir a Galeria B, os presos receberam ali a visita de um juiz do Superior Tribunal Militar. O porta-voz do Comando Vermelho na época, Nelson Nogueira dos Santos, leu para o magistrado uma lista de reivindicações. A primeira delas: romper o isolamento da galeria. Os presos não suspeitavam de que o sistema desejava exatamente isso. Quando as portas do "fundão" se abriram, por ordem do promotor Antônio Vicente, os falangistas comemoraram a "vitória".

Esquecendo a estratégia do sistema por um momento, é possível perceber que nem tudo foi derrota para os internos da Galeria B. O Comando Vermelho ganha a chamada liberdade de ir e vir. Os presos circulam por todo lado, ampliam a influência do grupo em áreas a que nunca tiveram acesso. Os princípios da organização correm de boca em boca. As ameaças também. O Comando Vermelho reúne mais de noventa homens, tem força. O "fundão" é legendário, cercado de mistério. E seus ocupantes têm fama de "gente séria". O primeiro ensinamento transmitido aos demais cabe numa frase curta: "Respeitar o companheiro!"

A didática do grupo é quase infalível. Conversa no pátio, conversa nos corredores, conversa nas celas. A força da palavra em primeiro lugar – mas a força mesmo sempre disponível. Os presos do Comando Vermelho não andam desarmados pela Ilha Grande. Carregam estoques e alguns, possivelmente, têm armas de fogo. Além disso, o jeito bem brasileiro funciona no recrutamento e na ampliação da influência dos rapazes do "fundão". Algumas iniciativas práticas são verdadeiros sucessos. O Comando Vermelho funda e controla o Clube Cultural e Recreativo do Interno (CCRI), entidade única na história do sistema penal no país. O grêmio administra uma cantina onde os presos sem recursos podem comprar fiado, do cigarro à cachacinha e – dizem – até maconha. Dinheiro emprestado também não é problema para os membros da organização, que preparam uma caixinha, um fundo de aplicações que recolhe contribuições voluntárias. Aos poucos, gente de outras galerias também começa a participar. E do "mundo livre", do "continente", vem dinheiro também. Primeiro das famílias dos presidiários; depois, das quadrilhas. Para um assaltante preso, que iria quase certamente para a Ilha Grande, o melhor é chegar como amigo e "sócio contribuinte" da caixinha da organização.

Alguns detentos já idosos, condenados a longas penas e esquecidos pelas famílias, são "adotados" pelo Clube. Detalhe: quando ocorre um crime dentro da cadeia, é comum um desses presos mais velhos assumir a responsabilidade em troca de favores ou segurança. Por isso, são chamados de robôs. Para eles não faz diferença ter mais vinte ou trinta anos de condenação nas costas. Não vão mesmo sair com vida de trás das grades. Mais: as idas e vindas ao continente, para formalidades judiciais, ainda representam uma quebra na dolorosa rotina do encarceramento e a chance de – quem sabe? – conseguir fugir.

O Clube Cultural e Recreativo do Interno (até parece nome de escola de samba) organiza uma farmácia que atende a quem pode pagar por remédios. E quem não pode entra num "livro de favores". Paga quando puder – ou fica "devendo um favor". Lembra a famosa frase da Máfia: "Eu lhe faço um favor e você me faz um favor, *capisci?*"

Num lugar onde os prisioneiros vivem como mendigos e chegam a fazer fogueiras dentro das celas para se aquecer no inverno, as iniciativas do Comando Vermelho são extremamente importantes para o bem-estar coletivo. E são uma tática inteligente. Mas o grande achado dos líderes do grupo é a criação de um time de futebol dos internos, o Chora na Cruz. O pessoal não é muito bom de bola, mas vai promovendo momentos de descontração e cria uma torcida importante, simpática ao Comando. Por incrível que pareça, um jornal começa a circular no presídio:

O Colonial, numa referência à antiga Colônia de Dois Rios. Na Galeria B surge uma biblioteca, que se transforma em local de reunião da liderança "vermelha". O lema dessa iniciativa cultural é "do preso, para o preso e com o preso", numa distorção do famoso discurso de John Kennedy. A massa carcerária começa a entender que o pessoal do "fundão" veio para ficar.

A guerra contra a Falange Jacaré estoura justamente nesse clima. O Comando Vermelho acredita que o apoio conquistado no presídio vai ser a arma decisiva nesse combate. É um fato extraordinário o que está acontecendo: gente miserável, analfabeta e violenta, desenvolve complexos mecanismos de articulação. Esta é a síntese do aprendizado com os presos políticos.

3

OS INIMIGOS DO Comando Vermelho reagem rápido ao assassinato do suposto delator da fuga em massa impedida pelo comandante Salmon. O morto – como sabemos – não era o verdadeiro informante, mas a Falange Zona Norte e seus aliados tomam o crime como um ato de agressão, uma declaração de hostilidade. Especialmente porque o presidiário assassinado era gente deles. A resposta: um preso simpatizante do Comando Vermelho, interno na própria Galeria B, assalta um companheiro de cela. Atitudes como esta tinham sido banidas da convivência do "fundão". O preso escolhido para atacar o companheiro faz pior: manda o dinheiro para fora da galeria, às mãos de Luiz Carlos Pantoja dos Santos, o Parazão, um dos comandantes da Falange Zona Norte. O homem que violou a irmandade do Comando recebe garantia de que será transferido para a Galeria C, onde estaria a salvo. Isso não acontece, e ele fica à mercê da organização. É possível, inclusive, que a administração do presídio tenha discordado da transferência só para manter o caldo grosso. Ou seja: a luta interna interessa aos órgãos da segurança pública, porque o resultado certamente significa bandidos mortos. O desafio está lançado. E o presídio inteiro aguarda a resposta do Comando Vermelho. Todos entendem que o tempo das disputas sutis está encerrado.

O troco veio a galope. O coletivo da Galeria B se reúne em 14 de setembro. Uma decisão é óbvia: chegou a hora! O preso que ousou quebrar a lei do "fundão" vai morrer. Ao mesmo tempo, um ultimato é jogado na cara dos líderes da Falange Zona Norte: ou adotam as regras da organização ou serão eliminados. O prazo é o mais estreito possível: 48 horas para uma resposta. E os "vermelhos" só aceitam a rendição. A morte do transgressor foi descrita no livro *Quatrocentos contra um – uma história do Comando Vermelho*, as memórias de Willian da Silva Lima:

> (...) um preso do nosso coletivo assaltou um companheiro, rompendo o pacto de não-violência que havíamos estabelecido entre nós. Como agravante, assumiu uma posição desafiadora quando o assunto foi trazido à luz: estava inspirado e apoiado pela quadrilha que então dominava toda a Ilha Grande, cobrando pedágios, matando e estuprando. O produto do roubo, quando investigamos, já fora enviado para fora do "fundão". Era uma provocação.

O coletivo do Comando Vermelho sentenciou o companheiro à morte, porque "aceitar sua impunidade seria uma confissão de fraqueza, desunião e pusilanimidade". Ele foi atacado a golpes de estoque. O cadáver chegou ao Instituto Médico Legal do Rio de Janeiro com perfurações no peito e nas costas. Apresentava hematomas no rosto e na cabeça, indicando que tentara se defender. O golpe de misericórdia foi uma violenta facada no crânio, que perfurou o cérebro do preso – pobre peão no xadrez da Ilha Grande. Willian conta mais:

> Nesses momentos críticos é que a vida de um coletivo se põe à prova. Em nosso caso, o cadáver do preso assaltante, retirado ainda ensangüentado e quente pelos guardas, ao longo das galerias, anunciou a toda a Ilha Grande que não estávamos intimidados, nem rendidos, nem brincando. Quem, diante de nós, quisesse manter os velhos hábitos das cadeias – estuprando, matando e assaltando – que se preparasse para as conseqüências.

Os preparativos para a guerra começam em ritmo febril. Colheres são raspadas na pedra até se transformar em facas. Pedaços de madeira com pregos são clavas medievais de combate. Armas de fogo são improvisadas: um suporte de madeira, um cano de ferro, uma única bala disparada com o impacto de um pedaço de elástico que carrega um prego. Estoques são afiados. Tudo que pode agredir, ferir e matar entra para os arsenais dos grupos rivais. De acordo com o relato que me foi feito pelo comandante Salmon, naquele mesmo dia os presos da Falange Zona Norte optam pela prudência e anunciam que não saem mais da Galeria C, nem para comer. Estão presos numa armadilha. Vai correr sangue no paraíso.

4

A SEGUNDA-FEIRA, 17 de setembro de 1979, amanhece ensolarada e quente na Ilha Grande. Céu azul. Nuvens baixas na linha do horizonte. O cenário é cinematográfico. Assim acaba o prazo dado pelo Comando Vermelho para a rendição da Falange Jacaré. Durante toda a madrugada, os "vermelhos" afiam as armas. Os inimigos, abusando da prudência, reúnem os líderes numa única cela, o cubículo número 24 da Galeria C, distante da entrada do corredor. Ali estão, além dos chefões, trinta presos de confiança. Na cela ao lado, outros vinte. Todos armados e dispostos a manter a qualquer preço o controle do presídio. O que acontece a seguir até hoje é mal contado. Mas o fato é que o Comando Vermelho invade a galeria ao raiar do dia. Exatamente às cinco e meia da manhã. São dezenas de presos armados no corredor. O grupo anuncia aos berros que vai poupar a vida de quem quiser se render, passando para o cubículo número 19, na mesma ala. Colchões e móveis são amontoados na porta das celas da Falange Jacaré. O fogo pode ser aceso a qualquer momento, alimentado por litros de álcool que os presos usam para aliviar as mordidas de percevejos e pulgas A galeria é só gritos. A guarda do presídio, curiosamente, não se mete na tremenda confusão.

A pressão é tão grande que os prisioneiros encurralados resolvem enfrentar o ultimato frente a frente. Saem João Carlos da Silva, o Ratinho, e Ozório Costa, o Caveirinha. A idéia é mostrar que não têm medo e que tudo não passa de um blefe dos "vermelhos". A batalha é rápida, sangrenta, implacável. Mais de três dezenas de homens do Comando Vermelho

134   CV_PCC *A IRMANDADE DO CRIME*

caem em cima deles. São mortos a socos e pontapés, pauladas e golpes de estoque Os corpos ficam estendidos no meio do corredor. Sangue por todo lado. Isso basta para que dez presos se rendam e passem à "cela de segurança", cuja porta está vigiada pelo Comando. A guarda continua afastada. Mistério!

A tensão aumenta. Um machado aparece na mão de um dos homens da organização e a porta do cubículo 24 começa a ser arrombada. Quatro inimigos do Comando tentam romper o cerco, desta vez os líderes mais temidos da Falange Zona Norte: Luiz Carlos Pantoja dos Santos, o Parazão, Jorge da Silva Rodrigues, o Marimba, Carlos Alberto Veras, o Naval, e José Cristiano da Silva. Um grito uníssono estremece o corredor: "Morte aos canalhas!"

Um massacre. Os quatro são despedaçados em minutos, a cela é invadida e outros dez presos são feridos. Em meio a tamanha violência, outros homens da Falange Zona Norte que estão na cela ao lado conseguem abrir um buraco na parede que dá para o pátio. Fogem usando "teresas", cordas improvisadas com ganchos de ferro na ponta que os ajudam a descer do segundo andar. Vão se refugiar no prédio da administração. Quase ao mesmo tempo, os guardas do Desipe e a tropa da Polícia Militar entram no campo de batalha. Tiros, bombas de gás. Porrada em todo mundo. Dois presos do Comando – Édson Raimundo dos Santos e Ivaldo Luiz Marques de Almeida – são agarrados ainda com as mãos sujas de sangue. Mais duas prisões: Sebastião Prado Santana e Cidimar dos Santos. Na base do cacete, a paz e a ordem vão sendo restabelecidas no "Caldeirão do Diabo". Está no fim a Noite de São Bartolomeu, título que o comandante Salmon usou para definir o massacre no relatório que fez aos superiores. A única noite da história que acontece em plena luz do dia.

5

O MITO DA NOITE de São Bartolomeu é muito antigo. No primeiro século da era cristã, no lugar onde hoje existe a Armênia, no centro da Europa, o apóstolo Bartolomeu foi preso, esfolado vivo e crucificado de cabeça para baixo. Aconteceu numa certa noite de 24 de agosto. Em 1572, na mesma data, houve um massacre de protestantes franceses, sob o reinado de Carlos IX. Dessa vez eram os católicos que trucidavam dezenas de pessoas.

No Brasil, o massacre de 17 de setembro de 1979 marca a tomada do poder pelo Comando Vermelho na Ilha Grande. Os grupos menores, que viviam à sombra da Falange Zona Norte, estabelecem imediatamente um pacto com os "vermelhos": a cadeia agora tem uma só liderança. Isto, porém, não significa a paz. Pelo contrário, está inaugurado um período de lutas que vai se ampliar às penitenciárias do continente. Mesmo na Ilha Grande, continua a correr sangue. Dois dias depois da Noite de São Bartolomeu, em 19 de setembro, os presos Luiz de Souto Machado e Dácio da Cruz morrem a facadas no corredor da Galeria A. Os corpos chegam ao IML com vinte perfurações. No dia 29, o acerto de contas continua: Jorge Fernandes Figueiredo, o Pintinha, leva trinta facadas. O assassino de Pintinha é Marcos Sanini Escobar. Na delegacia polícial de Angra dos Reis, ele declara com toda a franqueza, em depoimento prestado no dia 30 de setembro:

– Na cadeia, quem não mata morre. Pintinha tava nos devendo. Ontem cansei de esperar. Olhei pra cara dele e parti pra definição, com o estoque na mão. Não sei quantos furos dei nele, porque perdi a conta.

Toda essa matança sistemática leva o comandante Nelson Salmon a redigir um documento ao comando-geral da PM, à época chefiado pelo coronel Nilton Cerqueira, o homem que organizou a caçada e a morte do líder guerrilheiro Carlos Lamarca, da Vanguarda Popular Revolucionária. Uma cópia do relatório vai para o Desipe, com minuciosa descrição da luta interna no presídio e suas prováveis conseqüências. O documento não é levado em conta. E hoje não há uma única pista a respeito do seu paradeiro nos arquivos oficiais do Estado do Rio. O próprio comandante Salmon admite:

– Depois disso, só tive problemas. Eles não acreditaram no que eu estava prognosticando. Meus companheiros da Ilha Grande chegaram a me aconselhar a não entregar o relatório. Até agora não entendo direito por que a verdade não podia ser revelada.

A incredulidade das autoridades estaduais tem um preço: a experiência do "fundão" vai ser levada a todas as instituições penais. O braço da organização vai se estender ao redor dos 14.000 presidiários do Estado do Rio de Janeiro, à época, especialmente porque a direção do sistema penal comete um erro muito grave, transferindo para outras unidades carcerárias alguns dos líderes do Comando Vermelho e muitos dos seus inimigos. Momentaneamente, a população da Ilha Grande se reduz – mas a repercussão da matança aumenta. As novas e mais radicais palavras de ordem do Comando Vermelho são ouvidas em todas as cadeias:

1. morte para quem assaltar ou estuprar companheiros;
2. incompatibilidades trazidas da rua devem ser resolvidas na rua, porque a rivalidade entre quadrilhas não pode perturbar a vida na cadeia;
3. violência apenas para tentar fugir;
4. luta permanente contra a repressão e os abusos.

Pouco tempo depois, o Comando Vermelho cria o *slogan* da organização, resumido numa só frase, adotada, em 2001, pelo PCC paulista: "Paz, justiça e liberdade!"

Até hoje é este o lema da organização criminosa mais perigosa do país. Está escrito nas paredes das casas de favelas, nos trens da Central do Brasil, nos pontos-de-venda de drogas, fora dos limites do estado do Rio.

A organização finalmente consegue se projetar para fora da Ilha Grande. É preciso agora manter e fortalecer o contato com outros presídios, através de um complicado sistema de mensagens conduzidas por familiares e advogados que visitam a ilha. Por mais uma ironia da história, a tarefa é facilitada porque o Comando Vermelho consegue burlar a boa-fé das freiras da Casa das Irmãs de São Vicente de Paula, instalada um ano antes e mantida pela Pastoral Penal da Arquidiocese do Rio de Janeiro. Neste local, na área dos presos-colonos, próxima ao presídio, os internos da Ilha Grande recebem assistência jurídica e têm a oportunidade de estar a sós com advogados e pessoas ligadas à Igreja. Uma dessas pessoas é a estagiária de direito Simone Barros Corrêa Menezes, uma baiana que tinha só 23 anos e que termina casando com o número um da organização, justamente Willian da Silva Lima. Simone é quem descreve seu encontro com o Professor:

– Quando fui levada à cela dele, esperava encontrar alguém totalmente diferente, que fizesse jus à imagem de líder do Comando Vermelho. Mas, ao contrário, encontrei um homem simples, tranqüilo e muito cerebral. Estava sentado num beliche onde só tinha um lençol. Na cela, não tinha nada. Era um lugar espartano. Quando perguntei por que tudo ali era tão precário, Willian respondeu: "Mas eu não moro aqui, isso aqui não é a minha casa." Encontrei um homem doce, gentil, inteiramente diferente da imagem que tinha antes de conhecê-lo. Ele tinha muita consciência do papel que coube a ele na vida.

A união de Willian e Simone até hoje sobrevive apesar do drama das penitenciárias e da luta feroz pela vida que cerca um bandido como ele. Quando Willian finalmente escapou, os dois viveram um bom tempo como um casal comum, em São Paulo. Um período de paz e liberdade. Eles têm três filhos, além de outro, do primeiro casamento do Professor. O rapaz tem dezenove anos e se chama Danton – nome de um dos mais combativos líderes da Revolução Francesa. Simone fala mais:

138 **CV_PCC** *A IRMANDADE DO CRIME*

– Willian nunca fez o tipo do preso coitadinho, carente. Ele é um preso comum que tem idéias políticas, mas não se considera líder de nada. Willian também não é a única cabeça pensante no sistema penitenciário. Mas sempre soube dizer não. Por isso, foi massacrado. Ele era um assaltante de bancos. E, como todo mundo sabe, assalto a banco não dá dinheiro. Primeiro, porque o montante anunciado do roubo é sempre maior do que os assaltantes realmente levam e, segundo, porque o bandido nunca consegue roubar muito dinheiro de uma só vez. Se fosse assim, o sujeito roubava um banco e tinha grana para o resto da vida. Além disso, o dinheiro roubado já está todo comprometido. Um assalto envolve muita gente. Depois do dinheiro dividido, sobra muito pouco para cada um. Willian nunca teve uma vida rica, muito pelo contrário.

Num encontro que tive com o comandante Salmon, em dezembro de 1990, o oficial da PM comentou o funcionamento da Casa das Irmãs de São Vicente de Paula, onde começou o romance do líder com a estagiária de Direito:

– A intenção das religiosas era a melhor possível. Tratavam da assistência espiritual aos internos e ajudavam como podiam. Facilitavam o encontro dos presos com suas mulheres e filhos, reatavam casamentos desfeitos por causa de anos de condenação. Além disso, a assistência jurídica entrava com pedidos de revisão de penas e outras medidas legais. O que elas não perceberam foi que alguns daqueles presos, os da antiga LSN, tinham outros propósitos. Depois da instalação do serviço religioso, surgiram casos de contrabando de armas de fogo para a organização e houve a primeira fuga com resgate pelo mar.

Quem foge primeiro é Jorge Jordão de Araújo, o Caô, integrante da comissão inicial e um dos mais influentes líderes do Comando, amigo íntimo de Willian da Silva Lima. Um homem de coragem provada e comprovada. Ele sai levando sete companheiros, atravessa as matas da Ilha Grande e escapa de barco. Some no continente e vai formar a primeira quadrilha a agir em nome do grupo. Assalta bancos e usa o dinheiro para financiar a fuga de outros. Além do mais, tem duas missões importantes:

desenvolver o sistema de comunicação e fazer contatos com outros bandidos do mesmo calibre, para aumentar a "receita" do Comando Vermelho. Mais ainda: inicia a preparação do "esquema jurídico" da organização. São advogados que aceitam ir além de suas atribuições legais no trato dos assuntos de seus "clientes". No ano de 1990, após o seqüestro do empresário Roberto Medina, o então secretário de Justiça do Rio, João Marcelo de Araújo Neto, denuncia a existência da estrutura de apoio legal do Comando Vermelho. Para pegar os correios do crime organizado, ele usa um método simples: anota o nome de cada advogado a entrar nas instituições penais do Estado, coloca tudo no computador e depois cruza os dados. O resultado é a descoberta de que um determinado grupo de advogados entra e sai sem parar das penitenciárias, algumas vezes visitando cinco presídios diferentes por dia.

A cada uma dessas visitas, uma ordem do Comando Vermelho chega ao seu destino. O correio da organização orienta a guerra dentro das penitenciárias, manda instruções para as quadrilhas aliadas que estão na rua, faz cobranças, emite decretos. Decide sobre a vida e a morte. Essa vocação para dar ordens vai acompanhar o grupo em todas as suas atividades. Até hoje, mais de duas décadas depois, o sistema funciona. Rápido e competente.

SEGUNDA PARTE: *UMA FALSA LIBERDADE*

"Antes os comunistas usavam a mão-de-obra de inocentes úteis, estudantes e operários. Agora eles estão usando mão-de-obra qualificada no crime, gente que não tem qualquer tipo de freio moral na hora de apertar o gatilho."

(Frase do delegado Rogério Mont Karp, chefe da polícia especializada do Rio nos anos 80. Ele acreditou que a ação das primeiras quadrilhas organizadas pelo Comando Vermelho seriam o retorno da luta armada, com a volta dos exilados políticos ao país.)

O BANDO DO CORDÃO DE OURO

1

DIA 3 DE ABRIL DE 1981. Uma sexta-feira. Sete horas da noite. As escadas de ferro do antigo prédio da Secretaria de Polícia, na rua da Relação, 40, centro do Rio, tremem com o sobe-e-desce dos policiais do hoje extinto Departamento Geral de Investigações Especiais (DGIE). A construção é de 1922, e já abrigou a Polícia Especial de Filinto Müller, tragicamente famosa pela história de truculência e ilegalidades praticadas durante o governo de Getúlio Vargas. Ali funcionava o Departamento de Ordem Política e Social (DOPS), personagem de incontáveis desordens constitucionais a pretexto de perseguir os inimigos do Estado Novo. Agora os inimigos são outros – e o DOPS não existe mais nos tempos da abertura política. Os homens que se atropelam nas escadarias pertencem ao grupo de elite da força policial carioca, formado por jovens universitários recém-saídos da Academia de Polícia.

O time é conhecido como "Clube do Guri", numa referência à idade dos detetives, todos de 21 a menos de 30 anos. É uma experiência de modernização, uma tentativa de puxar para melhor o nível dos tiras envolvidos na repressão ao banditismo armado. Naquele ano de 1981, os bancos e as joalherias sofrem ataques diários. E já há quem pense: a esquerda revolucionária dos anos 70 se reorganiza com a libertação dos presos políticos, ocorrida dois anos antes, e com a volta ao país dos banidos e exilados. Uma boa paranóia nunca é demais!

Oito da noite. Sete policiais ocupam um Opala e uma Kombi. Usam chapas frias e armas pesadas. Começam a mais desastrada operação e o maior tiroteio da crônica policial brasileira. O "Clube do Guri" vai entrar em ação no Conjunto Residencial dos Bancários, na rua Altinópolis, número 313, Ilha do Governador, Zona Norte do Rio de Janeiro. A investigação iniciada dias antes revela uma pista aparentemente absurda: assaltantes de banco – provavelmente responsáveis pela onda de assaltos daquele ano – estão morando no mesmo lugar que os bancários. Convivem muito bem e até disputam animadas partidas de futebol nos fins de semana. Organizam animados churrascos em troca de informações extraídas a base de boa cerveja. Mesmo sem acreditar muito nisso, os rapazes da rua da Relação vão checar a informação. Para azar deles, é tudo verdade.

Uma "célula" do Comando Vermelho está de fato instalada no conjunto. O chefe é José Jorge Saldanha, o Zé do Bigode, membro fundador da organização e, naquele momento, foragido da Ilha Grande. O assaltante é um dos muitos sentenciados que deixaram o presídio nos 109 "trens" pilotados pelo Comando no ano de 1980. De janeiro a abril de 81, outras 29 tentativas de fuga já tinham ocorrido, treze das quais bemsucedidas. Saldanha escapou num "trem especial", na madrugada de 21 de agosto de 1980, encerrando uma condenação que deveria durar até o ano 2030. Durante sete meses, ele organizou a quadrilha e "retomou" muito dinheiro dos bancos do Rio. Recolheu fundos para a caixinha do Comando Vermelho entre outros assaltantes. E foi quem primeiro exigiu do tráfico de drogas as contribuições mais expressivas para financiar as ações do grupo.

A base de operações de Zé do Bigode é no Morro do Adeus, onde foi enterrado o arsenal. A quadrilha também tem ramificações na Favela da Mangueira. A idéia de alugar um apartamento no Conjunto dos Bancários parte de um motivo simples: fazer amizade com caixas e subgerentes. Assim é possível obter informação sobre o movimento das agências, datas de pagamento, dias de muito dinheiro em circulação. O chefe do bando usa um disfarce eficiente, que impõe respeito. Documentos falsos dizem que ele é o juiz de direito Sandro Luiz de Carvalho. Sempre bemhumorado, falador, pagando cerveja para os vizinhos, Zé do Bigode é um cara legal, uma boa companhia. O Conjunto dos Bancários, construído na pacata Praia da Bandeira, tem 47 blocos e 564 apartamentos. Quase duas mil pessoas moram ali. Encontrar os assaltantes é procurar agulha num palheiro. Mas o destino interfere com a trama imprevisível.

Os policiais entram no conjunto pouco antes das oito e meia da noite. Cada um dos carros pára num ponto diferente: o Opala, na entrada principal; a Kombi vai para os fundos. No primeiro carro estão o inspetor Orlando Lopes Arruda, o detetive Josmar Castilho e outro policial conhecido pelo apelido de Secreto. Um deles fica na direção, os outros se espalham. São identificados imediatamente pelos assaltantes. É claro: cana faz questão de parecer cana – e é percebido à distancia. Além disso, polícia e bandido têm uma espécie de sexto sentido para se proteger um do outro. Quando três homens e três mulheres do Comando Vermelho descem do prédio número sete do conjunto residencial, percebem a armadilha. Secreto é imediatamente reconhecido pelo assaltante Eli Schimidt da Silva. O apelido não ajuda o policial. A sorte também não: justo naquele momento há uma briga entre moradores, acirrada discussão por causa de um cachorro que fez cocô na calçada, uma besteira qualquer. Quando se vêem frente a frente, bandidos e policiais estão assistindo à confusão.

Está dada a largada. Os bandidos se dividem: Ernani Barroso Filho, o Macarrão, consegue entrar num Passat amarelo e sai cantando pneus. Admilson José da Silva Oliveira é preso. Eli Schimidt roda nos calcanhares, procura voltar ao prédio, pela porta dos fundos. As três mulheres o seguem. Contornando o edifício, a quadrilha dá de cara com os policiais que chegaram na Kombi: os detetives Ricardo Wilker, Gilberto Martins de Pinho, Cláudio Portela e Marco Aurélio Silva. Um deles faz a estréia naquela noite. Gilberto saca o revólver 38 e atira no assaltante. Atira pelas costas e erra. Como todo mundo sabe, um tiro é o melhor sinal de alarme. No apartamento 302, Zé do Bigode e João Damiance Neto, o Dami, sabem que a barra está suja. Eles têm uma metralhadora INA 45, uma pistola Luger de 9 milímetros, dois revólveres e uma granada do

Exército. Têm mais de seiscentas balas. Eli, que escapou na portaria, chega ao apartamento e avisa que a polícia já sobe a escada do segundo para o terceiro andar O assaltante e as três mulheres invadem o apartamento 304 e tomam a família como refém.

Experiente e de raciocínio rápido, Zé do Bigode prepara uma emboscada. Deixa a porta entreaberta e observa o corredor de quatro apartamentos por andar. Ele conta com a sorte. Espera surpreender os policiais se eles se dirigirem à porta errada. Os detetives Marcos, Cláudio, Ricardo e Gilberto alcançam o terceiro andar ofegantes. Por alguma estranha razão do destino, batem na porta errada, o 303. O assaltante abre fogo de metralhadora. Todo mundo se joga no chão. Os policiais atiram também. A fuzilaria é ensurdecedora. Bala para todo lado. O parceiro de Zé do Bigode leva um tiro na cabeça, dança feito um boneco bêbado e cai morto dentro do apartamento, entre a cozinha e a área de serviço. Saldanha se tranca num dos quartos, no exato momento em que Ricardo e Gilberto invadem a sala. No corredor, Marcos está ferido e Cláudio cuida dele. Do lado de fora, no estacionamento do prédio, os policiais do Opala pedem reforços. Com o som do tiroteio ao fundo, o apelo através do rádio é patético. De todos os cantos da Ilha do Governador, carros da polícia civil e da PM correm para o Conjunto dos Bancários. Mas a cavalaria custa a chegar. E o tiroteio explode outra vez no apartamento.

O assaltante encurralado dispara através da porta do quarto e mantém afastados os dois detetives. Uma poeira fina de lascas de madeira flutua no ar. O cheiro de cordite e do fulminato de mercúrio envenena a alma daquelas pessoas. Muitos deles vão morrer.

– Cara, não adianta ficar bancando o fera. Eu sei até que o seu nome é Eli. Não adianta resistir. – É Ricardo quem grita para o assaltante.

– Eli é o cacete – responde Zé do Bigode, que não gosta de ser confundido. – Eu sou o Saldanha... do Comando Vermelho.

Saldanha dispara rajadas curtas, economiza munição. A metralhadora tem três pentes de 25 tiros unidos com esparadrapo. Gilberto está com uma metralhadora também: HK 9 milímetros. Ricardo carrega uma pisto-

148   CV_PCC *A IRMANDADE DO CRIME*

la Colt 45 com pouca munição e uma escopeta calibre 12. Aperta o gatilho da carabina e faz uma descoberta interessante: a arma consegue furar a parede que separa a sala do quarto onde está o assaltante. Atira de novo, abrindo outro buraco de 15 centímetros de diâmetro. Do outro lado, Saldanha responde descarregando um pente inteiro da metralhadora. As balas *full metal jacket* (pontas de aço, especiais para munição perfurante) atravessam a parede de gesso e cal e atingem de uma só vez os dois policiais. Gilberto é mortalmente atingido, no peito e na cabeça. Ricardo tem o pulmão direito perfurado, um tiro de raspão no rosto e outro na barriga. Os dois gritam desesperados. Gilberto está morrendo, sangue esguichando dos ferimentos. Ricardo continua a gritar e tenta puxar o companheiro pelos pés, para afastá-lo da porta do quarto.

Do outro lado da parede, Zé do Bigode recarrega a arma, mas resolve ficar dentro do apartamento. Passar pelos policiais feridos na sala pode ser fácil, mas o corredor do terceiro andar já está ocupado pelos outros homens, que chegaram no Opala. Marcos está sendo socorrido. Ele não vai resistir aos ferimentos. A caminho do hospital, entra em coma e morre. Gilberto também já está nas últimas. Entre golfadas de sangue, ele tenta rezar a última oração. Aquela que até os ateus rezam na hora da morte, amém.

2

FINALMENTE CHEGA a cavalaria. Sirenes ocupam a noite. Já passa das dez horas e continua o impasse no terceiro andar do prédio. Dezenas de policiais tomam posição de combate. Os moradores dos prédios vizinhos são retirados. Janelas se transformam em trincheiras para atiradores profissionais. A temperatura sobe a cada minuto. Nos corredores, acima e abaixo do terceiro andar do prédio sitiado, soldados do Batalhão de Atividades Especiais da PM e policiais civis se amontoam. Mas ninguém está no comando. Todo mundo grita ordens desencontradas. Para aumentar a confusão, chegam os bombeiros, com escadas e holofotes. Acuado, com a certeza de que já morreu, Zé do Bigode usa o pouco tempo de que dispõe para mostrar que "bandido bom cai atirando". Sabe que a notícia do tiroteio vai chegar aos companheiros da Ilha Grande, através dos jornais. É em nome deles que o assaltante abre a janela de repente e dispara uma longa rajada de metralhadora em cima dos policiais e de centenas de curiosos. Toda essa gente forma um cordão humano em volta do campo de batalha. Ótimo alvo para balas perdidas.

Enquanto atira pela janela, Zé do Bigode lança o grito de guerra:

– Podem vir, miseráveis. Tenho bala pra todos vocês. Nós já desmoralizamos o sistema penal. Agora é a vez da polícia. Podem vir, porque aqui está o Comando Vermelho.

Essa é a primeira vez que o nome da organização é citado em público. Vai direto para as manchetes dos jornais em todo o país, junto com a reportagem do maior confronto da história criminal do Brasil. Às vinte para as onze da noite desse dia 3 de abril de 1981, quatrocentos policiais estão envolvidos na batalha. Quatrocentos contra um – como prefere Willian da Silva Lima, que tirou daí o nome de seu livro de memórias. Antes que José Jorge Saldanha aperte o gatilho pela última vez, quatro mil tiros terão sido disparados. Quarenta granadas de gás lacrimogêneo e de efeito moral terão sido detonadas contra ele. Cinco bombas incendiárias – lançadas com Riotgun, uma carabina especial que dispara rojões – vão incendiar dois apartamentos do prédio e danificar seriamente outros dois.

O tiroteio da rua Altinópolis vai ficar para sempre na memória dos moradores da Ilha do Governador. O saldo terrível do combate: cinco mortos, oito feridos graves, dezesseis feridos sem gravidade. E apenas quatro prisões. Em qualquer lugar do mundo civilizado, um tiroteio dessa grandeza teria sido evitado. Zé do Bigode cercado, sem luz e sem água, teria que se render mais cedo ou mais tarde. No máximo, teria acabado com a própria vida no escuro de um apartamento de dois quartos cheio de gás e fumaça. A autoridade pública, no entanto, preferiu outro desfecho. E não se pode dizer que não havia gente em condição de tomar decisão mais sensata. O próprio comandante-geral da Polícia Militar, coronel Nilton Cerqueira, esteve lá. Chegou inclusive a entrar no apartamento. Deixou o campo de batalha com uma frase, registrada por um capitão do 17º Batalhão, Jorge Augusto Pimentel, que também foi ferido:

– Muito bem. O caso está bem entregue. – E o oficial mais graduado da PM se retirou em seguida.

Durante o tiroteio no conjunto dos bancários, eu mesmo tive oportunidade de presenciar muitos absurdos como este. Estava lá trabalhando para o *Globo Repórter* e, no meio da confusão, me perdi da equipe da TV Globo. O cinegrafista – e isso só fiquei sabendo mais tarde – encontrou a repórter Glória Maria e gravou uma reportagem para o *Jornal Nacional*. Cheguei ao Conjunto dos Bancários mais ou menos às onze da noite do dia 3. Fiquei lá durante doze horas, até tudo estar acabado, na manhã do dia seguinte. Ser testemunha de um combate como esse faz pensar. Principalmente porque o bandido cercado teve oportunidade de se render, e preferiu a morte. Era só exigir a presença da televisão e dos fotógrafos para que a vida dele fosse garantida. Com tal cobertura da imprensa, não seria possível simplesmente eliminar Zé do Bigode, como tem acontecido tantas vezes. Além do mais – por incrível que pareça –, bandido que impõe tamanha resistência obtém respeito por parte dos policiais. Coisas do estranho mundo do crime.

Quando o assaltante lança o desafio à polícia, esta reage como se estivesse envolvida em alguma disputa pessoal, esquecendo que dentro do bloco sete do Conjunto dos Bancários havia doze famílias no fogo cruzado. Uma delas, inclusive, em poder de Eli e das três mulheres do grupo. Mas a polícia nem sabe disso. O grito de guerra de Saldanha é respondido com dez minutos de fuzilaria. Soldados da PM disparam uma dúzia de granadas no apartamento. Apenas cinco acertam o alvo – as sete restantes batem na parede do prédio e vão explodir na rua interna do condomínio. Dentro do 302, Zé do Bigode liga um ventilador e manda de volta o gás lacrimogêneo. Ele chega mesmo a pegar duas bombas com as mãos e as devolve para a polícia. Do lado de fora, pânico total. Mulheres e crianças gritando, gente correndo para todo lado. No telhado do prédio, o capitão Jorge Augusto Pimentel atira duas granadas atordoantes dentro do apartamento. As explosões espatifam as janelas de quase todos os apartamentos. As pessoas encurraladas se protegem dos tiros e dos estilhaços, fazendo barricadas com colchões e móveis. O oficial da PM desce do terraço e vai para o corredor do terceiro andar. As tentativas de furar a laje com picaretas não dão certo. Vai ser preciso enfrentar o bandido cara a cara.

Passada a salva de tiros e bombas, as autoridades policiais decidem retirar os moradores do prédio. Horas depois de iniciado o tiroteio! Houve um período de trégua, com os moradores se espremendo na escada, tentando escapar da ratoeira. No meio deles, saem também Eli e as três mulheres. Escapam do cerco com a cara e a coragem. Do lado de fora, Rosalina da Penha Freitas, mulher de Zé do Bigode, joga fora a bolsa com um revólver. Um morador a denuncia à polícia e ela é presa. Logo depois, Kátia Regina

152 CV_PCC *A IRMANDADE DO CRIME*

Costa e Janete Gomes de Oliveira são apanhadas também. Eli Schimidt da Silva, descalço e sem camisa, fica por ali. Assiste ao tiroteio encostado num poste e acaba reconhecido por um policial. É preso sem resistência. Ele já está satisfeito de escapar com vida. A prisão, para ele, é sopa. Vai voltar ao convívio do Comando Vermelho dentro do sistema penitenciário.

As picaretas da PM, depois da tentativa de furar o teto, agora são usadas para abrir a parede da sala para o quarto do 302. Fácil: a estrutura interna do prédio tem apenas 15 centímetros de gesso e reboco. Com três golpes, abre-se um buraco capaz de passar um homem. Só que o assaltante não está mais no quarto. Ele teve a mesma idéia e arrombou a parede que dá para o apartamento 304. Quando os policiais entram no quarto onde estava, ele abre fogo de novo, através do buraco que abriu com a coronha da metralhadora. O capitão Jorge Pimentel leva um tiro no rosto. A bala sai pela nuca. O detetive Josmar Castilho, outro dos estreantes, cai morto. O soldado Jackson de Oliveira Cavalcanti, do 17° Batalhão, sofre fratura exposta no braço esquerdo com um tiro de 45. Pânico geral entre os policiais. Corre-corre dentro do apartamento 302. O detetive Ricardo Wilker, ferido no início do combate, se arrasta para fora do apartamento em meio à tremenda confusão. O corpo de Gilberto fica lá mesmo – e vai ter um triste fim. O capitão Jorge Augusto Pimentel descreve ao repórter Moisés Celeman toda a violência do combate:

Estava tudo escuro [as luzes foram cortadas pela própria PM]. Nesse momento, dentro do quarto, com a porta aberta e agachado, o bandido me viu quase de frente. Disparou a metralhadora em cima de mim a três ou quatro metros de distância. Eu não sabia que ele tinha escapado do quarto de um apartamento para o outro, aproveitando-se da confusão. (...). Quando senti que fui atingido, não desmaiei. Não sabia quantos tiros tinha levado. (...). Comecei a sentir uma dor fortíssima nas costas, na altura da coluna cervical.

Na entrevista, publicada pelo jornal *O Estado de S. Paulo*, no dia 12 de abril de 1981, o oficial conta como conseguiu escapar:

Estava completamente ensangüentado. Pude observar que ainda mexia com as pernas. Cláudio [o detetive Cláudio Portela] me ajudou a ficar de pé, deu-me o colete [à prova de balas], segurando-o com a mão direita para proteger o meu corpo e a cabeça. Cheguei ao corredor. O sangue jorrava. Tentei avisar que o Cláudio estava lá sozinho. Mas não conseguia articular nenhuma palavra. Caí e me colocaram numa maca.

Depois de tudo isso, a polícia perde a esperança de desentocar o bandido e decide fazer algo inimaginável: incendiar os apartamentos 302 e 304. Granadas e tochas improvisadas com lençóis e gasolina são lançadas. O incêndio é enorme. O cadáver do policial, abandonado na sala, é atingido pelas chamas. Para impedir que seja totalmente carbonizado, entra em ação o Corpo de Bombeiros. O fogo é apagado e o corpo levado embora. Zé do Bigode assiste a tudo impassível. Assim que o fogo diminui, aproveitando o tumulto, volta para o apartamento 302 pelo buraco na parede. Recolhe todas as armas abandonadas pelos policiais. Duas escopetas, mais uma metralhadora e muita munição. As armas imprestáveis ele joga pela janela. Com um novo arsenal, o bandido vai, mais uma vez, se entocar no 304. Fica ali até morrer com um tiro de rifle no coração, às 8:15 da manhã do dia seguinte. Antes disso, impede mais duas tentativas de invasão. Os policiais Walter Farias, Hélio dos Santos Fonseca e Jorge Monteiro Lopes ainda são feridos antes que José Jorge Saldanha pare de respirar.

3

A BATALHA DA Ilha do Governador é um marco importante na história do crime organizado no Rio de Janeiro. Pela primeira vez, o Comando Vermelho revela o poder de fogo disponível e a determinação de seus homens. A polícia vê surgir diante de si um inimigo nunca enfrentado fora da luta política. O crime comum mudou. Esta é a conclusão dos responsáveis pela repressão. O então secretário de Segurança, general Waldir Muniz, um militar de carreira do Exército, não tem constrangimentos em declarar:

– Não sei o que são essas falanges. Não entendo como conseguem essas armas sofisticadas e como aprendem a usá-las. Mas eu sei o que precisamos fazer para combater o mal pela raiz: unir a sociedade contra elas.

O diretor do Departamento de Polícia Política e Social, delegado Borges Fortes, que esteve no tiroteio, se emociona numa entrevista coletiva à imprensa e não consegue esconder as lágrimas quando ressalta o heroísmo dos policiais mortos. Dois dias depois do tiroteio, consegui entrevistar o diretor do Departamento de Polícia Especializada (DPE), à época chefiado pelo delegado Rogério Mont Karp. O policial, responsável pelo "Clube do Guri", estava perplexo. A resistência do bandido revelava a incapacidade operacional da polícia, o despreparo individual dos agentes da lei, a precariedade dos armamentos e das comunicações. Revelava principalmente a inexistência de um plano tático a ser empregado nesse tipo de situação. A polícia civil e a PM obedeciam a ordens desarticuladas. E todos sabiam que alguns dos feridos tinham sido atingidos pelo *friend fire*, o "fogo amigo". Ou seja: teve gente ferida pelas costas, balas disparadas por policiais que atiravam contra tudo o que se movia. Durante onze horas, o criminoso teve a iniciativa do combate. Ele preparou as armadilhas. Ele demonstrou coragem a toda prova. Informado sobre as ligações do Comando Vermelho com os presos políticos na Ilha Grande, o delegado Mont Karp me disse o que pensava:

– Antes os comunistas usavam a mão-de-obra de inocentes úteis, estudantes e operários. Agora eles estão usando mão-de-obra qualificada no crime, gente que não tem qualquer tipo de freio moral na hora de apertar o gatilho. Quando um militante de esquerda roubava um banco, pensava duas vezes antes de atirar no guarda, um pobre trabalhador. Esses aí se divertem matando.

É claro que o delegado exagera. Ele é um dos partidários da tese de que a esquerda armada vinha se reorganizando. Está enganado. Redondamente enganado. Na verdade, é difícil para o tira compreender que gente violenta, e em geral analfabeta, possa se organizar e desenvolver uma cultura ideológica. Não uma ideologia revolucionária, marxista. Mas uma ideologia contra o sistema e tudo o que ele representa, especialmente o braço armado da sociedade. O policial tem dificuldade de entender também que aquele era um tipo especial de bandido, representante de uma nova era no crime, onde organização é a palavra-chave. Em editorial publicado naqueles dias, o jornal *O Globo* consegue captar muito bem o sentido dessa mudança:

> Contam os ex-vizinhos da quadrilha de assaltantes que se escondia no Conjunto dos Bancários da Ilha do Governador que os bandidos se comportavam como cidadãos exemplares. Eram gentis e atenciosos, não faziam barulho fora de hora. Enfim, comportavam-se como se vestiam: com discreta elegância. Este é certamente o mais eficaz dos disfarces, e mostra o grau de disciplina e organização do bando.

Zé do Bigode, ao resistir até a morte, estava movido pelo ódio contra a polícia que o prendeu e torturou várias vezes. E também pelo sentimento de que não podia trair a confiança dos companheiros. Ele conviveu com outros criminosos iguais a ele durante anos, enfrentando a repressão nos subterrâneos do sistema penal. Uma luta surda. Um jogo de paciência e determinação. Um xadrez que decide vida e morte. Ele ajudou a criar uma irmandade no crime – o Comando Vermelho. Para um homem como José Jorge Saldanha, isso já é motivo suficiente para resistir. Um dos mandamentos da organização certamente ficou ecoando em sua cabeça durante a última noite de vida: "Luta permanente contra a repressão e os abusos!"

Na mente de um homem que não tem qualquer futuro à vista, talvez valha a pena morrer por isso.

4

NAQUELES DIAS, a polícia soma derrotas importantes. Não há um banco seguro na cidade. Joalherias, casas de crédito e poupança – tudo que mexe com dinheiro tem medo do ataque-relâmpago dos assaltantes. A polícia, numa tentativa de frear a onda de roubos armados, cria rondas ostensivas nas áreas de maior concentração de agências bancárias. Mas elas são milhares, espalhadas pelos quatro cantos de uma cidade tão grande quanto o Rio de janeiro. É uma tarefa ingrata e fadada ao fracasso. Nos manuais da guerrilha urbana está escrito:

> Somos fortes onde o inimigo é fraco. Ou seja: onde não estamos sendo esperados. A surpresa é a arma decisiva na luta guerrilheira urbana.

Essas palavras, contidas no *Pequeno manual do guerrilheiro urbano*, de Carlos Marighela, líder morto da Aliança Libertadora Nacional (ALN), se aplicam perfeitamente ao tipo de ação dos grupos ligados ao Comando Vermelho. Os novos guerrilheiros do crime só aparecem onde são menos esperados. Os assaltos não duram mais do que quatro ou cinco minutos. E todos os confrontos com a polícia, registrados durante os anos de 1980 e 1981 foram depois dos assaltos, distantes dos bancos roubados. Ou seja: os homens do Comando podiam ser interceptados na fuga, mas só há um caso em que eles foram cercados dentro da agência bancária. Os criminosos comuns aprenderam na Ilha Grande que o planejamento das ações é fundamental para aumentar a segurança do bando e garantir lucros sem derramamento de sangue. A presença de Zé do Bigode no Conjunto dos Bancários é uma prova inequívoca disso. Ele estava ali para recolher informações – e se escondia justamente onde ninguém podia imaginar.

A estatística carioca dos ataques contra instituições financeiras nesses dois anos impressiona: um a cada oitenta horas. Dos 28 assaltos a banco nos três primeiros meses de 1981, 24 são atribuídos ao Comando Vermelho. A polícia diz que a organização arrecadou, em valores da época, 40 milhões de cruzeiros. Mais ou menos 510 mil dólares. A incrível seqüência dessas ações e a coincidência de método levam o governo do Rio a imaginar que a esquerda armada se reagrupou, renascendo das cinzas sopradas pela anistia.

Entre 1967 e 1972, as organizações revolucionárias praticaram 750 assaltos, seqüestros, atentados e operações da chamada "propaganda armada". Em apenas quinze deles – cerca de 2% – ocorreram enfrentamentos com as forças de segurança. O que destruiu essas organizações foi a repressão sistemática – e não os combates de rua. A esquerda caiu porque o aparato de segurança nacional investigava na base da tortura e do assassinato, obtendo pela violência a informação necessária para mapear os grupos e identificar os militantes. As baixas durante as ações foram muito pouco determinantes para o fim da luta guerrilheira. O estrago provocado pelo método de investigação cruel adotado pelo regime militar é descrito à perfeição numa frase do ex-guerrilheiro Alfredo Sirkis, em *Os carbonários*: "(...) os pontos abertos na tortura foram estabelecendo a corrente macabra cujos elos iam se juntando um a um." Algumas ações paramilitares dos grupos revolucionários deixaram exemplos de audácia e planejamento. Uma dessas lições – atacar simultaneamente muitos alvos, para confundir a repressão – foi seguida à risca pelo Comando Vermelho, uma década depois. A convivência com os presos políticos, na Ilha Grande, esteve recheada de informações úteis a quem pretende viver do crime organizado. Há exemplos muito claros: em 30 de dezembro de 1969, ao meio-dia, um comando da Aliança Libertadora Nacional (ALN) assaltou simultaneamente os bancos Itaú e Mercantil na avenida Brigadeiro Luiz Antônio, centro de São Paulo. Quinze homens estavam na ação. O tráfego foi bloqueado, e o assalto serviu a dois objetivos: dinheiro para a luta armada e uma forte "propaganda revolucionária", na medida em que revelava a fragilidade da repressão. Na esquina da Brigadeiro Luiz Antônio com a rua Santa Madalena, o guarda civil Luiz Carlos Vieira foi obrigado a ficar de joelhos durante todo o assalto, lendo um panfleto da ALN, que explicava os motivos do roubo. Um guerrilheiro passou o tempo todo ao seu lado, com uma metralhadora e uma granada. Foram os dez minutos mais longos da vida do policial.

No Rio, um ano e meio depois, um grupo de homens da Vanguarda Armada Revolucionária Palmares (VAR-Palmares) também roubou dois bancos de uma só vez. A marca da organização foi pintada com *spray* vermelho numa das paredes da agência bancária. O método empregado foi quase uma cópia xerox da ação de São Paulo.

Nos dias em que os Grupos Táticos Armados (GTAs) da esquerda entravam em ação, a polícia era atordoada com denúncias anônimas por telefone. Os trotes envolviam os órgãos da repressão política e a polícia comum. Por exemplo: os jornais da manhã publicavam uma notícia sobre um criminoso procurado e um contato da guerrilha se encarrega de "informar" o local onde um homem "igualzinho à foto do jornal" se escondia. Não existia o sistema de identificação automática das chamadas telefônicas. Trotes parecidos eram disparados para os bombeiros, a defesa civil, a companhia de energia, a PM. Um verdadeiro curto-circuito telefônico para confundir a repressão. O chefe da Unidade de Combate da ALN, Eduardo Leite, o Bacuri, adorava esse tipo de brincadeira, que ele chamava de "contra-informação". Certa vez telefonou para o DOPS do delegado Sérgio Fleury, o mais feroz caçador de guerrilheiros de São Paulo, acusado de cometer barbaridades de fazer inveja à Gestapo nazista. O trote de Bacuri dizia que os terroristas estavam preparados para atacar um banco fardados de soldados da PM. A equipe do DOPS ficou em pé-de-guerra, todos os homens disponíveis foram mobilizados, porque

160 **CV_PCC** *A IRMANDADE DO CRIME*

muitas das baixas da guerrilha já tinham sido provocadas por denúncias anônimas. A "contra-informação" também chegou à Polícia Militar: Bacuri avisou ao Regimento Tobias de Aguiar (ROTA) que um grupo de terroristas, usando carros da polícia civil, ia atacar o mesmo banco. O tiroteio entre os policiais quase provoca um desastre no governo paulista. Enquanto a "guerra psicológica" enlouquecia a polícia, os grupos armados das organizações revolucionárias agiam em outro ponto da cidade. Quando Bacuri foi preso, a repressão sabia que tinha capturado um inimigo importante, um combatente experimentado e muito corajoso. Foi espancado até a morte.

Aí está a marca da guerrilha: inteligência, audácia, planejamento. Essas mesmas características são encontradas pela polícia do Rio nos primeiros dois anos de atuação dos bandos de foragidos da Ilha Grande. No dia 14 de fevereiro de 1981, no bairro de Vista Alegre, duas agências bancárias são assaltadas ao mesmo tempo, uma do Unibanco e outra do Banco Nacional, que hoje não existe mais. Vinte homens participam do roubo. O trânsito na avenida Brás de Pina é interrompido. No meio da rua, a figura aterradora de um homem que segura a metralhadora na mão direita e a granada de fragmentação roubada do Exército na mão esquerda. Sozinho, ele controla o tráfego. Ninguém tem coragem de se mexer. Dentro do Unibanco, um dos assaltantes anuncia:

– Não queremos o dinheiro do trabalhador. Somos do Comando Vermelho e só vamos levar o dinheiro do banco.

Em poucos minutos a quadrilha desaparece. A caçada policial começa no instante em que os alarmes são acionados, logo que os bandidos saem das agências bancárias. Quarenta minutos mais tarde, outro bando invade o Banco Mercantil de São Paulo, no interior do Hospital da Ordem Terceira da Penitência, na rua Conde de Bonfim, bairro da Tijuca, também no Rio. Ao entrar na agência, o chefe do grupo anuncia:

– Calma, pessoal. É o Comando Vermelho!

Antes do fim do expediente bancário, mais um assalto. Foi no Bamerindus da Taquara, em Jacarepaguá, Zona Oeste da cidade. A essa

UMA FALSA LIBERDADE *161*

altura, a polícia já estava completamente atordoada. A tática guerrilheira de atingir vários alvos de uma só vez funciona. Os empregados do Nacional e do Unibanco de Vista Alegre são levados a depor na Delegacia de Roubos e Furtos (DRF). A descrição que fazem do roubo leva a polícia a recorrer aos arquivos do antigo DOPS e da Polícia Federal.

– Só pode ser coisa de terrorista – comenta um delegado.

Dias depois, o homem que ficou bloqueando o trânsito durante a ação é identificado através do álbum de fotos dos bandidos mais procurados. O nome dele é Moysés Feliciano da Silva, o Tenente Moysés. Foi oficial da Polícia Militar, expulso sob acusação de extorsão, roubo de carros, formação de quadrilha e assalto a banco. Mais uma descoberta: o assaltante que anunciou o roubo no Banco Mercantil é José Lourival Siqueira Rosa, o Mimoso, foragido da Ilha Grande. A identificação dos assaltantes só faz aumentar o mistério. Afinal, o que está acontecendo com a velha bandidagem de sempre? A pergunta atormenta os policiais mais experientes, porque a principal característica do crime até aquele momento era a ação indiscriminada e sem planejamento. Só para dar uma idéia: em 1980, um guarda de segurança de uma transportadora de valores mata todos os seus colegas e foge levando o caminhão blindado... para o quintal de sua casa. O ladrão é preso em poucas horas. Era com esse tipo de criminoso que a polícia estava acostumada a lidar. Mas agora – a cada novo ataque – os bandos mostram as novas garras. Muito mais afiadas.

Em 10 de março de 1981, quinze homens com armamento sofisticado atacam o Banco Nacional de Parada de Lucas, Zona Norte do Rio. Na fuga, outra novidade: os três carros que levam a quadrilha são seguidos por um quarto, que não participou da ação. Nele, um bandido opera um radiotransmissor da mesma freqüência da polícia. Não só fica sabendo onde estão as barreiras policiais como passa pistas falsas e provoca a maior confusão na perseguição. Informa que os assaltantes estão num determinado local, quando na verdade estão em outro muito diferente. Um despistamento típico da luta armada revolucionária aprendido nas longas conversas no "areão" e nos corredores da Galeria LSN. Os carros da polícia ficam como baratas tontas, até que o Centro de Coordenação de Operações de Segurança (CCOS) impõe o silêncio no rádio. O bandido fica falando sozinho, e as ordens que ele dá não são mais seguidas. Ao abandonar o carro da fuga, o transmissor é deixado sobre o banco do motorista. Assim o general Waldir Muniz teve certeza de que era mesmo um ardil do Comando Vermelho – e não uma molecagem de algum policial revoltado com os rumos da campanha salarial da classe, em curso naqueles dias.

Março de 81 ainda reserva notícias desagradáveis para a polícia. Farta correspondência de presos da Ilha Grande é encontrada num barraco do Morro do Adeus, em Bonsucesso, subúrbio do Rio. Na casa de Maria José Ferreira da Silva, documentos apreendidos mostram que a organização usa um código para se comunicar: o alfabeto congo, um conjunto de sinais e ideogramas que garante um correio seguro. Um mês inteiro foi necessário para decifrar o código do Comando Vermelho:

Amigos, recebemos o fumo [maconha] e as armas. O fumo acabou. Pagamos a quina a 10 mil e botamos 30 mil na caixinha. O caso do Wagner ficou como estava. Ele foi recapturado na cadeia nova. Vê se dá pra ele mandar mais fumo. Isso é dinheiro e adeptos não se perde. (...) OBS: o Bagunça deixou a roupa na pedra e os canas acharam. Diga a ele que eu agradeço a sacanagem dele.

A carta está assinada pelo "grupo liberdade", uma comissão de presos da Ilha Grande encarregada de organizar a fuga dos homens da organização. Nesse mesmo barraco do Morro do Adeus a polícia encontrou uma carta:

Companheiros! Esperamos que tudo esteja bem com vocês por aí. Em vista de não sabermos se algum de vocês lê congo, estamos escrevendo o português claro. Estamos no mato sem cachorro. Já faz um bom tempo que vocês se foram daqui [da Ilha Grande] e, numa reunião, decidimos esperar por vocês trabalhando da mesma forma. (...) Temos avião, temos o material, mas está faltando a parte do "voador" [o dono da lancha voadeira da fuga], que é 60 mil. Se vocês puderem adiantar esse dinheiro, breve estaremos juntos aí fora para dar impulso ao movimento iniciado por Nanai. Se não tiverem esse dinheiro, mandem maconha que é dinheiro também.

Mais um bilhete do Comando Vermelho, interceptado pela polícia:

Companheiros! Esperamos que vocês estejam unidos, dando continuidade a tudo que estávamos fazendo e que possibilitou liberdade e estrutura para mais um grupo. A caixinha foi uma criação muito importante e tem por objetivo criar condições de liberdade e apoio para os que colaboraram e colaboram com ela. (...) Conscientes de que sozinhos e desorganizados não se faz nada nem se ganha dinheiro.

Estranho correio do Comando Vermelho. Uma prova bem clara de que criminosos comuns estavam adquirindo consciência de que "sozinhos e desorganizados" não conseguiriam agir em segurança. De surpresa em surpresa, as poucas cabeças pensantes na polícia do Rio chegam a duas hipóteses: primeira, a esquerda está recrutando homens para ações armadas entre a criminalidade, planeja mas não se envolve; segunda – e verdadeira –, os bandidos aprenderam alguma coisa com os revolucionários. Foi nesse ponto que o comandante-geral da PM, coronel Nilton Cerqueira, e o secretário de Justiça, Marcos Heuse, se lembraram dos relatórios escritos pelo comandante Nelson Salmon, diretor do Instituto Penal Cândido Mendes – o "Caldeirão da Ilha Grande". Os documentos do comandante Salmon foram tratados, à época, com tanta displicência que acabaram desaparecendo nas gavetas da burocracia judiciária. Para reconstituir o massacre da Noite de São Bartolomeu nesta reportagem, tive que pedir ao oficial que reescrevesse um resumo dos relatórios. Provavelmente sou agora a única pessoa a ter por escrito este testemunho.

Quando a polícia conseguiu entender o que estava acontecendo em 1981, alguém também se lembrou do "bando do cordão de ouro". E foi aí que o quebra-cabeça começou a ganhar contornos mais nítidos.

5

TRÊS DE JANEIRO DE 1980. Três homens da linha de frente do Comando Vermelho escapam da Ilha Grande. Willian da Silva Lima, o Professor, fundador da organização, homem forte do presídio, está livre de novo. Com ele está Antônio Alves de Lima, o Antônio Branco, veterano de assaltos, fugas e rebeliões. O terceiro é Júlio Augusto Diegues, o Portuguezinho, um dos mais criativos e audaciosos ladrões de banco do país. Os três têm uma missão importante: organizar uma nova "frente de luta", uma estrutura de ação capaz de modernizar a mentalidade no mundo do crime. Eles vão montar uma quadrilha de respeito, vão levar para as favelas do Rio de Janeiro um método de operação que imita as principais características da guerrilha urbana dos anos 70.

No vocabulário do crime, entram palavras novas. Assalto vira "expropriação" ou "retomada". Quadrilha vira "coletivo" e ganha nome de batismo, como o "grupo liberdade". Ao todo, em sucessivas partidas dos "trens" da Ilha Grande, trinta bandidos de elite já estão na rua. Eles vão recrutar outros setenta adeptos. Um manual de procedimentos, que a polícia batizou de "As doze regras do bom bandido", serve como bússola para o comportamento do bandido solto. Vejamos:

1. Não delatar.
2. Não confiar em ninguém.
3. Trazer sempre consigo uma arma limpa, carregada, sem demonstrar volume, mas com facilidade de saque e munição sobressalente.

166 **CV_PCC** *A IRMANDADE DO CRIME*

4. Lembrar-se sempre de que a polícia é organização, e nunca subestimá-la.

5. Respeitar mulher, criança e indefesos, mas abrir mão desse respeito quando a sua vida ou liberdade estiverem em jogo.

6. Estar sempre que possível documentado (mesmo com documento falso) e com dinheiro.

7. Não trazer consigo retratos ou endereços suspeitos, bem como não usar objetos com seu nome gravado.

8. Andar sempre bem apresentável, com barba feita. Evitar falar gíria. Evitar andar a pé. Não freqüentar lugares suspeitos. Não andar em companhia de "chave-de-cadeia" (uma referência a gente vaidosa, que sempre fala demais e compromete os outros).

9. Saber dirigir autos, motos etc. Conhecer alguma coisa de arrombamento, falsificação e noções de enfermagem.

10. Lembrar-se sempre que roubar 100 ou 100 milhões resulta na mesma coisa (cadeia, condenação).

11. Estar sempre em contato com o criminalista.

12. Não usar tatuagem em hipótese alguma.

Essas instruções são simples e – no entanto – eficientíssimas. É um manual básico, que serve para evitar os erros primários cometidos pelo bandido despreparado. Tem gente que rouba, mata, estupra, pratica as maiores barbaridades, e vai comentar tudo o que fez na tendinha da favela, entre uma cerveja e outra. Resultado: os informantes da polícia têm uma noção muito clara de quem faz o quê nos subterrâneos do crime. Muitas vezes um delegado prende a quadrilha porque sabe que aqueles homens têm o hábito de praticar um determinado tipo de crime. Os "cachorrinhos", os "X-9", ou simplesmente os alcagüetes, sabem disso porque ouvem os bandidos contando as façanhas nas biroscas dos morros e dos bairros pobres da periferia. Um delegado esperto percebe que uma boa rede de informantes é garantia de sucesso, especialmente em matéria de roubo de bancos e tráfico de entorpecentes. O manual proposto pelo crime organizado resolve o problema mais grave: ficar de boca fechada, afastar-se dos que falam demais, agir na sombra. Curiosa semelhança: o manual de operações da Vanguarda Armada Revolucionária Palmares (VAR-Palmares) dizia:

> Só os levianos não aprendem a atirar com as duas mãos. Em caso de ferimentos na mão direita, os destros estarão praticamente desarmados. (...) Operando nas grandes cidades, o guerrilheiro deve saber dirigir automóveis e motocicletas. Estas últimas, especialmente, são fundamentais no trânsito sempre engarrafado. (...) Os ferimentos mais freqüentes em combate urbano (fraturas, queimaduras e tiros de revólver) podem ser tratados com conhecimentos rudimentares de enfermagem.

Para quem acha que tudo isso não passa de coincidência, é bom lembrar que os manuais da guerrilha tiveram ampla circulação pela Galeria LSN da Ilha Grande, onde surgiu o Comando Vermelho. A versão simplificada das *Doze regras do bom bandido* foi encontrada com um assaltante de bancos, Edmilson Conceição, foragido do Instituto Penal Milton Dias Moreira. Consta do processo administrativo n° 09/010 094 da polícia Civil do Rio. Uma das regras do bom bandido – "andar sempre bem apresentável" – devia estar na cabeça de Willian da Silva Lima quando ele decidiu que a quadrilha precisava se vestir bem. Na cadeia, aprendeu o oficio de alfaiate, um passatempo muito útil para produzir o disfarce certo na hora certa. O bando estava na maior linha quando atacou o Banerj da rua Mayrink Veiga, no centro do Rio. O assalto acontece seis dias depois que o "Professor" deixa a Ilha Grande. Willian não toma parte. No comando está Júlio Augusto Diegues, o Portuguezinho. Quem vê aqueles homens entrando no banco só pode pensar que são clientes especiais, empresários, comerciantes. A quadrilha toda está de paletó, gravata e colete. Um deles usa um cordão de ouro, como o dos relógios de bolso do início do século 20. Primeiro, eles mostram elegância e tranqüilidade. Depois, mostram as armas. Júlio se aproxima do gerente e diz com toda a calma:

168   CV_PCC *A IRMANDADE DO CRIME*

– Senhor, chegou a sua vez.

Saca a pistola 45, anuncia o assalto. Tudo acontece em poucos minutos. O bando foge com o dinheiro – e uma funcionária do Banerj chama atenção da polícia ao depor:

– Doutor, eles eram muito charmosos.

Entre os "charmosos" estão Célio Tavares Fonseca, o Lobisomem, Luiz Orlando Gomes, o Cara de Rato, e outros expoentes da criminalidade. O ataque ao Banerj ocupa espaço nos jornais, que destacam a fineza dos assaltantes. A polícia, tomada de ódio, monta uma enorme caçada aos assaltantes. Celso Assis de Brito, que esteve no Banerj, é localizado. Há um tremendo tiroteio, e ele morre fuzilado. Dois outros integrantes do "bando do cordão de ouro" são presos: José Francisco dos Santos, o Zezé, e Álvaro Machado Ferreira, o Cabeção. Interrogados na Delegacia de Roubos e Furtos – sabe Deus como –, os dois confessam vários assaltos e abrem o resto do grupo. Caem Portuguezinho e Lobisomem. Toda a quadrilha é identificada. Mas Willian e Antônio Branco escapam. Os dois assaltantes, que entregaram os companheiros, violando o código de "não delatar", são assassinados no xadrez da própria DRF. Portuguezinho e Lobisomen enforcaram os delatores usando cordas de lençol – as teresas –, protegidos pelo silêncio dos outros presos.

Ao todo, o "bando do cordão de ouro" praticou trinta assaltos. Após as quedas do primeiro grupo, Willian reorganizou a quadrilha, incluindo mais uma leva de foragidos da Ilha Grande. O novo grupo tem um elenco espantoso: Miguel Ángel Amarijo, o Peruano; Sérgio Mendonça, o Serginho Ratazana; José Lourival Siqueira Rosa, o Mimoso; José Jorge Saldanha, o Zé do Bigode; Francisco Viriato de Oliveira, o Japonês; Domingos Pinto da Anunciação, o Dominguinhos Sete Dedos; Paulo Roberto Bonfim, o Ponês; Jorge Batista Sanches, o Naval; Paulo César Chaves, o PC. Vários policiais militares estão no grupo: além do tenente Moysés, o sargento Aires Viana e os soldados Manoel Messias Gomes, José Roberto Silveira de Amorim e um terceiro conhecido apenas como Reginaldo.

Willian vai ser preso novamente no dia 15 de outubro de 1980. Está na avenida Presidente Vargas, centro bancário do Rio, com Antônio Branco. Esperam um táxi, quando uma patrulha da PM desconfia deles. Willian traz um volume sob a camisa. Parece uma arma. Desrespeita assim uma regra básica do bom bandido. A polícia pára o camburão, e Antônio Branco foge correndo por entre os carros. Willian é apanhado com uma pistola Luger de 9 milímetros, arma usada na Segunda Guerra Mundial pelos oficiais nazistas. É levado para a 8ª Delegacia, onde se identifica como Carlos Alberto Gomes. Aproveita um descuido e queima todos os dedos das mãos com um fósforo, para provocar inchação e impedir o reconhecimento por impressões digitais. Tiram uma foto dele e a distribuem para todas as delegacias. Alguns dias mais tarde, o inspetor Pedro Marinho, da DRF, reconhece o Professor. É devolvido à Ilha Grande, com uma condenação mais longa do que a que tinha quando fugiu. A liberdade durou pouco mais de nove meses.

Um dos delegados que interrogou Willian da Silva Lima, cujo nome prefiro não citar, em razão da qualidade da revelação que fez, me contou o seguinte:

– Ele foi *trabalhado* (torturado, espancado, queimado) como eu nunca tinha visto antes. Não falou nada. Nem o nome verdadeiro ele revelou. Não se pode nem imaginar que ele fosse abrir o nome de algum companheiro. É um personagem do crime, como ninguém. Os interrogatórios duravam horas, e nada dele dar qualquer informação que nos fosse útil.

O delegado disse que esteve presente em três ou quatro interrogatórios. Segundo ele, "uma perda de tempo". Ao ouvir o policial, fiquei com a impressão de que havia adquirido um certo respeito pelo assaltante. No porão, no submundo, onde há muita gente de armas na mão, de um lado ou de outro da lei, as normas de conduta são diferentes. São quase incompreensíveis para nós, que vivemos na superfície e que acreditamos nas regras do jogo. Lá os conceitos e a ética realmente são outros. O policial, renomado caçador de bandidos – como neste caso específico –, pode se curvar diante da coragem e da determinação do inimigo. Ele contraria, inclusive, a pesquisa que fiz: minhas informações indicam que o Professor queimou os dedos com um cigarro, para impedir o reconhecimento por impressões digitais. O delegado garante que ele cortou a ponta dos dedos com uma gilete, "metodicamente, pacientemente".

Willian está preso. Antônio Branco tem mais sorte. Vai continuar assaltando bancos, dedo no gatilho, clandestino nas favelas por um bom tempo. É um tipo muito forte, de coragem indescritível. Em 1974, durante a grande rebelião no Conjunto Penitenciário da Frei Caneca, ele foi um dos que lideraram a tentativa de fuga em massa de trezentos prisioneiros. Poucos escaparam – e oito morreram. Antônio Branco conseguiu deixar o presídio, mas foi cercado na rua. O carro em que estava foi metralhado. Dois tiros acertaram nele: um na perna esquerda e outro de raspão na cabeça. Como repórter da revista *Manchete*, cobri a fuga e a perseguição. Assim conheci Antônio Branco, quando depôs na 6ª Delegacia. Os policiais obrigaram o bandido a subir uma longa escadaria para chegar até o cartório, no segundo andar do prédio. Ele não permitiu que os policiais tocassem nele – nem para ajudar a enfrentar os degraus. Subiu e desceu a escada sentado, se arrastando. Mas não deixou ninguém encostar nele.

Ao ser levado de volta para o presídio, na porta da delegacia, foi cercado por repórteres e policiais. Antônio Branco pediu um copo de água. A polícia disse que não precisava, não. Mas o jornalista Geraldo Lopes foi ao bar vizinho e trouxe uma garrafa de água mineral. Empurrou os policiais, arrumou a maior confusão. Antônio Branco pegou a garrafa, olhou bem nos olhos do repórter e disse:

– Você é muito corajoso. Agora não preciso mais dessa água. Bebi a sua coragem.

O bandido ferido devolveu a garrafa intacta.

6

NO INÍCIO DOS ANOS 70, ele era conhecido como Zezé. Bom de bola desde pequeno, virou jogador de futebol. Fez carreira no América do Rio, foi vendido para o Miami Gators, nos Estados Unidos. Depois, Europa: passou pelo Olympic Charleroi, da Bélgica, e pelo Saint-Etienne, da França. Menino pobre, não podia imaginar que ia correr o mundo. Um dia, bateu de frente com o zagueiro do time adversário. A contusão foi terrível – o joelho se acabou. Volta ao Brasil, nada de futuro como jogador. O futebol vira as costas para ele. Passando necessidades, entra no crime. E ressurge no noticiário. Agora é de novo José Lourival Siqueira Rosa, mais conhecido como Mimoso. Arruma uma nova profissão: assaltante de bancos. É ele quem assume o lugar deixado por Willian.

As quadrilhas que agem em nome do Comando Vermelho agora são comandadas por Mimoso, pelo Tenente Moysés e por Zé do Bigode. O grupo já está mais organizado, tem infra-estrutura jurídica, várias bases de operação espalhadas pelas favelas do Rio de Janeiro. Começa a costura do difícil acordo com o tráfico de drogas nos morros. O denominador comum – e o principal ponto de negociação – é a caixinha da organização. Quem contribui com as finanças do crime organizado, obtém garantia de bom tratamento na cadeia – e lá é sempre melhor chegar como amigo. Agora a influência do Comando Vermelho se espalha por vários presídios. O exílio na Ilha Grande é coisa do passado.

Até o fim de 1981, esses três grupos infernizam a polícia, batem recordes de ataques a bancos, casas de câmbio e joalherias. O maior des-

172   CV_PCC   *A IRMANDADE DO CRIME*

ses roubos acontece no dia 31 de janeiro, contra a empresa Paschoal Jóias, na rua Gonçalves Dias, bem no centro do Rio. O dono da joalheria, Raul Gomes Correia Vasquim, é seqüestrado em casa. O empresário, sua mulher e o motorista são levados para a loja, onde um cofre abriga uma grande fortuna em ouro e pedras preciosas, algo em torno de 300 mil dólares. Quase todo o estoque da Paschoal Jóias desaparece em meia hora. Quando a polícia é avisada, não há mais pistas dos assaltantes.

Num dos assaltos do "bando do cordão de ouro", Apolinário de Souza, o Nanai, cuja especialidade era voltar à Ilha Grande para resgatar os prisioneiros, dá acidentalmente um tiro num companheiro. Uma bala de Winchester calibre 44 acerta o joelho de Serginho Ratazana. O bandido urra de dor. O assalto é interrompido. Mas a quadrilha já tem um "serviço médico" pronto para socorrer o ferido. A exemplo do que faziam as organizações guerrilheiras, uma pequena clínica já está pronta para o socorro de urgência. Na verdade, os bandidos do Comando Vermelho têm um levantamento detalhado do funcionamento da Casa de Saúde São José, em São Gonçalo, no Grande Rio. O hospital é invadido, e Serginho Ratazana é operado. Antes de essa lição da esquerda ser absorvida pelo crime, um bandido ferido era atendido na favela. Um curandeiro ou uma enfermeira moradora tratavam dele. Os resultados, em geral, não eram muito bons. Já imaginou socorrer alguém que levou um tiro de 44 no joelho? A bala pulveriza os ossos, arrebenta as cartilagens, provoca forte hemorragia. O Comando Vermelho, com essa e outras ocupações de pequenos hospitais, muda a prática de abandonar os companheiros feridos. Há uma frase famosa, repetida por Lúcio Flávio antes de cada assalto: "Ferido não tem ajuda." Agora, bandido baleado é tratado por médico – na marra, ou em troca de grandes somas em dinheiro.

O principal investimento do "bando do cordão de ouro" foi financiar a fuga de companheiros presos na Ilha Grande. Uma lancha – a *Miss Juripa* – foi comprada para resgatar muitos presos. Ao todo, a lancha fez três viagens. Numa delas, Nanai foi baleado e morreu. Na última "missão", um acontecimento insólito: o motor do barco enguiçou e os presos que já estavam a bordo decidiram voltar ao presídio, menos um, que preferiu tentar a fuga nadando. Ricardo da Silva se atirou ao mar às duas e meia da tarde e nadou até seis da manhã do dia seguinte. Dezesseis horas dentro da água. Foi arrastado por correntes marítimas e saiu perto de Niterói, a muitas dezenas de quilômetros de distância do presídio. Chegou tão cansado ao continente que dormiu na praia. Jogado na areia, sem forças para caminhar, foi preso. Ricardo tinha um bom motivo para tentar a fuga: estava condenado a 140 anos de prisão.

As quadrilhas do Comando Vermelho tinham como ponto de honra o resgate dos presos. Essa também foi uma lição transmitida pelos prisioneiros políticos. As organizações de esquerda libertavam seus companheiros através do seqüestro de diplomatas estrangeiros. Os homens do Comando nunca seqüestraram embaixadores, mas também nunca abandonaram seus parceiros sem assistência na cadeia. Em alguns casos, bastava contratar um bom advogado. Em outros, usavam as lanchas do "socorro vermelho". Quando não podiam agir diretamente, deixavam armas, dinheiro, cigarros e drogas enterrados nas praias da Ilha Grande. Quem tem o monopólio da distribuição desses artigos de luxo, controla o presídio. Qualquer presídio, aqui ou em qualquer lugar do mundo.

O dinheiro dos grandes roubos era investido em dólar, ouro e no mercado financeiro. Mais uma vez, advogados seduzidos pelo dinheiro do crime levam sua atividade além do que prevê o código de ética da profissão. Mas a vida dos foragidos é sempre muito difícil. Caçados como animais pela polícia, pagando caro pelo silêncio dos cúmplices, alugando casas, roubando carros e comprando armas de guerra – tudo isso reduz praticamente a zero os fundos da organização. A saída é mergulhar de cabeça na espiral dos assaltos. Quanto maior o número de ações, maiores o perigo e a despesa. Muitos dos chefes do grupo são presos e mortos. Um assalto desastrado, contra o Banco Itaú de Vila Valqueire, no dia 28 de abril de 1981, Zona Norte do Rio, termina num violento tiroteio. Quatro mortos e cinco feridos foi o saldo da perseguição e cerco policial. Jorge Batista Sanches, o Naval, um dos primeiros integrantes do Comando

174 CV_PCC *A IRMANDADE DO CRIME*

Vermelho, é metralhado e morre ao ser socorrido no Hospital Olivério Kraemer. As quedas se multiplicam. Mimoso é apanhado também. Preso sem resistir, dá uma impressionante entrevista no Departamento de Polícia Especializada. Durante sete horas, responde a cinqüenta jornalistas. Impressiona pela tranqüilidade, o raciocínio articulado, o português correto. Desmente a existência do Comando Vermelho, garantindo que "não passa de uma invenção da polícia que os jornais aceitaram sem pensar". E resume os motivos de seu envolvimento com o banditismo armado:

– Eu me meti nessa vida porque é grande a desigualdade social. Ninguém pode viver de salário mínimo. Tenho consciência e nunca assaltei residências. Pra que roubar um chefe de família? Assalto empresas, escritórios, bancos. São lugares onde guardam o capital.

Vinte de maio de 81. Outra queda importante. Agentes do Departamento Geral de Investigações Especiais prendem Expedito Araújo. É um dos integrantes do setor de inteligência do Comando Vermelho. Ele planejava as ações, mas poucas vezes tomava parte delas. A tarefa dele e de seu grupo eram os levantamentos, os croquis das agências bancárias, as rotas de fuga. Dizem que Expedito algumas vezes assistia aos assaltos de uma distância prudente. Era o "crítico" da organização. Reunia a quadrilha e discutia as falhas, apontava posições melhores para os rapazes da cobertura. É dessa época, inclusive, uma tática que confundia a polícia e o noticiário dos jornais. Os assaltantes saíam dos bancos a pé, no sentido da contramão das ruas, dobravam uma esquina e aí embarcavam nos carros da fuga. O jornal do dia seguinte dizia: "Os assaltantes fugiram a pé." Isso é uma coisa inimaginável. Ninguém pega táxi armado de metralhadora. A "fuga a pé" serve apenas para não identificar os carros que vão levar os assaltantes. Na maioria absoluta dos casos, a perseguição começa com a cor, o modelo e a placa dos carros da fuga.

Essa não foi uma descoberta de Expedito Araújo. A guerrilha comunista dos anos 70 já empregava o estratagema. Mas sua prisão é uma perda importante para os grupos de ação. Naquele ano de 81, mais de quarenta homens da organização foram apanhados e devolvidos à prisão. Doze foram mortos. Quem voltava para as penitenciárias, recomeçava o trabalho de conscientizar e recrutar novos grupos. E o ciclo se completa com novas fugas. As autoridades judiciárias do Rio mandam os prisioneiros para diferentes instituições penais, evitando a concentração perigosa na Ilha Grande. Assim, o Comando Vermelho cresce de influência sobre o conjunto da massa carcerária. O processo de expansão da organização é incontrolável, apesar da violência que desaba sobre os recapturados. Na Ilha Grande, a guarda reage com ferocidade à chegada de cada fugitivo. Os espancamentos são diários, a ponto de o cardeal-arcebispo do Rio de Janeiro, dom Eugênio Salles, se recusar a rezar missa no presídio até que a brutalidade contra os presos fosse apurada. A denúncia do cardeal é contundente:

– Criminosos não podem ser guardados por criminosos.

Mesmo atingida por baixas terríveis, perto do fim do ano, no dia 15 de dezembro, a "irmandade do crime" dá uma prova de coragem e competência. Um preso é resgatado da sala de audiências do Conselho de Sentença da 2ª Auditoria do Exército, na rua Moncorvo Filho, número 5, centro do Rio. Rubens Pereira da Silva, o Rubinho, foi trazido da Ilha Grande para prestar depoimento num caso de assalto e uso de armas militares. Estava diante do juiz Antônio Cavalcanti Siqueira Filho, quando dois homens armados entraram na sala, renderam e desarmaram a escolta e levaram Rubinho. O prédio da auditoria militar é guarnecido por quinze homens da polícia do Exército, armados com fuzis automáticos FAL. O resgate foi tão rápido e preciso que ninguém reagiu. O *Jornal do Brasil* registrou: "Os três deixaram o prédio a pé."

DE NOVO, O NOVO ANO VERMELHO

1

DEZ HORAS DA MANHÃ. O dia 18 de março de 1981 queima de tão quente na favela da Barreira do Vasco, em São Cristóvão, zona norte do Rio. Faz mais de duas horas que estou no bar da esquina das ruas São Januário e Ricardo Machado, bem na entrada da favela. O tempo custa a passar. E a presença de um estranho tão impaciente mantém os freqüentadores do bar num silêncio constrangedor. "Coisa boa não deve ser", comenta o homem atrás do balcão. Talvez pensem que sou da polícia – ou coisa pior. Já tomei duas garrafas de guaraná e um café. Fumei uns dez cigarros. E nada de aparecer o contato que vai me levar a uma das quadrilhas do Comando Vermelho. Já estive aqui uma semana antes, no mesmo botequim, esperando a mesma pessoa. Um ex-funcionário da TV Globo ajudou a localizar e a negociar uma entrevista com um grupo de traficantes para o *Globo Repórter*. Foram comigo o repórter Raul Silvestre e o cinegrafista Amâncio Luiz Ronque, o Foguinho.

O depoimento dos bandidos foi sobre o incrível sistema de "trocas" entre eles e a polícia. Se alguém é apanhado pelos soldados do posto da PM na favela, perde a droga e as armas. Mas continua solto. Os policiais não interferem nos negócios do tráfico, mas a rapaziada não pode marcar bobeira. Esse relacionamento cordial, porém estranho, permite também que os bandidos comprem as armas de volta. Maconha é a moeda corrente.

A reportagem, exibida um mês depois no programa *A Escalada do Crime*, foi gravada numa casa de dois andares bem no centro da Barreira do Vasco. Aquele não era o endereço dos traficantes. Era um local emprestado exclusivamente para a gravação. Recebemos instruções para aguardar no bar da esquina. Um a um, fomos levados até a casa, com a recomendação de só olhar para a ponta dos sapatos e não prestar atenção em nada que ficasse à volta. Era uma maneira de não identificar a casa. Andando em círculos pelo labirinto da favela, depois de um ou dois minutos, você perde o sentido de direção e não sabe mais onde está.

Entramos no sobrado às três da tarde. Fui o último a subir por uma estreita escada de cimento que levava até o segundo andar e ao terraço. Ao dar os primeiros passos, reparo num homem que vem descendo. Usa paletó, gravata e colete. Com a mão direita, carrega uma carabina calibre 12, de dois canos. Arma comum, marca CBC (Companhia Brasileira de Cartuchos), a coronha e os canos serrados. Fico com a sensação de que conheço o cara de algum lugar.

A entrevista para o *Globo Repórter* dura uns vinte minutos. Meia hora, no máximo. Os traficantes só fazem uma exigência:

– Se a polícia chegar, vocês descem na frente pra negociar.

Felizmente, nada de polícia Se tivesse aparecido e cercado a casa, teríamos ali um tiroteio de respeito. Nossos quatro entrevistados estavam armados com dois revólveres cada um. Além disso, o homem de paletó e colete ainda emprestou a 12, "pra fazer uma figuração". Saímos de lá com o coração na mão. E, ainda por cima, Foguinho esqueceu a bolsa dentro da casa e teve que voltar, enquanto esperávamos no bar da esquina por mais meia hora.

– Porra, como é que você esquece bolsa em casa de ladrão? – pergunta indignado o contato da entrevista.

Quando saí da casa, passei de novo pelo homem da carabina. Cada vez mais a memória indicava que era alguém conhecido. Com uma artilharia daquelas, certamente um ladrão de bancos. Ao passar por ele, disse timidamente que tinha a intenção de voltar para conversar sobre os assaltos a banco. O bandido sorriu com simpatia e disse que eu procurasse um novo contato dali a uma semana.

É por isso que estou de volta à favela. De volta ao mesmo botequim, esperando um rapaz chamado João, que marcou às nove e ainda não apareceu. Dez para as onze – e já estou desistindo. A camisa está grudada no corpo. Suor. Tensão. Medo de entrar novamente no labirinto. Agora já sei quem é o homem da carabina. Passei uma tarde no arquivo fotográfico do jornal *O Globo* procurando o rosto conhecido. Lá estava ele: Sérgio Silva dos Santos, o Serginho da Ivete, foragido da Ilha Grande. É um dos homens do bando de Zé do Bigode. Assaltante de bancos.

Vista da porta do barzinho da Zona Norte, a favela me parece assustadora. O contato só chega às onze e quinze. Cara de quem esqueceu o compromisso no travesseiro. Chega e vai logo dizendo:

– Olha, amigão, esse pessoal aí é barra pesada. Gente pedidona pela lei. Você tem certeza do que tá fazendo?

– Tem problema, não. Pra você não ficar com a sensação de que está se arriscando à toa – respondi –, vou colocar um dinheiro pra você nesse serviço.

João fica mais tranqüilo com a resposta. Dinheiro é sempre o melhor passaporte no mundo do crime. Negócio fechado, ele me manda seguir para outro botequim, dois quarteirões adiante. Mais um guaraná. Outra meia dúzia de cigarros. Mas vale a pena. Sérgio entra no bar sozinho. Veste calças *jeans*, tênis preto e uma camisa amarela bem solta. Dá para perceber que está armado. Isso agora é o de menos. A longa espera foi pior do que tudo, porque a cabeça não pára de pensar besteira. Agora o trabalho ocupa tudo. Vou entrevistar um deles – um dos homens do Comando Vermelho.

– Você é o Serginho da Ivete? – pergunto à queima-roupa.

– Isso não tem importância. Eu não tenho nome. Não tenho nada de pessoal pra contar.

– Vou mudar a pergunta: você é do Comando Vermelho?

– Sou um tipo de pessoa que não aceita sacanagem sem reagir. Na cadeia eu aprendi que um homem deve andar de cabeça erguida. Se para isso for preciso lutar, eu luto. O nome Comando Vermelho é muito mais um rótulo que a imprensa gosta de usar. Nós somos representantes de um comportamento carcerário diferente: amigo ajuda amigo, para os inimigos o melhor lugar é a geladeira. Eu faço o que é preciso pra manter a fé e a união entre nós.

– Roubar bancos pra financiar as fugas na Ilha Grande faz parte desse comportamento carcerário? Gente como você rouba pra viver. Mas você falou em fé, em solidariedade...

– Solidariedade é a palavra mais forte entre nós. Um amigo nunca vai cair sob o peso da opressão sem que um companheiro dê a mão pra ele se erguer de novo. O que vocês deviam se preocupar é com as condições miseráveis das cadeias. Aqui fora a gente é obrigado a roubar pra viver. Lá dentro a gente é obrigado a matar pra continuar vivo. O que nós queremos é mudar essa situação. O resto é papo furado.

– Alguma vez você pensou que esse tipo de solidariedade pode ser usado para outros fins?

– Não estou entendendo.

– Quero dizer o seguinte: a miséria aqui fora é muito maior do que nas cadeias. Aqui fora são populações inteiras que vivem nas favelas, nos morros. Não foi uma coisa parecida com essa que vocês ouviram dos presos políticos?

– Duvido muito que algum de nós acredite em política. Política é coisa de bandido mais safado do que qualquer ladrão, porque vive da inocência dos outros. Nenhum de nós acredita em luta política. O que a gente pretende é manter os companheiros unidos e fortes diante dos inimigos. Tem os inimigos do lado de fora, a polícia, mas tem um inimigo pior do lado de dentro das grades: o que explora e sacaneia o companheiro, que tá a serviço do sistema.

Tento fazer outra pergunta. Ele interrompe.

– Olha, já tá ficando muito comprida essa conversa. Não vou dizer nada do que você quer ouvir.

– Você me permite uma última pergunta, certo? É o seguinte: o pessoal que fugiu da Ilha fez vários assaltos importantes, arrecadou dinheiro em grande quantidade. Pra onde vai a grana?

– A grana é pra comprar a liberdade. Mas eu acho que vai ser necessário dar um tempo, porque a cana tá dura. Já caiu muita gente. Já morreu muita gente.

A estranha entrevista acaba nesse ponto. "Já morreu muita gente." A frase me acompanha de volta à Zona Sul da cidade. O assaltante previa com clareza o rumo dos acontecimentos nos próximos meses. Doze veteranos da Ilha Grande mortos, dezenas de prisões. Em casa, pego a cópia da foto de Serginho da Ivete. Presto atenção nos detalhes do rosto. Tem algumas diferenças. Fico em dúvida. Mas é ele. É ele, sim.

O mais impressionante no encontro com um dos homens do Comando Vermelho é a clareza da análise da situação deles. Ao agir de forma tão audaciosa, o grupo se expõe ao peso da repressão. Existe uma máxima na polícia: "Saiu no jornal, entrou em cana." É verdade. A força do noticiário sobre os incríveis roubos de banco daqueles dias obriga o governo do estado a responder. E a resposta é devastadora.

2

SETE DE ABRIL DE 1981. Dez horas da manhã. Na Zona Oeste da cidade, três roubos de carros quase simultâneos põem a polícia de orelhas em pé. É típico de quadrilha de assaltantes de banco. Os carros são "expropriados" minutos antes do ataque. Essa é uma prática que a polícia conhece bem. Como os carros foram "puxados" numa mesma área, o alvo deve também estar por perto. Em Campo Grande, a Polícia Militar coloca nas ruas as patrulhas do Regimento de Polícia Montada. Sem cavalos – é claro. Os policiais estão nas Veraneio azuis e brancas.

Um dos carros roubados é visto seguindo na direção da avenida Brasil. Começa a perseguição. Sirene ligada a toda, avisos pelo rádio. Em dez minutos, 150 policiais estão envolvidos na caçada. O segundo carro roubado é localizado na rua Belém, em frente à casa de um guarda de segurança, Jorge Pessoa de Magalhães. Quatro bandidos são presos. Outro consegue fugir correndo. Entra no matagal, salta cercas, passa pelo quintal das casas. Termina cercado no número 365 da rua Curitiba. Fica duas horas lá dentro, até se entregar. O nome dele é Serginho da Ivete. Levado para a 33ª Delegacia, de Campo Grande, enfrenta os policiais de cabeça em pé. Quando perguntam a ele sobre o Comando Vermelho, responde audacioso:

– Essa história não existe. Eu quero ver é a polícia investigar e descobrir quem é que está soltando bombas pelo país afora.

Naquela época, uma série de atentados terroristas sacode o Rio, São Paulo e Belo Horizonte. Uma bomba de alto poder explosivo destrói uma sala no sétimo andar do prédio da Ordem dos Advogados do Brasil (OAB) e mata a secretária Lida Monteiro. Na Câmara dos Vereadores, outra explosão arranca os dedos e cega um funcionário do gabinete do vereador Antônio Carlos, o Tonico, à época ligado ao Movimento Revolucionário 8 de Outubro (MR-8). É a esses crimes que Serginho da Ivete se refere. Enquanto a polícia devasta as quadrilhas ligadas ao Comando Vermelho, nenhum terrorista é preso. Os atentados, atribuídos a segmentos da extrema direita militar, estão impunes e impunes vão ficar. Basta lembrar o atentado no Riocentro. Mesmo com um sargento do Exército morto e o capitão Wilson Machado ferido gravemente, a polícia e os órgãos de segurança nada descobrem.

Serginho da Ivete sabe que com eles vai ser diferente. Sua prisão provoca a queda do arsenal da quadrilha. São armas militares, metralhadoras, granadas, pistolas automáticas. Outro duro golpe na organização. A força da repressão empurra o Comando Vermelho de volta às celas. Os foragidos recapturados são distribuídos por várias penitenciárias: Ilha Grande, Ari Franco, Esmeraldino Bandeira. O Desipe e a Secretaria de Justiça do Rio querem impedir a reorganização do grupo. Mas a fama da organização já é conhecida e respeitada em todo o sistema carcerário do estado. Novos coletivos são articulados, promovem protestos e rebeliões. Incomodam tanto que os diretores dos presídios fazem o possível para se livrar deles. Lentamente, durante todo o segundo semestre de 81, voltam para o "Caldeirão do Diabo". O berço da organização recebe de volta os líderes mais experientes. Na rua, a atividade dos grupos vai diminuindo – até desaparecer do noticiário dos jornais. O Comando Vermelho abandona a "frente de luta".

Dois anos depois de iniciadas as fugas e ativados os "grupos de ação", o Comando Vermelho faz o inventário das baixas. Antônio Alves de Lima, o Antônio Branco, está morto; Ubiratan Gonçalves da Costa, o Bira, está morto; Jorge Gomes de Moraes, o Jorge da Donga, está morto; Luiz Carlos Coelho, Celso Assis Brito, Luiz Fernando da Cunha, o Fernandinho, Apolinário de Souza, o Nanai, Zé do Bigode, Domingos

Pinto da Anunciação, o Sete Dedos, e vários outros também foram liquidados. Ao todo, mais de quarenta fugitivos foram reconduzidos aos presídios. Mesmo assim a organização sobrevive. Continua existindo nas favelas do Adeus, da Mangueira, do Juramento, do Jacarezinho, nos morros da Zona Sul – Rocinha, Pavão e Pavãozinho.

As idéias do grupo inicial são sementes no barro escorregadio da criminalidade. Muita gente entendeu que a união é fundamental para a sobrevivência. E – principalmente – todos perceberam que a caixinha do Comando é uma instituição a ser preservada. As "doações" agora, na maioria absoluta dos casos, são espontâneas. O banditismo armado e o tráfico sabem que o sistema de corrupção nos presídios deve ser mantido a qualquer custo. De dentro das cadeias, o Comando Vermelho remete listas e mais listas de famílias de presos que devem ser sustentadas. Viúvas dos companheiros mortos começam a receber uma espécie de "pensão de guerra". Principalmente, dinheiro para o aluguel e um pouco de comida. Nada de luxo – apenas os meios básicos de sobrevivência. Na contabilidade do tráfico de drogas e das quadrilhas mais organizadas, o item "sustentar os companheiros" não pesa quase nada.

No lugar dos líderes mortos, outros vão surgindo. Rogério Lengruber, o Bagulhão; José Carlos dos Reis Encina, o Escadinha; Paulo César dos Reis Encina, o Paulo Maluco, José Carlos Gregório, o Gordo, Francisco Viriato de Oliveira, o Japonês – toda uma nova geração toma o lugar dos "companheiros caídos em combate". Com a reunião de todos eles na Ilha Grande, velhas disputas reacendem. Alguns sobreviventes das falanges derrotadas em 1979 se unem sob uma nova sigla: o Terceiro Comando. Há violência no presídio – também nas cadeias do continente –, mas o prestígio do Comando Vermelho sequer é arranhado. O relatório que o comandante Nelson Salmon me entregou, referente a este período, tem um parágrafo esclarecedor:

> (...) resultante de elementos remanescentes das falanges Jacaré, Zona Sul, Coréia e Neutros, que ainda estavam espalhados pelas unidades do

sistema penitenciário, exceto no Presídio Ari Franco (Água Santa) é onde concentravam-se os marcados para morrer –, surgiu uma falange intitulada Terceiro Comando, que intentou ações contra o Comando Vermelho, principalmente nas unidades do Complexo da Frei Caneca, não chegando contudo a abalar seu poderio. Há notícias de que existe até os dias de hoje (...) porém sem grandes expressões e sem nenhum poder decisório junto à massa.

O "ano vermelho" de 1981 termina com prisões isoladas de assaltantes a serviço da organização. Nas cadeias, começa tudo de novo. Os presos tomam conta das cantinas, dos "fundos de empréstimo", do suborno dos guardas, do contrabando de drogas e armas. A grande diferença agora é o número de homens envolvidos. Pelos cálculos do próprio Desipe, na virada de 81 para 82, o Comando Vermelho já tem mais de dois mil adeptos nos presídios. O trabalho dos líderes é consolidar as ligações da organização com a massa carcerária, de um lado, e com o mundo exterior, de outro. O sistema de correio, experimentado nos anos anteriores, está intacto. Parentes de presos e advogados entram e saem dos presídios levando cartas, instruções, recados da liderança confinada na Ilha Grande.

A cadeia é um lugar em que falta o que fazer e sobra tempo para pensar. Os homens do Comando Vermelho usam o tempo disponível, principalmente à noite, antes do "confere das nove", para a autocrítica do período. Os grupos de estudo, sem a orientação que tinham dos presos políticos, não prosperam. Mas alguns prisioneiros, que chegaram a cursar a faculdade de Direito, preparam petições e revisões de condenação, trabalhando em conjunto com a Pastoral Penal. Outros ensinam a ler e escrever. Enfim, mantêm o pessoal ativo para soldar relações estáveis com o conjunto dos presos. Na vida carcerária, o melhor fator de convencimento – fora a violência – é a prestação de favores. Um preso em dívida é um aliado.

O poder da organização é absoluto na Ilha Grande. Em outras unidades penais do estado, o controle ainda é parcial. Mas é forte o suficiente para fazer o então diretor do Desipe, Avelino Gomes Moreira Neto, declarar:

– O Comando Vermelho controla quatro presídios e a administração tem dificuldades em tomar qualquer medida sem o beneplácito deles.

A frase do diretor foi dita perante o Conselho de Justiça, Segurança e Direitos Humanos do governo do estado E dá bem a idéia do crescimento da influência do grupo. O encarregado dos assuntos penitenciários do Rio disse também que novas medidas de controle interno dos presídios tinham conseguido reduzir pela metade a ação do Comando Vermelho. Entre essas medidas estava o confinamento dos líderes na Ilha Grande e no Anexo Um do Milton Dias Moreira. Em outro ponto do depoimento, o diretor do Desipe declarou:

– A nossa meta, efetivamente, é isolar esses internos e concentrá-los num só presídio. Mas o grupo é muito organizado e numeroso. Hoje há aproximadamente duzentos "robôs" a serviço do Comando Vermelho dentro das cadeias.

O Comando Vermelho elege uma nova comissão dirigente. Nela está agora o segundo escalão, convocado para suprir as baixas. Isso representa uma mudança importante. O primeiro grupo era mais idealista, com laços de amizade mais fortes. Agora as decisões são marcadas pelo pragmatismo e pela vontade de obter maiores lucros "nos negócios". É como se a organização deixasse de ser uma cooperativa de artesãos e passasse a ser uma empresa: menos pessoal e mais profissional. No futuro vai se tornar fria e cruel. Um dos pontos de divergência é a definição da atividade principal da "companhia". Antes eram os assaltos com fins corporativistas. Nesses primeiros meses de 1982, ganha força entre eles a idéia de que o tráfico de drogas é mais seguro e lucrativo.

O grupo dirigente da organização tem agora a seguinte composição, por ordem de hierarquia:

1. **Willian da Silva Lima**, o fundador da organização.
2. **Carlos Alberto Mesquita**, que se mantém na chefia do grupo.

3. José Lourival Siqueira Rosa, o Mimoso, que tanto se destacou na "frente de luta" dos dois anos anteriores.

4. Rogério Lengruber, o Bagulhão, homem do tráfico de drogas, que chega à cúpula do Comando Vermelho. Pouco depois ele vai assumir a liderança absoluta do grupo e dará a si mesmo um novo titulo: Marechal.

5. José Carlos dos Reis Encina, o Escadinha ou Zequinha, vem do tráfico do Morro do Juramento para o time de elite do crime organizado. Sua ascensão se dá por associação com Rogério Lengruber. É um mulato magro e alto, de 1,82m de altura. Manca da perna esquerda, um defeito que o torna facilmente reconhecível. É ligado ao samba, um ritmista voluntário na bateria da Unidos do Jacarezinho. Já foi mestre de construção civil e auxiliar de contabilidade. É casado com Rosemar Mateus Encina. Cinco filhos. Contra ele pesam trinta anos de condenações em dezenas de processos diferentes. Hoje, aos 44 anos de idade, está beneficiado pelo regime de prisão semi-aberta. (O Código Penal brasileiro diz que ninguém pode cumprir mais do que 30 anos de prisão fechada). Escadinha está a um passo da liberdade. Provavelmente, considerando os últimos anos de encarceramento no presídio de segurança máxima Bangu Um, no Rio, se tornou um condenado de comportamento exemplar. Acredito que está recuperado para o convívio social. Cansou das batalhas. Finalmente, reconheceu as derrotas. Pensa em se tornar compositor de *raps*, a forma de música que tanto o identifica com as comunidades carentes.

6. Sérgio Mendonça, o Serginho Ratazana, assaltante de bancos muito ativo nos anos 80/81. Tem apenas o primeiro grau escolar completo. Mas cursou a escola do crime entre a bandidagem da Lapa, o bairro da boemia e da prostituição no centro do Rio. Trinta e quatro anos de prisão, dúzias de acusações. Um "bandido sério".

7. Paulo César Chaves, o PC, que permanece à frente do grupo desde o primeiro momento. Tido como o "assessor de imprensa do Comando Vermelho", deu entrevista ao *Jornal do Brasil* dizendo que espera-

va me processar por "uso indevido de imagem pública". Hoje está mais interessado em obter a liberdade do que em travar polêmica com a imprensa.

8. Célio Tavares da Fonseca, o Lobisomem. Integrou a linha de frente dos assaltos a banco nos dois anos anteriores. Fez parte da quadrilha do Portuguezinho. É um homem violento – e muito respeitado na cadeia. Qualidade principal: não tem medo de morrer, é um eterno voluntário nas tarefas do Comando Vermelho.

9. Sérgio da Silva Santos, o Serginho da Ivete, assaltante de bancos. Um velho conhecido nosso. Não está mais aqui.

10. José Carlos Gregório, o Gordo. Condenado a 26 anos de detenção por roubo, assalto e tráfico de armas de guerra. Vai ter uma carreira ascendente na liderança do crime organizado. Preso de bom comportamento, é sempre lembrado pelas tentativas de resolver os conflitos internos do grupo. Alegre e conversador, é uma figura muito querida entre a massa carcerária. Mantém boas relações com a administração do presídio. Em resumo, um tipo muito eficiente nas articulações e que exerce um poder moderador na organização. Também vai ocupar tarefas de "relações públicas". Conhece muitos jornalistas. Chega a telefonar para a redação dos jornais confirmando ou desmentindo uma notícia envolvendo o Comando Vermelho. Depois de fugas espetaculares, se torna evangélico. Sai da cadeia por força da prisão-albergue. Está solto e se diz recuperado. Dá entrevistas para a televisão, contando como foi um homem perigoso. Gosta, especialmente, de descrever a fuga em que resgatou Escadinha da Ilha Grande, depois de seqüestrar um helicóptero. José Carlos Gregório nunca mais apareceu no noticiário policial. Podemos acreditar que algo mudou na natureza deste homem, depois de muitos anos de encarceramento. Recentemente, em fevereiro de 2001, comentando a rebelião de presos comandada pelo Primeiro Comando da Capital (PCC), em São Paulo, comentou a um repórter da *Folha de S. Paulo*: "Olha, tem coisas que eu não devo dizer." Solto, aparentemente, nunca mais se envolveu com o crime organizado. Mas viveu muito menos do que desejava. Foi assassinado a tiros. A liberdade, a tão esperada liberdade, durou pouco.

11. **Paulo César Espada**, assaltante que também já conhecemos.

12. **Wellington Soares dos Santos, o Boi.** Ganhou o nome de guerra depois de sobreviver a dez tiros de revólver. Filho de um escrivão da justiça e de uma médica, entrou no crime por espírito de aventura. Aos vinte anos, armado com uma carga de dinamite, assaltou o Banco Nacional, no subúrbio carioca de Engenho de Dentro. Tomou doze anos de cadeia. É uma espécie de intelectual no grupo. Não tenho informações atualizadas sobre ele.

13. **Paulo Roberto dos Santos, o Paulo Megera**, novo porta-voz da organização. É ele quem recebe os jornalistas no presídio. Dá entrevistas, explica as regras do jogo. Em abril de 1983, o repórter Antero Luís, do *Jornal do Brasil*, publicou uma entrevista com ele. Paulo Megera definiu numa frase as novas leis da convivência na cadeia: "Hoje não se mata mais na cadeia, a não ser traidor. Aquele que não tem consciência de que lado está... este corre risco."

14. **Paulo César dos Reis Encina, o Paulo Maluco.** É irmão do Escadinha – e também um homem do tráfico de drogas. Mulato, magro e alto, tem o corpo coberto de cicatrizes. Começou a vida como estivador, mas desde cedo enfrentou a justiça. Aos dezenove anos já respondia a processo por homicídio.

A nova composição do primeiro escalão do Comando Vermelho reflete uma avaliação que o grupo fez dos primeiros "anos de luta". Nenhum deles esquece que os grandes assaltos a banco envolviam sérios riscos. A morte era companheira constante de todos eles. E muitos – apesar da fama – não gostam de matar. A maioria dos presidiários é cheia de temores religiosos. Quase todos acreditam em Deus, no inferno, na punição divina. Têm santos de devoção, numa religiosidade marcada pelo sincretismo dos cultos africanos. O roubo armado é muito perigoso – tão perigoso que, às vezes, nem o santo ajuda. Nas celas da Ilha Grande, repassando as aventuras dos dois últimos anos, é fácil recordar os erros cometidos, a perda desnecessária de vidas.

Apesar dos avanços no método de operação, o Comando Vermelho cometeu falhas de planejamento que custaram muito caro. Esses erros, aliás, não são exclusividade do bandido comum. A esquerda armada também cometeu muitos. No desespero do cerco policial, isoladas socialmente, as organizações revolucionárias fizeram verdadeiras loucuras. Em junho de 1970, por exemplo, a Vanguarda Popular Revolucionária (VPR) assaltou um depósito de sorvete e um posto telefônico. Coisa ridícula para quem pretendia tomar o poder. E uma exposição desnecessária dos militantes à repressão. Eu mesmo tomei o depoimento de um ex-guerrilheiro da VAR-Palmares que narra um fato absurdo:

– Tinha acabado de chegar de uma ação de propaganda armada no subúrbio de Del Castilho, uma área industrial. Procurei o ponto de segurança, no centro do Rio, onde iríamos checar se todos estavam bem. O local combinado estava todo cercado pela polícia, porque uma outra organização tinha assaltado um banco na mesma rua. Fui obrigado a voltar para a casa dos meus pais, onde morava, carregando dois coquetéis-molotov de ácido e um revólver. No banheiro do apartamento de Copacabana, desfiz as bombas, derramando cuidadosamente o material no vaso sanitário enquanto dava a descarga. Se alguma coisa desse errado, morria. E o apartamento, no quinto andar de um prédio populoso, pegava fogo em minutos.

Esse é o tipo de despreparo que pode custar a vida de gente inocente. O militante que me contou o incidente nunca foi identificado pela repressão – e por isso deixo de citar seu nome.

Agora, no turbilhão dos corredores da Ilha Grande, o Comando Vermelho revê muitas posições adotadas anteriormente e faz a crítica das falhas cometidas. Basta lembrar que, na nova direção, há vários traficantes. A opinião deles pesa cada vez mais, especialmente porque o dinheiro que sobrou dos assaltos está investido no tráfico. No Morro do Juramento e no Jacarezinho, Zona Norte do Rio, os negócios prosperam. A década de

192 **CV_PCC** *A IRMANDADE DO CRIME*

80 registra o maior crescimento do consumo de drogas entre a juventude. A velha maconha é gradualmente substituída pela cocaína dos cartéis colombianos e bolivianos. Um processo tão rápido que fez com que a maconha virasse coisa de pobre, enquanto crescia o glamour em torno da cocaína. Pouco a pouco, o Comando Vermelho vai se adaptando às "novas exigências do mercado".

O trabalho começa dentro das próprias cadeias. E a organização assume o controle da distribuição de drogas nos subterrâneos do sistema penal. Parece óbvio que isto não aconteceria sem a conivência dos guardas penitenciários. Maconha e cocaína entram na prisão pela porta da frente. É uma visita que traz – é um guarda que olha para o outro lado Tudo muito simples. Mas custa caro. As propinas são incrivelmente altas, porque a droga dentro das celas é um caminho rápido para o controle de uma parte importante da massa carcerária. Junto com os entorpecentes vêm as armas de fogo, que definem a balança do poder.

É preciso não esquecer que o crime não acaba com a prisão do bandido. Na cadeia, ele continua cometendo crimes. Primeiro se envolve com as relações do tráfico. De drogas, de armas, de mulheres. Depois, faz acordos com os grupos mais organizados para continuar se mantendo ativo. E se manter ativo, na prisão, é o termo exato que define o bom bandido. Ele sabe que – na carreira do crime – tem que cumprir prisão. E ele sabe que a melhor maneira de sobreviver preso é se manter conectado ao mundo do crime. Aqui os advogados, os parentes, as amantes, têm papel fundamental. Prisão não é lugar de refresco. Assim como os presos políticos, desde Lenin, diziam que a prisão é "a universidade do revolucionário", o preso comum sabe que esta é a melhor "escola do crime". Na prisão, apesar da aparente ociosidade, o encarcerado trabalha o tempo todo. Trabalha para se manter vivo e em atividade criminosa. Este é o único caminho da sobrevivência – especialmente se você tem talentos especiais para planejar as fugas.

No paraíso da Ilha Grande, a organização praticamente determina cada passo da rotina dos presos. Define quem fica e quem sai das galerias na hora do trabalho. Os guardas já não entram nas celas e a verificação do número de prisioneiros – o confere – é feita do lado de fora das grades. Ou seja: o nome e o número de série do encarcerado são gritados pelo responsável pela galeria e uma voz anônima responde: presente! Qualquer um pode responder por qualquer um. Dessa forma, os homens do Comando Vermelho podem dormir na cela em que desejarem, organizando reuniões e acertando diferenças. O grupo influi também decisivamente na localização dos presos recém-chegados. Se vêm de áreas controladas pela organização, vão para as galerias do Comando Vermelho. Os que são gente de quadrilhas independentes ou rivais passam para o outro lado. A rivalidade é maior quando são bandidos de diferentes áreas do tráfico de drogas. Assim, a guerra pelo controle dos pontos-de-venda nos morros da cidade começa dentro da cadeia.

Outra demonstração de poder: certa vez, quando da visita de uma comissão de defensores públicos do Estado do Rio, o próprio diretor do presídio na época, Pedro Melo, foi impedido de entrar na penitenciária.

– Se ele vier isso aqui vai virar um tumulto, não vai ser nada bom – esse foi o recado que o diretor recebeu em casa, no dia da visita dos advogados.

Nessa ocasião, o repórter Antero Luís visitou a Ilha. De um guarda que a reportagem não identificou, o jornalista obteve a seguinte declaração:

– Eles mandam mesmo na cadeia e todo mundo faz o que a cúpula da liderança (dos presos) quer. O bar é deles, as ordens são deles, as fugas são organizadas por eles e os escolhidos para as tarefas são seus robôs. (...) Dá medo fazer o confere nas galerias e desarmado.

É mais um ano de lutas – 1982 queima nos presídios. Com a expansão da influência do Comando Vermelho, velhos hábitos das cadeias são desafiados. Interesses muito enraizados têm que ser quebrados. Corre sangue nas galerias – como sempre. E a luta aberta estala nos presídios da Frei Caneca. Durante esse ano e o seguinte, a organização vai estar inteiramente estruturada – nas celas e nas ruas. Para consolidar o poder, mais de vinte presidiários serão assassinados em várias batalhas nas cadeias do estado. Uma luta levada às últimas conseqüências.

194 CV_PCC A IRMANDADE DO CRIME

3

CINCO E MEIA DA MANHÃ. O sol luta para escapar das águas oleosas do fundo da baía de Guanabara. Mas o dia 30 de setembro de 1979 amanhece nublado no Aeroporto Internacional do Rio de Janeiro. No salão do desembarque, centenas de pessoas se espremem para recepcionar um passageiro ilustre. Ele volta à cidade depois de quinze anos de exílio nos Estados Unidos e Europa. Só às dez para as três da tarde, quando todos lamentavam o peso da primavera carioca, as portas eletrônicas se abrem para deixar passar o engenheiro gaúcho Leonel de Moura Brizola. Foi recebido em delírio pela multidão de "trabalhistas", representantes sindicais, militantes de esquerda. Segundo os jornais, duas mil pessoas. Lágrimas, hinos e bandeiras marcam sua volta

Brizola saiu fugido do Brasil, em abril de 1964. Estava em todas as listas de procurados do governo militar que derrubou o presidente João Goulart, no dia 31 de março. Para importantes setores da oposição, Brizola traz de volta para casa a bagagem de uma liderança que faltava. E o ano eleitoral de 1982 iria mudar radicalmente com a presença do gaúcho, que chegava um pouco mais velho, mais calvo – mas que trazia nos olhos o brilho da vontade de lutar outra vez. Na verdade, o líder gaúcho voltou ao Brasil no dia 7 de julho de 1979, mas o fim do exílio se marca pelo regresso ao Rio, a capital da cultura política brasileira. Como jornalista, me coube ver de perto a volta de Brizola, um homem que conheci na adolescência pela voz que ressoava metálica na Rádio da Legalidade. E tive também a oportunidade de estar com ele num programa de televisão. Durante a eleição estadual de 82, eu dirigia o jornalismo do Sistema Brasileiro de Televisão (SBT), no Rio de Janeiro. Aos domingos, apresentávamos entrevistas de uma hora de duração com os candidatos.

Brizola era o azarão. Envolvido em lutas internas, disputava a legenda do Partido Trabalhista Brasileiro. Acabou fundando outro, o PDT. Todas as pesquisas de opinião indicavam que a mais forte disputa eleitoral estaria entre os candidatos Miro Teixeira, do PMDB, e Sandra Cavalcanti, do PDS. Foi nesse clima que ocorreu a entrevista para o SBT. Na entrada, a marca do político de inclinações populistas: cumprimentou cada funcionário, com atenção especial para os serventes, os porteiros, os auxiliares técnicos, Na porta do estúdio, apertei a mão do ex-governador. E cravei a pergunta:

– Governador, o senhor sabe que vai perder, mas pretende tornar-se o líder das oposições?

– Olha, companheiro, eu vim para ganhar. Não tenho dúvidas disso.

Sorri abertamente ao receber a resposta confiante. E não perdi por esperar. Contrariando todas as pesquisas, Brizola venceu – e venceu bem. Num encontro posterior, perguntei ao governador:

– Qual foi o segredo da vitória?

Ele não hesitou:

– Todo mundo sabe que represento o que havia antes. E o que havia antes era melhor.

O governador Leonel Brizola tem o perfil pessoal e político muito definido. É um social-democrata, com forte tendência populista. Nos assuntos internos do partido, é visto como um personalista, autoritário. Mas o sentimento liberal que ele cultiva é sincero. E isto vai ter influência sobre o curso da nossa história do crime organizado. Eleito, Brizola imprimiu uma marca muito pessoal ao governo do Rio de Janeiro. Anunciou uma política de preservação dos direitos humanos, numa cidade onde os grupos de extermínio agiam abertamente. Colocou na Secretaria de Justiça um ex-perseguido político e companheiro de partido, Vivaldo Barbosa. É nesse ponto que a volta do gaúcho vai influir no desenvolvimento da organização criminosa mais importante da história do país.

Com razão, Brizola proíbe a polícia de subir as favelas sem um motivo bem visível. O método de "meter o pé na porta do barraco" fica banido. O governador faz valer a inviolabilidade do domicílio – ainda que seja o domicílio pobre. Obriga as forças da lei a cumprir mandados de busca e dá a todos os detidos o direito de se comunicar com um advogado e usar o telefone da polícia para fazer uma – apenas uma – ligação pessoal. Com essa simples medida, os presos podem avisar às famílias o que está acontecendo. E isto visa, explicitamente, evitar que ocorram torturas e desaparecimentos. Brizola chega a nomear um ex-preso político da Ilha Grande, José Carlos Tórtima, diretor de presídio. O crime organizado explorou com habilidade cada uma dessas demonstrações de civilidade do governo estadual.

Os limites impostos à ação policial nos morros da cidade permitiram o enraizamento das quadrilhas. A violência entre os grupos que disputam pontos-de-venda de drogas ocorre debaixo do pano. Fica a impressão de que não há ameaças abertas à segurança pública. Como sabemos, o tráfico de drogas e as grandes quadrilhas do roubo armado querem exatamente isso. A paz no morro é sinônimo de estabilidade nos negócios. É claro que o governador Leonel Brizola não tinha um pacto com o crime. Mas o respeito ao eleitor favelado – que decide eleições no Grande Rio – ajudou indiretamente na implantação das bases de operação do banditismo organizado.

Algumas áreas controladas pelos homens do Comando Vermelho – como a Rocinha, o Borel, Pavão-Pavãozinho, Juramento, Jacarezinho – votaram maciçamente em Brizola e se beneficiaram com a política de direitos humanos. As execuções sumárias praticadas pelas "polícias mineiras" foram seriamente investigadas. E o policial que matasse um "civil", numa blitz, tinha a certeza de ser preso, expulso da polícia e processado. Na campanha eleitoral, Brizola declarou que a ênfase do governo seria o atendimento às populações carentes. E foi. Até teleférico ele construiu no Morro do Pavãozinho – um sistema de transporte que em pouco tempo seria administrado pelos traficantes. O governador fez mal? Certamente não. A miséria merece cuidados especiais por parte das autoridades. Brizola trazia uma mentalidade de governo popular, nos moldes da Internacional Socialista. Ele provavelmente estava cheio de boas intenções. Estava determinado a consolidar a base política que se apoiava enfaticamente nos setores pauperizados. Na eleição de 82, pesou o apoio da Federação das Favelas (Faferj) e da Federação das Associações de Moradores (Famerj). Mas o fato é: o crime organizado usou tudo isso para crescer. Numa cidade-estado, onde um quinto da população vive pendurado nos barracos das favelas, o governo tinha razão. O desenvolvimento do Comando Vermelho foi o subproduto de uma administração que respeitou o cidadão.

No campo da política penitenciária, os efeitos da moralização proposta pelo governo foram ainda mais significativos. Já no ano da eleição, 1982, começa na Secretaria de Justiça um processo de discussões destinado a melhorar as condições dos estabelecimentos penais. O que se pretendia era a modernização, a humanização com base nos modelos internacionais. O secretário Vivaldo Barbosa e o diretor do Desipe, Avelino Gomes Neto, ouvem a Pastoral Penal e as lideranças dos presidiários. Visitas às cadeias do Rio são freqüentes. Os técnicos procuram aprender com os presos. Dispensam, de certa forma, a experiência anterior.

Na Ilha Grande, diante de toda a imprensa, um acontecimento insólito: a autoridade pública é recebida por um dos "vermelhos", um dos novos xerifes da prisão, Rogério Lengruber, o Bagulhão. O representante do Comando Vermelho veste bermudas, sandálias havaianas e camiseta. Mete o dedo na cara do secretário de Justiça e comunica a ele que os presos estão cansados de ouvir o blablablá do governo. Esperam medidas concretas e imediatas. A visita ao "Caldeirão do Diabo" é cheia de incidentes. Os presos desfiam um rosário de críticas e reivindicações. Willian da Silva Lima faz um discurso de vinte minutos, interrompendo o promotor e deputado estadual Leôncio Aguiar de Vasconcelos, que acompanhava o secretário de Justiça. O Professor é aplaudido em delírio pelos presos. A coisa chega a ficar tão tensa que o diretor do presídio cochicha no ouvido de Vivaldo Barbosa uma advertência:

– Se isso continuar assim, vamos acabar como reféns.

Apesar de tudo, esses encontros com os prisioneiros têm um resultado importante: a opinião dos detentos é levada em conta pela primeira vez. Surge a idéia de criar uma comissão que envolva o Desipe, a Igreja e as lideranças penitenciárias. Uma espécie de conselho deliberativo, capaz de orientar as decisões no setor. Não consegui apurar quem teve essa idéia. Ninguém assume isso. Mas o processo foi iniciado. Nos dois primeiros meses de 1983, os administradores das cadeias enfrentam a dificuldade básica de saber quem são os legítimos representantes dos interesses da massa carcerária. As sugestões vindas das cadeias são conflitantes – muitas vezes partem de grupos rivais. Algumas vezes, os responsáveis pela política penitenciária cometem o equívoco de achar que homens como Bagulhão não têm representatividade.

É preciso desatar esse nó. E surge a idéia que vai decidir a parada: uma eleição direta para escolha dos representantes dos presos em cada unidade carcerária. Pois bem: realizada a votação, o Comando Vermelho e seus aliados vencem nos mais importantes presídios e influenciam a decisão nos demais. No dia 11 de abril de 83, é criada a Comissão Interna dos Direitos do Apenado (CIDA), uma espécie de "assembléia constituinte" dos residentes nas cadeias públicas. A missão primordial da entidade é apresentar uma lista básica de reivindicações e uma outra, ainda maior, de sugestões. Ou seja: os presos são chamados a participar, fica estabelecida a co-gestão nos assuntos penitenciários do governo estadual. O presidente da CIDA é um homem que já conhecemos bem: Carlos Alberto Mesquita, o Professor, número dois na hierarquia do Comando Vermelho, um dos fundadores da organização. Com isso, o grupo entra no governo pela porta dos fundos.

4

O "PERÍODO ELEITORAL" nas penitenciárias foi violento. Às oito e meia da noite de 12 de março, estala um tiroteio dentro da Galeria A do Presídio Cândido Mendes. A Ilha Grande volta a estremecer com a luta de facções. Os prisioneiros do Comando Vermelho têm revólveres e pistolas. Uma revolta de homens ligados ao Terceiro Comando é sufocada a bala. Cinco feridos são levados para a enfermaria. Dois foram atingidos com certa gravidade. O troco não demora. Às sete da manhã do dia seguinte, a casa de passagem, transformada em local de visitas intimas dos detentos, é invadida por um grupo do Terceiro Comando. O assaltante Marçal Borges de Menezes, do Comando Vermelho, acaba de levantar da cama onde estava com a companheira e leva oito facadas. Consegue se arrastar alguns metros, enquanto é mortalmente agredido – e cai na porta do banheiro. No quarto ao lado, Roberto Alves, também integrante da organização, é esfaqueado quatro vezes. Ele sobrevive e revela quem comandou o ataque.

O recrudescimento da violência na Ilha Grande leva à guerra nos presídios do continente. Não é preciso avisar a ninguém – a luta começa espontaneamente. Quando a notícia do ataque chega aos presídios do Complexo da Frei Caneca, através do noticiário das rádios Globo e Tupi, os "soldados vermelhos" reagem imediatamente. Na Penitenciária Lemos de Brito, os robôs entram em ação: Luís Ernani Cappula e Paulo Gomes, dois integrantes da oposição ao Comando Vermelho, são assassinados e os corpos atirados no meio da galeria. No Presídio Hélio Gomes, morrem mais dois: Carlos Alberto Ávila Fragoso e Natalício Ferreira dos Santos, o Ica. Pelos mesmos motivos. Um dos robôs, Sidney Mendes dos Santos, confessou à polícia:

– Quando ouvi pelo rádio a notícia da confusão na Ilha Grande, providenciei uma defesa.

Essa é a implacável lei do faz-e-paga. Demonstra a capacidade de reação quase instantânea do Comando Vermelho. O noticiário sobre o massacre e a forte atitude do Desipe estabelecem uma trégua. A campanha eleitoral para a CIDA continua, num clima de ameaças de parte a parte. A polícia realiza vistorias nos presídios – e só numa galeria da Ilha Grande são apreendidas oito armas de fogo, centenas de estoques e dez quilos de maconha. É o jogo de xadrez.

A votação acontece na primeira semana de abril. O método não é muito claro. Em alguns lugares foram formadas chapas de cinco membros. Em outros, foram indicações avulsas. Mas o que importa é que a Comissão Interna dos Direitos do Apenado é oficializada no dia 11 do mesmo mês, numa reunião no auditório da Penitenciária Milton Dias Moreira. A entidade dos presos foi criada com a presença do padre Bruno Trombeta, responsável pela Pastoral Penal, do diretor do presídio e de outras autoridades.

A primeira manifestação pública dos líderes do Comando Vermelho, agora sob a legalidade provisória que a CIDA lhes confere, foi através de uma nota oficial distribuída aos jornalistas no dia 15 de abril de 1983. O documento faz uma crítica severa à matança no interior das penitenciárias. A parte mais expressiva do texto é a seguinte:

Politicamente, não foram válidas as ações violentas que resultaram em mortes, porque estamos num outro estágio e em clima de abertura. Nosso movimento é pacífico. As ações vieram a se chocar com o comportamento que estamos querendo adotar. No entanto, fomos atacados e nos defendemos.

O Comunicado Número Um da entidade de defesa dos direitos dos presos – este era exatamente o título, numa paródia aos comunicados da guerrilha – foi entregue aos repórteres por Carlos Alberto Mesquita, o Professor, e José Lourival Siqueira Rosa, o Mimoso. Dois dias antes, os representantes da CIDA estiveram no gabinete do diretor do Desipe. O encontro foi para assegurar ao responsável pelos presídios que não haveria outras mortes nas cadeias. Uma trégua estava consolidada, já que a organização tinha alcançado o principal objetivo do momento: vencer a eleição. Na conversa com os jornalistas, Carlos Alberto Mesquita começou explicando a origem do codinome Professor. O apelido vem do fato de que ele estudou francês em faculdades de São Paulo, Santos e até em Toulouse, na França. Mas quem conhece um pouco do Comando Vermelho sabe que Professor é um titulo concedido aos que cuidam do planejamento das ações da organização. Até hoje, três pessoas tiveram acesso ao posto: Willian da Silva Lima, o próprio Carlos Alberto Mesquita e o homem que planejou o seqüestro do empresário Roberto Medina, Nilo Cunha da Silva.

Mimoso também fez sucesso entre os repórteres. Uma declaração sua – no mínimo estarrecedora – saiu publicada nos jornais do dia seguinte:

– Lá na Ilha Grande, o negócio ainda está quente. Mas, se nos derem trabalho, lazer e visitas abertas, a coisa melhora da água pro vinho. A tensão acaba e a tranqüilidade volta, porque é a gente que segura isso tudo. Os guardas são só elementos decorativos.

É atribuída também ao assaltante uma definição da CIDA: uma espécie de "braço político" da organização. O "braço armado" seriam os grupos que agem nas ruas. Os jornalistas que acompanharam a entrevista dos líderes penitenciários – eu mesmo, entre eles – ficaram fascinados com a fluência das palavras e a clareza das idéias daqueles assaltantes condenados a mais de um século de prisão. O Professor, inclusive, definiu a cadeia de maneira simples e direta: "É como um zoológico, você vive trancado numa jaula, como fera que perdeu toda a humanidade." Outra frase explica a criação da CIDA: "O que une o homem não é o bem-estar, é o sofrimento."

202 **CV_PCC** *A IRMANDADE DO CRIME*

A edição do *Jornal do Brasil*, de 16 de abril, chegou a publicar um poema de Carlos Alberto Mesquita. São frases simples, sem maiores preocupações literárias, que revelam o que vai pela alma de um encarcerado:

> Hoje despertei tentando uma saída, tentando uma nova perspectiva, sem ser preciso estar andando em torno de mim feito fera... Sem saída, enjaulado feito fera. Enclausurado sem tempo previsto. Sem tempo para ser útil a alguém. Ser alguém e não meio homem, meio fera. Como o sistema determina, tenho que lutar para ter o direito de continuar sendo homem e não uma fera. Não posso ser meio homem, meio fera...

Durante seis anos, Carlos Alberto Mesquita ficou trancado numa cela de cinco metros quadrados, no Presídio de Água Santa. Ali ele se obrigava a caminhar vinte quilômetros por dia. Seis passos para lá, seis passos para cá. Seu companheiro na entrevista de criação da CIDA, José Lourival de Siqueira Rosa, o Mimoso, fugiu da cadeia poucos meses depois. Foi morto pela polícia em maio de 1984. Mas a CIDA não viveu só de retórica. A entidade alcançou êxito numa série de importantes reivindicações para a melhoria da vida dos detentos. A incomunicabilidade do sistema penal foi quebrada. Gente que há anos não recebia uma visita reencontrou a família e os amigos. Telefones públicos foram instalados nos pátios e até nas galerias dos presídios. As fichas para os "orelhões" passaram a ser artigo de luxo – e motivo de tráfico nas cadeias. Visita que não trouxesse uma ou duas cartelas de fichas era sempre repreendida pelos presos. A censura à correspondência foi suspensa – na verdade, foi proibida pelo governo estadual. Em todas as unidades carcerárias foi instituída a visita íntima. Os presos efetivamente passaram a comer melhor. Os espancamentos por parte da guarda cessaram como por encanto. Era uma nova etapa nas penitenciárias.

A violência entre os presos também praticamente desapareceu. E os ataques sexuais contra os mais fracos diminuíram sensivelmente. O Comando Vermelho se fortaleceu a ponto de se tornar um poder inquestionável. Para a grande massa carcerária, aqueles eram benefícios obtidos pela organização – e não um favor do sistema.

Uma história engraçada ilustra bem o período. Aconteceu na Ilha Grande. Numa quinta-feira chuvosa, a prostituta Jupira ficou impossibilitada de voltar para o continente. O vento estava forte, o mar tinha aquele aspecto devorador. E a negra Jupira foi obrigada a passar sexta, sábado e domingo no Paraíso. Deu para todo mundo – é claro. Na semana seguinte, voltou ao presídio com duas amigas do ramo, que cobraram dos presos uma "taxa de atividade sexual" compatível com o padrão de renda na cadeia. A administração fez que não viu nada, porque os internos ficaram umas doçuras durante a visita das prostitutas. (Naquela época, a AIDS ainda não era uma preocupação nos presídios.) O resultado é mais ou menos óbvio: o Comando Vermelho assumiu imediatamente a gestão do sexo contratado. Encomendava mulheres no continente e preparava a lista dos que teriam direito a uma "trepadinha" a baixo custo. Mais uma demonstração da criatividade da organização. E mais uma boa fonte de renda. Além do mais, o velho esquema mafioso: "Se você não pode pagar, fica devendo um favor, *capisci?*"

Outra história marca o período e destaca a força do Comando Vermelho junto à administração da Justiça no Rio. Foi no Instituto Penal Milton Dias Moreira. O assaltante Ubirajara Lúcio Rocha da Silva, o Bira Charuto, se recusou a comparecer ao 4º Tribunal do Júri. Ele respondia a um processo de homicídio, mas não gostava do juiz Alberto Motta Moraes, que é muito severo. O bandido desconfiava de que o magistrado ia pegar pesado na sentença. E simplesmente não quis ir ao tribunal. Os presos ameaçaram fazer uma rebelião, se Bira Charuto fosse obrigado a comparecer ao fórum. Foi durante a Páscoa de 83 – e o próprio cardeal-arcebispo do Rio, dom Eugênio Salles, ficou preocupado com a ameaça de não-comparecimento dos presos à tradicional missa que todos os anos se realiza nos presídios. O boicote do Comando Vermelho desmoralizaria a Pastoral Penal. (Que Pastoral Penal é essa que não consegue celebrar missa na cadeia?) Telefonemas para todo lado, até que ficou acertado o adiamento do julgamento. Isto se repetiu três vezes. Bira Charuto só foi ao tribunal quando o juiz Motta Moraes foi transferido para a 1ª Vara Criminal. O governo do Rio engolia esses sapos, em troca da pacificação dos presídios.

5

MAS A TRÉGUA COM O Comando Vermelho não durou muito. Já no dia 7 de maio de 1983, o diretor José Carlos Tórtima enfrenta uma fuga e uma rebelião no Esmeraldino Bandeira. O ex-preso político vê se desfazer diante dos olhos o sonho de humanização das cadeias. Os guardas do Desipe – tão prejudicados em seus interesses com a nova política penitenciária – agridem os presos e quase provocam uma tragédia. Na confusão, seis presos escapam. Apenas um é recapturado. A 12 de maio, na Ilha Grande, outros cinco internos conseguem fugir. A caminho da liberdade, explodem o gerador que alimenta o sistema de rádio da Polícia Militar. Cercados na mata – e depois de uma forte troca de tiros –, são apanhados. Catorze dias depois, nova fuga na Ilha Grande. Outros cinco prisioneiros deixam o Instituto Penal Cândido Mendes e tentam roubar uma lancha. Invadem a casa do engenheiro Carlos Vieira de Melo. São recebidos a bala. A mulher do dono da casa mata um dos fugitivos, o assaltante de bancos Luiz Fernando Mata Maciel. No dia 30 de maio, os inimigos do Comando Vermelho dão o ar da sua graça. Vinte e nove deles, que estavam isolados na Penitenciária Ari Franco, escapam numa das mais espetaculares fugas já registradas. À frente do grupo está Joaney Pereira da Silva, sobrevivente da "Noite de São Bartolomeu", um dos chefes da extinta Falange Zona Norte.

O Desipe, assustado com tanta agitação, resolve transferir outros vinte desafetos do Comando Vermelho, com medo de novas escapadas. Mas a transferência reacende a fogueira das rivalidades. Ao chegar à

206 **CV_PCC** *A IRMANDADE DO CRIME*

Penitenciária Milton Dias Moreira, os vinte presos são recebidos por gritos e ameaças. Os "vermelhos" prometem um banho de sangue. Cinco horas são necessárias até que a administração da cadeia consiga distribuir os novos moradores pelas galerias mais seguras. Mesmo assim, dez minutos depois de entrar na cadeia, dois presos são assassinados. Antônio Ferreira Leão e Ney dos Santos ainda desfaziam as malas quando foram atacados. Cada um levou vinte golpes de estoque, exatamente o número de inimigos do Comando Vermelho que acabavam de chegar. Um recado bem claro.

O massacre foi presenciado por centenas de detentos da galeria. Júlio Augusto Diegues, o Portuguezinho, e Vaginaldo Gomes dos Santos, o Apache, deram cobertura ao crime com pistolas automáticas e revólveres. A tropa de choque da Polícia Militar invadiu o presídio. Na cela 15, os policiais encontraram duas granadas, duas pistolas 7.65 e um revólver 38 – além de 21 facas, punhais e estoques. A revista foi comandada pelo delegado Elias Esquenazi, da 8ª Delegacia. Impressionado, o policial declarou:

– Se numa única cela encontramos tudo isso, imaginem o que não há em todo o presídio.

A crise no sistema penal leva o governador Leonel Brizola a rever a política que vinha adotando. Ele se reúne com o secretário Vivaldo Barbosa e com o diretor do Desipe. O velho político gaúcho encontra logo uma nova tese: para resolver a questão carcerária no Rio é preciso construir minipresídios, com capacidade de até 350 internos, de modo a garantir a segurança e torná-la compatível com uma política de direitos humanos. É com essa idéia na cabeça que ele parte para Brasília, em fins de agosto. Num encontro com o então presidente João Figueiredo, propõe a desativação do Presídio da Ilha Grande e a instalação de um projeto turístico no local. A mesma coisa seria feita com o Complexo Penitenciário da Frei Caneca, numa área central e muito valorizada do Rio. O dinheiro arrecadado serviria para construir dez novas cadeias no interior do estado e na Baixada Fluminense. Figueiredo gosta da idéia e anuncia a liberação de 10 bilhões de cruzeiros para o início do projeto. Um projeto, aliás, que nunca saiu do papel. Basta notar o seguinte: o estado do Rio tem onze mil presos nas cadeias e outros quatro mil nas delegacias policiais. Para abrigar toda essa gente, seria necessário construir 43 minipresídios.

O Comando Vermelho, na melhor política do bateu-levou, reage à iniciativa do governo do único modo que sabe: com ameaças e mais violência. No dia 27 de setembro de 1983, usando um dos "orelhões" instalados pelo governo nas cadeias, um interlocutor da organização liga para o gabinete do secretário de Justiça propondo um novo acordo capaz de pacificar o sistema penal. O secretário Vivaldo Barbosa decide não atender à ligação. Um assessor comunica que não há nada a ser discutido. Antes de desligar, o preso solta a frase terrível:

– Amanhã a gente se fala...

E na manhã seguinte, terça-feira, 28 de setembro, oito presos foram assassinados na Ilha Grande. Ao todo, receberam 397 facadas. Os corpos foram espalhados em vários pontos do presídio, no interior das galerias. Quatro robôs do Comando Vermelho assumem as mortes – como se fosse possível quatro matar oito. Mais um dia se passa e nova violência. No dia 29, às dez da manhã, durante o banho de sol no Presídio Hélio Gomes, no centro da cidade, outros dois presos são massacrados. Manoel de Jesus e Crimaldo de Oliveira fazem subir para 31 o número de mortos nas penitenciárias do Rio de Janeiro desde março de 1983.

No dia 30 de setembro, uma quinta-feira, os homens de confiança do governador Brizola se reúnem secretamente num anexo do Palácio Guanabara. O motivo do encontro é a incontrolável violência nas cadeias. A conversa a portas fechadas dura toda a noite e parte da madrugada. Estão presentes o secretário Vivaldo Barbosa e seu subsecretário, Antônio Carlos Biscaia, o secretário de polícia Arnaldo Campana, o comandante da PM, coronel Carlos Magno Nazareth Cerqueira, o diretor do Desipe, Avelino Gomes, e o coordenador de assuntos penitenciários, Dráuzio Lourenço. No final da reunião, uma decisão: é preciso quebrar as pernas do Comando Vermelho, isolando os líderes numa área de segurança máxima.

208 CV_PCC *A IRMANDADE DO CRIME*

O presídio escolhido é o Milton Dias Moreira, onde existe uma ala mais protegida, a Divisão Especial de Segurança. Por ironia, o mesmo lugar onde os presos políticos aguardaram a anistia no fim dos anos 70. Outra medida adotada: exonerar os diretores de vários institutos penais, entre eles o advogado José Carlos Tórtima. Os novos diretores seriam oficiais da Polícia Militar. O governo Brizola opta pelo endurecimento. A política de humanização das cadeias, deformada pelo crime organizado, cai por terra. Trinta e dois presos do Comando Vermelho, incluindo toda a comissão dirigente da organização, são isolados.

Mais uma vez, no entanto, a autoridade pública vai abaixar a cabeça sob o peso da força irresistível que vem das celas. Mesmo isolado numa área de segurança máxima, o Comando Vermelho mostra as garras numa resposta fulminante. Vinte e dois dias depois da reunião dos secretários de estado, um dos líderes do grupo consegue fugir. José Carlos dos Reis Encina, o Escadinha, escapa por um túnel cavado dentro da própria cela. Deixa um boneco para representá-lo no confere da manhã. Na madrugada de 8 de novembro, quatorze outros líderes tentam uma fuga em massa. A locomotiva do "trem especial" é Willian da Silva Lima. Há um grande tiroteio com a guarda do Desipe e a PM. Os presos têm até dinamite. Mas são encurralados. Um morre e onze ficam feridos. Paulo Silva, que integrou a quadrilha de Serginho da Ivete, leva uma bala 45 na testa. O crânio estilhaça como vidro de carro.

Os presos não fugiram, mas o pior estava feito. o Anexo Um da Milton Dias Moreira não era seguro o suficiente para conter o Comando Vermelho. No dia 10 de novembro de 1983, o governo decide mandar todos os líderes da organização de volta à Ilha Grande. Vinte e dois soldados da PM e 65 guardas do Desipe escoltaram 33 "vermelhos" de volta ao Paraíso. A velha traineira *Nestor Veríssimo* rangia na travessia do mar da baía da Ilha Grande.

OS COLOMBIANOS QUEREM SÓCIOS LOCAIS: VAI COMEÇAR A GUERRA

1

O ANO AGORA É 1984. A terceira fase da existência do Comando Vermelho está começando. A vidinha na Ilha Grande vai como sempre. A principal ocupação da liderança – além de administrar o presídio à revelia das autoridades públicas – é planejar as fugas dos homens que neste momento têm uma missão diferente daquela dos anos anteriores. Em vez de "romper o muro" para formar quadrilhas de assaltantes, eles estão envolvidos numa nova estratégia: controlar o tráfico de drogas em toda a região do Grande Rio e nas cidades turísticas do interior do estado, principalmente nas praias de Búzios e Cabo Frio e nas serras de Petrópolis, Teresópolis e Friburgo. Um negócio que movimenta milhões de dólares.

Durante o ano anterior, a comissão dirigente da organização finalmente se inclinou para o negócio das drogas, muito mais seguro e rentável. Como atividades paralelas, o tráfico de armas de guerra e o roubo de carros. Fuzis e metralhadoras protegem os pontos-de-venda. Carros roubados são moeda na negociação com os atacadistas da maconha e da cocaína. Os veteranos do roubo armado, como Willian da Silva Lima e Carlos Alberto Mesquita, perderam terreno nos assuntos internos – apesar de continuarem respeitadíssimos no mundo do crime. Na cabeça do grupo estão agora Rogério Lengruber, o Bagulhão, Francisco Viriato, o Japonês, e os irmãos dos Reis Encina, Escadinha e Paulo Maluco. Paulo César, o PC, e Gregório, o Gordo, também são peças importantes do esquema. A mudança de curso já ocorreu.

A nau dos condenados agora vai direto para o tráfico de entorpecentes. A disputa entre o bandido tradicional – com vocação para viver de armas na mão – e os traficantes não foi privilégio do Comando Vermelho. Ocorreu em todo o mundo. Na Europa, a União Corsa – e a máfia francesa de Marselha – passou ao tráfico nos anos 70. A droga era comprada dos grandes plantadores de ópio do Sudeste Asiático, principalmente na Tailândia, Vietnã e Laos. Depois de refinada, percorria os intrincados corredores do mercado europeu como heroína, morfina ou como cocaína laboratorial. Os principais compradores estavam na França, Inglaterra e Alemanha. Os "corsos" se notabilizaram no passado pelos roubos de banco, de obras de arte e seqüestros, mas ganharam milhões e milhões de dólares com as drogas. Muito mais do que conseguiam obter com as atividades habituais da organização. Expandiram também os negócios para o Oriente Médio, envolvendo os atacadistas do Líbano e do Irã. Finalmente, as rotas do tráfico da União Corsa atingiram os Estados Unidos.

A Máfia siciliana e a Cosa Nostra americana também viveram um processo semelhante, muito bem retratado no primeiro filme da série *O poderoso chefão*, de Francis Ford Coppola e Mario Puzzo. Entre os problemas da mais antiga organização criminosa do Ocidente estava o fato de que os "corsos" chegaram a Nova York. Vender drogas no varejo prejudicava os interesses da Máfia, que controlava os *bookmakers*, os pontos de prostituição, os cabarés – lugares onde em geral se concentra o consumo. Muitos desses locais caíram nas mãos de traficantes, provocando sangrentas batalhas de rua. Como não se via desde os tempos da Lei Seca, na década de 30. Os franceses se aliaram às quadrilhas de negros do Harlem e do Bronx, detestadas pelos italianos. A Máfia – uma estrutura familiar, pautada em rígido código moral – não aceitava o negócio sujo da difusão do vicio entre os jovens. E os traficantes vendiam heroína e haxixe nas escolas. Com o tempo, a Máfia siciliana e seu ramo americano entraram no negócio da importação e exportação de drogas. Foi uma medida necessária, para proteger o território da organização. Mas custou muitas vidas. Quem não aceitou a mudança de curso morreu.

Em 1972, para otimizar as operações do tráfico e evitar uma disputa violenta, a Máfia e a União Corsa fizeram um acordo. Tudo o que os franceses conseguissem levar para Nova York era comprado por atacado pela Máfia, que se encarregava da venda avulsa. E as rotas eram supervisionadas pelas duas organizações. Um dos caminhos do pó passou pelo Brasil. Foi a famosa Conexão Ilhabela, que reuniu em São Paulo os italianos Tomazzo Buscetta, Benedetto Buscetta e Guglielmo Casaline. Os franceses da Ilhabela eram Lucien Sarti, Christian David (o Beau Serge) e Antoine Canazzi (o Tony Corso).

Nos anos 80, a situação ficou ainda mais confusa. O crescimento dos cartéis colombianos de Medellín e Cali muda as regras da partida. Sem falar nos bolivianos, que também ampliavam o negócio milionário da cocaína com a conivência das Forcas Armadas do país. O aumento da população hispânica nos Estados Unidos estabelece novas rotas controladas pelas máfias latino-americanas. Entram também em ação os grupos de exilados cubanos que se radicaram em Miami, além dos vietnamitas e coreanos. Ou seja: traficantes de todas as cores e idiomas espalhados pelos cinco continentes.

O Brasil não escapou dessa barafunda de organizações. De um lado, italianos e franceses usando o território brasileiro como ponte, uma passagem da droga para os Estados Unidos. De outro, os cartéis colombianos entrando no mercado consumidor do Rio e de São Paulo. A diferença fundamental é a de que as máfias da cocaína latino-americanas procuravam sócios no Brasil. A proposta simples: entregam a cocaína, e os bandidos locais a vendem. Isto terá enorme repercussão sobre o futuro do Comando Vermelho. Para se habilitar nessa associação com os cartéis, os homens do crime organizado no Rio precisavam dar um salto de qualidade: controlar a totalidade dos pontos-de-venda nas favelas, cooptando ou destruindo as pequenas quadrilhas independentes.

Assim começou a guerra nos morros.

UMA FALSA LIBERDADE *215*

2

O COMANDO VERMELHO tinha cartas marcadas para a licitação do mercado de drogas. Na verdade, não estava muito longe de controlar o tráfico. A questão já andava muito bem encaminhada. Alguns dos maiores traficantes do Rio, como Escadinha e Sílvio Maldição, pertenciam à organização. Outros foram chegando: Denir Leandro da Silva, o Dênis da Rocinha, Darcy da Silva Filho, o Cy de Acari, Paulo Roberto Cruz, o Beato Salu, Isaías Costa Rodrigues, o Isaías do Borel. A "tomada" dos morros do Pavão-Pavãozinho, do Vidigal e do Chapéu Mangueira, consolidada com a adesão dos chefes do tráfico, garante a venda de maconha e cocaína em toda a Zona Sul da cidade. Na Zona Norte, a barra é mais pesada. Mesmo assim, parte do problema tem solução, porque Escadinha domina o Morro do Juramento e porque consegue plantar na Favela do Jacarezinho o traficante Paulo Roberto de Moura, o Meio-Quilo, como vimos na primeira parte deste livro.

Sílvio Maldição comandou a incrível invasão da Favela do Rebu, em Senador Camará, assegurando o monopólio da maconha. Um dos seus sócios, Jorge Zambi, o Pianinho, atacou uma quadrilha independente na Vila Aliança, em Bangu. Com trinta "soldados" usando armas automáticas, ele ocupou as três bocas-de-fumo. Antes do combate, estava preso e foi resgatado pelos companheiros durante um exame no Instituto Médico Legal. Foi tirado de lá para cumprir as novas ordens da organização. Audacioso, Pianinho deu entrevista ao repórter Bartolomeu Brito, o famoso Bartô, do *Jornal do Brasil*. Foi publicada na edição de 10 de dezembro de 1984:

Nós, ex-assaltantes de bancos que entramos no mercado do tóxico, catequisamos os favelados e mostramos a eles que o governo não está com nada e não faz nada para ver o lado deles. Então, nós damos alimentação, remédios, roupas, material escolar, uniforme para crianças e até dinheiro. Pagamos médicos, enterros, e não deixamos os favelados saírem de lá pra nada. Até briga de marido e mulher nós resolvemos dentro da favela, pois não pode pintar sujeira para polícia não entrar.

Essas declarações de Jorge Zambi refletem o "comportamento padrão" do Comando Vermelho nas favelas. A organização sabe que precisa contar com a colaboração da população carente. Uma população que tem medo, deve muitos favores e protege as atividades do crime organizado com um silêncio impenetrável. O Comando Vermelho foi também o incentivador de importantes iniciativas comunitárias nos "territórios conquistados". Financiou e construiu creches. Combateu a onda de igrejas evangélicas que proíbem o pecado com fúria bíblica – vários pastores foram, inclusive, expulsos das favelas. Por outro lado, as entidades católicas foram estimuladas, num reconhecimento à atividade socializante das Comunidades Eclesiais de Base – e também num tipo não expresso de agradecimento à assistência que a Pastoral Penal presta aos criminosos presos. No Rio, a Igreja Católica faz um trabalho sério de apoio espiritual aos detentos. É também um sólido canal de manifestação da opinião dos prisioneiros e uma instituição em defesa dos direitos fundamentais da pessoa humana.

O "trabalho social" do Comando Vermelho nas favelas tem – além do interesse imediato, de segurança do tráfico – uma característica: diferenciar-se dos antigos donos dos morros. O criminoso cruel é afastado ou destruído. E o que vem depois é – digamos – melhor. É verdade, no entanto, que as batalhas pelo controle das bocas-de-fumo fizeram muitas vítimas inocentes. Não é difícil imaginar o terror a que estiveram submetidas essas populações faveladas durante a guerra. Tiros de pistolas. Rajadas de metralhadoras Uzi e fuzis AR-15. Explosões de granadas.

Incêndios. Corpos espalhados. Gente ferida. É como se esse povo carente não morasse no Rio de Janeiro, mas em Angola ou na Iugoslávia devastada pelo ódio das etnias. De fato há uma guerra civil instalada na cidade. A maioria dos combates acontece durante a madrugada. No meio da fuzilaria, barracos se transformam em trincheiras, a luz é cortada ou os transformadores são detonados com explosivos. Os postos policiais das favelas também são atacados, quando os soldados da PM tentam intervir. Isso quase nunca acontece, porque a polícia sabe que não tem condições de resistir e que o reforço não vai chegar a tempo.

São longos e encarniçados combates. Podem durar muitas horas, a noite toda. É comum que os moradores desçam o morro e acampem nas ruas de acesso à favela, esperando o fim do tiroteio. Dá para ver o desespero estampado no rosto das mulheres – elas sabem que os filhos adolescentes e os maridos podem estar envolvidos na guerra. Fui testemunha de uma dessas refregas entre os traficantes. Morando próximo ao Morro da Mineira, na parte que dá para o bairro de Santa Teresa, ouvi tiros e explosões durante duas horas. Em determinados momentos, podia perceber as balas de fuzis de longo alcance atingindo árvores e casas ao redor da favela. A polícia foi chamada por algum morador em pânico. Mas o máximo que conseguiu fazer foi passar repetidas vezes pela rua Barão de Petrópolis com as sirenes ligadas. Vã tentativa de intimidar os homens envolvidos na troca de tiros.

A mais famosa batalha pelo controle de uma favela aconteceu na última semana de agosto de 1987, após três meses de escaramuças no Morro Dona Marta, em Botafogo. As quadrilhas de Zacarias Gonçalves Rosa Neto, o Zaca, e Emílson dos Santos Fumero, o Cabeludo, se enfrentaram diante das câmeras de televisão. As imagens estarreceram o país, correram o mundo. Com máscaras e gorros, os soldados do tráfico de drogas ficavam a poucos metros dos jornalistas e até da polícia. Repórteres e policiais – muitas vezes – foram apanhados no fogo cruzado. Alguns dos traficantes não tinham mais de quinze anos. E uma menina, de nove, apareceu no *Jornal Nacional* armada com uma Beretta 7.65.

A guerra entre as quadrilhas deixou oito mortos, quarenta feridos e teve cenas de barbarismo. Os adversários capturados eram amarrados nas árvores e torturados em público. Dois rapazes foram encontrados acorrentados num poste. Iam ser fuzilados, mas foram libertados pela polícia: Marco Antônio Medeiros de Freitas, de 21 anos, e Wanderlei da Silva Nascimento, de vinte. A população local praticamente se mudou para as calçadas da rua São Clemente e para o pátio do 2º Batalhão da Polícia Militar, localizado em frente à favela. Os confrontos mais violentos duraram seis dias, sem interrupção, para acertar uma disputa que começou em maio de 87. O "dono do morro" era Pedro Ribeiro, que acabou preso e condenado. De dentro do presídio, tentou controlar os negócios colocando o filho, Pedrinho Perereca, à frente da quadrilha. Não deu certo. Uma semana depois, o rapaz, de 25 anos, foi assassinado por Cabeludo, um traficante praticamente desconhecido, gente do bando de Adilson Balbino, do Morro do São Carlos.

O tráfico no Dona Marta interessava ao Comando Vermelho, que planejou a fuga de quatro homens do Presídio Evaristo de Moraes no dia 26 de julho, com a missão de retomar as bocas-de-fumo invadidas: Zacarias, o Zaca, Luís Carlos Rogério, Marco Antônio de Souza e Francisco Enviak. Foi aí que começou o drama da favela. Zaca recrutou novos "soldados" na própria favela, além de trazer gente e armas dos morros do Pavão-Pavãozinho e da Rocinha. Com uma força de cerca de cinqüenta homens, a quadrilha conseguiu dividir o Morro Dona Marta em dois setores: na parte de cima, com entrada pela rua Novo Mundo, o Comando Vermelho; na parte baixa, o grupo de Cabeludo era obrigado a conviver com os policiais do 2º Batalhão da PM e com a férrea vigilância da Associação de Moradores da favela, que cobrava dele uma postura assistencial e humana.

Enquanto lá em cima Zaca dava uma de bom-moço, tratando bem os moradores e pondo em prática a política de boa vizinhança do Comando Vermelho, lá embaixo Cabeludo impunha o terror e pagava caro para manter a polícia afastada dos negócios. Era de madrugada que os dois se enfrentavam em terríveis duelos de artilharia. Artilharia mesmo, porque nessa guerra tinha um lança-rojão roubado do Exército que cuspia granadas por cima dos telhados da parte baixa da favela. A primeira explosão era a senha para os ataques de "infantaria": grupos de cinco a dez "soldados", usando radiotransmissores, invadiam a área controlada por Cabeludo praticamente toda a noite. A população, acuada pelos tiroteios, viveu momentos bósnios.

Quando a violência tomou conta da favela para valer, na última semana de agosto de 87, o novo Batalhão de Operações Especiais da PM (Bope) e a Divisão de Repressão a Entorpecentes (DRE) da Policia Civil atacaram as duas gangues. Atrás da polícia, a imprensa. E a guerra dos traficantes do Morro Dona Marta viaja pelo Brasil a bordo das microondas da Rede Globo. Cenas inéditas na televisão, tão estarrecedoras que a cobertura dos combates contou até com correspondentes estrangeiros. Uma equipe da TV Globo conseguiu entrevistar um dos principais combatentes do grupo chefiado por Cabeludo. Chico Boca Mole declarou:

– Nós estamos aqui para expulsar essa corja. Vamos acabar com esses filhos da puta de qualquer maneira...

Nesse ponto da entrevista, o bandido foi interrompido pelo repórter Domingos Meirelles.

– Assim não dá! Você não pode falar palavrão na televisão!

E Boca Mole regravou a entrevista, obediente:

– Nós estamos aqui pra expulsar essa corja do Zaca. Vamos acabar com esses putos... Ih... falei palavrão de novo!

Na emissora, coube a mim e ao editor Renato Ribeiro montar a reportagem para o *Jornal Nacional*. Fomos juntando as falas do traficante, saltando os palavrões. O resultado foi a mais desagradável e estapafúrdia entrevista jamais levada ao ar pelo *Jornal Nacional*. Boca Mole falava e sacudia para a lente da câmera uma pistola Colt 45 niquelada. Fora do horário nobre, no tardio *Jornal da Globo*, uma versão quase integral dessa entrevista foi exibida. Na guerra televisiva, o próprio Zaca também falou aos repórteres:

– Os moradores do Dona Marta não suportam mais os desmandos do pessoal do Cabeludo. Essa confusão toda começou porque o Cabeludo espancou e estuprou uma menina de dezesseis anos... Agora vocês podem me fotografar bastante, porque vão ser as últimas fotos da minha vida. Eu vou morrer pra expulsar essa gente do meio da nossa comunidade.

Zaca não morreu na guerra da favela. Está preso em Bangu Um. Quem acabou a carreira com um tiro no peito foi seu rival Emílson dos Santos Fumero, o Cabeludo. Foi provavelmente atraído para uma emboscada numa praça da Zona Norte da cidade, no dia 8 de janeiro de 1988, quando tentava obter mais homens e armas para retornar às barricadas no Morro Dona Marta. Morreu quase instantaneamente. Um tiro de 38 cortou-lhe a carótida e atravessou o pulmão direito. O corpo ficou jogado na rua durante horas, esperando o rabecão chegar. Foi o tempo necessário para que os jornais fizessem aquela foto sangrenta que ajuda a aumentar as tiragens da imprensa popular. Até na hora da morte, a história de Cabeludo é confusa. A mulher do traficante, Renata Cristina Beleboni, disse à polícia:

– Ele foi emboscado por quatro homens que ocupavam um Gol amarelo.

Dois dias depois, o comerciante Evilázio Macedo, de 58 anos, procura o delegado para dizer que atirou em dois bandidos que tentaram roubar o carro dele, um Passat branco. Um dos assaltantes era Cabeludo. A segunda versão ficou valendo para a polícia, porque o carro tinha perfurações de bala na lataria. Uma prova incontornável.

A luta entre as quadrilhas pelo controle do Morro Dona Marta foi sem dúvida a mais famosa de todas, pela ampla cobertura que recebeu da televisão e porque revelou a completa incapacidade da polícia para controlar a situação. Os combates aconteceram a duzentos metros do maior grupamento policial da Zona Sul do Rio de Janeiro, o 2° BPM. O cenário da batalha se estendia nos fundos do Palácio da Cidade, sede da Prefeitura, e da casa do cônsul português.

Mas esse não foi o pior dos casos. "A mãe de todas as batalhas" ainda está acontecendo. Há cinco anos os traficantes do Comando Vermelho tentam – e não conseguem – destruir a quadrilha de Adilson Balbino no Morro do São Carlos. São mais de trezentos homens envolvidos de parte a parte. A luta é tão violenta que a contagem de corpos só pode ser medida em várias dezenas, ao longo desses anos. Adilson Balbino foi apontado pela polícia como o maior traficante independente da cidade. E ocupa um território estratégico. A favela se ergue nos fundos do Complexo Penitenciário da Frei Caneca e domina a principal rota das fugas nos presídios do centro do Rio. Além disso, ali está uma das escolas de samba mais queridas da cidade. E um grande movimento de venda de drogas.

Adilson Balbino esteve entre os homens da Falange Zona Sul, na Ilha Grande. Fez parte também do Terceiro Comando, quando o Comando Vermelho destruiu as organizações rivais, em 1979. Foi sem sombra de dúvida o maior inimigo do Comando Vermelho. O mais resistente. Aquele que não desiste nunca. Segundo consta, é o principal dirigente do Terceiro Comando, grupo que adota a sigla "3C" e que hoje reúne razoável poder de fogo. Mas a polícia prefere classificá-lo como "neutro". A luta na favela de São Carlos é tão violenta que os territórios foram demarcados com cimento e tijolos: um muro chegou a ser construído para separar a parte baixa da parte alta do morro, com um portão de ferro que permitia a circulação dos moradores. Ganhou logo os apelidos de "Muro de Berlim" e "Muralha da China". Dia e noite, uma guarda armada controlava a movimentação de pessoas de casa para o trabalho.

A obra de engenharia militar do traficante Adilson Balbino terminou sendo demolida, porque provocava insistentes operações policiais na favela. Mas a barreira de fogo ainda determina quem dá as ordens nos dois pedaços da favela. Disputas violentíssimas também ocorreram nos morros da Caixa D'água e Juramento, no Borel e na Casa Branca. Chefes de quadrilhas que não obedeciam ao Comando Vermelho foram seqüestrados e assassinados. Gente metralhada era abandonada no porta-malas de carros roubados – algumas vezes esses carros eram encontrados em áreas movimentadas da cidade, descobertos porque pingavam sangue ou porque o mau cheiro agredia os passantes. A maioria absoluta dos crimes

222 CV_PCC *A IRMANDADE DO CRIME*

ficou impune, arquivada na Delegacia de Homicídios com o carimbo de "insolúvel". Entre os policiais envolvidos na repressão ao crime organizado há histórias de que muita gente foi atirada ao mar, amarrada com sacos de pedras. O abdômen das vítimas teria sido cortado, para que o corpo afundasse com mais facilidade e para que se evitasse a formação de gases que pudessem trazê-lo à tona outra vez. São comentários que a polícia faz com cuidado, porque até hoje não se encontrou um corpo nessas condições. Então, como é que se sabe disso? Simples: bandido preso fala muito – e mente muito também.

Outro indicador das barbaridades cometidas na luta pelo controle do tráfico de drogas é a descoberta sistemática de cemitérios clandestinos. Um fato tão rotineiro quanto assustador. Nem mesmo foi poupada a "estrada do cardeal", que leva à residência oficial do arcebispo do Rio de Janeiro. Cercada de florestas, a estrada se tornou local de desova dos cadáveres dessa guerra suja. E – é preciso admitir – local também de desova das vítimas dos grupos de extermínio, muitas vezes ligados à polícia. Praticamente em todas as grandes favelas há um cemitério clandestino. A "administração comunitária" praticada pelas quadrilhas inclui um serviço funerário à margem da lei.

Para enfrentar o rigor dos combates, verdadeiras milícias foram organizadas nas favelas. Armamento importado e explosivos são visíveis em todos os morros do Rio. A mais reles boca-de-fumo é protegida como se escondesse um tesouro. Ninguém quer ceder um milímetro. Mas, no fim do ano de 1985, a geografia do tráfico de drogas no Rio de Janeiro está completamente alterada. O Comando Vermelho já detém setenta por cento de todos os pontos-de-venda. E a luta continua nos restantes trinta por cento. Tiroteios terríveis acontecem também nos loteamentos pobres da Baixada Fluminense. Os traficantes derrotados nas favelas correram para lá – e foram perseguidos implacavelmente. A polícia, para conseguir acompanhar os acontecimentos, cria um sistema de localização das bocas-de-fumo. Alfinetes coloridos são espetados num enorme mapa da região metropolitana, indicando os novos chefões de cada área.

O mapa do tráfico de drogas no Rio é um imenso paliteiro indecifrável – e que muda constantemente.

A ferocidade do conflito afeta diretamente a vida das favelas. Moradores dos pontos em litígio reforçam as paredes e janelas das casas, colocam portas de ferro, criam sistemas defensivos e as estratégicas saídas pelos fundos. Passam a estocar água e alimentos. E quem pode junta dinheiro para comprar um revólver. Os morros do Rio hoje abrigam um arsenal de respeito, que se soma à poderosa artilharia das quadrilhas. O motivo: muitos moradores não envolvidos com o tráfico entram na briga para proteger a favela, porque sabem o quanto vão sofrer se o poder trocar de mãos. Nos dias de hoje, quando os traficantes rivais ou a polícia sobem o morro, a população se mobiliza em protestos violentos. Ruas são fechadas com pneus incendiados. Ônibus são queimados. Infelizmente, civis são mortos – inclusive crianças. E o Comando Vermelho – além das outras organizações – retribui essa adesão voluntária: patrulhas armadas até os dentes percorrem os morros, evitando invasões e também prevenindo o crime avulso. Especialmente o crime sexual, como o estupro, é punido de forma radical, muitas vezes com a pena de morte. Quando o morador reclama, medidas são tomadas, inclusive para disciplinar o traficante ou o consumidor de drogas que freqüenta o morro. Uma reportagem do *Jornal do Brasil*, depois transformada em livro (*A violência que esconde a favela*, de L&PM Editores), mostra a foto de uma boca-de-fumo onde há uma inscrição a tinta na parede: "É proibido fumar ou cheirar no beco." A ordem é assinada pela "rapaziada do dedo". Do dedo no gatilho. Na época da guerra dos morros, um dos diretores do Hospital Municipal Miguel Couto, que atende à área da Zona Sul do Rio onde estão os morros da Rocinha, do Vidigal e do Pavão-Pavãozinho, conta que o clima era tão pesado que uma ambulância chamada para alguém doente nas favelas só podia entrar se o pessoal do tráfico autorizasse.

– Uma vez, a ambulância subiu a rua Dois da Rocinha sem avisar. Havia um código de faróis que por acaso não foi respeitado. O médico e o atendente se esqueceram. Foram recebidos a bala. A ambulância voltou para o hospital toda furada.

"Soldado" ferido sabe que não pode procurar ajuda nos hospitais públicos. E o ensinamento involuntário da guerrilha comunista serve aqui mais uma vez. Invasão de clinicas particulares, seqüestro de médicos, criação de "farmácias de campanha". Na noite de 6 de março de 1993, dez homens armados com metralhadoras israelenses Uzi bloquearam o tráfego na rua Moura Brito, no bairro da Tijuca, e invadiram o Hospital Santa Teresinha. Roubaram 103 frascos de albumina, para transfusão de sangue, e uma enorme quantidade de antibióticos. O delegado Maurílio Moreira, que cuida da segurança pública no bairro, declarou:

– A ousadia do grupo dá indicações de que os assaltantes estavam em busca do medicamento para socorrer um companheiro ferido.

O Hospital Santa Teresinha fica próximo aos morros do Salgueiro, Turano e Formiga, onde naqueles dias houve forte tiroteio. Pelas características da invasão, só pode ter sido gente das quadrilhas. A situação mais reveladora, no entanto, ocorreu no outro extremo da cidade, no bairro de Laranjeiras. Um conhecido traficante, Júlio César Mendonça de Oliveira, o Julião, foi descoberto internado na Clinica Neurológica Cirúrgica do Rio de Janeiro (Clinerj). É um dos chefes do tráfico na Vila Aliança, no subúrbio de Bangu. Tinha sido ferido a tiros. E estava sob a custódia de quatro agentes da Polícia Militar. Provavelmente, uma segurança para o próprio traficante. A Divisão de Repressão a Entorpecentes diz que não teve conhecimento da internação – e só foi descobrir o traficante em 1º de março de 1993, dezesseis dias depois da internação. Mas a PM se defende, revelando que uma semana antes um fax fora passado para a DRE informando que Julião estava sob cuidados médicos. O bandido tem larga ficha criminal e presta serviços à quadrilha de José Roberto da Silva Filho, o Robertinho de Lucas, especializada em seqüestros de empresários. É assim que as coisas são.

3

ANDAR PELAS FAVELAS é como pisar em cacos de vidro. A violência incendeia os morros do Rio. E a polícia corre de um lado para o outro feito barata tonta. Na verdade, corre atrás dos telefonemas – quase sempre anônimos – que anunciam a descoberta dos corpos da guerra de quadrilhas. Ao mesmo tempo, sob enorme pressão da imprensa e da opinião pública, prepara "operações de limpeza" nos labirintos do tráfico de drogas. Algumas vezes, são centenas de policiais que ocupam um morro durante quatro ou cinco horas. E voltam sem resultados. Outras vezes, são ataques-relâmpago de pequenos grupos que agem meio *easy rider*. É como nos filmes do Vietnã. Homens com uniformes camuflados, fuzis militares, granadas, helicópteros, cães farejadores.

Os informantes sobem os morros protegidos por capuzes pretos. Parecem assombrações. Para onde quer que eles se voltem, a cena se repete: barracos são invadidos, revistados, suspeitos detidos. Os informantes são a arma mais afiada da polícia na luta contra o tráfico. São profissionais da delação, ganham por isso. É claro que o poder público não pode pagar um "salário de dedo-duro" – essa gente vive de extorsão e saques à sombra das operações policiais. Os "X-9", como são conhecidos, freqüentam muitas repartições oficiais. Praticamente dão expediente nas delegacias especializadas. Alguns trabalham para os grupos de extermínio, as "polícias mineiras". E não se diga que esses bandos de assassinos prestam um serviço à sociedade, porque são matadores de aluguel. Eliminam gente por dinheiro, bandido ou não, conforme o interesse de quem paga. São centenas de pessoas agindo à sombra da lei.

A história pessoal desses informantes é sempre muito triste. São pessoas ameaçadas de morte, que já perderam tudo. São bandidos que delataram os parceiros, trocaram de time e foram "perdoados" pela polícia. Histórias e histórias. Tristes, muito tristes. Conversei com um desses homens. Vou chamá-lo de Antônio. É alto e muito magro. Tem aquela idade indefinida dos negros de carapinha branca. Fala rápido, pontuando cada frase com um sorriso esquisito, quase um pedido de desculpas pelo que vai contando. Tem memória prodigiosa para nomes, datas e locais – a principal qualidade de um informante. Seu filho, Toninho, era traficante em Duque de Caxias, na Baixada Fluminense. A modesta casa, num dos muitos bairros pobres do município, foi invadida certa noite por quatro pessoas – três homens e uma mulher – encapuzadas. O rapaz tinha 22 anos de idade quando foi arrancado de casa a coronhadas. Levou mais de dez tiros num terreno baldio a cem metros de onde morava. O pai não pôde fazer nada – a não ser tomar um ódio medonho dos traficantes. Qualquer traficante.

A morte do filho foi por causa de uma prestação de contas mal resolvida. A diferença era um pacote de maconha que sumiu. A quadrilha achou que o rapaz tinha "dado um banho", vendido a droga sem entregar o dinheiro. Isso é apenas meia verdade: Toninho tinha escondido mais ou menos meio quilo de maconha para vender depois, durante o carnaval. Queria ganhar com o aumento da cotação, porque no tráfico os preços sobem mais do que o dólar no paralelo. Foi o que lhe custou a vida. Mas as desventuras dessa família pobre não param aí. A mulher de Toninho, uma mocinha de dezenove anos chamada Rosa Maria, terminou seqüestrada duas noites depois. O corpo apareceu dentro de um poço abandonado, num lugar conhecido como Loteamento Tricampeão, perto do distrito de Queimados. Rosa Maria tinha marcas de queimadura de cigarro no rosto, nos seios e braços. Foi torturada para dizer onde estava a maconha que o marido devia ao bando. Ela não sabia.

Nem essa nova tragédia encerra o ciclo de tormentos da família. Ainda falta ao próprio Antônio, pai de Toninho e sogro de Rosa Maria, cumprir o seu calvário. Aconteceu quando a polícia resolveu descobrir o que estava acontecendo naquela casa. Afinal, duas pessoas da mesma família tinham sido assassinadas – e todos os indícios apontavam para uma revanche. Um grupo do 15º Batalhão da PM, o "Treme-Terra", foi investigar. Desrespeitando todas as leis – até porque a PM não pode investigar –, os soldados entraram na casa de Antônio às duas da manhã. Revistaram tudo e – acredite quem quiser – encontraram o famoso meio quilo de maconha. A droga estava dentro de um saco do Supermercado Guanabara, enterrado no quintal, com uma fina camada de folhas e lixo por cima. Pronto: agora Antônio é culpado de toda a desgraça da família. Foi arrancado de casa e jogado dentro do camburão. Teve as mãos amarradas com uma corda, para não deixar marcas de algemas. O carro do Patrulhamento Tático Móvel (Patamo) rodou com ele durante quase uma hora. Quando parou, Antônio já tinha encomendado a alma a Deus. Sabia o que ia acontecer, porque é exatamente assim que muita gente morre na Baixada Fluminense.

Aos empurrões, Antônio chegou a um campo de futebol completamente às escuras. Novamente amarrado – dessa vez pelo pescoço –, ficou preso a uma das balizas, enquanto era interrogado pelos PMs. Um dos soldados mantinha uma lanterna acesa em sua cara, para ele não conseguir ver ninguém. Os policiais queriam saber onde conseguira a droga e por que deixara o filho morrer. Os soldados estavam indignados. Depois de duas horas de muito papo e muitos bofetões, foi abandonado ali mesmo. Vivo. A patrulha do "Treme-Terra" foi embora, levando a maconha. Agora é o próprio sobrevivente quem explica o que aconteceu depois:

– Meus vizinhos me aconselharam a vender a casa e sumir dali. Foi o que eu fiz [sorriso]. Não tinha mais nada para fazer naquele buraco miserável [sorriso]. Arrumei um dinheiro com o negócio da casa e fui tocar a vida, na base do biscate. Ocorre que um belo dia eu ia passando pela rua e vi a polícia civil perseguindo um cara que corria com um revólver em cada mão [sorriso]. Ele entrou numa casa e os policiais não perceberam. Vi naquele homem a imagem dos que mataram meu filho [sorriso]. E não tive dúvidas: chamei os policiais e entreguei ele. Foi o maior tiroteio da paróquia [sorriso]. O cara morreu todo furado. Levou bala de metralhadora de um metro de distância [sorriso].

Antônio conta mais:

– Fui até a delegacia para servir de testemunha de que o bandido tinha enfrentado, para poder lavrar o "auto de resistência" [sorriso]. Depois disso fiquei amigo dos canas. Um deles inclusive me deu um dos revólveres do bandido. No flagrante apareceu que ele só tinha uma arma, calibre 32. O 38 ficou pra mim [sorriso]. Desde esse dia. trabalho para a polícia. Vou me virando, vivendo a vida que o destino colocou na minha frente [sorriso]. Se eu pudesse, tinha estudado para fazer exame para detetive. Cumpria direito a minha sina. Mas agora é tarde. Vou de "X-9" mesmo [sorriso].

– Mas você não ficou com raiva dos PMs que bateram em você? – perguntei ao informante.

– Não. Eles tavam fazendo o serviço deles [sorriso].

Assim são recrutados muitos dos informantes da polícia, esses que agora sobem os morros para enfrentar o Comando Vermelho. A tarefa é difícil, perigosa. Alugam barracos na favela e vão vivendo como se fossem simples trabalhadores. Aos poucos, fazem amizades, ficam sabendo das coisas. No Brasil – e no Rio de Janeiro em particular –, a polícia só consegue agir por meio da confissão de bandidos presos. E para prendê-los é preciso sorte ou delação, porque é muito difícil investigar no submundo. Especialmente quando o silêncio protege os chefões do tráfico. A polícia tem agora alguns números telefônicos de "disque-denúncia", extremamente eficientes. Oferece recompensa. E o resultado final é muito competente. Tem muito trote – evidentemente. Mas tem muita informação valiosa. Um pai desesperado pode denunciar o próprio filho viciado. Mas tem também o traficante que telefona para entregar um rival. Seja como for, é um serviço eficiente. Em muitas favelas do Rio, ou na periferia de São Paulo, os bandidos destroem os telefones públicos para evitar as denúncias. E mais: ficam observando quem usa os aparelhos, para cobrar depois o que foi que fizeram.

Só muito recentemente vem sendo feito um esforço para dotar a polícia de meios mais modernos e eficazes. Um deles é o levantamento aerofotogramétrico dos morros. Aviões passam a grande altitude e fazem fotos em seqüência, mapeando toda a área. As fotos são tão precisas que chegam a mostrar uma simples cerca de madeira e arame farpado. Olhando para elas, você pode saber se faltam telhas no telhado de um barraco. A maior parte desse trabalho foi feita com vistas ao recadastramento dos imóveis das cidades para o Imposto Predial. Mas a polícia soube aproveitar a oportunidade.

Quando essas fotos revelam algo suspeito, um novo trabalho, mais aproximado, completa o levantamento. Agora são máquinas fotográficas colocadas nos terraços de edifícios vizinhos às favelas. Ou são os helicópteros da própria polícia que passam sobre os morros levando lentes profissionais. Certa vez, uma equipe da TV Globo esteve num desses pontos de observação, para produzir imagens que ilustrariam uma reportagem sobre o Comando Vermelho. O depoimento é da produtora Lys Beltrão:

— Nós ficamos na campana, junto com os policiais da DRE (Delegacia de Repressão a Entorpecentes). Dava para ver nitidamente o movimento na boca. Os traficantes estavam armados. Os moradores da favela iam até lá, paravam para conversar com eles. Todo mundo em casa. Teve até uma cena de uma mulher com um bebê no colo que ficou conversando bem uns dez minutos com um negão com uma pistola na mão. Depois de um certo tempo, parece que eles perceberam a gente filmando. Pode ter sido um reflexo do sol na lente. De repente, começou um movimento estranho, todos eles procurando ficar meio escondidos. Teve um que chegou a apontar para nós um revólver. Mas a distância era muito grande. O medo que a gente tinha era de ser abordado na hora de sair.

Nesse período de violência desmedida nas favelas, nenhuma força de choque da polícia invade os morros sem estudar durante horas as fotos feitas pelo Setor de Inteligência, uma espécie de serviço secreto dos tiras do Rio. Elas permitem determinar os melhores pontos para subir, estabelecem um projeto de cerco aos traficantes e ajudam a cortar as prováveis rotas de fuga. Mais ainda: pelas fotos dá para saber que tipo de armamento os "soldados" estão usando. Essa é uma informação fundamental, porque mede o potencial de resistência que a quadrilha pode oferecer. Disso depende, em muitos casos, a vida dos policiais. Na Secretaria de Polícia Civil, ninguém gosta de comentar esse trabalho. Lá o pessoal parte da crença ingênua de que, se isso for revelado, os traficantes vão se defender melhor. Acontece, senhores policiais, que os chefões do tráfico também têm seus informantes. Dentro da polícia. Tanto isso é verdade que os delegados escondem os alvos de seus subordinados, só abrindo o jogo no último instante. É para "evitar vazamentos". E por que esses vazamentos ocorrem? A resposta é óbvia demais. Além do mais, hoje os traficantes colocam câmeras de vídeo em pontos estratégicos das favelas, que servem para alertar da presença de estranhos. Quando as câmeras flagram uma situação de violência policial, as imagens são enviadas para as emissoras de televisão, que fazem grandes estardalhaços.

Enquanto a polícia corre atrás do prejuízo, o Comando Vermelho distribui forças para vencer a guerra o mais rápido possível. A organização sofre pressões de todo lado. São os próprios traficantes que perdem dinheiro com a quebra da ordem nas favelas. É a turma do jogo do bicho que reclama da carnificina e da paralisação de mercados importantes. (Na Rocinha houve um confronto armado entre bicheiros e traficantes.) Além do mais, o interesse do "exército vermelho" não é o desmoronamento dos barracos pela força das balas. É apenas negócio, *just business*. Só para lembrar: a luta começou para que a organização assumisse o monopólio da distribuição de drogas no varejo, de modo a poder negociar em boa posição com os atacadistas internacionais. O que se pretende é aceitar a proposta para ser o "sócio preferencial" nos grandes acordos com os barões da cocaína colombiana. É por isso que a luta tem que acabar rapidamente. Estancar a hemorragia – e devolver às favelas a paz armada do Comando Vermelho. Este é o objetivo.

Na contabilidade do crime organizado, sessenta dos 98 grandes pontos-de-venda de maconha e cocaína já estavam dominados. No alto dos morros, o Comando Vermelho manda construir enormes cruzeiros, iluminados dia e noite. É o símbolo de posse do território. Muitos moradores, felizes com o fim dos combates, colocam flores e acendem velas nesses locais. É como celebrar no altar do tráfico de drogas.

4

Na Ilha Grande, a comissão dirigente da organização traça os planos de batalha. Ordens partem para todos os presídios e chegam aos bandos entrincheirados nas favelas. Quase como um telégrafo funcionando no "Caldeirão do Diabo", à disposição dos líderes encarcerados. Mas isso não basta. Em alguns casos é necessário comandar pessoalmente. O carisma dos chefes pode ser decisivo na nova frente de luta. No início de 1986, há uma revoada de pássaros da Ilha para o continente. Um dos mais importantes saiu voando mesmo.

É véspera do Ano-Novo. As famílias dos presos fazem uma festa no Instituto Penal Cândido Mendes. Às quatro da tarde, José Carlos dos Reis Encina, o Escadinha, passeia tranqüilamente pelos arredores do presídio. Uma mulher está com ele – segundo testemunhas. De repente, saído do nada, um helicóptero Bell-47, *made in USA*, vem do mar e pousa aos pés do traficante. Escadinha e a mulher embarcam, sob olhares atônitos (ou cúmplices?) dos guardas do Desipe e soldados da PM. Decolam calmamente para desaparecer na direção do sol poente. Nunca se viu fuga mais fácil. Nenhum tiro foi disparado. Nenhuma voz se alterou. Os carcereiros explicaram depois: pensaram que era o diretor do Desipe numa visita de surpresa, talvez para participar da festa. Honestamente, não há Cristo que acredite nessa história Mas ela vai ficar ainda mais complicada.

Dois dias depois, a polícia localiza o helicóptero no Aeroporto de Jacarepaguá. Ninguém tentou ocultar o aparelho. Está lá, parado na pista, tomando sol. Marcos Gonçalves Maia, de 21 anos, trabalha para a Practica, uma empresa de treinamento de pilotos e que faz os vôos turísticos no Rio de Janeiro e balneários. Marcos, pressionado pela polícia, confessa:

– Resgatei o bandido sob ameaças de um homem chamado Rony, que alugou o helicóptero se dizendo empresário.

Depois de consultar o álbum de fotos da polícia, Rony foi identificado pelo piloto: José Carlos Gregório, o Gordo, que tinha escapado da Ilha Grande oito meses antes. O piloto usado para o resgate de Escadinha jura que o Gordo estava a bordo e que o ameaçou com uma metralhadora. As testemunhas da fuga dizem que ele estava sozinho no helicóptero. Melhor do que esses depoimentos é o fato de que o Bell-47 só tem capacidade para três pessoas. Se Escadinha embarcou com uma mulher, não havia lugar para mais ninguém. Resultado: o piloto foi preso e condenado a dois anos – e o aparelho foi confiscado temporariamente pela polícia. Encerrado o inquérito, ficou estabelecido o seguinte: depois de deixar a Ilha Grande, o helicóptero pousou num campo de futebol na praia de Coroa Grande, a trinta quilômetros do presídio; dois carros roubados, com sete homens bem armados, aguardavam o chefão do Morro do Juramento, que foi escoltado até o Rio. Mesmo tendo transcorridos quarenta minutos desde a fuga, não havia barreiras na estrada. A polícia tem uma explicação: o rádio do destacamento da PM na Ilha Grande não estava funcionando muito bem naquele dia. Incrível!

A aventura de Escadinha tem lances ainda mais rocambolescos. Naquele mesmo dia 31 de dezembro, às dez da noite, ele visita os pais na rua Ibitinga, subida do Juramento. Fica no morro pelo menos até a meia-noite, com direito a champanhe e comemoração com a quadrilha toda presente. Ele reassume os negócios e a luta contra os rivais na favela da Caixa D'Água. Para zombar ainda mais do poder público, Escadinha desfila numa escola de samba, durante o carnaval daquele ano. Sai de baiana, com direito a saia rodada e muito pó-de-arroz. A jornalista Lily Yusim, que conheci como editora na TV Globo, conversou com o traficante quando ele estava foragido. Na época do encontro, Yusim trabalhava como repórter para o *Programa Cidinha Campos*, da Rádio Tupi do Rio de Janeiro.

– Conversamos muitas vezes. Escadinha pedia que eu fosse me encontrar com ele. Ficava desmentindo o noticiário dos jornais. Dizia que era tudo um tremendo sensacionalismo. Foi uma experiência muito curiosa. O mais engraçado é que ele ligava para a rádio e mandava me chamar. Na época, tive muito medo disso.

Com a fuga de Escadinha, o Comando Vermelho tem na rua um respeitável segmento da liderança. No dia 5 de janeiro de 1986, um reforço substancial: oito presos escapam de uma só vez da Ilha Grande, três dias depois da fuga de Escadinha. Cinco prisioneiros são recapturados horas depois. Mas três conseguem chegar ao continente no velho esquema das lanchas de resgate: Miguel Ángel Amarijo, o Peruano, Célio Tavares Fonseca, o legendário Lobisomem, e Ubiratan Alves de Oliveira, o Bira. Nos meses seguintes, outros homens da organização vão fugir. O diretor do Presídio da Ilha Grande revela ao cardeal dom Eugênio Salles que 36 prisioneiros simplesmente desapareceram, sem que ninguém saiba explicar o que aconteceu.

A presença da liderança no campo de batalha é fundamental para acabar com a guerra dos morros. O ano de 1986 ainda vai assistir a duros conflitos na Rocinha, no Vidigal e em algumas favelas da Zona Norte. Mil novecentos e oitenta e sete é o ano dos morros Dona Marta e São Carlos. Mas a tarefa está dada por concluída. O Comando Vermelho é o dono do tráfico.

O primeiro acerto para importação de cocaína é firmado em Medellín, na Colômbia. Pablo Escobar, o maior traficante do mundo, é quem vai fornecer para o crime organizado no Rio de Janeiro. Outros estarão participando das grandes remessas, ligadas também ao Cartel de Cali. Os pacotes de cocaína que chegarem ao Brasil terão um carimbo inconfundível: "los nada que ver" – frase que em espanhol quer dizer "não temos nada com isso". É a marca da principal organização colombiana de exportadores de coca. O *slogan* vem acompanhado de uma ilustração dos Irmãos Metralha, personagens de Walt Disney. Outras vezes os pacotes têm o símbolo " "Fortuna – 100% pura", do Cartel de Cali. Nas favelas do Rio, esses pacotes contendo um quilo de cocaína pura cada um serão "batizados". A droga é misturada com bicarbonato de sódio, talco ou pó de mármore. Cada quilo vira cinco quilos. Lucro quintuplicado para o Comando Vermelho. Cada grama de cocaína vale o equivalente ao mesmo peso em ouro. Em valores de hoje, mais de 10 dólares.

Os papelotes para venda avulsa, contendo meio grama, recebem aqui uma série de outros carimbos que identificam a procedência e "garantem a qualidade". O traficante Paulo Roberto de Moura, o Meio-Quilo, gostava de colocar nas embalagens a frase inspirada nos manuais do Comando Vermelho: "Chega de miséria!"

O envolvimento dos exportadores colombianos com o crime organizado no Brasil não demorou a ser descoberto. Agentes da Drug Enforcement Administration (DEA) e do FBI, infiltrados nas rotas latino-americanas da coca, começaram a fazer relatórios, e mais relatórios advertindo a Polícia Federal brasileira. As denúncias aparecem a partir de abril de 1988. As primeiras investigações mostram que os colombianos estão agindo em sociedade com italianos da Máfia. Por essa época, Florianópolis, Rio e São Paulo já têm toda a infra-estrutura montada para receber grandes partidas de coca.

No dia 28 de maio de 1988, uma equipe da Delegacia Federal de Repressão a Entorpecentes, comandada pelo delegado Paulo Serafim Dias, invade o condomínio Residencial Paranaguá, no centro de Florianópolis. Os agentes prendem Gerson Palermo, homem do Cartel de Medellín. Sua tarefa tinha mão dupla: comprar éter e acetona em Santa Catarina e enviar para a Colômbia – e trazer de volta pasta de coca. Éter, acetona e lâmpadas infravermelhas de 250 watts são empregados no refino da cocaína. Dois mil tambores dessas substâncias já tinham sido enviados para Medellín. Os agentes apreenderam dez caminhões e seis aviões do tipo Sêneca.

Na manhã de 15 de outubro de 1990, o telex da sala do superintendente regional da Polícia Federal em São Paulo começa a receber uma longa mensagem da Interpol. Um colombiano e três italianos, ligados ao

236 CV_PCC *A IRMANDADE DO CRIME*

narcotráfico internacional, estavam no Brasil para acertar uma grande remessa de drogas. Pior: a denúncia da Interpol dá como endereço dos traficantes os hotéis Residencial Park e Méridien, no Rio, e Samambaia e Del Rey, em São Paulo. Os agentes federais grampearam os telefones e colocaram escuta nos quartos. Manuel Gaviria Vasquez, Giulliano Demontis, Alberto Nibbi e Renato Fillipini não perceberam que estavam sendo vigiados. Quando marcaram um encontro no Restaurante Lellis, na Zona Sul de São Paulo, às onze e meia da noite de 3 de novembro, foram apanhados com a mão na massa. Literalmente. Com eles a polícia apreendeu meia tonelada de cocaína pura, no valor de 5 milhões de dólares. A droga estava dentro de um caminhão estacionado na rua Cantareira, centro da capital paulista. Os pacotes de coca traziam bem visíveis os dizeres: "los nada que ver".

E não parou por aí. Um ano depois, em 17 de outubro de 1991, os federais desencadeiam no Rio a Operação Colômbia. Um golpe duríssimo contra o Cartel de Medellín. Cai Eduardo Arismendi Echeverria, 37 anos. Ele tem acesso direto a Pablo Escobar, convive com a cúpula do narcotráfico colombiano. Os agentes federais o encontram em companhia do também colombiano Jairo Alberto Sanches Perez. O apartamento onde estavam, no número 630 da rua Gustavo Sampaio, no Leme, guarda 43 pacotes de cocaína pura. Quase 25 quilos. Um quarto de milhão de dólares, que poderia ser multiplicado por cinco nas mãos dos traficantes das favelas cariocas.

Durante a madrugada do dia 6 de abril de 1993, agentes da Divisão de Repressão a Entorpecentes prendem o advogado cubano Frank Lino Dias. Ele foi apanhado em Resende, na divisa do Rio de Janeiro com São Paulo. Naturalizado americano, Frank era o responsável pela administração financeira do Cartel de Medellín fora da Colômbia. Cuidava da lavagem do dinheiro das drogas. Tinha muitos "negócios" no Brasil. Frank Dias é um velho conhecido da polícia brasileira. Esteve preso na Superintendência da Polícia Federal, no Rio, em fevereiro de 1987. Fugiu. Misteriosamente. Saiu pela porta sem ser incomodado.

UMA FALSA LIBERDADE   *237*

E quem pensa que acabou está enganado. A seguir você vai conhecer a história do único traficante brasileiro que comprava fiado do Cartel de Medellín. Toninho Turco, a interface entre o narcotráfico e o Comando Vermelho.

TONINHO TURCO ESTÁ MORTO – BOLA PRA FRENTE!

1

DEZ DE FEVEREIRO DE 1988. Uma da manhã. É hora de acordar no Quartel-General da Brigada de Pára-quedistas do Exército, na Vila Militar, Zona Norte do Rio. Trezentos agentes federais, policiais civis e homens da Companhia de Operações Especiais (COE) da PM pulam das camas de campanha. Eles estão ali há três dias. Incomunicáveis. Sabem que vão enfrentar a mais arriscada missão de suas vidas. Uma tarefa que pode acabar no cemitério. Ou com uma medalha no peito. Alguns, pouco acostumados à vida militar, usam constrangidos o banheiro coletivo. E preparam a alma para enfrentar o café da manhã na caserna.

Na sala de comando, ninguém dormiu naquela noite. O delegado federal Cláudio Barrouin, que vai comandar a operação, e o major Paulo César, do COE, estão debruçados sobre os mapas dos 38 alvos a serem atacados quando o dia amanhecer. Centenas de fotos, croquis e roteiros de fuga também estão espalhados sobre a mesa. Um perito em explosivos do Exército repassa com eles alguns conselhos sobre a melhor maneira de detonar portas e janelas. Um oficial do Batalhão das Forças Especiais da Brigada de Pára-quedistas também examina os mapas. No alojamento das tropas, os trezentos homens destacados para o serviço carregam as armas.

A força especial reúne também agentes de outros estados. Todos os policiais escolhidos para o trabalho tiveram as fichas funcionais checadas pelos computadores do setor de informações do DPF, em Brasília. Não se podia admitir ninguém que tivesse alguma sombra na carreira – e nem de

UMA FALSA LIBERDADE   *241*

longe um tipo qualquer de vinculação com o crime organizado. A menor suspeita já seria motivo para excluir do grupo. Afinal, foram seis meses de investigações sigilosas para desbaratar a quadrilha que fornece cocaína por atacado ao Comando Vermelho. A quente madrugada de 10 de fevereiro de 1988 vai ser o ato final de uma trama complicadíssima, que começou em agosto de 1987. Encurralado pela violência da guerra de quadrilhas nos morros do Rio, o recém-empossado governador Wellington Moreira Franco pediu apoio federal ao então presidente José Sarney. Do encontro surgiu a idéia de usar o DPF como coordenador da Operação Mosaico. Uma experiência bem-sucedida que poderia ter sido reproduzida muitas outras vezes – infelizmente, houve apenas duas operações semelhantes.

– Fui a Brasília para pedir que o governo federal fizesse a parte que cabe a ele na luta contra o crime organizado – me disse o governador. – A repressão ao tráfico de drogas é atribuição da Polícia Federal, não do governo estadual. Fui também ao embaixador americano, para solicitar que os agentes da DEA colaborassem conosco. O embaixador me explicou que precisaria de uma autorização do governo Sarney, num procedimento diplomático. Mas isso nunca aconteceu.

Analisando as rotas do tráfico internacional, os federais tentavam localizar os sócios cariocas do Cartel de Medellín. Passo a passo, os agentes conseguiram descobrir que as favelas da Rocinha, do Vidigal, Dona Marta, Juramento, Jacarezinho e outras 26 tinham um único fornecedor. A investigação foi tão detalhada que vários carregamentos de coca foram entregues sem interferência da polícia. Tudo para levantar os nomes dos compradores e dos distribuidores locais. Os principais instrumentos para montar esse mosaico foram a máquina fotográfica e o grampo nos telefones. Paciência. Cuidado. Os agentes federais foram fechando o cerco. Como que saindo de um nevoeiro, apareceu o elo perdido. Um homem de 52 anos, meio calvo e barrigudo, com um nariz tão pronunciado que lhe valeu o apelido de Turco.

Antônio José Nicolau, o Toninho Turco, nasceu no antigo estado do Rio em 21 de outubro de 1935. Começou a vida trabalhando duro, como

242 CV_PCC *A IRMANDADE DO CRIME*

sapateiro em São Gonçalo. A maior parte do seu passado é um mistério. Nem uma investigação tão minuciosa quanto a Operação Mosaico conseguiu determinar quais foram os primeiros caminhos que o levaram ao estrelato do crime. Mas algumas pistas sempre existem. Elas surgem a partir do fim dos anos 60, quando Toninho Turco se envolveu com receptação de cargas roubadas. Ele trabalhava em postos de controle de rodovias do Serviço Fazendário da Guanabara. Em 1972, foi designado "fiscal de barreira". E aproveita o serviço para apreender e vender, por conta própria, mercadorias sem nota fiscal. Juntou dinheiro com isso – e a situação melhorou consideravelmente quando foi nomeado detetive da delegacia de Roubos de Automóveis. Carteira de polícia na mão, ampliou os negócios, organizou quadrilha. E continuou irregularmente com dois empregos no estado: detetive e fiscal. Conseguiu – inclusive – ser promovido a inspetor de rendas, função da qual só foi demitido em 1982, "a bem do serviço público".

Nos anos 80, Toninho Turco já tinha ligações com uma rede internacional de contrabandistas, baseada em Ponta Porã, Mato Grosso do Sul, fronteira com o Paraguai. Seus contatos são com a família Rossatti, uma espécie de Máfia local, eternamente investigada pela Polícia Federal como atravessadora de bebidas e componentes eletrônicos. Ao que tudo indica, Toninho Turco comprava em Ponta Porã e revendia nos subúrbios do Rio. Aos poucos foi montando um sistema de distribuição de bebidas para boates e restaurantes. Depois entrou no negócio de carros roubados. Parece ter sido essa a porta para o tráfico de drogas. Carros roubados eram trocados por armas sofisticadas e cocaína.

Quando a Operação Mosaico se arma contra ele, Toninho Turco é um homem simples, que se veste discretamente e gosta de ficar horas conversando com os amigos. Ele agora está morando em Marechal Hermes, coração da Zona Norte. Foi casado e depois se separou de Georgina Vieira, filha do deputado Antônio Luvizaro, que tinha base eleitoral no bairro. Mete-se na política local, financiando candidatos a deputado e a vereador. Termina elegendo o próprio filho, José Antônio

Nicolau, em 1986. Quando os agentes federais encerram com quatro tiros de metralhadora a carreira de Toninho Turco, uma repórter do *Jornal do Brasil* está presente em todos os lances. Na edição de 11 de fevereiro de 1988, Mônica Freitas escreveu:

> A fortuna de Turco financiou a campanha de seu filho José Antônio, eleito deputado estadual em 86 pelo Partido Liberal, e de outros políticos como o delegado [de polícia] José Aliverti, suplente de deputado pelo PL. Ainda hoje, nas ruas de Marechal Hermes, podem ser vistas placas da campanha de José Antônio, um deputado apagado, ideologicamente indefinido, que no ano passado transferiu-se para o Partido Socialista, para assumir a liderança na Assembléia, onde é o único deputado da legenda.

Toninho Turco, já proprietário de 67 imóveis no Rio – cinqüenta em nome dele e dezessete em nome da mulher – e dono de uma fortuna razoável, tinha um sonho. Queria ser admitido no estreito círculo do jogo do bicho. Vamos recorrer mais uma vez à repórter Mônica Freitas:

> Ligado à contravenção por laços de amizade, Turco seria, pelo que a polícia deduz, o elemento encarregado pelos banqueiros [do jogo] de fazer o tráfico de drogas. Alguns banqueiros estariam financiando o tráfico interno e externo e emprestando dinheiro para os traficantes comprarem grandes quantidades de cocaína, repetindo assim a trajetória de Turco – aplicar dinheiro sujo em negócios sujos. A ligação de Turco com o bicho era reconhecida até mesmo na Assembléia Legislativa, onde José Antônio é apontado como "filho de bicheiro". (...) Um documento reservado das Forças Armadas reforça as suspeitas do envolvimento do bicho no tráfico de drogas, através de Turco. Segundo o relatório, após a morte do ex-policial Mariel Mariscotte de Mattos, em 81, houve uma reunião entre os chefões do bicho, que chegaram à conclusão de que, em pouco tempo, o tráfico de drogas se tornaria perigoso e incontrolável.

Bem, aí está. O mesmo dilema que fez a Máfia siciliana entrar no negócio das drogas. A tese de envolvimento do jogo do bicho com o tráfico de drogas também é defendida no livro *A máfia manda flores* (Global Editora, 1982), dos jornalistas Ernesto Rodrigues e Paulo Markun. Os dois repórteres escreveram sobre o assassinato de Mariel Mariscotte de Mattos e citam o mesmo relatório reservado dos serviços de inteligência das Forças Armadas. Trata-se de uma investigação do Centro de Informações do Exército (Ciex), determinada pelo Conselho de Segurança Nacional. Os oficiais da agência de informações no Rio prepararam um documento com análise de publicações da imprensa e depoimentos de contraventores presos, além de provas de processos na área da Justiça Militar, especialmente envolvendo contrabando de armas. A principal conclusão deste relatório: os banqueiros do bicho acreditam que o tráfico vai dominar o submundo e atrapalhar os negócios do jogo e – portanto – é preciso participar para não perder o terreno.

O objetivo da Operação Mosaico era destruir as ligações do narcotráfico colombiano com os traficantes do Rio – especialmente as ligações do Cartel de Medellín com o Comando Vermelho. As investigações da Polícia Federal revelam que Toninho Turco tinha um intermediário nas negociações com os exportadores: Adolfo Perez, que acertava preço e quantidades com o colombiano Jose Antonio Ramos Lopez. As transações eram tão vultosas que o Cartel de Medellín chegou a entregar drogas em consignação para a quadrilha – Toninho Turco era o único atacadista que comprava fiado. Dois dias antes da Operação Mosaico, em 8 de fevereiro de 1988, os federais prenderam Jose Antonio em São Paulo. Junto com ele, caíram Coracy Vilhena dos Santos e Rodolfo Pereira Justiano, pilotos de avião que traziam a droga, e o sargento da PM paulista Carlos Humberto Alves Pereira. A prisão deles levou o DPF a apreender 221 quilos de cocaína pura. A droga veio da Colômbia e entrou no Brasil através de Cáceres, no Mato Grosso. Seria levada ao Rio pelo boliviano Edgar Dias, que os federais encontraram hospedado numa cidade do litoral paulista.

A conexão do tráfico foi sendo montada peça por peça. No meio do tabuleiro, Toninho Turco surgia como dono de um império Além da cocaína, dominava um importante comércio de ouro e pedras preciosas. Juntem-se a isso o contrabando, a venda ilegal de armas e carros roubados, uma estrutura de sustentação política e de corrupção policial. O mosaico está formado.

FERNANDINHO BEIRA-MAR, encarcerado em Bangu Um. Aparece para os fotógrafos depois da rebelião no presídio, em 11 de setembro de 2002, quando comemorava a queda das "duas torres", numa referência aos atentados ao WTC. "Está tudo dominado", disse, para deixar claro que seus principais adversários estavam neutralizados. A citação ao atentado terrorista da Al-Qaeda estimula a decisão dos americanos de julgar Fernandinho nos Estados Unidos, onde pode pegar prisão perpétua e multa de US$ 10 milhões por tráfico de drogas.

Domingos Peixoto - Agência O Globo

VINTE E NOVE PENITENCIÁRIAS no estado de São Paulo se rebelaram ao mesmo tempo, em 18 de fevereiro de 2001, envolvendo diretamente quase 30 mil prisioneiros. A revolta, ordenada por telefones celulares, foi ditada por apenas cinco homens da liderança do PCC. Esta foi a estréia da organização criminosa paulista que segue os passos do Comando Vermelho.

NAI, CHEFE DO TRÁFICO DE DROGAS no Morro da Mineira, no Rio (abaixado na primeira fila, ao lado do filho, segurando a bola), organizou um time de futebol para divertir a quadrilha e disputar animadas partidas com os times de outras favelas controladas pelo Comando Vermelho.

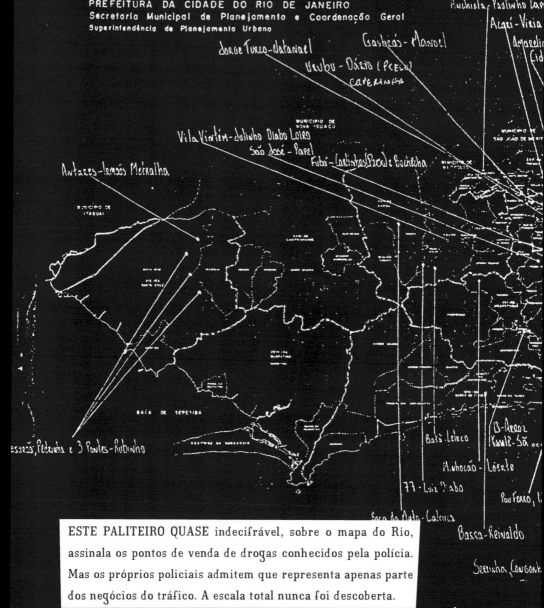

ESTE PALITEIRO QUASE indecifrável, sobre o mapa do Rio, assinala os pontos de venda de drogas conhecidos pela polícia. Mas os próprios policiais admitem que representa apenas parte dos negócios do tráfico. A escala total nunca foi descoberta.

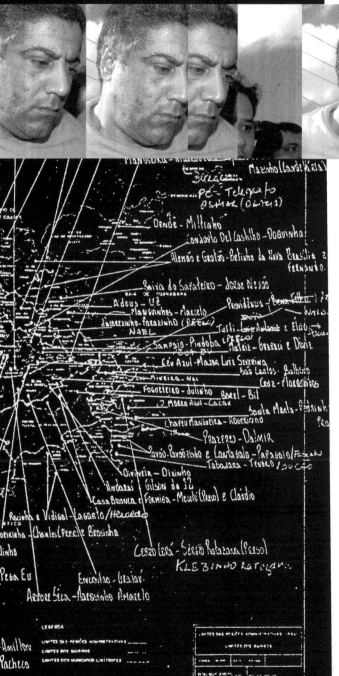

JOSÉ MÁRCIO FELÍCIO, o Geléia, um dos líderes do Primeiro Comando da Capital (PCC), que surgiu, nos anos 90, nos presídios paulistas, hoje jurado de morte por ter "traído" a organização. Os membros do PCC oferecem recompensa pela cabeça do antigo dirigente.
A polícia e as autoridades carcerárias de São Paulo o mantêm em isolamento. Para o resto do grupo, a morte de Geléia é apenas "uma questão de tempo".

NA FAVELA DA GROTA, zona norte do Rio, local em que o jornalista Tim Lopes foi "justiçado" pelo Comando Vermelho, a polícia encontrou um cemitério clandestino onde outras 60 vítimas do tráfico podem ter sido enterradas.

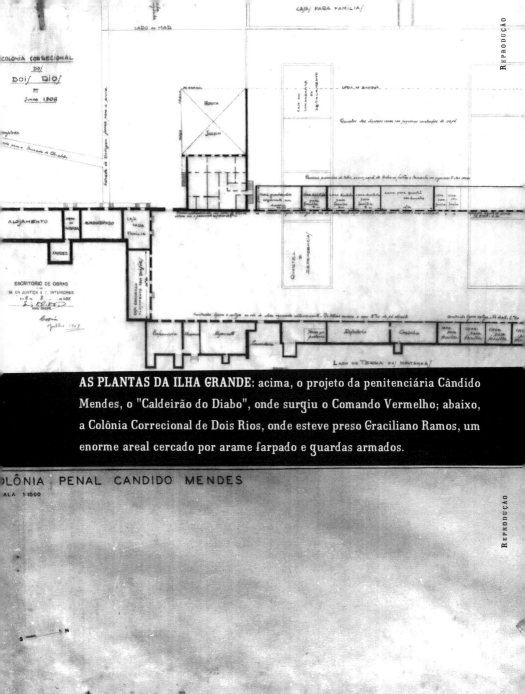

AS PLANTAS DA ILHA GRANDE: acima, o projeto da penitenciária Cândido Mendes, o "Caldeirão do Diabo", onde surgiu o Comando Vermelho; abaixo, a Colônia Correcional de Dois Rios, onde esteve preso Graciliano Ramos, um enorme areal cercado por arame farpado e guardas armados.

A INFÂNCIA POBRE convive, desde cedo, com a presença do crime organizado nas comunidades. Uma presença tão forte que termina gerando uma cultura própria e que se torna fonte de recrutamento de novos "soldados" do tráfico.

DEPOIS DE UMA FUGA espetacular, a bordo de um helicóptero seqüestrado, Escadinha (no centro, de camisa estampada) comemora com amigos e parentes no Morro do Juramento. José Carlos Gregório, o Gordo, que resgatou o amigo do presídio da Ilha Grande (sentado no canto direito, com camisa branca), não esconde o ar de satisfação. Gregório, depois de cumprir várias penas, já em liberdade, foi assassinado por traficantes.

REPRODUÇÃO

MEMBRO DA PRIMEIRA comissão dirigente do Comando Vermelho, Sérgio Mendonça, o Ratazana, chefiou grupos de roubo a banco para financiar a organização. O objetivo principal era comprar a liberdade dos companheiros encarcerados. Ratazana foi um dos mais ousados integrantes do CV.

RONALDO ANTÔNIO Miguel Monteiro, integrante de uma tropa de elite do Exército, vira seqüestrador. Como ele, vários outros militares estão envolvidos com o crime organizado. Eles treinam os "soldados" do CV e desenvolvem sistemas táticos contra os grupos rivais e a polícia. O governo admite, oficialmente, doze casos como esse. Mas pode haver muitos outros.

NESTA CARTA, APREENDIDA pelos órgãos de segurança, traficantes presos pedem ajuda e dinheiro ao "chefão" da favela da Rocinha, que tem o maior movimento de drogas no Rio de Janeiro. A carta saiu do presídio Esmeraldino Bandeira, onde centenas de detentos são integrantes do CV e fazem parte do "coletivo" da organização. A liderança deste grupo é chamada de "Federação".

WILLIAN DA SILVA Lima, o Professor, apontado pela polícia como o fundador do Comando Vermelho. Durante muitos anos, foi o "cérebro" da organização. Depois de passar quase 30 anos preso, está em liberdade provisória. Um dos mais qualificados detentos do país, não deve ser considerado um bandido qualquer.

JOSÉ JORGE SALDANHA, o Zé do Bigode, enfrentou sozinho um cerco de mais de 400 policiais. Resistiu durante onze horas, até ser morto com um tiro de carabina calibre 12. Especializado em roubar bancos, foi um dos primeiros líderes do CV. Morava justamente no Conjunto Habitacional dos Bancários, onde obtinha informações e planejava seus crimes.

MARCINHO VP, TRAFICANTE que cultivou amigos e namoradas entre a elite da zona sul do Rio, terminou assassinado no Complexo Penitenciário de Bangu. Foi enforcado e seu corpo foi encontrado na lata de lixo da cadeia. Uma semana antes de morrer, Marcinho VP recebeu um bilhete, supostamente enviado pelos chefes do Comando Vermelho: "Cala essa boca. Você está querendo aparecer demais."

2

TRÊS E MEIA DA MANHÃ. Os homens da Operação Mosaico deixam o quartel da Brigada de Pára-quedistas. Os portões protegidos por sentinelas se abrem para deixar passar os grupos armados que vão atacar simultaneamente 38 alvos diferentes, espalhados pela Zona Norte do Rio e Baixada Fluminense. Acaba a quarentena dos trezentos policiais que foram trancados ali para "evitar vazamento de informações". E não é para menos: dezenas de policiais civis, soldados e até oficiais da Polícia Militar estão na folha de pagamento de Toninho Turco O então secretário de Polícia Civil do estado, Hélio Saboya, não foi comunicado – e só recebeu informações duas horas antes do ataque dos federais. (Em 1995, num encontro com Hélio Saboya, ele me garantiu que conhecia os detalhes da operação.) O comandante-geral da PM, coronel Manoel Elysio dos Santos Filho, soube apenas que "algo ia acontecer". A delegacia policial de Marechal Hermes e o 9° Batalhão da PM, que atendem à área onde estão trinta dos 38 alvos, foram completamente deixados de lado. Dias depois, o senador Romeu Tuma, à época diretor-geral da Polícia Federal, diria:

– O sigilo foi porque a quadrilha tinha muitos traficantes infiltrados dentro da polícia.

A ligação entre o traficante e a polícia é muito antiga, desde o tempo em que ele mesmo era detetive. A repórter Mônica Freitas foi quem mais bem reconstituiu a vida de Toninho Turco. Vamos voltar à mesma reportagem do *Jornal do Brasil*:

(...) No segundo semestre de 87, policiais civis prenderam Turco em flagrante, com cocaína, junto com o ex-agente federal João César Rodrigues, o João Fofão, condenado por extorsão e que, para a justiça, deveria estar cumprindo pena na Prisão Especial do Ponto Zero, em Benfica. Os dois ofereceram aos policiais um milhão e 600 mil e foram liberados sem qualquer registro. (...) Em 7 de dezembro, um grupo de policiais civis teria tentado fazer uma mineira [extorsão] em Marechal Hermes. Foram cercados por homens ligados a Turco, que reagiram e chegaram à agressão física. (...) Em 20 de janeiro de 88, uma equipe da Delegacia de Vigilância Norte prendeu três homens no estacionamento da rua Sirici, 44, de propriedade de Turco, em meio a uma venda de dois quilos de cocaína. (...) Os presos foram liberados.

Não é para menos. A quadrilha de Toninho Turco tinha 96 homens – mais de sessenta eram policiais e ex-policiais. Gente da PM e do Exército também fazia parte da gangue. Vinha daí a munição para as armas de guerra importadas que protegiam os negócios do tráfico. A 10ª Auditoria do Exército abriu dois inquéritos para apurar roubo de balas de fuzil e metralhadoras, Mais de onze mil projéteis de 9 milímetros e de 7.62 sumiram misteriosamente de dois quartéis. Além disso, a quadrilha dispunha de equipamento para fabricar munição e recarregar cartuchos deflagrados.

Agora são quatro e meia da manhã do último dia da vida de Toninho Turco. Até este momento, a ação policial está mantida sob sigilo – milagrosamente. Os grupos que saíram do quartel da Brigada de Pára-quedistas seguem rumos diferentes. Uma freqüência especial de rádio permite que se comuniquem sem serem ouvidos nos canais normais da polícia. Mesmo assim, mantêm um silêncio hollywoodiano. Quando o dia começa a clarear, o delegado Cláudio Barrouin embarca com outros quatro agentes num helicóptero militar. Ficam ali sentados, pacientemente, porque a operação obedece a um planejamento de relojoeiro suíço. Os alvos têm que ser atacados simultaneamente, para que não soe o alarme telefônico.

248   CV_PCC A IRMANDADE DO CRIME

Cinco e quarenta da manhã. Onze agentes federais atacam ao mesmo tempo vários dos "estabelecimentos" de Toninho Turco nas ruas Sirici e Latife Luvizaro, em Marechal Hermes. As portas são arrombadas com pés-de-cabra e à força de boas botinadas. O primeiro alvo é a Imobiliária Roberta (ou Roberta Imóveis). A barulheira provocada pelos federais leva alguns moradores da rua a chamar a polícia. Pior: os federais não encontram drogas, apenas documentos de contabilidade e listas e mais listas de nomes, provavelmente os fregueses da quadrilha. No primeiro *round*, a Operação Mosaico parece que vai fracassar. Todas as investigações anteriores concluíram que ali deveriam funcionar pontos de venda de cocaína por atacado. Fica no ar a suspeita de que "vazou informação". O delegado Pedro Luiz Berwanger tem um acesso de raiva. E ainda tem o desprazer de expulsar dali duas patrulhas do 9º BPM que acudiram aos telefonemas dos aflitos moradores da rua.

Ali perto, na rua Aurélio Valporto, outra equipe de agentes federais arromba uma sapataria do irmão de Toninho, Mussi José Nicolau, que tinha sido preso em casa minutos antes. Em outros locais, todos próximos, a polícia usou explosivos para arrombar portas de ferro. Quase todos os pontos de venda de drogas foram invadidos. Muita gente foi presa – mas nada de cocaína. Só apareciam documentos e mais documentos ligados ao tráfico de drogas. Mais tarde, fazendo o balanço da Operação Mosaico, o DPF precisou usar computadores para cruzar informações referentes a 2.600 pessoas envolvidas com os traficantes. Entre elas, mais de cinqüenta homens da Polícia Militar.

Os minutos pingam no conta-gotas da Operação Mosaico. De repente, estala um tiroteio na rua Jurubaíba, onde funciona o Ginásio Antônio José Nicolau. Finalmente, os federais chegam a quem interessa. O responsável na quadrilha pela venda de cocaína por atacado, um ex-detetive chamado Osmar Severino Ribeiro, o Jorge Negão, acorda com a tremenda explosão de uma bomba. O portão do ginásio de esportes é jogado a metros de distância. Negão pula da cama com uma 45 na mão. E leva no peito uma rajada de metralhadora que quase o divide ao meio. É o primeiro morto da manhã de 10 de fevereiro de 1988. Os policiais encontram cocaína, maconha e máquinas de videopôquer

Em outro ponto da Zona Norte do Rio, o major Paulo César, do COE, cerca a casa onde mora o chefe da segurança de Toninho Turco. Avisado por um telefonema – exemplo típico de "vazamento" –, o tenente PM Edson Luís Fonseca Pinto escapa. Deixa para trás documentos e extratos de contas bancárias que o incriminam com os traficantes. Outro fracasso: no município de Nilópolis, a vinte quilômetros do centro da confusão, a segunda equipe do COE também não consegue encontrar o ex-tenente PM Luiz Paulo Ferreira Medrado. Outro "vazamento"? O fato é que este tinha importância decisiva, porque comandava a rede de destilarias de cocaína do bando e era o responsável pelo transporte da droga que vinha da Colômbia através dos estados de Mato Grosso e São Paulo.

Os homens do COE e o próprio major Paulo César se empenharam honestamente em destruir a quadrilha e prender os militares ligados ao tráfico. Mas vida de cana é assim mesmo – muitas noites sem dormir e pouco a escrever nos relatórios.

3

Cinco para as seis da manhã. Agora é a vez do alvo principal. O helicóptero que traz o grupo comandado pelo delegado Cláudio Barrouin se aproxima do telhado da casa de Toninho Turco. Casa, não. Aquilo é uma fortaleza de três andares, na rua Belize, 31. Tem muros altos e passagens secretas. O quartel-general do tráfico tem ligações com outras três edificações. Os policiais desembarcam no terraço – do lado de fora, outros dez cercam rapidamente a casa. Alguns escalam as paredes. Outros tentam arrombar os portões. Lá em cima, Barrouin e seus companheiros fracassam na tentativa de entrar. Tudo ali é muito sólido. A obra previu exatamente um cerco e uma invasão. Como um senhor feudal, Toninho Turco estava preparado para uma luta prolongada. Mas não é assim que as coisas vão se passar. Ele vai morrer nos próximos quinze minutos.

Enquanto os agentes federais procuram arrombar as portas – chegam a dar pontapés, no máximo da improvisação –, Toninho Turco sai do quarto armado com uma pistola. Vai para a sala envidraçada da mansão e abre fogo contra os policiais. O que será que estava na cabeça dele quando atirou? Pode ter acreditado que era um ataque de quadrilhas rivais. Ou uma vingança. Uma disputa pelo controle das rotas internacionais. Tudo – menos a polícia. Toninho Turco sempre se sentiu imune à lei. Toda a experiência dele demonstra que uma boa grana resolve esses problemas. Mas os federais não estão para brincadeira. No bolso do delegado Barrouin está um mandado de prisão expedido pela justiça.

Toninho Turco dispara furiosamente com a pistola. Até que uma das grandes janelas da sala tem o vidro completamente destruído. Só aí é que os policiais conseguem ver o traficante. O sol, refletido na vidraça, prejudicava a visão. A resposta é imediata. Os federais mandam uma chuva de balas para dentro da casa. Tiros de pistola e metralhadoras. O "rei do pó" é atingido quatro vezes. Está liquidado. Mas não morre imediatamente. Fica no chão da sala, depois de cair sobre uma mesinha de centro. Um dos agentes federais entra e chuta a pistola. Desarmado, sangrando pelo peito e pescoço, Toninho Turco só consegue murmurar: "Ai, mamãe. Ai, papai."

Às seis e vinte da manhã, embrulhado num lençol, o traficante é levado para o Hospital Carlos Chagas. Chega dez minutos depois. Morto. Veste apenas uma calça de pijama manchada de sangue. O corpo fica numa maca de alumínio, esperando a chegada do rabecão. Preenchida às pressas, a ficha de entrada do traficante no hospital informa apenas: "Homem branco, aparentando cinqüenta anos, baleado." Nenhum dos funcionários do Carlos Chagas se dispôs a identificar o homem mais famoso do bairro.

– Toninho Turco está morto, bola pra frente!

A ordem dos chefes da Operação Mosaico agora é virar de cabeça para baixo a luxuosa mansão do traficante. Os agentes federais ainda são obrigados a arrombar cinco portas de ferro com cadeados. Em poucas horas, no entanto, a fortaleza se torna íntima dos policiais. Já conhecem todos os cômodos e num deles – o escritório do traficante – descobrem uma mina de informações. Disquetes de computador com toda a contabilidade do bando. É um prato cheio para os analistas do DPF. Somados aos depoimentos dos presos, os disquetes contam toda a história dos negócios com a cocaína. O inquérito da Polícia Federal – IPL.09/88 – vai indiciar 85 pessoas. Entre elas estão vários homens da comissão dirigente do Comando Vermelho: Escadinha, Paulo Maluco, Cy de Acari, além de gerentes de vários morros controlados pela organização. Os resultados da ação policial ocupam hoje 41 pastas de documentos à disposição da Justiça, todas classificadas como "confidencial e reservado à autoridade competente".

Em setembro de 1992, uma pessoa com acesso aos agentes federais me conseguiu uma cópia do relatório final da investigação. Sabia que eu iria utilizar o documento nesta reportagem e só me fez um pedido:

252   CV_PCC *A IRMANDADE DO CRIME*

– Por favor, nunca diga quem foi que lhe deu isso.

Concordar com essa condição era mais do que justo – era um dever profissional. O relatório da Operação Mosaico é mesmo estarrecedor. A leitura das noventa páginas surpreende o mais cético dos mortais. Até um juiz de pedra ficaria impressionado com os detalhes. Na introdução, imediatamente depois da chamada "qualificação aos costumes", os delegados federais apresentam uma justificativa para as acusações:

> (...) com ajuda de um computador, foram listados cerca de dois mil nomes que aparecem entre a documentação [apreendida] e, bem assim, relacionados cerca de seiscentos nomes no que denominamos "contabilidade". (...) Trata-se de diversas anotações com nomes e valores, que foram apreendidas entre os pertences de Antônio José Nicolau e em poder de Júlio Luiz Lopes Rodrigues (o braço-direito de Toninho Turco) e Ilma Ramos de Moraes, amante do falecido Toninho Turco.

Só mesmo usando computador o traficante poderia controlar um negócio envolvendo tanta gente. E só na base da informática a polícia poderia listar todo mundo e checar as ligações entre cada acusado. Nos disquetes há intermediários do tráfico que são indicados apenas por uma letra do nome. Foi com um software para rastrear as coincidências de nomes e apelidos que o DPF conseguiu classificar todos os implicados. Em outro ponto do relatório, a Polícia Federal confirma:

> (...) não restam dúvidas de que Antônio José Nicolau comandava o maior e mais importante ponto distribuidor de drogas por atacado na cidade do Rio de Janeiro, conforme a exuberante prova contida na documentação apreendida. (...) Tanto isso é verdade que, pela análise da contabilidade, cujos documentos se encontram xerocopiados, constata-se um movimento financeiro de fazer inveja ao orçamento de muitos municípios brasileiros.

As conclusões das investigações mostram que a quadrilha detinha o monopólio da distribuição de cocaína, algo em torno de sessenta por cento de tudo que chegava às favelas. Mais uma parte do relatório:

(...) todos apontam Antônio José Nicolau como o "poderoso chefão", dono de um movimento de drogas que abastecia, além de Marechal Hermes, nada menos do que 31 morros e favelas desta cidade. (...) Tal movimento chegava a fechar nos fins de semana uma vultosa soma que ultrapassava a casa dos 100 milhões de cruzeiros.

Esse movimento representa 425 mil dólares só aos sábados e domingos. Ou a venda de 42,5 quilos de cocaína. A última frase da introdução do relatório do DPF garante:

(...) de fato, Antônio José Nicolau, dirigindo seu império do mal, tinha à sua volta um verdadeiro exército de delinqüentes.

Os federais descobriram também que a quadrilha, com esse incrível faturamento de quase 2 milhões de dólares por mês, gastava a bagatela de 400 mil dólares com proteção policial, salários e verbas destinadas à corrupção em geral. Perto de um milhão de dólares era reinvestido na compra de coca colombiana.

A Operação Mosaico foi uma das maiores vitórias da polícia na luta contra o crime organizado no Rio de Janeiro. As rotas de entrada da cocaína ficaram paralisadas por algum tempo, provocando alta imediata do preço ao consumidor. Gerou a maior crise de abastecimento daqueles anos. E foi um dos mais duros golpes já sofridos pelo Comando Vermelho. Apesar de o estoque regulador de cocaína nos pontos de venda ser de aproximadamente duas toneladas. Mais ou menos vinte quilos em cada uma das áreas de distribuição espalhadas pela cidade. Toda vez que a lei consegue causar prejuízos à venda de entorpecentes, os traficantes tiram partido disso, inflacionando o custo dos papelotes.

– Os homens tão com tudo, o papel tá em alta!

Essa é uma conhecida expressão no mundo do crime. Indica que a polícia está apertando. É o tormento dos usuários da cocaína. Se a subida dos preços é muito forte, alguns fornecedores abrem os cadernos de anotação para vendas a prazo. A droga pode ser paga a prestação. Tem gente que consegue levar a "branquinha" fiado. Mas, na hora do acerto de contas, vale a cotação do dia do pagamento. Aí o "avião" – ou o próprio consumidor – percebe que a grana não dá. Muitos já morreram por isso. "Dar um banho" no crime organizado é encomendar a alma.

Os danos causados pela Operação Mosaico estrangularam o abastecimento durante quase dois meses. O Comando Vermelho recorreu a fornecedores alternativos. Mas a coisa esteve feia. Só não foi pior do que o Plano Collor, que confiscou o dinheiro do tráfico de drogas aplicado no mercado financeiro. O "enxugamento do meio circulante", planejado pela ministra Zélia Cardoso de Mello, "enxugou" a caixa da organização. Fico aqui imaginando a perplexidade dos chefões do tráfico quando descobriram que não podiam movimentar o dinheiro que estava nos bancos. Os problemas decorrentes da medida governamental são óbvios. Como fazer frente aos "compromissos do mercado"?

O tráfico de drogas tinha contas fantasmas nos bancos muito antes de estourar o escândalo das empresas de Paulo César Farias, que acabou derrubando o presidente Fernando Collor. (Provavelmente por causa disso, PC foi assassinado anos mais tarde.) Essas contas fantasmas eram abertas de modo simples e rápido, com documentos falsos, roubados ou de pessoas mortas. Através desses "correntistas" na rede bancária privada, os traficantes faziam negócios de *open market* e investimentos nos fundos de ações. Além – é claro – da tradicional poupança. Pelo menos uma dessas contas fantasmas foi localizada durante a Operação Mosaico.

Quando Mussi José Nicolau, irmão de Toninho Turco, foi preso, a Polícia Federal encontrou com ele uma grande quantidade de dólares e documentos relacionados com a contabilidade do bando de Marechal Hermes. Entre as provas estava um extrato da conta 437707 do Banco

Nacional. (Esta sólida banca, uma década depois, faliu. O espólio foi comprado pelo Unibanco e os antigos dirigentes do Nacional ainda tentam escapar da condenação que pode levá-los à cadeia pública. Se acontecer, será a primeira vez na história do país.) A conta foi aberta em nome de Samuel de Oliveira Reis, utilizando o CIC número 35678827-2, que um dia pertenceu a uma terceira pessoa, Wagner Antônio Modesto. A conta, bloqueada por ordem judicial, era movimentada pelo irmão do traficante. Quer dizer: entrava dinheiro sujo das drogas – saía dinheiro limpo dos investimentos no mercado de capitais A investigação policial afastou qualquer possibilidade de envolvimento dos funcionários da agência do banco em Marechal Hermes. Foi tudo obra da criatividade dos chefões do tráfico. Assim como esta, outras centenas de contas são operadas por "fantasmas".

É por essas e outras que existe um mercado paralelo de documentos roubados. Assaltantes especializados em conseguir cartões de crédito, carteiras de identidade e o famoso CIC. Mas – se isso não existisse – um método muito mais corriqueiro permite a qualquer bandido se tornar legalmente outra pessoa. Vou explicar: alguém perde um documento num ônibus, nos trens ou nas barcas e durante algum tempo a carteira do infeliz é guardada num depósito da companhia de transportes, até ser entregue à polícia – é aí, antes que chegue à polícia, que o esperto vai buscar uma nova identidade. A favor do bandido está a tradicional falta de paciência do brasileiro, que não se dá o trabalho de ficar olhando enquanto o cara procura, num monte de "achados e perdidos", o documento de que lhe é mais conveniente. Alguém parecido fisicamente, alguma foto muito desbotada, algum documento que não tenha foto – como o CIC, que é fundamental para abrir conta bancária.

Outro método: se você consegue comprar uma certidão de nascimento em branco, pode se transformar em qualquer outra pessoa. E nada mais fácil do que mandar imprimir uma folha de cartório e preencher depois. (Existem substâncias que promovem o envelhecimento artificial do papel – e os modernos computadores, com os seus Photo Shop, completam o serviço.) A certidão de nascimento é o primeiro documento de que uma pessoa precisa para tirar os demais, sendo mais fácil a carteira de trabalho. Em seguida, com uma certidão e uma carteira de trabalho, você vai tirando oficialmente os outros, até chegar ao CIC. Chegando ao CIC, os bancos lhe abrem as portas. Principalmente se vai abrir uma conta nova com alguns milhões a título de primeiro depósito. Para burlar a exigência de referências bancárias, os documentos são confeccionados como se procedessem de uma pequena cidade do interior. Quando eu acabava de escrever este livro, o repórter Carlos Dornelles exibiu no *Fantástico*, programa jornalístico da TV Globo, uma reportagem mostrando como abrir uma empresa fantasma usando apenas a carteira de identidade falsa, que ele preencheu com o nome de Gaspar Farias Júnior – o mais famoso fantasma das histórias em quadrinhos misturado com PC Farias. Se foi fácil para o repórter, o que dizer do bandido profissional?

A Polícia Federal já recorreu ao Banco Central para tentar localizar os "correntistas fantasmas" do crime organizado. Mas até agora não surgiram informações que permitissem uma solução definitiva para o problema. Mesmo que isso acontecesse, nada impediria os traficantes de fazer investimentos em dólar e através de pessoas acima de qualquer suspeita, gente do meio empresarial que concorda em intermediar essas aplicações, mediante justa remuneração – é claro. Outra saída é aplicar o dinheiro nos negócios legais dos grandes traficantes internacionais, como hotéis, boates e cassinos nos paraísos fiscais das ilhas Caimãs ou das Bahamas. As investigações da Receita Federal e do Ministério Público já listaram muita gente ligada ao mundo das finanças como suspeita de fazer operações ilegais nos paraísos fiscais. Mas é difícil avançar – até porque o próprio sistema bancário internacional dificulta o jogo.

Quando o Banco Central começou a liberar os dinheiro de investimento e poupança confiscado pelo Plano Collor, em março de 1990, os técnicos da Receita ficaram de olhos bem abertos para pegar sonegadores. Eles queriam saber quem iria sacar o dinheiro que estava nos extintos títulos ao portador dos fundos de curto prazo. Para retirar os recursos, o investidor teria que demonstrar renda ou pagar imposto na hora do saque. Os fiscais ficaram cansados de tanto esperar. Um ano depois, uma extraordinária soma de 60 milhões de dólares estava abandonada no Banco Central. Ninguém aparecia para reclamar essa fortuna. No dia 9 de janeiro de 1991, a *Folha de S. Paulo* publica reportagem de Elvira Lobato, que trata exatamente desses misteriosos investimentos não reclamados:

> Segundo o Banco Central, os donos do dinheiro não se apresentaram nas instituições financeiras para assumir a posse desses recursos. O governo presume que são fruto de atividades ilícitas, como a corrupção, tráfico de drogas e seqüestros.

A imaginação criminosa é tão fértil que muitos líderes do Comando Vermelho e das outras facções criminosas estão entrando por conta própria no ramo bancário, à margem da lei. Criaram as suas próprias "cadernetas de poupança" nas favelas. O morador coloca as economias na mão deles e recebe juros e correção monetária meio por cento acima do mercado oficial. Tudo fica anotado no caderninho do gerente da boca. E o "investidor" pode sacar a qualquer momento, mesmo nos dias santos e feriados, sem precisar sair da favela. É ou não é um bom negócio? A imaginação criminosa aproveita todas as possibilidades de reforçar o caixa das organizações. E o modesto investidor, ainda por cima, não se sente envolvido diretamente com o crime. É apenas uma forma de ganhar um trocado a mais sem sujar as mãos – desde que seja possível não lembrar onde o dinheiro será aplicado.

TERCEIRA PARTE: *A INDÚSTRIA DO CRIME*

❝(...) e por termos realizado uma profunda reflexão autocrítica, que abarca aspectos políticos e humanos, considero um grave erro a ação desenvolvida por nós no final de 1989.❞

(A frase é do ex-guerrilheiro argentino Eduardo Paz, que em dezembro daquele ano comandou, em São Paulo, o seqüestro do empresário Abílio Diniz, dono do Grupo Pão de Açúcar de supermercados, um dos maiores do país. Preso e condenado com outros nove homens e mulheres, terminou beneficiado por um indulto especial. Doze anos depois, outra ação ligada a extintas organizações da luta armada latino-americanas levou para o cativeiro, também em São Paulo, o publicitário Washington Olivetto.)

DO MESMO LADO DA CERCA!

1

AS ORIGENS DO Comando Vermelho estão, de certa forma, associadas à luta política. Já conhecemos a história de presos comuns que se organizaram a partir do contato com a esquerda aprisionada, durante os períodos de exceção. Os revolucionários, possivelmente, não pretenderam ensinar criminosos a fazer guerrilhas. Em muitos anos de pesquisas, nunca encontrei indício claro de que houvesse uma intenção – menos ainda uma estratégia – para envolver o crime na luta de classes. Mesmo assim, a experiência do confronto armado contra o regime militar e do método de construção dos grupos militantes – transferida pelo convívio nas cadeias – foi o ensinamento que faltava para o salto de qualidade rumo ao crime organizado. A severa crise econômica dos anos 74/84 criou uma legião de desempregados e párias. As condições do encarceramento pioraram de maneira evidente. A superlotação de penitenciárias e delegacias, verdadeiros depósitos de seres humanos, é um dado que não pode ser esquecido. Mais ainda: infância favelada – sem escola e sem família, totalmente abandonada – virou força de trabalho para o banditismo, especialmente porque as leis brasileiras favorecem o uso de crianças e adolescentes na atividade criminal. Ainda que esquecendo os ensinamentos transferidos pela esquerda, resultado de convívio especial entre presos políticos e marginais, a situação do país já teria esquentado o caldo social necessário para o enraizamento do crime organizado.

Há também o exemplo oposto. Comunistas e libertários foram levados ao crime. Clandestinos, perseguidos de perto pela fúria da repressão, isolados socialmente, impedidos de encontrar o amparo das famílias, alguns deles escorregaram para o banditismo. Mesmo depois da anistia a todos os presos políticos. São casos dolorosos. Gente que sonhava com uma sociedade mais justa, livre e solidária cai no individualismo extremo da criminalidade. Foi o que aconteceu com o gráfico Adilson Ferreira da Silva, homem de confiança de Carlos Marighela, com treinamento de guerrilhas em Cuba, e que acabou como ladrão em São Paulo.

Na quarta-feira 18 de janeiro de 1978, o corretor de imóveis italiano Michelli Masseli estaciona o carro em frente ao escritório, no Jardim América, quando é abordado por um assaltante. O homem quer o carro, mas o corretor reage. Ele salta, deixa cair as chaves no chão, e o ladrão se descuida. Um segundo de distração. Tempo suficiente para que o italiano agarre a mão que empunha o 38. Os dois se embolam. Socos, palavrões, gritos. Mas o assaltante tem uma segunda arma na cintura, sob a camisa. Puxa o revólver e atira na perna de Masseli. Nem assim o corretor desiste. A luta já dura mais de cinco minutos. Tem muita gente olhando sem interferir. Agora o italiano arranca a segunda arma do assaltante e atira. Chega a polícia. Vai todo mundo para o 4º Distrito Policial da capital paulista.

Para o delegado Benedito José Pacheco, apesar de toda a confusão, aquela é uma ocorrência de rotina. Um ladrão avulso. Uma vítima ferida sem gravidade. Nada de impressionar. O policial nem imagina a surpresa que o espera durante o interrogatório do assaltante. Para começo de conversa, o bandido usa uma carteira de identidade autêntica. E diz que é um "ativista político". O delegado quase cai da cadeira. Manda um telex para a Divisão de Capturas e outro para o Departamento de Ordem Política e Social (DEOPS). Em poucos minutos, a resposta surpreendente: Adilson Ferreira da Silva, condenado a dezoito anos de prisão pela Justiça Militar, "terrorista perigoso", integrante da Vanguarda Armada Revolucionária Palmares, codinomes Ari, Miguel, Oswaldo e Nestor.

O delegado despacha imediatamente uma equipe para o endereço de Adilson. O Hotel Vitória é uma daquelas espeluncas no Brás. Não demora muito e os policiais telefonam de lá para o 4º Distrito. Encontraram

264 CV_PCC *A IRMANDADE DO CRIME*

uma metralhadora INA-45, uma pistola Colt do Exército americano, muita munição, placas e documentos frios. Duas horas mais tarde, Oswaldo já está no DEOPS, que expede um telex à justiça e outro ao general Dilermando Monteiro, à época o comandante militar da região Sudeste. Os arquivos da guerrilha urbana em São Paulo são reabertos, exumando a ficha de Adilson Ferreira da Silva.

Ele nasceu na cidade de Cosmorama, interior do estado. Em 1963, obtém uma bolsa de estudos na Universidade da Amizade dos Povos Patrice Lumumba, na União Soviética. Passa dois anos lá, recebe instrução política, estuda o marxismo. Em 1967, já está na Cuba revolucionária. Faz um curso de especialização em problemas latino-americanos, em Havana. E recebe adestramento para guerrilhas no campo de Sierra Maestra. Nestor, apelido que o brasileiro usa no momento, anda pela mesma trilha em que Fidel Castro e Che Guevara deixaram a marca da insurreição camponesa. Em Cuba, nosso guerrilheiro conhece Carlos Marighela, dissidente do Partido Comunista Brasileiro (PCB) que vai começar a luta armada em larga escala no Brasil. Ari, já mudando de nome, entra para a Aliança Libertadora Nacional (ALN) e volta a São Paulo. Em 23 de julho de 1969, comanda quinze homens na invasão do Bradesco no bairro de Perdizes. Em 1970, conhecido como Miguel, "racha" com a organização e assume um cargo dirigente no Comando Regional-SP da VAR-Palmares, presidindo as reuniões que se realizam em São Bernardo do Campo. É preso, cumpre dois anos de detenção. Sai da cadeia em 28 de fevereiro de 1972. Acusado de novas ações armadas, é o segundo da lista dos mais procurados pela repressão em São Paulo. Desaparece – e só vai ser localizado depois do desastrado assalto contra o corretor de imóveis.

Oswaldo – nem se sabe quantos nomes tem – revela aos policiais que não pretende reorganizar nenhum grupo terrorista. Diz que passou fome, perdeu todos os contatos com os antigos companheiros e não teve outra saída. Confessa três assaltos e jura que está tentando juntar dinheiro para deixar o país. O ex-guerrilheiro ainda vai dar à polícia paulista

A INDÚSTRIA DO CRIME   *265*

outro grande susto. Ele entrega dois ex-companheiros, os operários meta-lúrgicos David Gongora e Amandio dos Santos. Depois, cai também o médico Roberto Zats. Os três estão afastados da luta política, mas são presos e processados. No fim do mês de fevereiro de 1978, o assaltante revela o local onde está enterrado o último arsenal da guerrilha urbana no Brasil. Soldados do Exército cercam uma rua na Zona Oeste da capital paulista. Num terreno baldio, encontram as armas escondidas. São treze revólveres, três pistolas, duas carabinas e o fuzil FAL-7.62, número de série 105186, que tinha sido roubado de um quartel pelo capitão Carlos Lamarca, o líder da Vanguarda Popular Revolucionária (VPR). As armas estão em perfeito estado, embrulhadas em plásticos e jornais, lubrificadas e prontas para serem usadas novamente.

Em julho de 1978, diante do juiz da 2ª Circunscrição Judiciária Militar, nosso herói caído declara que foi torturado, mas assegura que não tem raiva de seus algozes. Lê uma carta ao tribunal. Um trecho salta aos olhos:

> Durante quase um terço da minha vida, vivi no medo, na fuga, na ilegalidade, alvo de intensas e constantes ameaças, sob a mais irresistível coação para delinqüir.

E delinqüiu mesmo. Crime comum. Assalto. Desespero. A história de Adilson Ferreira da Silva é quase um roteiro de cinema. Parece ficção. Mas ele não foi o único militante de esquerda a entrar para o crime. Um caso ainda mais preocupante é o que envolve um militante do velho PCB e do PC do B.

Juarez Senna nasceu em Jequié, no ano de 1942. É uma cidade do sertão da Bahia, a trezentos e poucos quilômetros de Salvador, terra de lavoura e gado de corte. Cursou o primário no Senac, e o ginasial, incompleto, no Colégio Estadual de Jequié. Na cidade vive também um estudante chamado Roberto Martins. Aí pelo ano de 1959, ele é o secretário do Partido Comunista Brasileiro (PCB) junto ao movimento secundarista. Pelas mãos de Roberto, o nosso Juarez Senna entra para o "partidão". A célula do PCB reúne também Manuel Santos e outros quatro rapazes, todos de uns vinte anos, conhecidos só pelo primeiro nome: Otto, Ailon, Sardinha e Ciro.

A base de atuação do grupo é na Associação Jequiense de Estudantes Secundaristas (AJES), famosa por se insurgir contra o aumento das mensalidades e por defender a reforma agrária. Além desses temas delicados para a época, o grupo faz mais: cumpre tarefas de propaganda do partido, distribui panfletos, picha os muros de uma cidade quase esquecida. Há encontros de doutrinação política, onde se discute o conteúdo dos folhetos distribuídos na zona rural e nas escolas. A linha política dos comunistas é levada aos estudantes baianos através dos artigos do jornal do PCB, o clandestino *A Classe Operária*.

É um tempo de fermentação ideológica. Começa a fase decisiva da revolução cubana – Fidel e seus companheiros estão a um passo do poder, depois que a guerrilha castrista ocupou a estratégica cidade de Santa Clara. Che Guevara e Camilo Cienfuegos são heróis continentais. Do outro lado do mundo, os movimentos de libertação nacional crescem na África e na Indochina, onde o exército irregular de Ho Chi Min impõe dolorosas derrotas ao colonizador francês. Entre os comunistas brasileiros, a discussão adquire tons dramáticos naquele período. A linha política do PCB é questionada, considerada atrasada e direitista. Estamos a dois anos do maior "racha" da história do PCB, que vai dar origem ao Partido Comunista do Brasil (PC do B), muito mais radical e com inclinações para a luta armada.

Os garotos de Jequié sobrevivem ao "racha" de 1961 sem aderir ao novo PC do B, que consideram "ultra-esquerdista", uma expressão que encontram nos furiosos editoriais da imprensa do PCB. Mas são surpreendidos pelo golpe de 64. Surpreendidos mesmo, porque o Comitê Central do partido, liderado por Luis Carlos Prestes, acabava de publicar um longo artigo no jornal *A Voz Operária* (mudou de nome depois da dissidência) dizendo que "as tentativas golpistas são uma ilusão da burguesia". Confiam na orientação do PCB – e são apanhados pela forte repressão que o movimento militar detona na Bahia. Manuel Santos, Roberto Martins e Ciro caem em novembro de 64. Juarez Senna, conhecidíssimo pela militância estudantil, é obrigado a fugir. Consegue dinheiro com a família e vai para o Rio de Janeiro. Chega meio atordoado à cidade grande. Passa uma noite no Hotel Mem de Sá, centro da prostituição no bairro boêmio da Lapa. Fica frente a frente com as mazelas do capitalismo que aprendeu a detestar. Mas é socorrido pelo irmão Jurandir, que mora num pequeno apartamento na Glória. Passa um mês com ele, até o Ano-Novo de 1965.

Ano novo, vida nova. Juarez consegue emprego como vendedor de material de construção da Elmat, no subúrbio de Ramos. Ganha pouco, mas é o suficiente para alugar uma vaga na rua Moraes e Valle. Está de volta à Lapa. É nessa época que vai freqüentar o restaurante do Calabouço, no centro da cidade, ponto de encontro da nata da esquerda estudantil. Conhece João Valle, vendedor de livros da Editora Sul América, que o ajuda a trocar de emprego. Agora também vende livros, lê bastante, melhora a bagagem cultural. Vai tocando uma vidinha pequena porém organizada. Até que, em 1966, se matricula no curso supletivo que funciona no Calabouço. A escola é mantida por universitários pobres, que conseguem defender uns trocados dando aulas para gente mais pobre do que eles. O supletivo, no entanto, é também um pólo de recrutamento para as organizações de esquerda que tomam forma naqueles anos rebeldes.

Juarez Senna freqüenta os comícios quase diários do Calabouço. E conhece muitos dos mais importantes ativistas da época. Entre eles estão Elionor Mendes de Brito, Dirceu Régis Ribeiro, Ubaldo de Brito e um certo Heru. Mais tarde, Juarez descobre que Heru é na verdade Luís Antônio de Medeiros, que vai se tornar presidente do Sindicato dos Metalúrgicos de São Paulo, depois da Força Sindical, depois parlamentar. No dia 2 de outubro de 1966, Juarez é preso num protesto de estudantes na Cinelândia. Ele e Alberto Teixeira são um alvo fácil para a tropa de choque da PM, porque estão acompanhando um militante paralítico, Paulo César de Azevedo. A polícia não ia deixar passar um manifestante numa cadeira de rodas. Juarez é processado – e absolvido. Mas fica doente – tem uma pleurite – e decide voltar para Jequié. Trata-se, revê os amigos da terrinha e volta à atividade política local, quase no mesmo ponto em que a deixou dois anos antes.

Os velhos companheiros estão no PC do B. É para lá que vai o nosso atormentado baiano. Logo em seguida, cumprindo o ciclo febril das dissidências, todos se mudam para o recém-criado Partido Comunista Brasileiro Revolucionário (PCBR), liderado por Apolônio de Carvalho, brasileiro que lutou na guerra civil espanhola e chefiou uma parte da resistência francesa durante a ocupação nazista. (Apolônio acabou condecorado com a Cruz de Honra da França.) O PCBR pega pesado – vai direto para a guerrilha urbana. Preocupado com a violência das propostas do novo partido, Juarez fica mesmo no PC do B.

Em 1970, o PCBR "expropria" material gráfico em Jequié. Os amigos de Juarez estão envolvidos. A coisa é improvisada e cai todo mundo. Interrogados, os militantes acabam incriminando o próprio Juarez, que não tem nada a ver com isso. É obrigado a fugir de novo para o Rio de Janeiro – mas dessa vez deixa para trás uma condenação a três anos de prisão. Foi julgado à revelia. Ao chegar no Rio, consegue comprar um espelho de carteira de identidade em branco. Muda de nome. Agora é Olivério Souza Guimarães. O primeiro nome – dizem – foi escolhido em homenagem à máquina de escrever Olivetti com que preencheu o documento do Instituto Félix Pacheco. Para simplificar, apresenta-se apenas como Souza.

Entre 1970 e 1974, Juarez Senna passa as maiores dificuldades no Rio de Janeiro. Com documentos falsos, fugindo da condenação, não consegue emprego. Passa fome. São os quatro anos mais terríveis da vida desse baiano que sonha com o socialismo. São também os anos de chumbo da esquerda devastada pela repressão. Os amigos estão presos ou exilados. Juarez está só numa cidade onde não tem parentes – o irmão Jurandir já

A INDÚSTRIA DO CRIME   *269*

estava de volta à Bahia. No ano seguinte – 1975 – ele não tem outra saída a não ser o crime. Aceita o convite de um advogado e entra no planejamento de um assalto a banco. O roubo acontece em Belo Horizonte, na praça Savassi. No dia seguinte ao assalto – a data ele não lembra –, são apanhados pela polícia no hotel onde se hospedam.

A quadrilha escolhe ficar na cidade para evitar as barreiras. Erro grave, especialmente porque a polícia mineira tem o controle do movimento dos chamados "hotéis suspeitos". Juarez é transferido para o Rio, porque todos os integrantes do bando são ligados a quadrilhas cariocas e porque ele tem uma dívida com os tribunais militares. Condenado a quatorze anos de reclusão, pena a que se somam os três anos da justiça militar, Juarez fica de 22 de março de 1976 a dezembro de 1980 na Ilha Grande. Foge num dos muitos "trens" do Comando Vermelho – e vai prestar serviços ao tráfico de drogas no Morro do Adeus.

Em 19 de junho de 1981, participa do assalto ao Banerj da rua Visconde de Pirajá, em Ipanema. É preso dentro de um ônibus, durante a fuga. São mais dez anos de cadeia. Volta para a Ilha Grande, justamente no momento em que os líderes do Comando Vermelho estão preparando a guerra dos morros. Ele fica no "Caldeirão do Diabo" até outubro de 1986, quando é beneficiado pelo regime de prisão semi-aberta. Em abril de 87, decide não se apresentar mais à justiça. Está de volta à clandestinidade.

Oito de março de 1988. Juarez é apanhado em Belém do Pará. Ele e mais quatro assaltantes estão ali para um grande roubo. Não dá certo. Cadeia outra vez. Dez dias depois, Juarez Senna é requisitado a prestar depoimento na Agência de Informações (Agint) da Polícia Federal na capital paraense. Os federais querem saber por que um militante de esquerda vira bandido comum. O DPF tem a sua ficha, com toda a trajetória de Jequié ao Rio de Janeiro. Em novembro de 1990, consegui obter uma cópia do depoimento. O documento – número 168214 – DPF/SR/PA – tem o carimbo de "Confidencial". Conta toda a aventura de Juarez, que admite usar maconha e cocaína "socialmente" (*sic*), mas assegura que não é viciado. Um trecho do depoimento:

270 CV_PCC *A IRMANDADE DO CRIME*

(...) que o entrevistado segue a teoria de que "a classe operária só vai derrubar a classe dominante do poder pelas armas". (...) que o entrevistado, na teoria, é um marxista-leninista, pois assimilou essas idéias e as julga corretas. Que se arrepende de não ter aceito o convite de Ivan de Tal (Agint/RJ: trata-se, possivelmente, de Ivan de Souza Alves, mas que não se enquadra na descrição física formulada pelo entrevistado) para sair do Brasil, em 1973, para o Chile. Se tivesse aceitado o convite, teria vivido no exterior e hoje, certamente, teria uma vida melhor.

O documento do DPF acrescenta:

(...) que, como modelo político, o entrevistado cita Cuba, onde gostaria de residir. (...) que, se o entrevistado "fosse morar num país socialista, onde inexistem as desigualdades sociais, seria o mais correto dos cidadãos e deixaria de ser um assaltante". (...) que o depoente se autodefine um socialista, mas que atualmente não passa de um bandido comum.

Aí está. O reverso da moeda. O militante que vai para o crime. São exemplos de que, pelo menos nesses dois casos, o ensinamento da luta armada não se dá de forma indireta. Os dois militantes viram assaltantes profissionais, com muito a contar para seus companheiros de quadrilha. Essas duas histórias lamentáveis – de Adilson e Juarez – são um sinal dos tempos. A sociedade recusa oportunidades – e marginaliza até mesmo aqueles que, com um mínimo de apoio, poderiam ser úteis e produtivos. No primeiro caso, um trabalhador especializado em artes gráficas; no segundo, um jovem intelectual que perdeu o caminho de volta para casa.

Acontecimentos bem mais recentes nos mostram que outros também perderam o caminho de casa. São casos mais dramáticos, que mobilizaram a opinião pública mundial. No dia 11 de dezembro de 1989, o empresário Abílio Diniz foi emboscado, arrancado de seu carro e seqüestrado. Desapareceu quase por encanto. Mas o grupo bem armado que o levou cometeu um erro primário, que a polícia logo descobriu: uma pista na qual se agarrou como cão feroz segurando o osso. Um dos veículos envolvidos no seqüestro, uma ambulância (no Uruguai, anos antes, os seqüestradores de Dan Mitrione também usaram uma ambulância), foi abandonado. E dentro dele os agentes encontraram uma nota de serviços mecânicos, uma matutenção qualquer que fizeram. Esta nota fiscal levou à identificação de dois dos seqüestradores e logo o cativeiro onde estava o empresário foi cercado por impressionante aparato policial, que incluía agentes federais e dos serviços de inteligência militares. Depois de tensa negociação, que envolveu o arcebispo e o governador de São Paulo, Abílio Diniz foi libertado.

Aí começaram as surpresas. Entre os dez seqüestradores presos, nove eram estrangeiros. O grupo era formado por dois canadenses, cinco chilenos, dois argentinos e um brasileiro, o cearense Raimundo Rosélio. Pelo menos outros dez conseguiram escapar. À medida que são interrogados, a coisa se complica ainda mais. Eles confessam que pretendiam obter por Abílio Diniz um resgate entre 20 e 30 milhões de dólares. E garantem que agiam em nome do Movimento de Esquerda Revolucionária do Chile, o famoso MIR, que durante vários anos resistiu de armas na mão à ditadura do general Augusto Pinochet. O MIR é apontado como realizador de impressionantes operações armadas em todo o continente. Os seqüestradores alegaram motivação política e pretenderam tratamento especial. Isto não ocorreu. Foram condenados a décadas de cadeia como presos comuns. Mas, diante de enorme pressão nacional e internacional por anistia, terminaram beneficiados por um tipo especial de indulto. Todos os estrangeiros foram expulsos do país, menos o nosso Rosélio – ele está terminando um curso universitário no Nordeste.

Tempos depois do seqüestro, o repórter Caco Barcellos, da TV Globo, durante cobertura da explosão de um paiol de munições na capital da Nicarágua, fez importantes descobertas. O depósito destruído pertencia à Frente Farabundo Martí de Libertação de El Salvador, para a qual – segundo os presos em São Paulo – se destinaria o dinheiro do resgate. Mais ainda: lá foram encontrados os passaportes verdadeiros dos seqüestradores, os planos da ação e uma lista de outros "seqüestráveis" no Brasil, da qual fazia parte o jornalista Roberto Marinho, dono das Organizações Globo. Esta lista nunca foi divulgada, por razões óbvias. As descobertas, acontecidas em Manágua durante o governo comunista da Frente Sandinista (FSLN), reforçaram a tese do crime político e influenciaram o indulto. A Polícia Federal suspeita que, entre os que conseguiram fugir, estava a guerrilheira alemã Yvonne Braekman. É uma mulher que parece ter o dom da invisibilidade, já que escapou seguidamente de ações em vários países.

O FBI e a Interpol informaram ao governo brasileiro que, por trás da ação armada em São Paulo, poderia estar a Frente Patriótica Manuel Rodrigues, uma dissidência do MIR, de extrema esquerda, comandada pelo lendário guerrilheiro. Nós ainda vamos ouvir falar deste grupo, por ocasião do seqüestro do publicitário Washington Olivetto, também em São Paulo, em dezembro de 2001. Vale adiantar: este seqüestro também não deu certo e outros estrangeiros foram presos. No caso de Abílio Diniz, o comando da operação foi atribuído a Humberto Eduardo Paz. Argentino, Eduardo Paz, como é mais conhecido, foi militante do Partido Revolucionário dos Trabalhadores (PRT) e do Exército Revolucionário do Povo (ERP). Com o desbaratamento das organizações de esquerda na Argentina, filiou-se ao MIR chileno. Num artigo de Vasconcelos Quadros, publicado pelo *Jornal do Brasil* de 21 de janeiro de 1999, o guerrilheiro, ainda preso em São Paulo, comentava o seqüestro:

> O fim da guerra fria e das guerras de baixa intensidade inaugurou novo período histórico, no qual as ditaduras deram lugar a processos democráticos. Restam poucos movimentos armados na América Latina. Em alguns casos, como o da Colômbia, esses movimentos estão participando ativamente de negociações de paz. Por tudo isso, e por termos realizado uma profunda reflexão autocrítica que abarca aspectos políticos e humanos, considero um grave erro a ação desenvolvida por nós no final de 1989 (justamente o seqüestro de Diniz).

(...) O Brasil, e particularmente São Paulo, foram escolhidos por serem um país e uma cidade de características gigantescas, onde nenhum de nós era conhecido. (...) Os critérios que levaram à escolha de Diniz não foram pessoais. Ele foi escolhido por suas características de liquidez financeira e fragilidade do esquema de segurança de que então dispunha. (Mas) foi um tremendo erro político. Nossas organizações não levaram em consideração o processo democrático brasileiro.

(O seqüestro começou durante o segundo turno das eleições presidenciais, em que Lula e Collor disputavam voto a voto. Parece ter havido uma tentativa de obter dividendos políticos com o caso, porque uma camiseta do PT foi encontrada no cativeiro. Até agora não se sabe se a peça foi plantada na cena do crime.)

Impressiona o depoimento do seqüestrador preso, tudo levando a crer que se tratava mesmo de uma ação política. Doze anos depois, no entanto, a tese fica muito enfraquecida com um novo seqüestro em São Paulo. Desta vez, usando método muito coincidente com o aplicado no caso Diniz, um grupo armado, usando coletes da Polícia Federal, ataca o publicitário Washington Olivetto na porta do trabalho. E – mais uma vez – a vítima simplesmente desaparece por 53 dias. Um golpe de sorte – ou "um ato de Deus", como prefere Olivetto – livrou o publicitário. Um guarda municipal da cidade de Serra Negra, a 150 quilômetros do local do cativeiro, desconfiou de um grupo de estrangeiros que alugara uma chácara. Com vocação de detetive e leitor de histórias policiais, passou a vigiar o local. Chegou a subir em árvores para ver o que acontecia por trás dos muros da residência de veraneio. Impressionado com o entra-e-sai de gente, comentou o assunto com dois colegas da PM. Daí, fim do seqüestro. A polícia de São Paulo caiu em peso sobre a chácara e prendeu seis pessoas. Lá foram encontrados dólares, material de comunicação, livros e uma série de outros itens de consumo muito pouco provável entre criminosos comuns. Mais grave ainda: um dos detidos é Maurício Hernandez

Norambuena, 43 anos, chefe de operações da Frente Patriótica Manuel Rodrigues, um homem treinado nas artes militares durante o governo comunista da antiga Alemanha Oriental.

Depois de capturado, recusou-se a falar com os policiais, até a chegada do delegado-chefe da Divisão Anti-Seqüestro, quando abriu a boca pela primeira vez:

– Agora, sim. Podemos falar de chefe para chefe.

A primeira exigência do policial foi a garantia da vida de Washington Olivetto. Frio, experimentado em combate muitas vezes, o suposto guerrilheiro aproveitou a chance para fazer uma barganha. Disse que poderia garantir a vida do refém, se ele pudesse fazer uma ligação telefônica com privacidade. O delegado ofereceu um celular, mas o chefe do grupo não aceitou. Preferiu um telefone público. A polícia topou a parada e o levou até um aparelho, ficando a uma distância que garantisse a privacidade do outro, mas que não desse a ele uma chance de fugir. A ligação, que não durou mais de um minuto, foi para os que estavam no cativeiro, em São Paulo. A troca fica clara: ele manda deixarem a casa e os companheiros têm uma chance para a fugir. Olivetto estava numa casa do bairro do Brooklin, numa área de classe média alta. Estava trancado num cubículo de pouco mais de um metro de largura e dois e meio de comprimento. Era vigiado por um circuito interno de televisão, ouvia música o tempo todo, para que não escutasse mais nada, e dispunha de sistema de oxigenação através de um pequeno tubo de material plástico, que entrava por um dos lados do caixote onde foi encerrado por quase dois meses. Horas depois de ter sido abandonado pelas quatro pessoas que cuidavam da casa – dois homens e duas mulheres que falavam espanhol – o publicitário notou que o aparelho de ventilação não estava funcionando. Com pavor de morrer sufocado, começou a gritar por socorro – primeiro timidamente, com medo de que os seqüestradores ainda estivessem na casa, depois a plenos pulmões. Agora vem o "ato de Deus": na casa ao lado, uma estudante de medicina de 22 anos ouve o som abafado de alguém pedindo socorro. Curiosa, coloca um estetoscópio na parede que dá para o vizinho e verifica que era mesmo um pedido de socorro. E a moça faz o que quase ninguém faz mais neste país: pega o telefone e chama a polícia. Washington Olivetto está salvo.

Neste momento, enquanto escrevo a história do seqüestro, tenho aqui ao meu lado um pequeno panfleto em homenagem a Miguel Henriquez, histórico revolucionário do MIR chileno. De um lado, a foto do guerrilheiro. De outro, um texto que Henriquez deixou de herança aos seus companheiros, num estilo "Che" Guevara:

> Juro que, se hei de escrever ou fazer algo nesta vida, será sem temor ou pusilanimidade, sem horror do que dirão, com a franqueza que salta do meu cérebro, que há de ser livre de pré-julgamentos e dogmas. Se não sou de constituição valente, me tornarei valente pela via racional.

O panfleto foi encontrado pelo repórter Sandro Barbosa, da TV Bandeirantes, na chácara de Serra Negra. Aparentemente, a pequena peça impressa em vermelho e marrom, com letras brancas, passou despercebida. Mas não escapou ao jornalista. Ele me entregou o papel, de 60 centímetros quadrados, como um troféu. Prova de envolvimento político no crime? Acho que não. Agora não há luta armada no Chile, Argentina, Nicarágua ou El Salvador. A luta armada iniciante no campo brasileiro também não precisa disso, uma vez que a reforma agrária é entendida como uma luta social justa e recebe financiamento de entidades internacionais legítimas, a maioria européias. Na Colômbia, as FARCs também não precisam. O dinheiro para sustentar seu exército de 16 mil homens vem de extorsão contra a indústria petrolífera do país e das "multas" que cobram do narcotráfico. Há quem diga que as próprias FARCs estão envolvidas com a cocaína. Certamente, não precisam de um resgate no Brasil, que estava sendo negociado a base de cinco milhões de dólares. Além disso, os seqüestradores presos disseram que o dinheiro seria mandado ao exterior, mas não disseram a quem. Em 1999 e 2000, mantive três encontros com o comandante Olivério Medina, das FARCs. O padre-guerrilheiro, cuja verdadeiro nome é Francisco Cadena, vive semiclandestino no Brasil, onde sua presença é tolerada pelo governo, já que pratica um tipo de "trabalho diplomático informal" para o movimento revolucionário mais importante das Américas. A guerrilha é uma sombra ameaçadora na fronteira brasileira – e sempre é útil ter um interlocutor. O conteúdo das conversas que tive com o comandante Olivério foi publicado pelo *Jornal da Tarde* de 3 de dezembro de 2000. Reproduzo alguns trechos da reportagem:

> Em nossas conversas (...), o colombiano abriu alguns segredos da organização e das táticas de guerra das FARCs, entre eles algumas das fontes de financiamento da luta armada.
>
> – Tomamos dinheiro dos traficantes, não dos *cocaleros* (plantadores), que são camponeses e índios que vivem quase na miséria. Fazemos bloqueios nas estradas, uma tática que chamamos de "pescaria milagrosa", para tentar a sorte com quem passa. Pode ser um caminhão carregado com folhas de coca e, nesse caso, cobramos um imposto. Pode ser um *terrateniente* (um grande fazendeiro) e a este seqüestramos e cobramos resgate.
>
> Mas eu vi parte das forças das FARCs, na região de San Vicente del Caguan. Todas as armas, assim como todos os uniformes e botas, eram novos em folha. Manter aquele exército custa muitos milhões de dólares por ano. De onde sai o dinheiro para sustentar tudo isso? Só uma bala de fuzil, no mercado negro, custa um dólar, disse eu ao comandante Olivério.
>
> – Sim, eu sei. Mas nós cobramos impostos altos de grandes empresas. Por exemplo, vamos até a multinacional de petróleo Exxon e dizemos a eles: se vocês querem perfurar na Colômbia, têm de ter permissão das FARCs. Quantos barris vão produzir? Nós queremos dez por cento. Negociações como esta são freqüentes.

Em outro momento da entrevista, Olivério Medina garantiu:

– Já oferecemos ao governo americano erradicar dois milhões de hectares de lavouras de coca, em troca de US 8 bilhões para fazer a reforma agrária. Eles recusaram.

Como se vê, é uma situação muito mais *adelante* do que o resgate de um empresário brasileiro. Isto nos traz de volta à questão do envolvimento político de revolucionários no crime em terras brasileiras. Na verdade, tudo leva a crer que *foram* revolucionários. Gente de princípios, formada na dura luta contra regimes autoritários. Basta ver a qualidade de raciocínio de Eduardo Paz, na entrevista publicada pelo *Jornal do Brasil*. Arriscaram a vida para libertar seus países de vários tipos de ditaduras. Foram condenados a penas severas. O chefe do grupo que seqüestrou Washington Olivetto está condenado à prisão perpétua no Chile. Essas pessoas já não têm o que fazer no mundo pós-guerra fria. Alguns daqueles que se envolveram na luta armada latino-americana dos anos 60 e 70 encontraram lugar na carreira política e até na cátedra universitária. Muitos outros, de origem mais humilde, ficaram presos numa zona intermediária entre a liberdade, a democracia, a falta de perspectivas e o crime comum. Para estes, sequer é possível encontrar um emprego regular, porque carregam a pecha de "terroristas". Muita gente não encontrou mais o caminho de volta. Resta uma luta quase desesperada para sobreviver, ainda acreditando que é válido expropriar os poderosos.

Os seqüestradores de Washington Olivetto foram condenados a 16 anos de prisão cada um, no dia 15 de julho de 2002. A tese do crime político, insistentemente apresentada pela defesa, não colou. Os promotores, entre outros fortes argumentos, apresentaram um livro de contabilidade da quadrilha, onde aparecem gastos elevados com cabeleireiros, manicures e outros serviços e produtos de luxo. As provas também davam conta de que os seqüestradores se preocuparam com despesas para fazer churrascos e festas. A contabilidade do bando registra inclusive o aluguel de barcos de passeio. A polícia de São Paulo acredita que o grupo gastou entre 100 e 200 mil dólares com a infra-estrutura da ação. É difícil imagi-

278   CV_PCC *A IRMANDADE DO CRIME*

nar a guerrilha fazendo tais despesas. Se o produto do resgate fosse destinado às FARCs, por exemplo, o grupo se arriscava até mesmo a um justiçamento.

A condenação dos seqüestradores, no entanto, conseguiu desagradar até mesmo aos promotores, que ficaram de recorrer da sentença. Uma matéria de Gilmar Penteado, na *Folha de S. Paulo* de 17 de julho, resume a irritação dos acusadores:

> A juíza Kenarik Boujikian Felipe, da 19ª Vara Criminal de São Paulo, desconsiderou o artigo 2º, parágrafo primeiro, da Lei de Crimes Hediondos na condenação a 16 anos dos seis seqüestradores do publicitário Washington Olivetto. Esse artigo faria com eles cumprissem pelo menos dez anos em regime fechado.

A ausência de citação do crime hediondo na sentença – aparentemente cabível, dadas as condições de encarceramento da vítima – deixa aberta a porta para que os condenados usem o sistema progressivo de penas. Ou seja: podem solicitar o regime semi-aberto com menos de três anos de prisão. No caso da condenação do seqüestrador Esdras Dutra Pinto, um dos envolvidos no ataque contra Patrícia Abravanel, filha do apresentador de televisão Sílvio Santos, a pena foi de 19 anos de reclusão, com 15 anos de tranca, justamente porque foi usada contra ele a Lei de Crimes Hediondos.

2

O CRIME ORGANIZADO e a política se cruzam em muitos pontos do caminho. Quando o Comando Vermelho assumiu o controle de quase 70% dos pontos-de-venda de drogas, se constituiu numa espécie de governo paralelo das comunidades pobres. O "dono do morro" é também o juiz e o prefeito da área controlada. Até mesmo o sobe-e-desce das pessoas é feito sob vigilância armada. O chefe do tráfico tem poderes quase absolutos, incontestáveis. Como já vimos, o bandido investe no samba e na educação, no saneamento e na moradia. Com o passar do tempo, essa administração de fato se torna também uma administração de direito. Com respaldo – ou com a complacência – dos próprios favelados, a organização disputa e vence inúmeras eleições para a diretoria de associações de moradores.

Nem de longe o processo é suave. Um relatório do Serviço Secreto da PM garante que o crime organizado matou pelo menos treze líderes comunitários nos bairros pobres do Rio. O informe, que teve circulação restrita aos oficiais-comandantes, diz o seguinte:

> A exemplo do que fizeram os banqueiros do jogo do bicho, que têm representantes até no Congresso Nacional, os traficantes pretendem conquistar um espaço no cenário político brasileiro. (...) Na sociedade desorganizada, atenua-se a fronteira entre o moral e o imoral, o lícito e o ilícito, domina o pragmatismo mais desabusado, de sorte que o crime tende a se organizar à imagem do que seria a própria sociedade. (...) No estado

do Rio de Janeiro, o tráfico de maconha e cocaína constitui-se numa espécie de "república livre", impune e independente. Seu domínio se estende a várias regiões, sua economia fatura bilhões de cruzeiros [a moeda da época]. (...) O Comando Vermelho já domina a terça parte das associações de moradores dos morros e exterminou treze líderes comunitários que resistiram à sua tirania.

Esses crimes – e não vale aqui examinar cada um dos casos – ocorreram em locais em que a liderança comunitária tinha vinculações partidárias ou com setores radicalizados das instituições religiosas, tanto católicas quanto evangélicas, a força religiosa que mais cresce entre os pobres no Brasil. Muitos bandidos famosos se converteram às igrejas evangélicas.

O leitor pode se perguntar: por que o Comando Vermelho teria interesse nessas eleições? Uma resposta simples: as associações de moradores são interlocutoras naturais com o poder público, são canais de negociação dos interesses comunitários. É através delas – ou de políticos locais – que as populações carentes reivindicam benfeitorias e verbas. As prefeituras são divididas em regiões administrativas – e dificilmente um administrador regional estaria disposto a receber um traficante para discutir as necessidades do morro, mesmo que ele fosse da maior representatividade. Mas – com toda a certeza – esse mesmo administrador receberia de bom grado o presidente de uma associação de moradores, ainda que apoiado pelo crime. Ou seja: as entidades comunitárias podem oferecer uma fachada legal para a atuação das quadrilhas. Obtendo benefícios, o tráfico de drogas amplia a influência política sobre a favela.

É preciso considerar também que as eleições para prefeitos, governadores, deputados estaduais e vereadores passam necessariamente por entidades representativas das comunidades. Numa cidade como o Rio de Janeiro, com milhões de favelados, nenhum candidato dispensaria apoio político dessas associações. Pior: os representantes de bairros e morros se organizam em federações – e a Federação das Associações de Favelas do Estado do Rio de Janeiro (FAFERJ) tem importância capital nos períodos eleitorais. Controlando as entidades de base, o crime organizado passa a influir seriamente nas tendências políticas da federação e adquire enorme poder de barganha.

Vamos rever a situação historicamente. Não é difícil perceber que as associações de moradores se constituíram no principal canal de atuação política popular nos dois últimos anos dos governos militares, quando estavam no poder os generais Ernesto Geisel e João Figueiredo. A formação e desenvolvimento dessas entidades – primeiro em São Paulo e depois no Rio – tiveram forte apoio da Igreja Católica. O cardeal paulista dom Paulo Evaristo Arns foi um grande incentivador. Na Baixada Fluminense, a maior de todas as entidades, o Movimento dos Amigos de Bairros (Mabe) funciona até hoje em terrenos da diocese de Nova Iguaçu, onde o bispo dom Adriano Hipólito foi um adepto da organização comunitária. (O moderno sindicalismo do ABC também veio pela mesma estrada.) Como todo movimento reivindicatório precisa de uma frente política, as associações constituíram essas poderosas federações – assim como da luta sindical vieram o Partido dos Trabalhadores (PT) e as centrais operárias, como a CUT e a Força Sindical. Nos Estados Unidos, a Máfia controlou os sindicatos para eleger deputados e senadores. No Rio de Janeiro, para se afirmar politicamente, o Comando Vermelho se infiltra nas grandes entidades comunitárias.

É inegável o peso dos moradores organizados na política carioca. Nas eleições municipais de 1985, vence o candidato de Leonel Brizola, o economista Saturnino Braga. Como vice-prefeito, é eleito o presidente da Federação das Associações de Moradores (FAMERJ), Jó Resende. O resultado da votação: 39,26% dos votos para Saturnino, contra apenas 17,13% para o segundo colocado, o publicitário Rubem Medina. Note-se que são dessa época o início da guerra dos morros e a adesão de grandes traficantes ao Comando Vermelho, que também disputa a liderança comunitária. A eleição de 85 é provavelmente a primeira a contar com a interferência do tráfico de drogas. Tradicionalmente, os banqueiros do jogo do bicho sempre estiveram presentes nas campanhas políticas, subvencionando candidaturas, imprimindo material de propaganda, convencendo o eleitor em bairros onde são muito influentes. Mas o tráfico na política era uma novidade.

É muito difícil para as pessoas aceitar a idéia de que representantes eleitos do povo para as câmaras e assembléias legislativas possam estar, por baixo do pano, defendendo o interesse do crime. Entendo e até aceito a desconfiança. É por isso que – mais uma vez – vou recorrer a documentos oficiais. Se o relatório secreto da PM não foi suficientemente esclarecedor, vamos conferir agora uma outra fonte de informações.

Nos últimos meses do ano de 1991, a polícia do Rio se preocupou em desvendar as ligações entre o Comando Vermelho e a política. O trabalho esteve sob a responsabilidade do Serviço de Informações da Divisão de Repressão a Entorpecentes. Uma equipe, chefiada pelo inspetor Gerson Mugget, foi montada exclusivamente para isso. O relatório ficou pronto em 92 e foi parar na mesa do delegado Antônio Nonato da Costa, diretor da DRE. O texto garante que o crime organizado estava preparado para "uma grande cartada" nas eleições municipais daquele ano, "financiando a campanha de seis candidatos a vereador, que sairão de associações de moradores e até de uma escola de samba" O plano das quadrilhas é, mais tarde, eleger deputados estaduais. No dia 12 de maio, com base na investigação, o repórter Jorge Luiz Lopes publica matéria em *O Globo*:

> (...) Dois desses candidatos seriam Sebastião Teodoro, presidente da Associação de Moradores do Morro Pavão-Pavãozinho, em Ipanema, e Pedro José de Assis Batista, o Tota, cunhado do presidente da Associação de Moradores do Morro de São Carlos. (...) Os dados do documento, que não cita partidos, baseiam-se em informações levantadas pelos policiais e na correspondência apreendida com marginais. (...) Segundo a polícia, o Comando Vermelho vem dominando as associações de moradores de comunidades carentes com o intuito de formar uma base eleitoral para seus candidatos. Aqueles que se opõem a este poder sofrem represálias,

como aconteceu no ano passado no Morro Dona Marta, em Botafogo, quando um casal da associação foi seqüestrado e morto.

Entre as cartas apreendidas pela polícia, uma é bem reveladora. O traficante Robson Caetano de Souza, o Robson Caveirinha, manda recado de dentro da Penitenciária Bangu. Um para Sebastião Teodoro. Caveirinha é do Comando Vermelho, participou do seqüestro do empresário Roberto Medina. Na carta ao presidente da Associação de Moradores do Pavão-Pavãozinho, ele dá instruções para que seja lida uma mensagem de Natal aos moradores. Entrevistado por *O Globo*, Sebastião Teodoro diz que recebeu e cumpriu a ordem do traficante, mas "isso não tem nada demais e não prova nada".

O relatório da DRE cita ainda um outro "candidato vermelho": Francisco Sérgio Figueiredo Brolo, o Kojac, presidente da Escola de Samba Unidos do Jacarezinho, que desfila no Grupo I do carnaval carioca. A favela do Jacerezinho é território da organização desde que Paulo Roberto Moura, o Meio-Quilo, assumiu o controle do tráfico de cocaína na área. Ali está possivelmente um dos maiores centros atacadistas da droga. Na polícia, muita gente acredita que foi Kojac quem assumiu a liderança da quadrilha quando Meio-Quilo morreu tentando fugir de helicóptero da Penitenciária Milton Dias Moreira. Depois que o relatório da DRE vazou para *O Globo*, o inspetor Gerson Mugget foi discretamente transferido e teve que "tirar umas férias". A investigação – para usar uma expressão da própria polícia – "foi pro gesso". Parou completamente. Conversei com o inspetor Gerson Mugget, que à época trabalhava para a Divisão Anti-Seqüestro do delegado Hélio Vigio. Ele confirmou todos os detalhes do relatório e a punição que sofreu:

– Pode dizer que saí da Entorpecentes por causa do relatório, que incomodou muita gente no governo. Pode dizer, porque essa é a verdade.

O trabalho da DRE e a reportagem de *O Globo* encontram confirmação em outro documento oficial. No dia 27 de setembro de 1992, o comando-geral da Polícia Militar de São Paulo recebe um informe reser-

284   CV_PCC *A IRMANDADE DO CRIME*

vado da P-2, o serviço secreto da corporação. O relatório, dividido em quatro anexos, trata das articulações do Comando Vermelho na capital paulista. A primeira parte do documento faz uma análise da história da organização e afirma:

> No campo político, as organizações COMANDO VERMELHO e sua facção rival, o TERCEIRO COMANDO, estão financiando a campanha de seis candidatos a vereador nas eleições municipais de out./92. (...) Dos seis candidatos, SEBASTIÃO TEODORO (presidente da Associação de Moradores do Morro Pavão-Pavãozinho) e FRANCISCO SÉRGIO FIGUEI-REDO BROLO, o KOJAC, seriam apoiados diretamente pela cúpula do COMANDO VERMELHO. Os dois estão encarregados de chefiar outros três candidatos, cujos nomes ainda não foram descobertos pela polícia carioca. Há também PEDRO JOSÉ DE ASSIS BATISTA, ligado ao presidente da Associação de Moradores do Morro de São Carlos, ADILSON BAL-BINO, cuja candidatura é financiada pelo TERCEIRO COMANDO.

O serviço secreto da PM paulista cita ainda outro político de Minas Gerais, quando trata da expansão do Comando Vermelho para outros estados:

> O COMANDO VERMELHO é "governado" por um colegiado de trinta membros (...) O homem-chave do grupo, porque ainda está em liberdade [na época], é ERALDO [sic] PINTO MEDEIROS, o "Uê". "Uê" é o "matuto" [responsável pelos contatos no exterior] da organização, encarregado da compra de maconha e cocaína com os CARTÉIS DE MEDELLÍN e CALI, na COLÔMBIA, e com traficantes bolivianos. Além de "Uê", o tráfico possui outros "matutos". O vereador e candidato a prefeito da cidade mineira de SANTA RITA DE JACUTINGA, JOSÉ ANTÔNIO DE FREITAS, conhecido pela polícia carioca como "TONINHO DO PÓ" ou "TONINHO FERRO-VELHO", é apontado como um deles.

Muito bem. Temos aqui a mesma informação partindo de três fontes diferentes. Se eliminarmos a reportagem de *O Globo*, ficamos com dois relatórios emitidos por autoridades da segurança pública de dois estados. É pouco? Então vamos a mais uma indicação bem clara de que o crime organizado começa a controlar as entidades comunitárias com fins de sustentação política. Logo depois do carnaval de 1992, o presidente da Federação das Associações de Favelas do Rio, Pedro Moreira de Mendonça, dá uma coletiva para denunciar a infiltração do Comando Vermelho. Ele disse taxativamente:

– Os traficantes vêm controlando sistematicamente as entidades comunitárias.

No dia 8 de abril de 1993, a FAFERJ entregou ao representante das Nações Unidas no Brasil um relatório com os números da matança de líderes comunitários. Trinta e seis assassinatos entre os anos de 1991 a 1993. Além dos problemas causados pelo tráfico de drogas, muitos desses crimes são provocados por questões ligadas à posse da terra.

Os números finais da eleição de 92, conforme os Tribunais Eleitorais do Rio e de Minas Gerais, mostram que os candidatos citados nos relatórios da polícia não conseguiram se eleger. Em alguns casos, os juízes responsáveis pelo registro dos candidatos preferiram impugná-los.

Em 17 de abril de 1993, o jornal *O Globo* consegue jogar um pouco de luz sobre o envolvimento dos traficantes na política comunitária. Uma reportagem de duas páginas mostra que o crime organizado conseguiu se infiltrar na liderança das associações de favelas. Diz a matéria:

> (...) os traficantes são responsáveis por boa parte da indicação dos 2.812 agentes comunitários pagos pela Prefeitura do Rio para trabalhar em creches e na prevenção de acidentes nas favelas. A Prefeitura gasta, com o pagamento mensal dos agentes comunitários, Cr$ 5,6 bilhões [quase 200 mil dólares em valores de agora].
>
> (...) a Coordenadoria de Ação Comunitária negociou a execução de obras com bandidos e atuou como intermediária no seqüestro de um

engenheiro responsável pela construção de uma creche no conjunto da Cehab, no Engenho da Rainha. Tudo sem o conhecimento da polícia.

A reportagem aponta o secretário Municipal de Desenvolvimento, Pedro Porfírio (na gestão do prefeito Marcelo Alencar), como o principal responsável pela contratação de agentes comunitários ligados ao tráfico de drogas. Pedro Porfírio se defende:

– A Secretaria trabalha numa cidade paralela que tem seus próprios códigos. Se o agente social se comportar como policial, nunca mais entra na favela.

Essa declaração – uma admissão implícita da influência do crime organizado na administração pública – revela que o ex-secretário, que foi vereador pelo PDT, tem absoluta consciência do problema. A análise contida na frase é rigorosamente correta. Sem acordo com o tráfico de drogas, ninguém faz trabalho social nas favelas do Rio. Até mesmo os agentes da Sucam, que combatem o cólera e a dengue, pedem permissão aos "soldados" do tráfico para subir nos morros. E, mesmo assim, com hora marcada.

No ano de 1986, o crime organizado já tinha deixado marcas na política carioca com a eleição do deputado estadual José Antônio Nicolau, filho de Toninho Turco, traficante morto pelos federais durante a Operação Mosaico. Já vimos também como o "rei do pó" era influente no bairro de Marechal Hermes, um dos mais populosos da Zona Norte do Rio. Naquela eleição, José Antônio Nicolau fez dobradinha política com dois candidatos, Waldir Cariveiro e César Maia. Quando os agentes invadiram um dos pontos-de-venda de cocaína de Toninho Turco, encontraram material de propaganda dos dois candidatos. A repórter Mônica Freitas, que foi testemunha ocular da Operação Mosaico para o *Jornal do Brasil*, escreveu:

O Studio foi tomado de assalto pelos federais que desembarcaram de um helicóptero da polícia civil. (...) No pátio do Studio havia vários carros abandonados, entre eles uma Kombi com a propaganda política de Waldir Cariveiro para deputado pelo PRT e faixas e plásticos de campanha dos deputados José Antônio Nicolau, filho de Toninho Turco, e do deputado federal César Maia, do PDT.

Parece-me óbvio que César Maia, atual prefeito do Rio, não tem qualquer tipo de ligação com o crime organizado. Mas vida de político é assim mesmo. Às vezes é preciso fazer acordos não muito claros em busca de votos. Ou simplesmente José Antônio Nicolau e Toninho Turco resolveram apoiar espontaneamente o candidato, sem consultá-lo. Tudo é possível neste mundo de Deus.

Dezembro de 1986. Mais de seis milhões e meio de votos estão depositados nas urnas da eleição para governador do Rio de Janeiro. No dia 3, o Tribunal Regional Eleitoral vai anunciar oficialmente os resultados. Mais de uma centena de repórteres, fotógrafos e cinegrafistas aguardam os números. Quando são divulgados, fica claro que a política no estado acaba de sofrer uma mudança radical. O candidato do PDT de Brizola, professor Darcy Ribeiro, amarga uma derrota estrondosa. Wellington Moreira Franco, do PMDB, disputando o governo pela segunda vez numa coligação de vários partidos, consegue 44,4% dos votos válidos. Os brizolistas perdem até mesmo em muitos dos tradicionais redutos eleitorais do PDT. Grandes favelas do Rio, que ajudaram a eleger Brizola quatro anos antes, votam contra ele.

Nos últimos meses da administração do PDT, a campanha eleitoral pega fogo. O candidato Darcy Ribeiro apela para o submundo da contravenção em busca de votos. Um jantar é realizado na Churrascaria Guanabara, na noite do sábado 18 de outubro de 1986. Dois mil contraventores recebem de braços abertos os candidatos Darcy Ribeiro, Marcelo Alencar e José Frejat – os dois últimos concorrendo ao Senado. É – de verdade – uma grande festança. Dois mil litros de chope regam quinhentos quilos de carne de primeira. Tudo consumido em três horas. Enquanto um fotógrafo de *O Globo* é agredido pelo coordenador da campanha do PDT, Washington de Souza, Marcelo Alencar pega o microfone e fala à nata dos banqueiros do bicho:

– Eu quero dizer a vocês: somos muito gratos pelo apoio que os senhores estão nos dando.

Darcy Ribeiro explica o seu programa de governo para os bicheiros. É tremendamente aplaudido quando fala da construção de escolas integradas às comunidades carentes – os CIEPs. O banqueiro Ailton Guimarães Jorge, o Capitão Guimarães, faz a saudação aos candidatos brizolistas:

– Brizola deu a maior tranqüilidade de todos os tempos ao jogo do bicho e nunca nos pediu dinheiro por isso. Agora chegou a hora de retribuir elegendo Darcy Ribeiro governador.

O repórter de *O Globo*, Múcio Bezerra, escreve para a edição do dia 20 de outubro, segunda-feira:

> Ouviu-se uma salva de palmas para o Capitão Guimarães, enquanto cem garçons em camisas brancas – com desenho de uma águia dourada e o nome e o número de Manola (candidato da contravenção à Assembléia Constituinte) – evoluíam apressados pelo salão para atender à clientela: eram, em sua maioria, anotadores do jogo do bicho na Zona Sul, além de caravanas de bicheiros de outros pontos do Grande Rio, que chegaram em vinte ônibus fretados especialmente para a ocasião.

O repórter registra também uma declaração do banqueiro Aniz Abraão David: "Para nós, o dia 15 de novembro será o Dia da Gratidão."

Impressionante essa demonstração pública de integração da política oficial com o escorregadio mundo da contravenção. Note-se que a Churrascaria Guanabara, na Praia de Botafogo, é um local conhecido pelas festas patrocinadas pelos banqueiros do jogo do bicho. Ou seja: os candidatos do PDT colocam a mão na boca do lobo. Na verdade, o que se negocia ali é o seguinte: os banqueiros do bicho descarregam seus votos nos candidatos majoritários de Brizola, ao governo estadual e ao Senado, enquanto apóiam seus próprios candidatos a deputados estaduais, independentemente de filiação partidária. Um desses candidatos é Farid Abraão David, irmão de Aniz, que concorre pelo Partido da Frente Liberal (PFL), numa coligação que apóia Wellington Moreira Franco, o arquiinimigo de Brizola. No submundo tudo é muito prático.

Muita gente diz que a contravenção faz barulho nas campanhas eleitorais mas não elege ninguém. No caso de Darcy Ribeiro, verdade. Manola também perde em 1986. Mas Farid Abraão David tem votos suficientes e vira deputado. Em 1990, Simão Sessim, primo de Aniz Abraão David, vai para a Câmara Federal. E, em 92, dois outros candidatos chegam à Camara dos Vereadores do Rio: Marcos Drumond, filho do banqueiro Luizinho Drumond, e um sobrinho de Miro Garcia, chamado Guaracy. Ainda em 92, o controlador do jogo do bicho na favela da Rocinha, Luis Carlos Batista, foi eleito suplente de vereador.

O fato mais grave da campanha eleitoral de 86 acontece no dia 10 de outubro. Durante um encontro do PDT no Ginásio do Maracanãzinho, o vice-prefeito Jó Resende faz um discurso inflamado contra Moreira Franco. Ele convoca a militância do partido a impedir que o candidato da Aliança Popular e Democrática saia às ruas. O apelo tem o tom de um fustigamento direto e uma conclamação à violência eleitoral. Jó chega a dizer que Moreira Franco não vai subir em nenhuma favela do Rio, porque vai ser impedido. Moreira reage imediatamente. No programa eleitoral do TRE, na televisão, chama os adversários de "fascistas". E garante que no dia seguinte vai subir um morro do Rio. Começa aí uma negociação complicada para fazer valer a resposta. É preciso agora subir uma favela de qualquer maneira. E não pode nem ser uma favela pequena, tem que ser algo de impressionar. Moreira se reúne com o comitê de campanha. Conta com a ajuda de dois candidatos a deputado federal com muito trânsito nos setores mais populares: Jorge Leite e Jorge Gama. Os dois ficam encarregados de tentar contato com o "chefe político" de um morro importante.

290   CV_PCC A IRMANDADE DO CRIME

No dia 23 de março de 1993, me encontro com Wellington Moreira Franco. A idéia é fazê-lo puxar pela memória e reconstituir aquele momento. Fala Moreira:

– Eu estava numa situação politicamente muito delicada. Não podia deixar passar o desafio dos pedetistas. Ao mesmo tempo, tinha que subir um morro perigoso sem saber o que me esperava. O Jorge Leite conseguiu um contato no subúrbio de Madureira. E lá fui eu.

Treze de outubro de 1986. Um domingo. Onze horas da manhã. A caravana do candidato da Aliança Democrática chega ao pé do Morro do Juramento, território do Comando Vermelho, controlado por José Carlos dos Reis Encina, o Escadinha. A favela tem trinta mil eleitores. Uma gente que só vota em quem o tráfico mandar. Moreira conta mais:

– Jorge Gama, Nelson Carneiro e eu começamos a subir o Juramento. Estávamos muito apreensivos, porque nas ruas laterais da subida do morro tinha um monte de gente armada de metralhadora. Era uma coisa ostensiva. A cada passo eu ficava com a impressão de que podia haver barulho. Fomos subindo e nada acontecia. No fim da caminhada, lá no alto da favela, eu já tinha consciência de que ultrapassara um importante obstáculo. A "maldição de Jó Resende" não colou.

Durante a conversa com o ex-governador, no apartamento de cobertura alugado por ele no Leblon, percebo que Moreira Franco não se lembra ou não quer revelar certos detalhes do episódio. Recorrendo ao arquivo de *O Globo*, encontro uma descrição detalhada das aflições do então candidato no "quintal" de Escadinha. Para começo de conversa, Nelson Carneiro é atingido no rosto por um estilhaço de morteiro. Mais ainda: a presença do candidato na favela teria sido autorizada pelo próprio traficante, que estava preso. Vamos ao texto do jornal:

Na principal rua de subida do Juramento, os acenos dos moradores aliviaram a preocupação dos assessores e dos outros candidatos que acompanhavam Moreira Franco. O ambiente, que parecia hostil, com homens armados de metralhadora e revólveres andando pelos becos, transformou-se num clima de cordialidade tão logo o candidato chegou à quadra de samba, onde foi saudado por um pagode. O presidente do bloco carnavalesco, um rapaz que se identificou apenas como Sebastião, ou Tião, foi o encarregado de mostrar o local ao candidato. (...) Foi preciso muito fôlego para percorrer os estreitos caminhos do morro, passando por barracos, água de esgoto e montes de lixo. Com 76 anos, além do esforço físico, Nelson Carneiro ainda teve o azar de ser atingido no rosto por um estilhaço de um morteiro disparado por um cabo eleitoral. (...) A subida de Moreira Franco, segundo Tião, foi autorizada por Escadinha, que teria feito apenas uma exigência: os candidatos deveriam ir até o alto do morro e conhecer todos os problemas do Juramento. Tião disse que esses problemas estariam resolvidos se o governador Leonel Brizola tivesse cumprido as promessas feitas durante a campanha de 1982.

Depois da bem-sucedida experiência no Juramento, Moreira Franco sobe outra favela importante na geografia do tráfico de drogas: a Rocinha, com mais de duzentos mil habitantes, a maior favela da América do Sul. Ele lembra:

– Na Rocinha, usei uma rota periférica. Desci de carro pela Estrada da Gávea e só fui saltar lá embaixo, na rua Dois. Todos nós sabíamos que o morro era barra-pesada. Tive um encontro muito interessante com a Maria Helena, que mantém uma creche na favela. (Maria Helena Pereira da Silva, líder comunitária, assassinada em 1988.) E fiquei sabendo depois que ela era ligada ao Dênis (Denir Leandro da Silva, um dos "chefões" do Comando Vermelho, mais tarde assassinado no presídio de Bangu Um).

Nas duas visitas, o candidato Moreira Franco percebe que há um ressentimento em relação ao governo Brizola. Usa isso na campanha pela televisão. E o fato é que vence a votação nos morros. O PDT é atingido no fígado. Ao que tudo indica, o Comando Vermelho manda carregar nos votos contra Brizola, mudando radicalmente a orientação da última eleição. Parece que as marchas e contramarchas da política penitenciária são a causa da ruptura de um pacto nunca revelado. Moreira Franco diz não ter feito qualquer acordo com os "donos dos morros". Mas admite que nas bases da campanha dele, em 86, algum tipo de ajuda pode ter sido dado por gente ligada ao tráfico.

– Acho possível. Não descartaria isso. Numa campanha política dessa envergadura acontece muita coisa de que a gente nem toma conhecimento. São milhares de pessoas envolvidas nos comitês eleitorais. Por ali pode ter trafegado o crime organizado, mas sem o meu conhecimento. Tanto é assim que o meu governo foi o que mais combateu o Comando Vermelho, inclusive com a construção da penitenciária de segurança máxima Bangu Um, onde os líderes foram confinados.

Um indício de que "algo nesse sentido pode ter havido", segundo Moreira Franco, foi o estranho pedido que recebeu depois de eleito:

– Logo no início do governo, Técio Lins e Silva, secretário de Justiça, recebeu um insistente pedido de um deputado para indicar determinada pessoa para a direção do Desipe. Achei aquilo muito estranho, porque Técio me dizia que o indicado tinha péssima reputação. Recomendei que ele não aceitasse a indicação. Logo depois, outro pedido estranho: nomeação de cem pessoas para funções na administração, entre elas o Miguelão. Desse caso eu não esqueço, por causa do número de pedidos ao mesmo tempo. Cem pessoas é demais.

Aí está a ponta de um *iceberg*!

4

QUARTA-FEIRA, 28 DE JULHO DE 1990. Nove horas da noite. A tranqüilidade de uma rua de classe média baixa, no subúrbio carioca de Vila Valqueire, é perturbada por uma rápida seqüência de tiros de 9 milímetros. Alguém abre fogo de metralhadora contra o vulto de um homem que se aproxima da casa mais conhecida do lugar. É uma construção estranha. Tem um muro de alvenaria com mais de três metros de altura, cortado ao meio por um portão de madeira bem grossa. A casa fica no fundo do terreno, a vinte metros da muralha – e ainda tem uma segunda cerca de proteção. As pessoas que moram ali têm medo de alguma coisa – com certeza!

Depois dos tiros, os moradores ouvem aqueles ruídos típicos de pneus cantando no asfalto. Um carro verde, com pelo menos duas pessoas dentro, se afasta rapidamente. O homem atingido se arrasta pela calçada. Grita por socorro. A iluminação pública – exatamente naquele trecho da rua, justamente naquela noite – estava apagada.

Miguel Jorge, o Miguelão, era mesmo um bom alvo para as balas. Tem 1,98 m de altura. Cem quilos de músculos acostumados a bater forte. Moreno, meio calvo, usava bigode. Tinha um aspecto mal-encarado. Cara de briga. Vivia preocupado com a legião de inimigos que cultivou ao longo de anos de conflitos de rua nas campanhas eleitorais. Miguelão arregimentava cabos eleitorais nos subúrbios e nas favelas. Chefiava um grupo de guarda-costas para políticos e empresários. E mantinha sob suas ordens um bando de arruaceiros responsável por muitas

294   CV PCC *A IRMANDADE DO CRIME*

cabeças quebradas na disputa pelo voto popular. Os parceiros de Miguel Jorge têm para contar uma longa história de enfrentamentos com a "brizolândia", um segmento fanatizado do PDT que também faz campanhas.

A mais famosa dessas batalhas de rua acontece durante o governo Moreira, em 1987, no largo do Machado, a meio quilômetro do Palácio Guanabara. Um protesto organizado pela Central Única dos Trabalhadores (CUT) termina em pancadaria, com intervenção da tropa de choque da Polícia Militar. Dizem que foi Miguelão quem provocou o conflito, à frente de um grupo de cem homens armados de porretes e revólveres. Ele também estava na confusão entre petistas e "collorídos", durante o debate presidencial na Rede Manchete, quando Luís Inácio Lula da Silva e Fernando Collor se enfrentaram pela primeira vez, em 1989.

O assassinato de Miguel Jorge é como a crônica de uma morte anunciada. Todo mundo sabia que um dia iriam acertar contas com ele. Desafetos não faltavam – e motivos também não. No dia 27 de julho, véspera do crime, Miguelão estava muito preocupado. Conversou com a mulher e disse que corria perigo de vida. Não explicou muito bem o que estava acontecendo, mas deixou claro que estavam puxando a corda. Pediu que o irmão, Elias Jorge, sempre esperasse por ele no portão. E foi exatamente assim que o pegaram, quando chegava em casa. Elias não estava no portão. Se estivesse, morria também. Uma bala atravessou a madeira da porta, um metro e meio acima do nível da rua. Atingiria o pulmão de Elias. Ou será que alguém realmente atirou contra o irmão de Miguelão?

Ferido, Miguel Jorge ainda foi socorrido por parentes e vizinhos. Levado ao Hospital Carlos Chagas, não resistiu à hemorragia que encerrou uma controvertida carreira nos bastidores da política no Rio de Janeiro. Tinha 51 anos de idade. E guardava muitos segredos. O delegado José Roberto Dias, da 28ª Delegacia, definiu o crime numa única frase:

– Foi queima de arquivo!

A investigação ficou para o diretor da Divisão de Investigações Criminais, delegado Luiz Mariano. Ele deu entrevista coletiva e concluiu:

– Foi queima de arquivo!

Na linguagem do crime, queima de arquivo é fechar a boca de alguém – para sempre. Morre porque sabe demais e pode incriminar outras pessoas. E o que Miguelão sabia era demais. Usa-se a expressão "arquivo" porque a pessoa possui provas, nomes, datas. Na opinião da polícia, ele era um dos mais importantes elos de ligação entre o crime organizado e a política no Rio de Janeiro. Durante a coletiva à imprensa, o delegado Luiz Mariano declarou:

– Acredito que Miguelão abria caminho para os candidatos nas áreas controladas pelo crime, prometendo em troca facilidades para os bandidos.

O comentário do policial pode parecer vazio de significado, apenas uma frase. No entanto, existem fatos muito graves relacionados com essa linha de raciocínio. O primeiro – e o mais importante desses fatos – é que Miguelão foi fuzilado dois dias depois de prestar um longo depoimento gravado aos delegados Élson Campello e Hélio Vígio. O interrogatório girava em torno do seqüestro do empresário Roberto Medina, planejado e executado pelo Comando Vermelho. Medina foi atacado quando deixava a sede da agência Artplan, na Lagoa. Uma operação precisa, quase perfeita. Os seqüestradores tinham sido treinados por militares. Quem planejou aquilo tinha o que se chama de *inside information*: dicas e detalhes partidos de alguém que conhecia bem a rotina do empresário. E Miguelão tinha uma larga folha de serviços prestados à família Medina. Em 1985, ele foi o coordenador de segurança da campanha do deputado e então candidato a prefeito Rubem Medina, irmão do seqüestrado. Um ano depois, trabalhava com os cabos eleitorais de Moreira Franco. O publicitário Rubem Medina era a voz dominante na coordenação de propaganda do candidato.

Entre março e julho de 1989, Miguelão trabalhou como uma espécie de assessor da presidência da Fundação Leão XIII. A entidade cuida da ressocialização de mendigos, possui albergues e coisas do gênero. Era dirigida pelo coordenador de Desenvolvimento Social do estado, Nelson Moreira Franco, irmão do governador. A edição da revista *Veja* de 1º de agosto de 1990 tem uma matéria sobre as relações de Miguelão com o poder. Um trecho diz o seguinte:

> Existem testemunhas que relatam que Miguelão chegou a ser uma personalidade que freqüentava o Palácio Guanabara. Um depoimento informa que, numa das últimas ocasiões em que ali esteve, há cerca de três meses, ele foi embora muito mal-humorado, referindo-se em termos bastante grosseiros ao governador Moreira Franco. Em suas raras entrevistas, Miguelão não escondia algumas queixas. "O Moreira está devendo até hoje à minha rapaziada. Ele prometeu empregos e não deu nada."

A frase de Miguelão foi obtida pela repórter Márcia Carmo, da sucursal carioca de *Veja*. Se, de um lado, é uma demonstração de que o governador não cedia às reivindicações do capanga, de outro serve como demonstração de que ele tinha algum tipo de contato no governo. Isso – inclusive – me traz de volta à lembrança o pedido de emprego para cem pessoas que o governador recebeu e não atendeu. Durante o encontro que mantive com Moreira Franco, tratei do caso:

– Como o senhor explica a presença de Miguelão na sua segurança pessoal? – perguntei.

– Ele nunca fez parte da minha segurança pessoal. Já tive um segurança desse tipo, que me foi indicado pelo delegado Mauro Magalhães. Mas não era o Miguelão. Durante o governo, a base da segurança era feita pela Polícia Militar. Os agentes, que trabalhavam à paisana e chegavam a viajar nos carros oficiais, eram escolhidos pelo chefe do Gabinete Militar.

– Mas Miguelão participou da campanha de 86.

– Pode até ter participado. Mas não tinha nada a ver com segurança. Talvez uma ou outra passagem junto aos cabos eleitorais. Mas eu não cuidava disso pessoalmente. Sei que ele trabalhou nas campanhas do Rubem Medina, e talvez por isso tenha tido algum tipo de participação na minha. Mas é tudo o que sei sobre isso.

– E quanto ao crime: por que Miguelão foi assassinado?

– Foi mesmo uma queima de arquivo. Coisa de bandido. Talvez algo ligado ao seqüestro de Roberto Medina. O fato nunca foi bem esclarecido.

De novo a mesma expressão. Afinal, de que "arquivo" Miguelão dispunha para ser assim tão "queimável"? Isso é o que vou tentar responder agora. E que revela a mais séria evidência de ligação entre o crime organizado e a política: Miguel Jorge morreu quinze horas antes de prestar um segundo depoimento à polícia, marcado para o meio-dia de 29 de julho de 1990.

Ele estava sendo forçado a revelar o que sabia sobre o seqüestro de Roberto Medina. E sabia que um dos personagens do caso tinha construído várias pontes ligando o submundo ao poder público. Estou falando do professor de ginástica Nazareno Tavares Barbosa, ex-auxiliar de preparação física do Fluminense, que se tornou conhecido como instrutor do general João Figueiredo. Nazareno está em todas as fotos e imagens de televisão que mostram o último presidente do regime militar fazendo cooper na praia de São Conrado. Figueiredo, portador de próteses cardíacas, precisava exercitar-se regularmente. Preferia as marchas à beira-mar. E Nazareno era quem determinava o ritmo da caminhada. Aliás, foi pelas marchas que Nazareno conheceu também o governador Moreira Franco, quando coordenava exercícios de capacitação física de grupo no Jardim Botânico do Rio. Adepto das caminhadas, Moreira encontrou Nazareno nas alamedas do parque.

Nazareno Tavares Barbosa foi preso uma semana depois do seqüestro de Roberto Medina. A polícia chegou até ele por acaso. Um dos seqüestradores, José Cornélio Rodrigues Ferreira, o Preá, foi localizado porque abandonou uma motocicleta na cena do crime. Pela placa, chegaram ao dono; pelo dono, chegaram a Preá, que alugara a moto junto com outro bandido, Jorge Biglia, o Doda. O seqüestrador foi apanhado na cidade de Além Paraíba, divisa do estado do Rio com Minas Gerais. Como os policiais não tinham autorização para agir em outro estado, seqüestraram o seqüestrador e o arrastaram até o município de Sapucaia, já no Rio de Janeiro. Simularam uma nova "prisão" de Preá, para dar "legalidade" ao ato.

Os carros da polícia voltaram à capital, durante a noite, pela estrada Rio–Teresópolis. No lugar conhecido como Alto do Soberbo, pararam e obrigaram o seqüestrador a ficar de pé sobre a mureta da pista, a vinte centímetros de um precipício com mais de duzentos metros de altura. Preá contou tudo o que sabia, entregou nove companheiros de seqüestro. Mas não soube revelar onde ficava o cativeiro do empresário. Depois, acredito que o levaram para a Divisão Anti-Seqüestro. Lá ele foi colocado diante do álbum de fotografias dos criminosos mais conhecidos. A polícia queria que ele identificasse o homem que ajudara a planejar o seqüestro, que Preá conhecia apenas pelo apelido de Professor. A identificação só foi possível porque neste álbum estava uma cópia xerox da carteira de identidade de Nazareno Barbosa.

As tramas do destino sempre agem contra a vontade das pessoas. No caso de Nazareno, isso é a pura verdade. Ele só foi identificado por causa de um problema ocorrido dois anos antes. Na noite de 23 para 24 de setembro de 1988, o professor de ginástica foi detido por agentes da Divisão de Roubos e Furtos de Automóveis. Desconfiaram dele porque estava num "carro suspeito". Nazareno não tinha documentos para provar que era dono do Monza Classic LB-4633, roubado na Bahia cinco meses antes. Pior: estava armado com um 38 sem registro. Certos de que tinham apanhado um ladrão de carros, os policiais tomaram o maior susto quando Nazareno disse que era assessor do governador Moreira Franco. Mostrou uma carteira da Casa Civil do Palácio Guanabara, outra do Tribunal de Contas da União e uma terceira, da Prefeitura de Duque de Caxias. Resultado: o ex-instrutor do presidente Figueiredo foi levado ao delegado Aloísio Russo, que telefonou para o então secretário de Polícia Civil, Hélio Saboya.

O secretário, por sua vez, telefonou para alguém no Palácio. E de lá veio a resposta: Nazareno era apenas um "ACN" – "assessor de coisa nenhuma". Era visto freqüentemente na ante-sala do gabinete do secretário especial do governador, Rogério Monteiro de Souza. E nada mais. O delegado da DRFA decide abrir um processo de porte ilegal de arma contra Nazareno, que pagou fiança e foi embora. Mas a cópia xerográfica de sua identidade ficou na delegacia. Um policial, irritado com tanta confusão – e suspeitando que o caso seria abafado –, pegou a cópia e colocou no álbum dos procurados. "Um dia ele ainda vai ser apanhado por um crime mais grave", comentou o detetive. Dito e feito!

Nazareno Tavares Barbosa, identificado pela fotografia, é preso pela Divisão Anti-Seqüestro ao amanhecer da quarta-feira 13 de junho de 1990, acusado de planejar a extorsão contra Roberto Medina, que pagou 2 milhões e meio de dólares para ser libertado pelos seqüestradores. Nazareno confessa sua participação no crime. Diz que tudo foi planejado numa festa na casa de Robson Caveirinha, no Morro do Pavão-Pavãozinho, área controlada pelo Comando Vermelho. Nesta festa estava também Mauro Luiz Gonçalves de Oliveira, o Maurinho Branco, o homem que comandou os quinze seqüestradores de Medina. O bando estava pronto para atacar um outro alvo, o dono da fábrica de tratores Sotrecq. Mas Nazareno convenceu a quadrilha de que seria muito melhor pegar Roberto Medina, que estava "montado na grana". Com a parte que lhe caberia do resgate, o professor de ginástica iria se candidatar a deputado estadual. Nazareno só conseguiu se candidatar a uma vaga na Penitenciária Milton Dias Moreira, onde cumpre pena de vinte anos.

A história desse modesto professor de educação física, nascido de uma família pobre do subúrbio de Benfica. é mais uma demonstração de que o crime organizado e a política se misturam no Rio de Janeiro. Nazareno estava – e provavelmente ainda está – diretamente ligado ao Comando Vermelho. Investigando sua vida, a imprensa descobriu coisas muito interessantes. Diz o *Jornal do Brasil* de 17 de junho de 1990:

> A vida de Nazareno começou a mudar em 79. Apresentado pelo aluno de educação física e empresário Ricardo Kouri a Figueiredo, o rapaz com problemas financeiros tornou-se logo amigo e instrutor físico do presidente. (...) Quando Figueiredo estava no Rio, durante todo o seu mandato (1979-85), Nazareno era companhia freqüente nos *coopers* pelas

praias do Recreio dos Bandeirantes e do Pepino, na Zona Sul. Com a mesma desenvoltura, o instrutor físico circulava pelas casas cariocas do presidente – a oficial, na Gávea Pequena, e a mansão particular de um amigo, no Recreio – e pela Granja do Torto, em Brasília. De Benfica, Nazareno mudou-se para um apartamento de cobertura no Leblon, como hóspede de Kouri.

Acaba o último governo militar – acabam-se as mordomias de Nazareno. Desempregado, ele volta ao subúrbio e se defende com aulas particulares de ginástica. Mas o professor conhecia gente importante ligada ao tráfico de drogas, especialmente na Favela do Arará, no mesmo bairro de Benfica. Ali quem manda é Francisco Viriato de Oliveira, o Japonês, um dos poderosos chefões do Comando Vermelho. Nazareno também tinha salvo-conduto no Jacarezinho, cujo "prefeito" era Meio-Quilo, traficante ligado a José Carlos dos Reis Encina, o Escadinha. Nazareno alimentava o sonho de se candidatar a deputado. Contava com os votos das favelas. Mas decidiu colaborar com o projeto eleitoral de outro candidato. Em maio de 87, o *Jornal do Brasil* registra uma frase de Nazareno: "Decidi retirar a minha candidatura a deputado estadual para trabalhar na campanha do Moreira."

Junto com Miguelão, o professor vai arregimentar cabos eleitorais e ajuda a recrutar a "tropa de choque" da campanha. (No conhecido incidente entre os homens de Miguelão e a CUT, Nazareno também estava presente.) O prestígio do professor junto aos líderes do Comando Vermelho é bem visível a partir de 86. Durante o período eleitoral, ele era visto nas cadeias do Complexo Penitenciário da Frei Caneca, onde negociava o voto dos morros controlados pela organização. Os chefes do grupo acreditavam ter feito, através de Nazareno, um pacto com o candidato Moreira Franco. O governador eleito pode não ter tido nada a ver com o caso – eu mesmo acredito nisso –, mas a crença num acordo político é a única explicação que encontro para a carta que o Comando Vermelho mandou entregar a Moreira Franco reclamando do descumprimento do trato. Nazareno, que os presos chamavam de "o homem da agenda preta", teria prometido "boa vida" para o Comando Vermelho nos presídios – o que na verdade não aconteceu.

A liderança da organização logo compreendeu que o governo do estado não daria sopa aos presos. Mesmo assim, durante uma rebelião no Presídio de Água Santa, aceitaram que Nazareno entrasse para negociar. A cadeia estava cercada por tropas da PM e policiais civis. Início de governo, a administração preferiu evitar um choque violento com os presos. E lá se foi o nosso Nazareno, em missão de paz. Entrou na cadeia sob aplausos dos presidiários. Braços erguidos, fazendo o "V" da vitória, o professor conferenciou com os líderes do Comando Vermelho. Fez novas promessas que o governador não cumpriu – nem se sentia comprometido com elas. Nessa altura do campeonato, o Desipe achava que Nazareno não só tinha ligações com o Comando Vermelho como fazia parte da organização. Em julho de 1988, a Coordenação de Segurança do Sistema Penitenciário acusa o Professor de articular a tentativa de fuga da cúpula do crime organizado. O jornal *O Dia* tem matéria sobre isso:

> Na ocasião, dez integrantes do Comando Vermelho tomaram de assalto a subestação da Light ao lado do Complexo Penitenciário da Frei Caneca e cortaram o fornecimento de energia elétrica da região por sete minutos. A fuga não foi possível porque o caminhão carregado de explosivos, roubado dias antes para explodir os muros da penitenciária, enguiçou nas proximidades do Hospital da Polícia Militar, a quinhentos metros da Milton Dias Moreira. (...) O diretor do Desipe, promotor Walneide Serrão, reuniu-se com o secretário de Justiça Técio Lins e Silva para decidir que Nazareno, a partir daquela data, não poderia mais freqüentar as unidades do sistema.

O Dia acrescenta ainda que Nazareno Tavares Barbosa "se apresentava como responsável pela promoção de eventos sociais nas cadeias, como festas, shows e jogos". Perguntei a Wellington Moreira Franco se ele tinha conhecimento disso. A resposta:

– Nunca ouvi falar nisso. Se o Técio tivesse proibido Nazareno de entrar nas cadeias eu ficaria sabendo. Eu nunca soube que esse homem tinha acesso aos presídios.

A influência de Nazareno foi mais longe. Em maio de 88, ele fez contato com a deputada federal Ana Maria Rattes e pediu que ela tentasse obter o benefício de prisão-albergue para Francisco Viriato de Oliveira, o Japonês. A ficha dele já conhecemos bem. É um dos mais destacados líderes do Comando Vermelho. O relaxamento da prisão quase certamente permitiria a ele uma "fuga legal". Sob o regime da prisão-albergue, o preso passa o dia na rua e só volta à cela para dormir. Mesmo assim, a deputada conversou com o juiz da Vara de Execuções Criminais. Funcionária da Justiça Federal, Ana Maria Rattes explica o que fez:

– Conversei com o juiz de execuções criminais sobre os problemas de muitos presos, inclusive do Japonês, mas não pedi que ele tivesse regalias.

Seja como for, Viriato recebeu a prisão-albergue. Foi transferido do Presidio Hélio Gomes para um outro, em Niterói, de onde podia sair todos os dias. Vou recorrer mais uma vez ao jornal *O Dia*, que publicou uma reportagem sobre isso na edição de 22 de junho de 1990:

> Japonês trabalhou como motorista e segurança particular de Ana Maria Rattes durante seis meses no final de 1987 e início de 88, quando cumpria pena em regime de prisão-albergue, benefício conseguido pela deputada junto à Vara de Execuções Criminais. O benefício foi cassado no dia 10 de abril de 1988, quando Viriato assassinou sua mulher, Glicéria de Souza Miranda Viriato de Oliveira, de quarenta anos, na frente da filha Elisangela, que tinha dezesseis anos.

Bem, parece que existe algo de concreto nos contatos da deputada com o chefão do Comando Vermelho. Ela mesma reconhece: chegou a propor uma emenda na Assembléia Nacional Constituinte para garantir aos presidiários o direito de votar. Numa entrevista ao jornal *O Estado de S. Paulo*, publicada em 23 de junho de 1990, declarou:

– Foi o próprio Japonês quem me pediu que elaborasse essa emenda. Ele e outros presos que se acham no direito de votar.

Nessa mesma entrevista, a deputada diz que Francisco Viriato de Oliveira "é até simpático". O chefe de redação da sucursal carioca de *O Estado de S. Paulo*, Telmo Wambier, garante que a deputada nunca questionou a reportagem, nem fez qualquer reparo às suas frases, que foram publicadas entre aspas. Um detalhe: Ana Maria é casada com Paulo Rattes, que foi secretário de governo no período Moreira Franco. Durante esses anos de pesquisas sobre o Comando Vermelho, consegui ler, copiar ou fotografar muita correspondência dos líderes da organização. Um dia me caiu nas mãos um original de carta enviada pelo Japonês à deputada Ana Maria Rattes, que ainda tenho em meu poder. Ele pede desculpas por ter traído a confiança das pessoas que o ajudaram a obter a prisão-albergue. Diz que o assassinato de sua mulher, cometido numa das folgas em casa, foi "um momento de alucinação". Eis alguns trechos da carta:

Rio de Janeiro, 01 de dezembro de 1988.

Excelentíssima Senhora Deputada Federal, Dra. Ana Maria Rattes.

Eu, Francisco Viriato Oliveira, venho pela presente, mui respeitosamente, dirigir-me a Vossa Excelência a fim de colocar algumas questões que me atormentam e afligem, assim como pedir perdão pelos meus erros cometidos, minhas rebeldias impensadas e, como também, solicitar a Vossa intercessão junto à Secretaria de Justiça e ao Desipe. Não quero tentar justificar meus erros, nem pedir perdão pelo meu erro maior, que foi o fato de ter assassinado a minha querida esposa. Mas quero deixar claro e afirmar que (...), quando pratiquei aquele ato triste e nefando, o fiz num momento de alucinação. Naquele momento eu estava totalmente fora da minha consciência... nada poderá apagar este trauma.

A carta para a deputada Ana Maria Rattes foi escrita oito meses depois que Viriato matou a mulher e voltou ao regime de prisão fechada, em Bangu Um. O tom da correspondência é o de quem tem liberdade para falar. Tanto assim que ele assina com "um grande abraço do amigo e admirador de hoje e de sempre". Além disso, mesmo tendo abusado dos direitos da prisão-albergue, Japonês volta a pedir que a deputada consiga transferi-lo da cadeia de segurança máxima. Eis outro pedaço da carta:

> Excelência, sou eternamente grato pelo muito que a senhora já me ajudou com o seu prestígio, com a sua bondade, e eu tinha a intenção de não mais voltar a incomodá-la. Mas, forçado pelas circunstâncias atuais, em face da opressão existente aqui em Bangu Um, mais uma vez apelo para o vosso espírito humanitário e de justiça. Solicito os seus préstimos no sentido de conseguir-me uma transferência para uma penitenciária de fato, onde eu possa trabalhar e tentar ajudar meus filhos. (...) A realidade que estou vivendo me deixa numa posição muito incômoda, pois me vejo obrigado a estar sempre protestando e lutando contra a direção do Desipe e, conseqüentemente, contra o governo do estado.

Nas cadeias, é muito comum que um preso de melhor preparo intelectual redija a correspondência de outros. No caso desta carta, comparei a letra de Viriato com outros documentos do Comando Vermelho apreendidos pela polícia. A grafia é dele – e acredito que o texto também. O Japonês não chegaria ao núcleo dirigente da organização se não fosse um homem muito articulado.

A deputada ainda volta ao noticiário em novo episódio envolvendo o Comando Vermelho. No seqüestro do empresário Roberto Medina, Ana Maria Rattes teria se encontrado com o Japonês na noite de 14 para 15 de junho de 1990, dentro do Presídio de Bangu Um. A pedido da família do empresário, teria negociado a redução do resgate de 5 para 2 milhões e meio de dólares. Segundo algumas versões, a deputada estaria acompanhada por José Colagrossi Neto, presidente nacional do Partido da Reconstrução Nacional (PRN), que elegeu o presidente Fernando Collor. Todo mundo desmente isso. Mas todo mundo sabe que os Colagrossi são muito amigos da família Medina, que efetivamente pagou 2 milhões e meio de dólares de resgate. Juca Colagrossi, durante as negociações telefônicas com os seqüestradores, era o porta-voz dos Medina.

Depois que o empresário foi libertado, o Comando Vermelho ficou sabendo que a família de Roberto Medina conseguira reunir 4 milhões de dólares para o resgate. Juca Colagrossi foi considerado "um traidor". Teve que deixar o pais, nomeado às pressas pelo presidente Collor para o escritório do Lloyd em Nova York. Dias antes ele teria recebido uma foto, onde aparecia junto com a mulher e os filhos na porta de casa. No verso, um recado: "Se chegamos tão perto para fazer essa foto, podemos fazer muito mais."

**TODO DIA MORRE UM
– É A LEI DO CV**

1

SEGUNDA-FEIRA, 31 DE OUTUBRO DE 1988. Quatro horas da tarde. O calor é sufocante. Nas ruas do subúrbio de Bangu, o asfalto cede com o peso do tráfego. Carros demais. Buzinas. Suor. No alto do muro do Presídio Esmeraldino Bandeira, o soldado da PM anda bem devagar. Ele usa botas que cozinham os pés. O tecido do uniforme é insuportavelmente grosso, e a metralhadora pesa no ombro. Está quente demais. É a tarde que escorre pelas costas, pela nuca. O verão vai pegar pesado esse ano. Lá em cima, o soldado ainda não sabe que a temperatura vai subir verticalmente na última meia hora do plantão. Ele vê o movimento no pátio da cadeia. Ao fundo, os telhados de zinco do morro prometem a noite sufocante para quem dorme na favela. Por alguma estranha razão, sempre tem uma favela atrás de um presídio.

O táxi chega lento. Vence o engarrafamento metro a metro. Pára em frente ao grande portão de ferro do presídio. A mulher que desce do carro é baixa e gorda. Usa roupas coloridas, estampadas. A advogada Sueli Gonçalves Bezerra chega para conversar com "um cliente". Dentro da bolsa que ela traz a tiracolo uma ordem por escrito do Comando Vermelho vai provocar uma grande confusão na cadeia. Na porta do Esmeraldino Bandeira, Sueli não é revistada. Os guardas a conhecem muito bem – aqui e em todas as prisões. E sabem quem ela representa. Quando pede para ver um preso – em qualquer unidade penal do Rio –, ninguém pergunta nada. Sueli cuida dos interesses de José Carlos dos Reis Encina, o Escadinha.

Uma hora antes de entrar no Esmeraldino Bandeira, Sueli esteve em Bangu Um. Trouxe de lá um recado para os 250 homens do Comando Vermelho que controlam a cadeia. A organização manda matar pelo menos um preso por dia até que o governador Wellington Moreira Franco desative a prisão de segurança máxima onde estão isolados os líderes do grupo. No mínimo, querem que seja quebrada a incomunicabilidade de Bangu Um. Vinte minutos depois de a advogada sair, começa o massacre.

Dezenove prisioneiros do Esmeraldino Bandeira, comandados por Wellington do Nascimento Mello, o Tim, e Cláudio Marcelo Costa Marques, o Playboy, entram em ação. A ordem do Comando Vermelho tem que ser cumprida imediatamente. Eles só esperam o tempo suficiente para que Sueli deixe o presídio. No corredor da Galeria A, a primeira vítima é escolhida. Não por acaso. Os presos que vão morrer nessa segunda-feira são acusados de praticar violências contra os companheiros de cela. Antônio Rodrigues do Nascimento é espancado até a morte. Ali mesmo – na frente de todo mundo. Leva tanta porrada que fica desfigurado. Soa o alarme no presídio. As portas são trancadas. A tropa da PM engatilha as armas para impedir um motim. Mas nada disso impede que o mesmo grupo se dirija à Galeria D e escolha a próxima vítima. Claudenir Souza Oliveira tenta correr. É perseguido. Termina encurralado. Encostado na porta de uma cela, recebe a primeira facada na barriga. Ele pede para não morrer. Mas continua sendo brutalmente agredido. Por todo o presídio se ouve um grito de guerra: "Olê, olá, o Esmeraldino tá botando pra quebrar!"

Agora Claudenir já foi atingido pelo menos onze vezes. A maioria dos ferimentos é superficial, mas uns três golpes de estoque penetram fundo. Está coberto de sangue. Antes de a tropa de choque do presídio conseguir salvá-lo da morte, ainda leva uma paulada que lhe arranca o supercílio esquerdo – com sobrancelha e tudo. Claudenir escapa no último segundo. É carregado pelos guardas para fora da galeria. O presídio está cercado por soldados de várias companhias da PM. A polícia civil também já

310 CV_PCC *A IRMANDADE DO CRIME*

chegou. Anoitece no Presídio Esmeraldino Bandeira. E começa uma interminável – e inútil – série de interrogatórios. Ninguém viu nada.

Na Ilha Grande, a muitos quilômetros do subúrbio de Bangu, outra ordem de execução do Comando Vermelho é posta em prática. Quarenta homens da organização, divididos em grupos, atacam cinco presos. São seis e meia da tarde. Carlos Ronaldo Barbosa, José Harley Fernandes Taveira da Silva, Jorge da Silva Ramos, Manoel Eduardo Arruda e Nilton Alexandre da Silva são despedaçados a facadas. O Instituto Médico-Legal do município de Angra dos Reis conta vinte perfurações em cada um dos "justiçados" pelo Comando Vermelho. Os corpos, atirados do terceiro andar da Galeria C, ficam amontoados no pátio do Presídio Cândido Mendes. O "areão" é cenário de nova atrocidade.

O diretor da Ilha Grande ordena revista geral. Dura de sete da noite à uma da manhã. Trinta armas são apreendidas. Entre elas, uma espada usada no massacre. Os presos que lideram a cadeia são levados a depor na Delegacia de Angra dos Reis. Um dos chefes do Comando Vermelho, Araken Roberto Nogueira, o Show Man, diz na cara do delegado:

– Ninguém morre à toa no sistema penitenciário. Esses que morreram estupravam, assaltavam e deduravam os colegas de cela. Outros ainda vão cair.

Araken, novo presidente do Grêmio Recreativo do Interno, explica que uma das reivindicações dos presos da Ilha Grande é a volta de Rogério Lengruber, o Bagulhão, transferido para Bangu Um.

– Sentimos muita falta dele!

No meio da noite de 31 de outubro para 1° de novembro de 1988, as mortes continuam. Uma "marimba" – corda de náilon com uma pedra na ponta – é lançada sobre o muro do Presídio Milton Dias Moreira, na parte que dá fundos para o Morro de São Carlos. Usada com perfeição, a "marimba" leva uma mensagem até a grade de uma cela que fica bem em frente à favela. Poucas palavras. Ordem clara. Executar pelo menos um preso por dia até o fim do isolamento da liderança do Comando Ver-

A INDÚSTRIA DO CRIME *311*

melho. Os presos Adelino Ferreira, o Seu Parente, e José Maria da Silva, o Fenemê, são surrados e estrangulados. No prédio ao lado, onde funciona o Presídio Hélio Gomes, mais cinco presos são assassinados no interior da Galeria E: Joselito Carvalho de Lima, Antônio dos Santos, o Burunda, Geraldo Lobo de Souza, Orlando Hipólito MaIato, o Bira, e Júlio César de Souza, o Borel – ao todo, recebem mais de cem ferimentos. Os corpos são colocados uns sobre os outros, formando uma pilha macabra e revoltante. Revoltante para nós – porque nas cadeias o que está acontecendo é um vitorioso acerto de contas. Uma curiosidade: o livro que registra a entrada de visitantes no Hélio Gomes anota a passagem da advogada Sueli Gonçalves Bezerra. O dia amanhece com o inacreditável saldo de treze mortos e um ferido grave.

O mês de setembro de 88 já tinha começado com uma "greve de fome e de trabalho" ordenada pelo Comando Vermelho. Um protesto para encostar o governo estadual nas paredes de Bangu Um. A nova penitenciária, construída à força de alguns milhões de dólares, foi planejada para isolar completamente os líderes do crime organizado. Os muros têm oito metros de altura e são completamente lisos. As paredes das celas têm uma placa de ferro por dentro. Os telhados foram projetados para impedir o pouso de helicópteros – e ainda têm no centro um pequeno terraço com um ninho de metralhadora. Os visitantes e advogados não podem ter contato físico com os presos. Falam num parlatório igualzinho às cadeias do cinema: visita e preso, separados por um vidro à prova de balas, se comunicam por telefone. Bangu Um foi construído para impedir qualquer tentativa de fuga. E até hoje, ninguém conseguiu escapar de lá. As celas do presídio de segurança máxima têm fechaduras eletrônicas. E um circuito interno de televisão vigia cada movimento. Como se tudo isso não bastasse, sensores fotoelétricos completam a segurança. É improvável alguém burlar – ao mesmo tempo – todos esses modernos dispositivos.

Para ajudar o preso a se conformar com a cadeia, Bangu Um tem celas individuais, com banheiro. E são apenas doze celas em cada galeria. Tem sala de televisão e os presos vestem calças *jeans* e camisetas. Recebem roupa de cama, cobertor, creme dental e sabonete. A comida vem de uma empresa especializada em servir "quentinhas": feijão, arroz, peixe, frango e carne de boa qualidade são a base das refeições, que inclui sobremesa. Luxo como esse nunca se viu nos presídios cariocas. O *Jornal do Brasil* de 2 de novembro de 1988 traz uma boa definição de Bangu Um: "Em comparação com as outras unidades do sistema penitenciário, Bangu Um poderia ser considerado um presídio cinco estrelas."

É quase impossível deixar de pensar que o governo do Rio devia saber que o Comando Vermelho ia partir para o confronto com a inauguração da mais moderna penitenciária do Brasil. O padrão das unidades penais do primeiro mundo foi importado para "conformar" os líderes do crime organizado. A prisão foi imaginada para funcionar com três anexos: Bangu Um, Dois e Três. O projeto previa um total de 576 vagas. Para Bangu Um foram levados os 48 prisioneiros mais perigosos de todo o sistema carcerário, incluindo os trinta membros da comissão dirigente do Comando Vermelho. Aos poucos, outros foram chegando. A conta atingiu 68 presos, quando o presídio passou a abrigar também os chefes dos grupos de seqüestradores ligados à organização. A maior parte do tempo, Bangu Um é o presídio do Comando Vermelho. Agora abriga gente do Terceiro Comando também e da ADA.

A transferência dos líderes, da Ilha Grande e do Complexo Penitenciário da Frei Caneca, aconteceu aos poucos, a partir da última semana de agosto de 1988. No início, os chefes do crime organizado não entenderam muito bem o que estava acontecendo. A primeira impressão foi a de que estavam sendo afastados da massa carcerária. Uma velha e conhecida tática do Desipe. Mas continuariam juntos, com todas as regalias já conquistadas. No entanto, à medida que vão entrando em Bangu Um, os líderes simplesmente desaparecem. Não se comunicam mais, têm dificuldades para administrar os negócios das quadrilhas. Enfim, o presídio era um muro de silêncio em torno do Comando Vermelho. Foi por isso que começou a "greve de fome e de trabalho". Para derrubar esse muro.

O movimento contou com a adesão de milhares de presidiários. Só na Frei Caneca, 1.790 homens param de comer e se recusam a deixar as celas. Uma demonstração inquestionável da força da organização. Naqueles dias, no Presídio Milton Dias Moreira, os "vermelhos" administram o "Sacolão dos Caídos" – uma bolsa de alimentos para os presos desamparados pela família. Fazem festas e concursos de poesia, música e esportes. O Comando Vermelho chegou a apresentar ao Desipe um "plano autônomo" de reforma da cadeia. As próprias quadrilhas investiriam na obra, avaliada em 100 mil dólares O projeto incluía a construção de uma piscina e um parque de atletismo. Por essas e outras, a reação à inauguração de Bangu Um foi tão violenta.

O governo do estado não cede. O Desipe manda colocar equipes médicas e ambulâncias nas cadeias, para prevenir a morte de algum detento por inanição. Força a mão para evitar o contrabando de pacotes de biscoitos e latas de leite condensado. Numa medida de guerra, os diretores dos presídios fazem estoques de soro e medicamentos de emergência. Uma semana depois de começado o "jejum vermelho", as autoridades prometem garantias a quem furar a greve. E denunciam através da televisão que os chefes do Comando Vermelho estão se regalando com comida de boa qualidade em Bangu Um. O secretário de Justiça, Técio Lins e Silva, reúne a imprensa e dispara:

– Vamos desarticular qualquer poder paralelo. O poder público não admite essa queda-de-braço.

O secretário de Justiça anuncia também que vai processar a advogada Sueli Bezerra e pune três mil presidiários com restrições a visitas e diversões. Essa punição dá um número oficial para os homens do Comando Vermelho nas cadeias do continente: eles são três mil em outubro de 1988. Uma reunião no Palácio Guanabara, no dia 2 de novembro, coloca para o governador Moreira Franco a opção de endurecer ainda mais o jogo. Ele aceita. Dois dias depois, quarenta soldados do Batalhão de Choque e de Operações Especiais entram nos presídios Milton Dias Moreira e Hélio Gomes. Oito cães farejadores também participam da revista geral. Os presos são retirados das celas, e a PM recolhe tudo que não consta dos manuais do Desipe: trezentos aparelhos de rádio, duzentos televisores, 150 quilos de doces e biscoitos, armas e maconha. Os prisioneiros iniciam um protesto. Enorme gritaria – incluindo um coro com os nomes dos líderes do Comando Vermelho. Faixas e bandeiras vermelhas são penduradas nas janelas externas da cadeia. (No meio dessa confusão, são apreendidas doze faixas de campanha dos candidatos Otávio Leite, a vereador, e Marcelo Alencar, para prefeito pelo PDT.) Os soldados chegam a disparar para o alto, dentro das galerias, para controlar os presos. Quando a coisa chega nesse ponto, a organização encarcerada em Bangu Um conclui: é hora de colocar mais um pouco de sangue na brincadeira. Assim recomeça a violência. Treze mortos em outubro – outros sete no mês de novembro.

Já no dia 2 de novembro, o Desipe consegue interceptar uma mensagem que sai de Bangu Um para o Presídio Ary Franco, no bairro de Água Santa. O documento, assinado por onze membros da comissão dirigente do Comando Vermelho e datado de 8 de outubro, estabelece que as mortes dentro das cadeias só podem ser ordenadas por Rogério Lengruber, o Bagulhão, e por Francisco Viriato de Oliveira, o Japonês. A organização pretende evitar "iniciativas isoladas". Mais grave ainda: a liderança dos presidiários ameaça matar "os presos famosos", aqueles cujos crimes ocuparam muito espaço na imprensa e mobilizaram a opinião pública. Com isso, pretendem que as ações de "justiçamento" provoquem "uma repercussão danada". Diz o documento apreendido:

> (...) para morte na cadeia, de todo o nosso povo, tem que ter uma assinatura do Rogério e do Japão.
> Comissão LSN Comando Vermelho Paz, Justiça e Liberdade.

Entre os "presos famosos" condenados pela organização está um motoqueiro do grupo Hells Angels, Renato Bonfim Leal, que matou um rival com uma bomba. Outro é o modelo fotográfico Ricardo Sampaio, acusado do assassinato de Mônica Granuzzo, um crime que chocou a cidade. O "anjo do inferno" Renato Bonfim escapa por pouco: um guarda penitenciário o salva quando estava sendo enforcado numa das galerias da Milton Dias Moreira. O outro "alvo" – Ricardo Sampaio – é transferido para uma cela de segurança.

2

SETE DE NOVEMBRO DE 1988. Falta pouco para o dia nascer. As grades já foram cerradas. As "teresas" foram lançadas. Os presos começam a descer silenciosamente. São noventa tentando a liberdade. Mais de trinta já estão no pátio dos fundos do Presídio Hélio Gomes. Os outros se amontoam na cela de onde as barras de ferro foram removidas. Do alto do muro, a menos de duzentos metros do Morro de São Carlos, um soldado percebe o movimento das sombras no pátio. Abre fogo de metralhadora. Soa o alarme. O "trem" não sai mesmo.

Não falta mais nada. Uma fuga em massa desmoralizaria de vez os administradores do sistema penal no Rio. Os fios telefônicos queimam de um lado para o outro da cidade. O diretor do presídio, o chefe do Desipe, o secretário de Justiça, o comandante-geral da PM. Todo mundo pula da cama com a informação de que a fuga foi contida. Alívio geral. Mas dura pouco. O "confere" dentro do Hélio Gomes revela que três presos foram estrangulados enquanto dormiam. As ordens do Comando Vermelho estão sendo cumpridas novamente.

Sérgio Henrique dos Santos Martins e Jorge Luiz Penha foram sufocados com lençóis e toalhas. Não tiveram a menor chance de resistir. Miquéias Elias da Silva foi enforcado com uma corda de náilon e ficou pendurado na grade de uma janela, a três metros e meio do chão. As mortes aconteceram momentos antes de os presos tentarem a fuga. No mesmo dia 7 de novembro, na Ilha Grande, Olivaldo Barbosa dos Santos foi assassinado. Todos sabiam que ele era a "bola da vez" – um preso marcado para morrer. O crime foi ao meio-dia, depois que o noticiário das rádios informou o que tinha acontecido no Presídio Hélio Gomes.

Nove de novembro. A matança continua. Os homens do Comando Vermelho na Penitenciária Milton Dias Moreira acabam com a vida de dois "neutros" ou "independentes" – Walter Couto Mendonça e Ezequiel Luiz de Souza –, gente que não estava ligada a nenhuma quadrilha. A conta agora é de dezenove mortos. A Procuradoria de Justiça do Estado forma uma comissão especial para investigar e processar os responsáveis pelo massacre. Os três promotores do caso indiciam 191 pessoas, incluindo a advogada Sueli Gonçalves Bezerra, que vai terminar na cadeia. No documento final à Justiça – dele tenho uma cópia –, os promotores descrevem detalhadamente os crimes e concluem:

> Tal atuação [do Comando Vermelho], além da inegável ilicitude que a caracteriza, importa em verdadeiro acinte às autoridades e visa igualmente a desmoralizar a ação policial e o prestígio da Justiça. Os denunciados, executores dos crimes, massacraram as indefesas vítimas de forma bárbara, cruel e desumana, como se fossem verdadeiros irracionais. É gritante a insensibilidade de todos os denunciados. Revelam extrema periculosidade, resistem mesmo a qualquer aceno de reabilitação. Presente, não raro, a vaidade criminal que os leva a afrontar toda e qualquer autoridade vinculada ao Judiciário.

O tom empregado no relatório dos promotores é intencionalmente duro, para convencer qualquer juiz de que os presos perigosos gozam de "imerecida liberdade" mesmo atrás das grades. O crime organizado cresce e prospera, apesar de os chefões estarem encarcerados. E os investigadores confirmam que toda essa violência nas cadeias do Rio tem mesmo o objetivo de romper o isolamento de Bangu Um. Curiosamente, a Procuradoria da Justiça deixa de relacionar dois crimes: no dia 9 de novembro, morrem na Milton Dias Moreira um "preso famoso" e um "caído". Condenado a trinta anos pelo seqüestro e assassinato da estudante

318   CV_PCC *A IRMANDADE DO CRIME*

Denise Benoliel em junho de 1986, Ezequiel Luiz de Souza é pendurado numa grade da Galeria 6. Duas celas adiante, Walter Couto Mendonça é espancado até o fim.

A fúria do Comando Vermelho provoca reações até mesmo dentro da organização. Jorge Zambi, o Pianinho, destacado "capitão" na guerra dos morros, rompe com o grupo e vai tentar reorganizar o Terceiro Comando. José Carlos Gregório, o Gordo, se reúne com Paulo César dos Reis Encina, irmão de Escadinha, e pede demissão da comissão dirigente. E faz mais: manda uma carta ao secretário de Justiça, dizendo que quer ser afastado dos companheiros. Um trecho diz o seguinte: "Vou abandonar o crime. Daqui pra frente não me envolvo em mais nada e vou aguardar a minha liberdade."

Nada disso acontece. Gordo vai terminar transferido para Bangu Um, onde fica ainda mais perto dos líderes da organização. Durante os massacres, José Carlos Gregório estava internado no Hospital Penitenciário. Ele é hipertenso e parece que tem problemas coronarianos. Não foi denunciado pelos promotores especiais – e tudo indica que não concordava com a matança. Dois anos depois, quando aparece numa reportagem do *Fantástico* como "o novo chefe" do Comando Vermelho, Gordo manda processar o repórter Marcelo Resende, o delegado Antônio Nonato da Costa e o diretor de jornalismo da Rede Globo, Alberico de Sousa Cruz. A reportagem irrita o condenado porque ele não quer problemas com a cúpula do crime organizado. O curioso processo, com base em danos morais, foi parar nas mãos do juiz Valter Soares, da 24ª Vara Criminal. Preso em Bangu Um com Francisco Viriato de Oliveira, o Japonês, verdadeiro "marechal" do Comando Vermelho, Gordo preferiu recorrer à Justiça para deixar claro que não pretendia a chefia da organização. Outro preso famoso do CV, Rogério Lengruber, era chamado de "presidente" do grupo.

Na última semana de novembro de 1988, depois que o Comando Vermelho jogou vinte corpos na cara do governador Moreira Franco, uma comissão de representantes das entidades de defesa dos direitos humanos esteve em Bangu Um. Tendo à frente o advogado George Tavares, conhecido defensor de presos políticos e presidente do Conselho Penitenciário, o grupo visitou as celas de Japonês e de Escadinha. O encontro não teve divulgação, porque aquela era uma missão de paz que precisava ser mantida em sigilo. Os juristas apelaram para que o Comando Vermelho suspendesse as matanças. Não se sabe o que ofereceram em troca – não se sabe nem mesmo se ofereceram alguma coisa. Mas o fato é que as mortes acabaram.

Durante os anos de 1989 e 1990, nenhum acerto de contas foi ordenado dentro dos presídios. Houve mortes isoladas, resultado de desavenças ocasionais. E nada mais. Talvez a única exceção tenha sido o "justiçamento" do traficante Paulo César Pereira Dutra, o Paulo Marrinha. Ele foi enforcado no presídio Ary Franco, no dia 27 de dezembro de 1988. Morreu porque se recusou a mandar dinheiro da quadrilha para a "caixinha" do Comando Vermelho.

Uma outra versão para o fim das matanças está numa entrevista do então diretor do Desipe, Oswaldo Deleuze, ao jornal *O Globo*. Foi publicada na edição de 16 de abril de 1989. Deleuze diz que foi a Bangu Um oferecer a capitulação do governo Moreira Franco, em troca da paz nas cadeias. Ele explicou que isto foi apenas um truque para poder processar os líderes do crime organizado. Leia e tire você mesmo as conclusões:

> Foi impressionante o primeiro contato com esses líderes. Eles pareciam querer imitar os chefões da Máfia. Ao cabo das negociações eu "prometi" que o governo iria atendê-los e que as transferências de Bangu Um para outros presídios que eles escolhessem seriam feitas progressivamente. Em troca, pedi que terminassem imediatamente a greve de presos e acabassem as matanças. Eles concordaram e me fizeram portador de um documento, assinado por eles, com novas instruções para os comandos dos demais presídios. Levei pessoalmente esses documentos para os "presidentes" de cada presídio, e eles assinaram o ciente. Nós

usamos esse documento para provar, na Justiça, a responsabilidade dessa organização nos assassinatos daquele período. Disso resultou um processo, atualmente no 4º Tribunal do Júri, com mais de duzentos membros do Comando Vermelho indiciados por homicídio. E continuam confinados no Bangu Um.

O caso ficou a cargo da juíza Denise Frossard. É a mesma que colocou na cadeia os grandes banqueiros do jogo do bicho no Rio de Janeiro.

3

INDEPENDENTEMENTE da forma como cessou a violência nos presídios – pelo acordo ou pelo golpe –, o fato é que o Comando Vermelho mudou de tática. Os homens da organização voltam ao trabalho habitual de "administração" das cadeias. E os grupos armados continuam agindo do lado de fora. O controle do tráfico de drogas se amplia. Agora os "vermelhos" têm hegemonia absoluta. O Terceiro Comando, reorganizado na Penitenciária Lemos de Brito, é novamente o inimigo principal. Há luta nas favelas onde as duas organizações estão presentes. E "a mãe de todas as batalhas" continua no Morro de São Carlos. Mas a cúpula do crime organizado não esquece o governador Moreira Franco. Num depoimento confidencial ao Serviço Secreto da PM, Paulo César Chaves, o PC, declara:

> Construíram um depósito de presos [Bangu Um] para acabar com a violência em seis meses, como anunciou o governador Moreira Franco na campanha eleitoral. A violência aumentou e o tráfico de entorpecentes cresceu, o que prova que há muitos outros fatores envolvidos na violência. Moreira Franco alardeou que as grades [de Bangu Um] eram de aço, mas são todas de ferro e uma delas já foi serrada. Onde está o dinheiro do aço? Há uma utilização eleitoreira no projeto do presídio. O Hélio Saboya [primeiro-secretário de polícia do governo Moreira] fez propaganda eleitoral na porta de Bangu Um. Fomos usados em filmes de propaganda eleitoral na televisão.

Paulo César Chaves, condenado a 36 anos por assalto a banco, integrante do núcleo inicial do Comando Vermelho, fala mais:

> O clima [em Bangu Um] é de revolta. Você é preso por infringir a lei e acaba sendo vítima de transgressão desta mesma lei pelo Estado. São ao todo 36 artigos da Constituição, da Lei de Execuções Penais e do Regime Penitenciário que o sistema penal transgride. De início, a lei é igual para todos, como determina a Constituição. [Em Bangu Um] nossas correspondências são descaradamente violadas. Não recebemos assistência médico-odontológica e farmacológica, nem assistência jurídica e educacional como determina a lei. Tive que me tornar o barbeiro da galeria. O diretor nos avisou: ou vocês se viram ou vão ficar com o cabelo pelos pés. Sou condenado pela Lei de Segurança Nacional e não fui anistiado como foram os presos políticos, o que é uma aberração jurídica. Dizem que sou de alta periculosidade, porque sei redigir documentos, denunciando arbitrariedades contra os presos e reivindicando nossos direitos A minha loquacidade incomoda.

Esse estilo é marca registrada do PC, um dos presos intelectualmente mais preparado de todo o sistema carcerário. No depoimento, datado de 14 de fevereiro de 1992, ele não disfarça a revolta contra as decisões do governo Moreira Franco. Com a mudança de governo e a volta de Leonel Brizola, PC foi transferido de Bangu Um. Ele e outros líderes da organização foram para presídios comuns. Foi preciso esperar muito para fazer aquilo que eles não conseguiram com os massacres de outubro e novembro de 88: romper o isolamento da cadeia de segurança máxima.

Durante os dois últimos anos do governo Moreira, 1989 e 1990, o Comando Vermelho ainda fez inúmeras tentativas para sair da "tranca" de Bangu Um. Denir Leandro da Silva, o Dênis da Rocinha, chegou a entrar com um processo contra o estado. Não deu certo. O mais grave no entanto está descrito num relatório enviado pelo coronel Jorge Francisco de Paula, chefe do Estado-Maior da PM, ao diretor do Desipe. O militar

A INDÚSTRIA DO CRIME *323*

tinha documentação provando que o Comando Vermelho planejava usar um carro-bomba para destruir os muros do presídio, que em seguida seria invadido por um grupo de cinqüenta homens bem-armados e treinados. A denúncia provocou um rebuliço no governo. Todo o sistema de segurança do presídio foi reavaliado. Novas medidas foram adotadas. No fim, nada aconteceu.

No início do ano de 1990, outra correspondência interceptada pela polícia indica que a organização pretendia seqüestrar um grupo de autoridades, entre elas o governador e o cardeal dom Eugênio Sales, para trocar pelos líderes presos. Esta idéia é o reaproveitamento quase integral dos métodos da guerrilha dos anos 70, que seqüestrava diplomatas para garantir a libertação dos companheiros. Tive oportunidade de ler as cartas do Comando Vermelho com as instruções para o seqüestro. Deveria acontecer durante o Festival da Canção Penitenciária, no mês de setembro. A polícia foi orientada para investigar a fundo qualquer ocorrência relacionada com roubo de explosivos e produtos químicos inflamáveis. Mais uma vez, nada aconteceu.

Os comunicados do Comando Vermelho, interceptados pela polícia, revelam que a organização realmente preparava uma superoperação para o mês de setembro de 1990, destinada a libertar os líderes presos em Bangu Um. O golpe teria todas as características de uma ação militar. E – num reaproveitamento da experiência guerrilheira – seria também uma "propaganda armada" do Comando Vermelho. Além de seqüestrar as autoridades que poderiam ser trocadas pelos presos, o ataque se transformaria numa denúncia pública das condições carcerárias. Na documentação apreendida, os chefões do crime organizado reclamam ainda que os grupos armados, atuando junto às quadrilhas do tráfico, precisavam aperfeiçoar as técnicas de seqüestro de empresários. O centro das operações devia se transferir de Bangu Um para Água Santa, onde os contatos com o exterior são mais fáceis. Além disso, um desses documentos dá a entender que o Comando Vermelho tinha gente ligada à Rádio Jornal do Brasil e à TV Globo.

Mister,

Use técnicas melhores para passar as mensagens aos parentes das vítimas de seqüestros, em tempo recorde, pois o tempo é precioso nesse tipo de ação. Procure vítimas que possam dar repercussão. Procure usar filmadora com cartuchos de vinte minutos para vídeo. Improvisar um fundo para descaracterizar o local onde estiver a vítima, para evitar deixar pistas. Entendeu? Ao trazer a vítima, já tens que ter tudo isso pronto e o argumento também, pois ao fazeres contato para o resgate não deves usar meios convencionais como o telefone, pois corres o risco de estar grampeado, [evite] bilhetes escritos e outros A fita é mais prático e economiza tempo. Certo? És inteligente, sei que irás se ligar no que estou falando. O material humano, simplifique, pois muito envolvimento dá nesses outros problemas. Use o esquema de seqüestrar um quente, pra sujar, e faça o coletivo [reunião coletiva] para melhorar o andamento. O professor tá com outra pauta. O contato agora é aqui em Água Santa, para melhor andamento. O amigo nissei [provavelmente uma referência a Francisco Viriato de Oliveira, o Japonês, indicando inclusive que ele poderia estar, neste ponto, assumindo o comando de toda a organização] coordena tudo daqui para a frente. Certo?

Neste ponto, o documento do Comando Vermelho começa a especificar detalhes da tentativa de libertar os líderes da organização:

O mesmo dos locais levantados para a operação de setembro envolve o governador, o juiz VEP [Vara de Execuções Criminais], diretor do Desipe, secretário de Justiça. Nissei quer os mesmos prendidos naquele local. Já foi feito contato com a Gabriela, JB. Na Globo, o contato está com problemas, pois o contato não quer o cardeal presente. A idéia do Nissei é de... [uma palavra ilegível, talvez "denunciar"] toda essa farsa, pressionando os citados a falarem toda a realidade, sem se tocarem que está sendo transmitido pela TV. Certo? Confie nele, pois tem tudo para dar certo. Vai acabar de vez com isso, pois faltam dois meses para as eleições. Isso tem que ser posto em prática. É melhor do que invadir aqui [talvez em referência a Bangu Um] e pôr a vida dos presos em risco. Tire da cabeça [a idéia] de eliminar aqueles guardas. Não irá surtir efeito na operação. Aquela pinta deu mole, vazou informação... [ilegível] e pensando bem não compensa. Evite os nomes, para não ter aquele mole de Bangu Um, pois o referido é vacilão, quer aparecer pra fugir da responsa. Certo? Cuidado com a loura, não deve escrever e levar nada. Vai chorar, sabe muito e deu mole. Temos que ter cuidado. Muita pressão e massacre. Nada de greve por enquanto. Isso não vai dar em nada. Do outro jeito vai dar melhor.

Como se pode ver, sérias ameaças. O documento faz também uma advertência aos políticos que se aproximam do Comando Vermelho em busca de votos nas favelas. E contém uma crítica ao personalismo dentro da organização:

> Não seremos mais usados por nenhum político que vier nas cadeias. Nada de idolatria a ninguém e a nenhuma atividade comum. Estamos em balanço dos anos 70/80/90. Já perdemos muitos amigos, sujeitos honestos. Tem uns pilantrinhas entre nós, vamos consertar. Certo? Mande notícias rápido naquele esquema.
> Um forte abraço. Vamos fazer jus ao nosso lema, que é de paz, justiça e liberdade.
> Comando Vermelho.

A superoperação de setembro de 1990 não saiu. Mas saiu o seqüestro do empresário Roberto Medina, uma pessoa muito próxima do governador Moreira Franco. "Use o esquema de seqüestrar um quente, pra sujar... "– a ordem do Comando Vermelho foi executada. Em junho de 90 Medina era "um quente" e seu seqüestro "sujou bastante", como já vimos. Mas a organização – ao que tudo indica – não desistiu. Foi ainda mais longe e tentou acabar com a vida do próprio governador. Durante o

326   CV_PCC *A IRMANDADE DO CRIME*

encontro que mantive com Wellington Moreira Franco, ele me disse que sofreu dois atentados:

– Na primeira vez, um tiro foi disparado contra uma das janelas do Palácio Laranjeiras, residência oficial do governo. A bala perfurou o vidro e duas grossas cortinas emborrachadas, que serviam de blecaute para a sala de cinema do palácio, no segundo andar. Eu não estava lá, mas pela hora deveria estar. O projétil foi achado no chão da sala, e a conclusão foi a de que teria sido disparado de grande distância.

A segunda tentativa, de acordo com Moreira Franco, foi muito mais perigosa:

– Saí do gabinete direto para um restaurante no Lido. Ia jantar com um casal de amigos. No meu carro estavam o motorista, um segurança, um ajudante-de-ordens e eu. Atrás, num segundo carro, vinham outros dois seguranças. Cheguei ao restaurante e dispensei a escolta. Os carros se dirigiram ao Laranjeiras, onde deveriam deixar o ajudante-de-ordens, e só voltariam quando eu telefonasse. Usaram o caminho de sempre, que passava por umas vias secundárias. Num cruzamento, os carros ficaram parados num sinal de trânsito. O meu, onde eu deveria estar, ficou na frente. Antes do sinal abrir, dois homens numa motocicleta passaram atirando com uma metralhadora. Os seguranças reagiram e houve um tiroteio. Os vidros do meu carro eram escuros e, de fora, não se saberia quem estava dentro. As balas foram dirigidas para o lado onde eu ficava habitualmente.

Na quarta-feira 30 de março de 1988, o governador e a primeira-dama, Celina Moreira Franco, jantaram com o então ministro da Previdência, Renato Archer. Foi no Le Bec Fin, no Lido. Naquela mesma noite, pouco antes das dez horas, houve um tiroteio na esquina das ruas Gago Coutinho e Laranjeiras. Nenhum registro policial foi feito. O Palácio Guanabara emitiu nota oficial informando que nada acontecera com o governador ou com a segurança do governador. Há, no entanto, dezenas de testemunhas do incidente. Uma delas é o médico pediatra Flávio Queschnir, que teve o vidro dianteiro do carro – o Chevette

ZE2327 – estilhaçado por balas. Perguntei a Moreira Franco por que isso nunca foi divulgado. Sua resposta:

– Eu bem poderia ir para a televisão e faturar isso politicamente. Ficaria na posição de vítima do crime organizado. Mas pensei melhor. Admitir uma coisa dessas era absurdo. Significava dizer que o poder público, na pessoa do próprio governador, estava vulnerável a uma ação armada. Veja bem: um tiro contra o palácio, o carro do governador metralhado. Não dava para assumir isso.

– Em termos políticos, é compreensível. Mas, em termos pessoais, que conclusão o senhor tirou desses incidentes? – perguntei.

– A conclusão óbvia: o crime não é mais o mesmo. Quem pensa que eles não passam de um bando de ignorantes, um punhado de analfabetos, está redondamente enganado. O Comando Vermelho é quase tão organizado quanto as máfias internacionais da droga. Sei de muita gente que acredita haver por trás do Comando alguma mente privilegiada, alguma pessoa de formação impecável, algum gênio do crime. Isso é outro engano. Os criminosos evoluíram. Aprenderam a se organizar. São uma grave ameaça à ordem pública.

– E o que vem por aí, no futuro?

– É difícil prever. Podemos estar a caminho de Medellín ou de Palermo. Mas eu acredito no Brasil e imagino que será possível controlar o crime organizado. Talvez não destruir – mas controlar certamente.

O governo Moreira Franco acaba em janeiro de 1991. Nos seis últimos meses, quarenta pessoas foram seqüestradas no Rio. As operações policiais varreram as favelas. Vinte e sete seqüestradores foram parar em Bangu Um. Nada disso adiantou. O Comando Vermelho continua fincando seus cruzeiros no alto dos morros. No dia de São Jorge – o "santo guerreiro", padroeiro da organização –, o Comando Vermelho comemora com fogos de artifício.

4

JANEIRO DE 1991. O engenheiro Leonel de Moura Brizola toma posse do segundo mandato como governador do estado do Rio. O voto das favelas, que o abandonou quatro anos antes, volta com toda a força. São 60,16% dos eleitores depositando nas urnas as cédulas da vitória do PDT. A coligação de centro-direita que garantira a vitória de Moreira Franco, no período anterior, se esfacela. Jorge Bittar, do Partido dos Trabalhadores (PT), é o segundo colocado, com 17,77%. No interior das cadeias controladas pelo Comando Vermelho, começa uma nova articulação. A liderança encarcerada quer restabelecer canais de negociação. Mudam os diretores dos presídios, muda o chefe do Desipe. O Rio tem um novo secretário de Justiça. Está na hora de esquecer velhas rivalidades, passar a limpo a estratégia da organização.

Os líderes do crime organizado estão, mais uma vez, trabalhando em cooperação com a Pastoral Penal. Não há violência nas cadeias. Os grandes seqüestros pararam repentinamente. Por outro lado, o governo do estado determina mudanças no comando da Polícia Militar, deixa as favelas em paz. Chega de operações ilegais e invasões dos morros. Até os helicópteros da polícia são proibidos de voar sobre os barracos, "para não colocar em risco a vida de cidadãos inocentes". Isso o governador Leonel Brizola disse numa entrevista na rádio Jornal do Brasil. Ares de trégua.

É impossível dizer que houve um acordo. Não existem documentos. Ninguém – dentro ou fora do governo – assume isso. Mas alguma coisa está acontecendo. O relacionamento muda da água para o vinho. Nem é

A INDÚSTRIA DO CRIME   *329*

necessário fazer novas eleições nas cadeias para definir os interlocutores entre os detentos e o poder público. O Comando Vermelho é a liderança incontestável. As ligações da organização com a Igreja católica voltam a prosperar. O padre Bruno Trombetta, da Pastoral Penal, é um amigo dos presos. Respeitado, intransigente defensor dos direitos humanos, padre Bruno é uma força quase tão poderosa nas cadeias quanto o Comando Vermelho. Ninguém gosta de contrariar o missionário, que faz um sério trabalho de apoio espiritual. Na sua conta estão centenas de reabilitações. Muita gente deixou o crime pelas palavras e pela ação da Pastoral Penal do Rio de Janeiro.

Padre Bruno não se acanha em dizer que conhece bem os homens do Comando Vermelho, especialmente a liderança mais ativa. Ele costuma comentar que a organização, em termos de comportamento carcerário, "é um avanço importante, pelo exemplo que inspira aos demais". Estas palavras ele disse ao repórter Caco Barcellos, da Rede Globo, em junho de 1992, referindo-se ao combate travado contra os estupros e outras violências entre presos. Na época eu era o diretor-geral do *Fantástico* e pedi ao Caco que fizesse uma matéria sobre a guerra de quadrilhas nos morros, que naquele momento voltava a pegar fogo. O ponto de partida era o padre Bruno, único capaz de dar informações corretas sobre o Comando Vermelho dentro das penitenciárias. Os dois se encontraram na sede da Pastoral Penal. O padre não quis colaborar. Disse frases duras ao repórter – por ironia, é o mesmo que denunciou as matanças praticadas pela ROTA (Rondas Ostensivas Tobias de Aguiar) em São Paulo. Mas admitiu o fato de que consegue conviver com os homens do Comando Vermelho e entender suas razões. Disse mais:

– Não vou colaborar com nenhuma reportagem, porque não quero me tornar cúmplice dos crimes que essas filmagens desencadeiam nos morros. Vocês sobem as favelas com a polícia, para obter ilustrações para a televisão... e sempre morre alguém por causa disso.

O padre Bruno tem razão? É difícil responder. Muitas vezes as operações policiais acompanhadas pela imprensa resultam em mortes. A polícia gosta das câmeras de televisão. Mas os repórteres talvez não possam ser acusados de instigar qualquer tipo de violência. Atirar de metralhadora na favela é uma rotina para os policiais. Assim como também é rotina para o Comando Vermelho receber a polícia com todo o arsenal disponível. No meio – infelizmente – fica o inocente, o cidadão pobre e sem proteção das leis. Nem das leis dos homens nem das leis de Deus. Bala de fuzil não faz o sinal-da-cruz.

Mas esse comportamento hostil do padre não é traço de caráter. Em sua vida de missionário, percorrendo cadeias, Bruno Trombetta já deu muitas demonstrações de piedade É um cristão por vocação e um profissional do trabalho religioso entre os prisioneiros. O padre convive com a escória, com os deserdados da sociedade, com os maus e violentos também. É um homem bom – e por isso suas palavras merecem reflexão. Entre as atitudes piedosas deste padre está um intenso trabalho de assistência jurídica que a Pastoral Penal patrocina em todos os presídios. O próprio Bruno Trombetta intermedia com o Desipe e a Vara de Execuções Penais a libertação de presos ou a revisão de condenações. Muitas vezes ele já se dispôs a servir de fiador para alguma prisão-albergue. Uma recomendação sua é algo que melhora qualquer currículo.

Em 1991, padre Bruno fez coro aos protestos contra Bangu Um. Não que pretendesse desativar a cadeia. Não que concordasse com a política do "cada dia morre um". Mas o padre compreendeu o drama que se desenrolava no presídio de segurança máxima. O isolamento é uma pena adicional. Ninguém discute isso. Está claro que é. O padre é um defensor da dignidade humana. Por isso intercedeu para que houvesse transferências de Bangu Um para as cadeias da Frei Caneca. Durante os anos de 91 e 92, vinte dos mais importantes chefões do crime organizado deixaram Bangu Um. Pelo menos em dois casos o padre Bruno agiu diretamente. Paulo César Chaves, o PC, fundador da organização, foi transferido para a Milton Dias Moreira. Sérgio Mendonça, o Serginho Ratazana, veterano dos assaltos a banco do período 80/81/82, também saiu da "tranca" e foi para a Milton Dias Moreira. O presídio é chamado de "colônia de férias",

A INDÚSTRIA DO CRIME   *331*

porque o Comando Vermelho é que dita as regras de comportamento dentro da cadeia. Outro transferido foi o Beato Salu, chefe do tráfico no Morro da Mangueira, um organizador de quadrilhas que agora também está na "colônia".

Padre Bruno Trombetta diz que os dois líderes da organização mereceram o benefício da transferência. Eram presos de boa conduta e "assumiram um compromisso moral de não tentar fugir nem fazer qualquer bobagem". Ao repórter Cláudio Renato, de *O Globo*, ele declarou:

– Sempre corremos um risco quando trabalhamos com detentos. Algumas vezes já me senti traído por alguns deles, mas assumo o que faço.

Só que as coisas não são tão simples assim. A polícia jura que a transferência dos homens do Comando Vermelho para o Complexo da Frei Caneca faz parte de um plano de fuga. Em dois anos, todos os líderes estariam na rua. seguindo uma hierarquia de nomes disposta em lista secreta. Alguns desses homens têm missões importantes a realizar e precisam sair. Recebem "investimentos especiais" para escapar. Oito conseguiram fugir. Dois são chefes de grandes quadrilhas. José Mendes de Oliveira, um ex-jóquei conhecido como J.J. Mendes, comandante de seqüestros contra empresários, foi transferido de Bangu Um para o Presídio Ari Franco. No dia 14 de março de 1993, em companhia de outros sete criminosos, ele deixou a cadeia tranqüilamente. O secretário de Polícia Civil do Rio, Nilo Batista, diz que o seqüestrador pagou 40 mil dólares e uma barra de ouro para sair. Um mês depois, no dia 13 de abril, foge Eraldo Souza da Silva, "capitão" do tráfico na Favela da Rocinha, braço direito de Denir Leandro. A fuga de Eraldo foi escandalosa: ele saiu pela porta da frente, vestindo um terno fino – e ainda se deu o trabalho de despedir-se dos guardas. J.J. Mendes foi recapturado logo – mas Eraldo da Rocinha estava de novo no negócio das drogas. Sua primeira providência ao voltar à maior favela da cidade foi eliminar três rivais. Balas de metralhadora no meio da madrugada. O primeiro crime ocorreu vinte horas depois que ele deixou o presídio. Naquela época, de acordo com os policiais responsáveis pelo combate ao crime organizado, o próximo a fugir seria Paulo

César Chaves, o PC. Ele estava no topo da lista de prioridades do Comando Vermelho.

Dos chefões da organização, muitos já estão fora de Bangu Um. Vale repetir: foram vinte transferências nos anos de 91 e 92. Além disso, Willian da Silva Lima obteve o benefício da prisão-albergue e desapareceu em 87, passando vários anos em liberdade, até ser recapturado e devolvido à cadeia de segurança máxima. Rogério Lengruber, o Bagulhão, também saiu. Desta para a melhor. Tinha insuficiência hepática e venosa, resultado de cirrose e diabetes. Resolveu dispensar a dieta especial que recebia em Bangu Um e se encheu de doces. Queria elevar a taxa de glicose e conseguir transferência para o Hospital Penitenciário, onde seria fácil para o Comando Vermelho resgatá-lo. Não deu certo. Entrou em coma. No dia 21 de maio de 1992, foi levado para o Hospital Miguel Couto, no bairro do Leblon, Zona Sul do Rio. O hospital foi ocupado por dezenas de policiais, que revistavam até os médicos e pacientes. Rogério Lengruber, o "marechal" da organização, morreu no dia 29, uma semana depois da internação. A morte encerrou a pena que deveria cumprir até o ano de 2030.

Com a morte de Bagulhão, Francisco Viriato de Oliveira, o Japonês, assume com poder absoluto. É agora o cabeça do crime organizado. Do núcleo inicial do Comando Vermelho, três ainda estão na comissão dirigente: Willian da Silva Lima, Paulo César Chaves e Sérgio Mendonça. Mas já não têm a mesma influência nos destinos do grupo. São uma espécie de "reserva histórica" da organização. Viriato é o chefe incontestável. Abaixo dele estão os irmãos José Carlos e Paulo César dos Reis Encina. Os chefes do tráfico de drogas ocuparam definitivamente o lugar deixado pelos "históricos".

A morte de Rogério Lengruber faz com que os presos de Bangu Um mandem uma carta ao governador Leonel Brizola, no dia 19 de julho de 1992. Tenho uma cópia deste documento. É uma retomada das negociações sobre o fim do isolamento no presídio de segurança máxima. Na transcrição a seguir, elimino erros de português, para facilitar a leitura. O próprio texto foi rearrumado em pequenas partes. Veja os trechos selecionados:

A INDÚSTRIA DO CRIME   *333*

Nós, signatários do presente, componentes do efetivo da pseudopenitenciária de Bangu Um, vimos através desta solicitar as providências cabíveis de DIREITO e de JUSTIÇA em nossa dramática situação carcerária. (...) As características arquitetônicas e funcionais de Bangu Um são as de uma masmorra, uma prisão-castigo, comparando-se às conhecidas surdas [solitárias], que na década passada foram condenadas pela justiça e órgãos de defesa dos direitos humanos, por atentarem contra a saúde física e psicológica dos presos. Bangu Um é um pequeno aglomerado de blocos de concreto, até mesmo a cama em que se dorme. Com isso, se produz um efeito térmico: no frio, congelante; no calor, escaldante. Acrescentando-se a este contexto desumano e aniquilante, enfrentamos o descaso e a falta absoluta de assistência, principalmente de tratamento médico, com isso agravando as doenças e, em alguns casos, provocando a morte, como a do companheiro Rogério Lengruber. Há casos de extrema gravidade, como o do companheiro Isaías Costa Rodrigues [o Isaías do Borel], que está com AIDS e tuberculose e que as autoridades se recusam a dar tratamento adequado à sua saúde. Como também o do companheiro Jorge Bigler da Silva [na verdade, Luiz Jorge Biglia da Silva, o Doda, um dos seqüestradores do empresário Roberto Medina], que se encontra no Hospital Penitenciário à beira da morte, para onde foi removido quando seu estado já era desesperador. Esclarecemos ainda que o sistema penitenciário não nos fornece nenhum medicamento, que é comprado por nossos familiares. E quem não tiver condição financeira morre.

Diz a lenda que a comida de Bangu Um é a melhor de todas as cadelas, mas os presos têm uma versão diferente:

O sistema só nos fornece uma comida intragável, que em sua maioria vai para o lixo. Somos sustentados com sacrifício por nossos familiares, que nos trazem roupas de uso, calçado, roupa de cama, alimentação complementar, senão morreríamos de fome, material higiênico, material de leitura, de escrever e remédios.

334   CV_PCC *A IRMANDADE DO CRIME*

Agora a carta critica o presídio de segurança máxima à luz da legislação:

> Além do processo de tortura física e psicológica a que somos subme-
> tidos, muitos há mais de quatro anos, alguns até a morte, somos vítimas
> de uma execração pública que distorce a realidade e contraria a lei. Esse
> processo de aniquilamento é sutil e sistemático, onde o criminoso [o sis-
> tema] não aparece nem paga pelos seus crimes contra nós. Bangu Um é
> inconstitucional, desumano, um campo de concentração que infringe
> 43 artigos da lei [seguem-se os artigos]. (...) Em face do exposto, solicita-
> mos que tome medidas humanas em nossa situação, socorrendo os que
> estão doentes e condenando essa masmorra, que não foi construída em
> vosso governo, por atentar contra a nossa saúde. Mesmo na condição de
> presos sentenciados, não perdemos o direito à vida e à cidadania.

A carta recebeu 23 assinaturas. Quase toda a liderança do Comando
Vermelho. O tom empregado no documento é muito diferente daquele
do tempo do governo Moreira Franco. Argumentos em vez de ameaças. E
a carta teve resposta. O Desipe mandou inspecionar a qualidade da comida, transferiu os doentes para o Hospital Penitenciário. Tudo aquilo que
os massacres não conseguiram, a negociação estava resolvendo.

Em abril de 1993, o governo Brizola anuncia concorrência para construir Bangu Dois e Bangu Três. Quer três mil novas vagas no sistema
penal. A pedra de toque do projeto é a venda do Presídio da Ilha Grande
para um empreendimento hoteleiro de luxo. Os moradores da ilha, que
nunca conviveram bem com o presídio, agora querem que o Cândido
Mendes fique onde está. Eles têm medo da especulação imobiliária que
pode transformar o "paraíso" num imenso loteamento de classe média.
Enquanto a polêmica ganha tons ecológicos, o presídio que viu nascer o
Comando Vermelho apodrece no mais completo abandono. Os presos...
Bem, os presos não importam.

Menos de dois anos depois, o presídio da Ilha Grande desapareceu
misteriosamente. Foi implodido com tudo o que havia dentro, incluindo

A INDÚSTRIA DO CRIME   *335*

cozinhas, portas, grades, material de higiene e mais um monte de outros materiais que ainda hoje fazem falta a outros presídios. As cargas de dinamite destruíram tudo. E até hoje não surgiu nenhum grande empreendimento hoteleiro no local. É praticamente impossível escrever o último capítulo da penitenciária que foi o berço do crime organizado no país. Não há documentos. Há poucas testemunhas. As imagens da implosão do "Caldeirão do Diabo" estão nos arquivos da TV Globo e da Band. Apenas alguns segundos. Mas estas imagens, por si só, não esclarecem o mistério. O presídio mais famoso do Brasil – aliás, terrivelmente famoso – sumiu encoberto por uma névoa de silêncio. Como as névoas do mar que costumavam anteceder o verão na Ilha Grande, no tempo em que prisioneiros famosos estavam ali para morrer.

A SELEÇÃO BRASILEIRA DO CRIME

1

WILLIAN DA SILVA LIMA, o fundador do Comando Vermelho, deixou a cadeia pela porta da frente. Calmo como sempre. Passos lentos pela calçada. Atrás dele, o portão do presídio Esmeraldino Bandeira foi ficando pequeno à medida que ele se afastava caminhando pela Estrada Guandu do Sena, no subúrbio de Bangu. Eram seis horas da manhã. Willian ainda acenou para o soldado na guarita que fica sobre o muro – um soldado que ele esperava nunca mais rever. Tomou um ônibus e foi se encontrar com a mulher. Simone já sabia que o Professor estava decidido a não se apresentar mais à justiça. Os dois discutiram o assunto muitas vezes. E chegaram à mesma conclusão: não dava mais para ficar na cadeia.

Ele cumpria pena em regime semi-aberto e teve um recurso recusado pela Vara de Execuções Penais. Se não fugisse, voltaria à tranca, ao regime fechado. Willian não aceitou a decisão, que considerou uma grande injustiça. No Esmeraldino Bandeira, sua rotina era assim: saía de manhã bem cedo, passava todo o dia na rua, voltava às oito da noite. Estava trabalhando no Sindicato dos Escritores, no centro da cidade. Mas ninguém sabia muito bem o que fazia com as quatorze horas diárias de liberdade.

Nessa manhã fria de julho de 1986, quando deixou para trás os muros do presídio que abrigava 250 homens do Comando Vermelho, o principal teórico da organização já tinha pronto na cabeça o plano de fuga. Tudo foi revisto nos mínimos detalhes. Ele e a mulher querem ir para São Paulo, onde Willian não será reconhecido nas ruas. Lá os arquivos da polícia não têm fotos nem impressões digitais do mais ilustre presidiário do Rio. A idéia deles: começar uma vida nova, longe do crime, anônimos no turbilhão da maior metrópole brasileira.

O Professor conseguiu o benefício da prisão semi-aberta seguindo todos os rituais da lei. Foi a mulher – estudante de Direito a serviço do Desipe – quem obteve para ele trabalho fora das grades. Já em 1985, Simone Barros Corrêa Menezes entrou com um processo para garantir a Willian o direito de viver como preso-colono na Ilha Grande. Juntos construíram uma casinha de três cômodos na área agrícola do Instituto Penal Cândido Mendes. Os presos ajudaram, num mutirão que garantiu o casamento de Willian e Simone. No dia 4 de abril de 1991, ela concordou em reconstituir os últimos tempos na Ilha Grande e a fuga para São Paulo. A entrevista foi no Instituto de Estudos da Religião:

– Morando fora do presídio, Willian estava sujeito a quatro "conferes" por dia. Trabalhava duro como colono. Daí a gente tirava nosso sustento e ainda ajudava a abastecer a cozinha dos internos. Eu continuava estudando e fazendo o estágio do Desipe, no Rio. Entrei com o pedido de prisão semi-aberta porque Willian tinha bom comportamento, estava trabalhando e não se metia em nenhuma confusão com a administração penal. Ele já tinha cumprido, ao todo, 23 anos de reclusão. E a lei diz que ninguém pode ficar mais de trinta anos em regime fechado. Além disso, com o trabalho diário, a pena caía para 26 anos. Recorri e ganhei: em 1986, Willian foi transferido para o Esmeraldino Bandeira. Começou a trabalhar no sindicato, mas era um esforço muito grande. Acordava às quatro da manhã e só voltava às oito da noite. Ele sofria de uma labirintite por causa da pancada que levou na cabeça, com uma barra de ferro, quando estava na prisão. Depois de quatro meses trabalhando, teve que fazer uma série de exames.

Os problemas de saúde do marido fizeram com que Simone se dedicasse ainda mais aos recursos judiciais Agora queria para ele a prisão-albergue domiciliar, a pena mais leve do código. Ganhou. Mas no mesmo dia em que o juiz assinou o novo benefício, Willian foi trancado numa cela solitária do Esmeraldino Bandeira. Ficou lá dentro sete dias, sem saber o motivo. Só no final de uma semana de castigo o Professor e a mulher entenderam o que estava acontecendo. O juiz que assinou a prisão domiciliar voltou atrás. Simone não lembra mais o nome do juiz, mas conta como foi:

– Willian ganhou a PAD [prisão-albergue domiciliar] e, quando voltou ao presídio para dormir e receber o alvará na manhã seguinte, foi algemado e trancado. Procurei o juiz e ele alegou que estava sendo pressionado. Disse que legalmente o Willian tinha todos os direitos, mas a pressão política era muito grande. Não podia dar prisão-albergue para o líder do Comando Vermelho. Disse que não bancaria a saída de Willian, cujo mito era muito grande.

É bem possível que o magistrado não soubesse quem era Willian da Silva Lima. E só percebeu o tamanho da encrenca em que se meteu quando o Desipe informou que o preso era o fundador da maior organização criminosa do país. Mas Simone continuou com os recursos e restabeleceu o regime semi-aberto no Esmeraldino Bandeira. Willian, famoso ou não, saía de manhã para trabalhar e só voltava à noite. Foi aí que ele resolveu fugir. Em outras palavras, a sutileza das diferenças jurídicas entre o regime semi-aberto e a prisão-albergue dava no mesmo: liberdade provisória e a chance de escapar. O juiz deu uma de Pilatos. Lavou as mãos.

– Nesse momento, Willian e eu questionamos a credibilidade da justiça, do sistema – explica Simone. – Não adiantava lutar pelos direitos dele, porque a lei não quer dizer nada perto da política. Naquele dia de julho de 86, Willian decidiu não se apresentar mais, apesar de faltarem apenas dois anos para que ele recebesse a liberdade condicional. Ficamos um ano escondidos, trocando de endereço, até que fomos para São Paulo, já em 87. Ele tinha aprendido alfaiataria na cadeia, e a nossa idéia era fazer roupas baratas em casa e vender de porta em porta, na periferia da capital paulista.

Os dois chegaram a São Paulo com pouco dinheiro, algumas sacolas e uma máquina de costura portátil. Sublocaram um apartamento, compraram um fogão de duas bocas – desses de acampamento – e duas almo-

A INDÚSTRIA DO CRIME   *341*

fadas, onde dormiam. Por essa época, os dois primeiros filhos do casal, Marina e Guilherme, já eram nascidos.

– Não tínhamos quase nada. Nossas roupas eram guardadas em caixotes de leite em pó. O apartamento era um lugar horroroso. As crianças não podiam estudar, e até hoje não estudam. Filho de guerrilheiro é assim mesmo. Willian costurava e eu vendia como sacoleira nos bairros do Paraíso, Vila Mariana, Itaim. Vivemos assim durante um ano e meio, arrumando algum dinheiro.

Nessa altura do campeonato, conta Simone, a família de Willian resolveu ajudar. Com o dinheiro que receberam, mandaram imprimir uns panfletos que diziam: "Consertam-se, reformam-se, fazem-se e vendem-se roupas."

– A família dele levou mais de um ano para acreditar que ele estava querendo trabalhar honestamente. Com o dinheiro que recebemos, montamos uma microempresa, uma confecção. Mudamos para uma casa maior, onde morávamos e trabalhávamos. Em 1989, tínhamos três costureiras e um ajudante trabalhando na oficina. Conseguimos formar uma clientela. Tinha dado certo e estávamos vivendo.

Durante esses três anos e pouco de liberdade, Willian amadureceu a idéia de escrever o livro de memórias: *Quatrocentos contra um – uma história do Comando Vermelho*. Há muito tempo vinha juntando papéis, fazendo anotações. Queria revelar sua longa e perigosa trajetória nos subterrâneos do sistema penal. O Professor tinha medo de morrer sem contar a história dos homens que fundaram o Comando Vermelho. Do núcleo inicial da organização, poucos estavam vivos – e ele era uma testemunha privilegiada dos acontecimentos. Queria que as pessoas soubessem como é o dia-a-dia dentro de um presídio. Principalmente, queria contar os motivos que levam alguém ao crime e à revolta. Simone o ajudou a organizar nomes e datas:

– Ele escrevia e eu batia à máquina. Nessa época nós lemos um trabalho sobre a prostituição publicado pelo Instituto de Estudos da Religião, do Rio de Janeiro. Decidimos mandar o livro pelo correio para Gabriela

Silva Leite, coordenadora do projeto no Instituto. Para nosso espanto, o texto foi aprovado. Fui ao Rio e assinei contrato com o Iser. Ficou acertado que o livro seria publicado em agosto de 1990. Três meses antes, vendemos a empresa em São Paulo. Willian não queria correr o risco de ser apanhado por causa do livro. Além disso, os funcionários da oficina não sabiam de nada e podiam sofrer as conseqüências inocentemente. Tínhamos lutado muito para chegar até ali, fizemos tudo sozinhos. Mas o livro era importante.

Willian, Simone e as crianças voltaram ao Rio de ônibus. Pouco dinheiro, algumas sacolas e uma televisão de quatorze polegadas. O Instituto de Estudos da Religião confirmava a publicação do livro, em co-edição com a Editora Vozes. Mas o lançamento teve que ser adiado.

– Em julho de 1990, na época do seqüestro do Medina, uma reportagem da TV Globo mostrou Willian como um demônio, líder do Comando Vermelho, idealizador do seqüestro. Foi tudo por água abaixo. Todo mundo já tinha se esquecido dele. Há anos não saía o nome dele na imprensa, mas o *Jornal Nacional* veio para arrasar com a gente. Os editores do livro acharam que não era bom publicar com tanto barulho em torno do nome do Willian. O lançamento ficou marcado para uma nova data, em janeiro de 1991.

No dia 2 de janeiro, Willian da Silva Lima foi preso no centro do Rio. Segundo a mulher, foi uma "mineira", uma extorsão contra ele. Os policiais – ainda de acordo com as informações de Simone – queriam dinheiro para soltá-lo, mas descobriram que tinham apanhado o fundador do Comando Vermelho, procurado pelo seqüestro do empresário Roberto Medina. Identificado pela folha penal, foragido, foi parar em Bangu Um. Cinco anos depois de escapar do Esmeraldino Bandeira, Willian reencontra os companheiros da comissão dirigente da organização. Pela descrição da mulher, os anos vividos em São Paulo foram de amor, liberdade e vida decente.

A INDÚSTRIA DO CRIME   343

2

INFORMADOS PELA POLÍCIA do Rio de que o Professor do Comando Vermelho viveu durante quatro anos em São Paulo, policiais do Departamento de Investigações Criminais (Deic) e do Serviço de Inteligência da polícia Militar paulista começaram a trabalhar. Em primeiro lugar, tentaram localizar a oficina de costura do casal. Não conseguiram. Uma empresa legalmente constituída seria fácil de encontrar através do Cadastro Geral do Contribuinte (CGC) ou da Junta Comercial. A polícia não achou nada e chegou à conclusão de que a confecção – se algum dia existiu – funcionava irregularmente e sem alvará. Mas os policiais descobriram coisas bem interessantes.

No dia 11 de março de 1993, o jornal *Folha de S. Paulo* publicou matéria com chamada na primeira página: "Comando Vermelho Invade SP". Um título de espantar qualquer um. Era o resultado da investigação do Serviço de Inteligência da PM, ao qual teve acesso o repórter Cláudio Júlio Tognolli. A reportagem mostra que a organização estava fazendo investimentos em São Paulo para "lavar" o dinheiro do tráfico de drogas no Rio. Gente ligada ao Comando Vermelho estava comprando postos de gasolina e casas lotéricas na capital e no interior. Armas de guerra soviéticas e israelenses estavam sendo contrabandeadas. E o jornal afirma que os traficantes cariocas estavam acertando um pacto com os banqueiros paulistas do jogo do bicho. Disse a *Folha de S. Paulo*:

O Comando Vermelho, agremiação de traficantes de drogas e ladrões do Rio de Janeiro, invade lentamente São Paulo. É o que diz um relatório elaborado pelo Serviço de Inteligência da Polícia Militar, obtido com exclusividade pela *Folha*. Pelo menos sete assaltos foram praticados em São Paulo, no último ano, por membros do Comando Vermelho. (...) um dos centros de operação é o Conjunto Habitacional Tiradentes (Zona Leste). O suposto líder do CV em São Paulo seria o comerciante Mário Sérgio Arias, aponta o relatório. Arias foi preso em maio de 1991 em Monguaguá, sob acusação de portar 680 quilos de maconha. Simulando uma dor de estômago, Arias foi levado a um hospital e resgatado por doze homens armados de metralhadoras.

O jornal não disfarça o espanto do repórter diante das informações do relatório da PM, especialmente porque nele a polícia afirma que a organização chegou a São Paulo para ficar:

> O documento revela ainda que o CV estaria comprando postos de gasolina, lojas, restaurantes e casas lotéricas, por intermédio de bicheiros, para lavar o dinheiro da organização. (...) As quantias arrecadadas pelo CV não mais seriam remetidas ao Rio, e sim instaladas definitivamente em São Paulo.

Depois que a *Folha de S. Paulo* publicou a reportagem, entrei em contato com algumas pessoas em São Paulo, que me conseguiram uma cópia do relatório original da PM. É um documento de quatorze páginas, bem escrito mas um tanto superficial. As informações não são muito claras quanto ao método de organização adotado pelo Comando Vermelho. Um detalhe chama atenção: as primeiras pistas da "exportação" do crime organizado para São Paulo surgem no segundo semestre de 1990. Um grupo bem armado invade o Queen Anne Boleyn, condomínio de luxo na Zona Leste da capital. À frente da quadrilha está um homem alto, louro e de olhos claros. A polícia o identifica como William da Costa, "membro do Comando Vermelho e um dos muitos criminosos que saíram do Rio de Janeiro com as freqüentes operações policiais nos morros e favelas". O assaltante tem ficha criminal no Rio, e sua "filiação partidária" é mesmo o Comando Vermelho. Em dezembro de 1990, uma tropa de choque da PM paulista, incluindo os homens das temidas Rondas Ostensivas Tobias de Aguiar – ROTA –, descobre uma base de operações de traficantes do Comando Vermelho no Conjunto Habitacional Tiradentes. A polícia é recebida a tiros de metralhadora. O conjunto residencial é sacudido por quarenta minutos de pesada fuzilaria. Coisa inédita em São Paulo, onde bandido geralmente não enfrenta a polícia. Passado o tiroteio, quatro mortos: Donizete Luiz da Silva, Jair de Oliveira Castro e dois outros conhecidos como Mário Traficante e Agnaldo Zoinho A polícia paulista mergulha fundo numa investigação para saber quem eram aqueles homens que ofereceram tamanha resistência. A conclusão está no relatório do serviço secreto da PM:

> No COHAB TIRADENTES havia pequenos furtos e brigas de bares. Tudo mudou com a chegada dos líderes do COMANDO VERMELHO: eles recrutavam ladrões e traficantes, entregando-lhes armas pesadas, e passaram a reinar no conjunto. Para mostrar sua força, o grupo passou a cobrar taxa de proteção dos moradores – quem não pagasse tinha seu apartamento assaltado e era expulso; quem resistisse era morto.

Um mês depois da batalha do Conjunto Tiradentes, caem mais dois assaltantes de prédios de luxo. Marcus José de Oliveira e Adauto Teixeira confessam sua ligação com o Comando Vermelho. O relatório da PM, onde são citados, informa que a quadrilha tem três assaltantes do Rio, que agem também em Florianópolis.

> Em janeiro de 91, dois integrantes do COMANDO VERMELHO foram presos em São Paulo e confessaram ter assaltado cinco prédios residenciais na capital. MARCUS JOSÉ DE OLIVEIRA e ADAUTO TEIXEIRA

foram reconhecidos por moradores de três prédios. (...) MARCUS OLI-
VEIRA informou aos policiais que 10% do valor dos assaltos eram entregues ao COMANDO VERMELHO: "O dinheiro serve para pagar advogados, melhorar a situação dos que estão presos e financiar comida e drogas nos presídios."

Aí está – mais uma vez – o comportamento padrão da organização. A
experiência de solidariedade interna do grupo contaminando a bandidagem paulista. O medo da polícia de São Paulo é que o crime organizado
consiga mobilizar a massa carcerária, a exemplo do que aconteceu no Rio
de Janeiro:

> Representa um problema muito sério o agregamento de presidiários
> paulistas ao COMANDO VERMELHO, o que poderia proporcionar aos
> mesmos um "sentimento de superioridade", tendo em vista a glorificação
> do mundo do crime em torno do COMANDO, ocasionando rebeliões e, o
> que é pior, uma situação espelho do estado caótico do Rio de Janeiro.

Esse relatório tem caráter quase profético. Nos anos de 1999 a 2002,
a organização de presos comuns em São Paulo, seguindo os passos do
Comando Vermelho, deu origem a pelo menos três organizações, entre
elas o Primeiro Comando da Capital (PCC).

O relatório da Polícia Militar paulista tem um tom meio apocalípti-
co. Dizem que isso foi intencional, para sensibilizar o comando da corporação e o governo estadual. Há quem jure que o próprio governador
Luis Antônio Fleury Filho leu uma cópia. São Paulo tem medo do Comando Vermelho. Com razão. No Rio, a organização é hoje praticamente indestrutível. Não apenas pela força das armas e do dinheiro, mas porque conseguiu enraizamento social. Para cada "soldado vermelho" caído
em combate, outro se levanta da adolescência favelada e ocupa o lugar
que ficou vago nessa guerra não-declarada. Para reforçar o conteúdo da
investigação, o relatório da PM inclui um depoimento de Willian da

Silva Lima. As palavras do Professor foram gravadas em janeiro de 1991 pelo detetive João Batista Pereira Neto, da Divisão Anti-Seqüestro do Rio. William comenta que "alguns intelectuais" pretendiam usar o Comando Vermelho na luta política:

> Alguns deles, pequeno-burgueses, pretendiam usar nossas comunidades e nossa organização com finalidades políticas. À medida que não nos deixamos usar, comprovamos, sem soberba, que conseguimos aquilo que a guerrilha não conseguiu, o apoio da população carente. Vou aos morros e vejo crianças com disposição, fumando e vendendo baseado. Futuramente, elas serão três milhões de adolescentes que matarão vocês [a polícia] nas esquinas. Já pensou o que serão três milhões de adolescentes e dez milhões de desempregados em armas? Quantos Bangu Um, Dois, Três, Quatro, Cinco... terão que ser construídos para encarcerar essa massa?

Willian é mesmo um homem ousado. Dizer tudo isso – preso e com o testemunho incontornável de um gravador. E disse mais:

> Vocês, da polícia, botaram o nome do nosso grupo de Falange Vermelha. Achamos por demais de direita. Falange nos faz lembrar a Espanha de Franco, o fascista. Por isso, achamos mais adequado Comando Vermelho, que passamos a usar. O Comando Vermelho é uma agremiação. Há muito mercenarismo, mas coleta as simpatias de grande parte da sociedade marginalizada pelo sistema. Observamos que os partidos políticos são fundados de cima para baixo. Alguns intelectuais sugeriram transformar a nossa organização em instituição política, porém vejo que ainda não é chegada a hora.

A advogada Simone Barros, mulher de Willian, desmente categoricamente a existência desta gravação e desafia qualquer um a provar que o marido realmente tenha dito isto. De todo modo, esses trechos assinalados aqui estão de fato no documento do serviço reservado da PM paulista. Posso dizer isso porque eu li. Fico aqui pensando na cara de espanto que o governador de São Paulo deve ter feito ao ler a transcrição deste depoimento. O ex-governador Luís Antônio Fleury Filho foi oficial da PM e secretário de Segurança Pública. Conheceu de perto o problema da criminalidade. E certamente deve ter entendido o que pode significar essa "ideologia" somada ao poder de fogo do tráfico de drogas. É um problema tão grave que já preocupa as áreas do governo federal ligadas à segurança nacional. Durante uma conversa que mantive com o inspetor Gerson Mugget, que chefiou o Setor de Inteligência da Divisão de Repressão a Entorpecentes da polícia carioca, obtive a seguinte informação:

– Há pelo menos três anos que os militares vêm acompanhando discretamente o Comando Vermelho. Eles acham que o tráfico de drogas em larga escala vai se tornar um problema muito sério para a segurança nacional. Nos países vizinhos, a droga está associada ao terrorismo político. Isso é preocupante. Eu mesmo acredito que aqui no Rio o Comando Vermelho vai chegar a ponto de atacar diretamente o poder constituído, com seqüestros e atentados contra personalidades da vida pública.

Gerson Mugget trabalhou na equipe do delegado Hélio Vigio, ex-diretor da Divisão Anti-Seqüestro. Participou das investigações contra as quadrilhas de seqüestradores ligadas à organização. É provavelmente um dos homens da polícia mais bem-informados sobre o Comando Vermelho. Sua opinião é de grande valor para medir o grau de ameaça representado pelo grupo. Uma ameaça, aliás, já reconhecida pela Polícia Federal. Os agentes do Ministério da Justiça acreditam que os grandes traficantes do Rio estão montando grupos armados que se especializam no roubo de bancos fora do estado. Os assaltos ao Banco Central de Salvador e ao Banco do Brasil em Recife na década de 90 – dois dos maiores roubos da história do país – foram atribuídos a gente ligada ao Comando Vermelho. Além disso, os federais estão convencidos de que os plantadores de maconha de quatro estados do Nordeste estão associados aos "donos dos morros" cariocas. De acordo com o comandante-geral da Polícia Militar no Recife, coronel Romero Leite, "há fortes indícios de que os traficantes do Rio fazem negócios no interior de Pernambuco, Paraíba, Piauí e Ceará". A maconha é comprada por atacado, ainda no pé.

3

WILLIAN DA SILVA LIMA atravessou os portões de Bangu Um no dia 4 de janeiro de 1991. Preso por acaso – ou por engano. Ele disse à polícia que estava afastado da organização que ajudou a construir desde que fugiu para São Paulo. Ninguém acreditou. Os homens do Departamento Geral de Polícia Especializada, dirigidos à época pelo delegado Élson Campello, estavam atrás dele desde o seqüestro do empresário Roberto Medina. A Polícia Federal montou contra o Professor uma "operação camaleão", destinada a identificar o "homem de muitos disfarces". Quando entrou na Galeria A do presídio de segurança máxima, foi aplaudido pelos companheiros da organização durante vários minutos. Todo o presídio saudou o líder que voltava aos porões da criminalidade. Rogério Lengruber – na época o número um do Comando Vermelho – deu em Willian um efusivo abraço. O grande cérebro do grupo recebeu as boas-vindas da coletividade de Bangu Um.

Willian é um planejador nato. Quando fala, dizem os carcereiros, os presos se reúnem em torno dele "num círculo de respeitoso silêncio". Há comentários de que a primeira instrução que deu aos companheiros de cadeia foi rever imediatamente o esquema de seqüestros de empresários no Rio. O Professor defendeu a tese de que pessoas muito ricas e famosas não são o melhor alvo. Depois do seqüestro, todo mundo é preso. O dinheiro do resgate se perde, some no intrincado labirinto que sempre existe entre a polícia, a vítima e o bandido. Além disso, seqüestro de gente muito conhecida exige uma infra-estrutura especial e dispendiosa.

350 CV_PCC *A IRMANDADE DO CRIME*

Depois da operação, tudo tem que ser abandonado. Ou seja: o lucro é duvidoso, se comparado aos gastos e às perdas da organização. Os 46 seqüestros realizados em 1990 renderam algo em torno de 6 milhões de dólares – 2 milhões e meio só com Roberto Medina. Mas cinco "grupos de ação", do Comando Vermelho foram completamente destruídos, 27 homens foram presos e oito morreram. A maior parte do dinheiro foi apreendida pela polícia.

A nova proposta é partir para seqüestros em série, onde as vítimas são pequenos ou médios empresários. De preferência, gente que lida com dinheiro vivo: comerciantes, donos de empresas de ônibus, de supermercados e padarias, pequenos industriais. Os golpes têm que ser rápidos, apenas alguns dias entre atacar e fugir com o resgate. Um mesmo cativeiro, abrigando gente desconhecida do grande público, pode ser usado várias vezes. A estrutura de apoio fica mais barata e a grande imprensa não dedica muito espaço a esses casos. Fugir do noticiário é fundamental, porque a pressão da opinião pública faz a polícia agir. Em 1991, o número de seqüestros no Rio pula dos 46 do ano anterior para 138. Em 90% por cento dos casos, as vítimas são pequenos empresários.

Outra decisão da organização: proibir seqüestros avulsos, praticados por quadrilhas independentes. Mais de uma vez os homens do Comando Vermelho libertaram pessoas capturadas pelos "neutros". O caso mais impressionante é o da empresária Cristina Bueno, levada por quatro homens para uma casa na Favela do Jacarezinho, área controlada por Antônio Rosa da Silva, o Parazinho. Dois dias depois do seqüestro, durante a madrugada, os "soldados vermelhos" invadiram o cativeiro onde a empresária estava amarrada e com os olhos vendados. O próprio Parazinho estava à frente dos homens do Comando Vermelho. Aos seqüestradores de Cristina, ele disse apenas uma frase:

– Se vocês ainda estiverem aqui quando o dia nascer, morrem todos!

Ao amanhecer, a empresária foi libertada sem o pagamento do resgate. Os seqüestradores independentes obedeceram à ordem do Comando Vermelho. Pouco tempo depois, também na área do Jacarezinho, outro seqüestro foi abortado com a intervenção dos traficantes: a estudante Cláudia de Oliveira Motta foi libertada dezenove horas depois de ter desaparecido de casa. Nos dois casos, os bandidos mandaram as vítimas de volta com dinheiro para o táxi e um pedido de desculpas. Apesar dessa e de outras demonstrações de força, o Terceiro Comando também entrou no negócio e tem praticado inúmeros seqüestros na cidade e na Baixada Fluminense. O dinheiro arrecadado é empregado no financiamento de novas operações, mas a maior parte vai para a compra de drogas.

Seqüestros não são a atividade principal do Comando Vermelho, que se concentrou no monopólio do tráfico de entorpecentes e de armas de guerra. Mas a extorsão contra comerciantes e empresários – além de fazer caixa para a organização – é usada como "propaganda armada" e cumpre "finalidades sociais". Parece um exagero, mas não é: no dia 24 de março de 1991, um comerciante pagou resgate aos pobres, distribuindo dezoito toneladas de alimentos no Morro do Juramento. Poucos minutos bastaram para a comida desaparecer entre quatro mil favelados. Houve muito empurra-empurra e onze pessoas terminaram feridas. A maioria mulheres e crianças. Pisoteadas. A distribuição, no melhor estilo dos guerrilheiros *montoneros* argentinos, foi registrada numa página inteira de reportagem do jornal *O Globo*:

> Bastaram quinze minutos para que nove toneladas de carne e igual quantidade de cereais fossem levados da Associação Atlética Vicente de Carvalho, na Rua Guaraúna, para o alto do Morro do Juramento nos ombros de milhares de favelados. Aos gritos, pisões e empurrões e sob chuva fina, eles dividiram, pela lei do mais forte, os alimentos entregues no local para pagamento do resgate de Francisco José Coelho Vieira, de 32 anos, dono da empresa Transportes e Comércio Bandeira. Seqüestrado por cinco homens na praça da Bandeira, o empresário foi libertado ontem (...) e hoje, apesar de ele já estar a salvo, seus parentes e amigos cumpriram o acordo feito com os bandidos: encheram três caminhões com as mercadorias e as levaram para distribuir entre os moradores do morro.

A Favela do Juramento, como sabemos, é o lar de José Carlos dos Reis Encina, o Escadinha, que chegou a ser o número dois na hierarquia do Comando Vermelho. O *Jornal do Brasil*, que também deu ampla cobertura ao pagamento do estranho resgate, publicou:

> Fogos de artifício espocavam no alto do morro e junto à associação. Dezenas de pessoas na rua cantarolavam: "hei, hei, hei, Zequinha é nosso rei" e comentavam que a distribuição tinha que ser feita no Juramento para mostrar que mesmo preso ele ainda mandava.

Esse tipo de atitude do Comando Vermelho, forçando um pagamento de resgate aos favelados, é típico da estratégia de consolidar ligações estáveis com as comunidades carentes. Em outras ocasiões, os grupos armados da organização roubaram caminhões de gás, leite e carne para distribuir aos moradores das áreas onde estão instaladas as bocas-de-fumo. Até eletrodomésticos chegam aos morros pela ação dos traficantes, que também preparam e executam saques em supermercados. Na estação de trens de Vieira Fazenda, numa das entradas da Favela do Jacarezinho, uma pichação no muro da Rede Ferroviária explica as intenções da organização: "O CV protege o povo pobre."

O crime organizado ocupa as lacunas de assistência social que o Estado vai deixando para trás, ao sabor da crise econômica ou da insensibilidade política. A dominação sobre as comunidades pobres passa quase que necessariamente por esse tipo de estratégia, até porque o bandido mora na favela e é mais permeável às reivindicações do morador. A postura paternalista se mistura – até mesmo se confunde – com a aplicação da "lei do cão". E o favelado também compreende isso, numa aceitação de que a violência é natural num segmento da sociedade que já vive mesmo sem leis. A marginalização produz esse fenômeno social, ético e politico. Um fenômeno definido com extrema clareza nas palavras do escritor turco Yashar Kemal:

Os bandidos vivem de amor e de medo. Inspirar apenas amor é fraqueza. Quando inspiram apenas medo, são odiados e não têm quem os ajude.

Kemal é citado pelo historiador e sociólogo E. J. Hobsbawm, em seu magistral *Bandidos* (Editora Forense Universitária, 1969). Respeitado entre os pensadores de formação marxista, Hobsbawm faz uma análise definitiva sobre a criminalidade com vocação social:

Matar e agir com violência fazem parte da imagem do bandido social. Não há razão para esperarmos que, como grupo, ajam de conformidade com os padrões morais. (...) O terror faz parte de sua imagem pública. São heróis, não a despeito do medo e horror que inspiram suas ações, mas por causa deles. São (...) vingadores e aplicadores da força; não são vistos como agentes da justiça, e sim como homens que provam que até mesmo os fracos e pobres podem ser terríveis.

Este trecho de *Bandidos* é dedicado ao nosso Virgulino Lampião, o cangaceiro mais famoso do Brasil. E Hobsbawm também define a cumplicidade entre o crime e a população carente, num trecho de seu livro que cai como uma luva na situação das favelas cariocas:

Em primeiro lugar, um bando representa algo com o qual o sistema local precisa estabelecer um modus vivendi. Onde não existe nenhum mecanismo regular e eficiente para a manutenção da ordem pública – e isso ocorre quase por definição nas áreas onde floresce o banditismo – não há muita utilidade em se invocar a proteção das autoridades, tanto mais que tais apelos provocarão o envio de uma força expedicionária armada, que arrasará a economia da aldeia ainda mais que os bandidos.

Basta trocar a palavra aldeia por favela. Fica um retrato sem retoques do que acontece nos morros do Rio, na periferia de São Paulo.

4

O PRESÍDIO DE BANGU UM parece uma clausura. Paredes de concreto armado, pintadas de azul até um metro de altura. Grades de ferro por toda parte. Trancas eletrônicas. As galerias têm seis celas de cada lado e, no meio, uma espécie de fosso de cimento com um sistema de escoamento de água. Ali os presos se encontram para conversar, lavam e penduram roupas. Acertam também os negócios milionários das drogas, seqüestros e assaltos. São quatro galerias ocupadas pela liderança da organização, alguns homens do Terceiro Comando, o pessoal da ADA e os "neutros".

Você entra na cadeia e não acredita. Os presos escrevem CV nas paredes das celas e nos corredores. "Paz, Justiça e Liberdade" está escrito bem grande, sob uma foto do time campeão do Vasco da Gama. Os enclausurados desfrutam de razoável liberdade no presídio de segurança máxima. Mas ninguém até hoje conseguiu fugir de lá. Desde a inauguração, Bangu Um mantém a invencibilidade. É a prisão que tem a menor estatística de incidentes em todo o país. Nunca houve uma grande rebelião. Há disputas internas, mas pouca violência. Apesar disso, o Dênis da Rocinha morreu lá. A guarda e o preso convivem na irrevogável fortaleza. E os guardas sabem muito bem quem são aqueles homens. Conhecem o poder de retaliação que têm. É bom lembrar que os guardas do Desipe são gente pobre que mora em áreas faveladas. Mesmo assim, a paz de Bangu Um já foi quebrada algumas vezes.

Três de setembro de 1992. Quinze para as onze da manhã. O diretor do presídio acompanha três funcionários da Vara de Execuções Penais

A INDÚSTRIA DO CRIME   *355*

numa inspeção de rotina. O grupo entra na Galeria A, controlada pelo Comando Vermelho. Os visitantes não dão dez passos quando são abordados pelo assaltante de bancos José Evaristo Resende, o Zé Gordo. Ele fala para o major Francisco Spárgoli Rocha, que dirige a cadeia:

– Como vai, comandante? Alguma boa notícia para os presos?

Diz isso sorridente. E vai se aproximando até que dá uma gravata no major, que nem teve tempo de responder. Zé Gordo tira do bolso da calça uma granada de fragmentação, capaz de lançar uma carga mortal de oitocentos fragmentos de aço escaldante. Toma o diretor do presídio como refém no exato instante em que Eucanã de Azevedo, o Canã, veterano da Ilha Grande, ataca um dos inspetores da VEP. Outros nove presos cercam os reféns. Apenas um não se envolve: Eraldo da Rocinha sabe que será transferido em pouco tempo e prefere ficar de fora. O golpe na Galeria A tinha plano definido: trocar a vida do major pela liberdade de um traficante do Morro da Mineira. Não deu certo. As câmeras de televisão mostraram tudo para os guardas que ficam no centro de controle da segurança. Um deles, armado com o revólver 38, entra e atira para o alto. No corredor de concreto armado, o disparo parece um trovão. Zé Gordo tenta a sorte: sem puxar o pino da trava, joga a granada no chão, esperando que o guarda saia correndo, o que não acontece. Só resta ao grupo de amotinados a rendição.

O tumulto na Galeria A de Bangu Um foi precedido de outro incidente. No Presídio Esmeraldino Bandeira, quinze minutos antes, a escola dos internos foi invadida e oito professoras ficaram como reféns. Dezenas de homens do Comando Vermelho, com paus e estoques, espancaram todos os alunos do Terceiro Comando que encontraram pela frente – e só desocuparam as salas de aula com a chegada da tropa de choque da PM. A direção do Desipe acredita que o ataque à escola foi para desviar a atenção do que iria acontecer em Bangu Um.

Nem é preciso dizer que alguém levou grana para deixar entrar a granada na Galeria A. Da mesma forma entram a maconha e a cocaína que alguns gostam de usar: a droga vem com as visitas. No dia 20 de outubro de

356   CV_PCC *A IRMANDADE DO CRIME*

1991, Maria Lúcia de Paula foi detida na portaria do presídio tentando passar com 23 gramas de cocaína e 29 de maconha dentro de um tubo plástico que ela introduziu na vagina. A mulher foi apanhada pela inexperiência – estava nervosa demais. O destinatário era Isaías da Costa Rodrigues, o Isaías do Borel. O explosivo entregue a Zé Gordo, segundo a diretora do Desipe na ocasião, Julita Lengruber, chegou na pasta de um advogado.

Este não foi o fato mais grave já ocorrido em Bangu Um. Muito pior foi a morte de um dos seqüestradores do empresário Roberto Medina. Às seis e meia da manhã de 21 de julho de 1990, o corpo de Alberto Salustiano Borges, o Chocolate, foi encontrado no interior da cela número 13 da Galeria B. Três horas depois, os peritos criminais Walter Góes e Edgar Quintanilha examinaram a cena da morte de Chocolate. Mulato escuro, de bigode, bem forte, 1,80m de altura, Alberto Salustiano Borges estava enforcado com uma "teresa" feita com tiras do cobertor. A corda improvisada estava amarrada nas grades da janela, a dois metros e meio do chão. Os peritos viram – e fotografaram – as mãos atadas atrás das costas, com um laço frouxo. Ele estava descalço. Vestia calça *jeans* e uma camisa de listras brancas e vermelhas. Sobre a cama, roupas e objetos pessoais. O jantar ainda estava lá, intocado: feijão, arroz, aipim frito e carne picada. Num canto da cela, papéis foram queimados, mas a polícia não encontrou ali nem fósforos nem isqueiro. Além do estrangulamento, o corpo não apresentava sinais de violência. A camisa, inclusive, continuava para dentro da calça. Conclusão dos peritos: suicídio.

Frente ao exposto, concluem os peritos que no local (...) ocorreu morte violenta por asfixia mecânica [enforcamento], sendo utilizada à constrição do pescoço uma tira de cobertor, presa à grade de ventilação. (...) A vítima, quando do fato, se achava enclausurada em cela individual, mantida fechada a porta da mesma por processo eletrônico (...) em face da inexistência de vestígios de movimentação violenta [luta corporal], bem como levando-se em conta que a vítima se o quisesse, num ato de arrependimento, se libertaria do cordel que tão fragilmente circundava os pulsos e se posicionaria de pé sobre a cama evitando a morte (...) concluímos que o quadro aponta características próprias, definitivas e irrefutáveis de auto-eliminação, suicídio.

Alberto Salustiano Borges morreu nove dias depois de ser preso em Assunção do Paraguai, tentando fugir para a Espanha. Um grupo de policiais do Rio, comandado pelo inspetor Nélio Machado, simplesmente entrou no Paraguai sem autorização do governo do general Andrés Rodrigues e prendeu três seqüestradores ligados ao Comando Vermelho. Além de Chocolate, os agentes brasileiros capturaram o guarda penitenciário Aloísio Magalhães Galvão e um homem sem qualquer antecedente criminal, Nilo Cunha da Silva, o Professor. Já falei aqui sobre esse apelido, na verdade um título atribuído apenas às pessoas que têm funções de planejamento na organização. Nilo Cunha da Silva é apontado como o cérebro por trás do seqüestro de Roberto Medina. A prisão dos seqüestradores é mais um exemplo de quanto o destino pode trançar a vida das pessoas. No dia 11 de julho de 1990, o inspetor Nélio Machado estava na fila de um orelhão no centro do Rio. A sua frente, um homem com forte sotaque português falava ao telefone, quase aos gritos, tentando se fazer entender por um interlocutor distante. Dessa conversa ouvida ao acaso surgiu a pista dos seqüestradores. O inspetor Nélio Machado conta como foi:

– Eu estava meio distraído, mas o homem falava tão alto que terminei atraído pelo que dizia. A conversa era sobre passaportes que tinham que ser entregues porque os homens já estavam no Paraguai e tinham passagens para a Espanha no dia seguinte. Lá pelas tantas, o homem falou que o dinheiro tinha sido entregue como combinado e coisas do gênero. Aí o faro de policial ficou aguçado. Quando ele desligou, fui atrás. Segui o cara discretamente, até que ele entrou num edifício comercial, pegou o elevador e foi para o escritório do advogado Alfredo Nobre [ex-diretor do Presídio Vieira Ferreira Neto, em Niterói]. Telefonei para o delegado Élson Campello e pedi ajuda. O resto foi fácil.

Fácil significa:

– Com o advogado, encontramos um passaporte para o Chocolate e as anotações para o vôo em que ele, Nilo e Aloísio iriam deixar o Paraguai. As passagens estavam marcadas para as Linhas Aéreas Paraguaias, vôo 800, sem escala no Brasil. A viagem seria no dia seguinte, uma sexta-feira 13.

Às dez e meia da noite do dia 12 de julho, o telefone tocou na minha casa. Era o diretor de Divisão de Repressão a Entorpecentes do Rio, delegado Élson Campello, um velho conhecido. Ele me revelou a descoberta da rota de fuga dos seqüestradores e disse que tinha prendido o angolano que Nélio surpreendeu no orelhão, além do advogado e das mulheres de Chocolate e Aloísio. Disse que havia decidido embarcar para Assunção uma equipe chefiada pelo inspetor Nélio Machado, com autorização do governador Moreira Franco, mas sem consultar o Itamaraty – e muito menos o governo Andrés Rodrigues. Na verdade, queria ajuda para conseguir um avião particular que pudesse levar o grupo até o Paraguai.

Aquela foi para mim uma longa noite de negociações ao telefone. Na época eu dirigia o jornalismo da TV Globo no Rio de Janeiro. A primeira ligação foi para o diretor da Central Globo de Jornalismo, Alberico de Sousa Cruz. Contei a história, perguntei o que ele achava. Recebi instruções especificas de não me envolver pessoalmente na operação policial e não fazer nenhum acordo que expusesse a Rede Globo. Portanto, nada de avião. Mas deveria me empenhar em tentar embarcar um repórter e um cinegrafista no vôo. Conversei com o diretor de Produção, Carlos Schroder, expliquei o problema e as nossas limitações. Decidimos escalar Marcelo Resende e o cinegrafista Lúcio Rodrigues. Assim que desliguei, o telefone tocou de novo. Era o delegado Campello, num tom mais urgente:

– Amorim, não dá para emprestar um avião da Globo? Os caras vão fugir se a gente não chegar a Assunção de manhã bem cedo. Essa operação é superimportante!

– Velhão – respondi –, a Globo não tem avião. Quando se precisa de um, se aluga. Acho que vocês têm que fretar um Lear Jet, que tem autonomia de vôo até Assunção. Posso ligar para a Líder Táxi Aéreo, ajudar a marcar o vôo, mas vocês é que precisam se mexer. Fala com o secretário, o governador...

A INDÚSTRIA DO CRIME   *359*

– Já falei. Eles autorizam a viagem, mas não há aviões de grande porte disponíveis para alugar no momento. São cinco policiais, mais a equipe que você quer mandar. Tem que ser um jato grande. Você não quer vir até a delegacia, para conversamos melhor?

– Não dá. Preciso ficar aqui ao lado do telefone para falar com o Alberico e o Schroder. Vou ligar pro Marcelão e deixar ele e a equipe de *stand-by*. Enquanto isso, vê se descola o avião.

Telefonemas para cá, telefonemas para lá. Às duas da manhã aparece o avião, um jato da TAM, fretado pelo delegado Campello com um cheque sem fundos. A seguir, confusões e burocracia. No aeroporto, a polícia Federal barra um dos homens do inspetor Nélio Machado, que não trouxe a carteira de identidade. O vôo só sai lá pelas onze da manhã da sexta-feira, 13 de julho de 1990. Os policiais, desarmados, se entregam à aventura de invadir o Paraguai. Vão prender – melhor seria dizer seqüestrar – e trazer de volta três bandidos do Comando Vermelho. Eles conseguem localizar e deter Chocolate, Aloísio e o Professor. Mas não saem do Paraguai. A Guarda Nacional e os carabineiros paraguaios metem todo mundo em cana – policiais, jornalistas e bandidos. Os policiais e a equipe da Globo são acusados de pirataria aérea e seqüestro. A pena para esses crimes no Paraguai pode somar vinte anos de cadeia.

Começa outra negociação, desta vez envolvendo o Itamaraty e o governador do Paraná, Álvaro Dias, amigo do presidente paraguaio. Alberico de Sousa Cruz intermedeia as conversas entre o governador e o presidente. Fala também diretamente com o Palácio do Planalto, para salvar a pele dos repórteres. Ao anoitecer do sábado, 14 de julho, o chefe de polícia de Assunção, general Francisco Sanches, expulsa todo mundo do país. Foram ordens do próprio presidente Andrés Rodrigues. Os policiais voltam com os seqüestradores presos. Marcelo Resende e Lúcio Rodrigues trazem as fitas com a reportagem da prisão. O governo paraguaio se enganou ao confiscar o material gravado, aceitando como verdadeiras as fitas que o repórter entregou. Na verdade, a reportagem estava a salvo dentro do avião. No Paraguai não existia equipamento Batacan-SP como os da

Globo – e ninguém podia dizer o que havia nas fitas apreendidas. O *Jornal Nacional* exibiu toda a história, numa reportagem de sete minutos de duração, uma das mais longas da história dos telejornais da Globo.

Nilo Cunha da Silva e Aloísio Magalhães Galvão foram condenados a vinte anos de prisão. Chocolate não viveu o suficiente para ouvir a sentença. Morreu poucos dias depois de assinar a lista de presença em Bangu Um. Há pelo menos duas versões para o enforcamento. A primeira – e mais cruel – é a de que falou demais para a polícia e foi obrigado a se matar. No presídio de segurança máxima, dificilmente os outros presos poderiam atacá-lo durante a noite. A tranca eletrônica das celas impediria qualquer aproximação. De dia, as câmeras de televisão vigiam as galerias e teriam denunciado movimentos estranhos. Resta o seguinte: Chocolate teria recebido um ultimato – ou se matava ou a família sofreria represálias.

A segunda versão para o suicídio do seqüestrador é mais plausível: Chocolate acabou com a própria vida roído pela consciência e pela revolta. Alberto Salustiano Borges confessou à polícia que participou de cinco seqüestros no Rio, incluindo o de Roberto Medina, onde teria sido um dos negociadores do resgate. Consegui uma cópia do seu depoimento. Realmente entregou todo mundo, com nomes e endereços. Mas sua carreira no crime não parece ser a de alguém que adotou conscientemente as leis do submundo. Sempre teve uma participação periférica. Nunca se envolveu em confrontos armados com a polícia ou as quadrilhas rivais. Chocolate trabalhava mesmo como motorista para Élcio Merêncio dos Reis e Denizard Bastos Albuquerque. Estes dois formaram o primeiro grupo de seqüestradores do Comando Vermelho, recebendo instruções da cúpula da organização. Quando o inspetor Nélio Machado invadiu o escritório do advogado Alfredo Nobre, junto com as informações da fuga do bando para o Paraguai encontrou também uma carta de Chocolate. Foi a última coisa que escreveu em vida, e revela sua revolta contra a sociedade que o empurrou para o crime. Nos trechos a seguir, suprimi erros de ortografia e concordância, que empobreciam o sentido do documento:

A INDÚSTRIA DO CRIME   361

Muitas vezes nos tornamos miseráveis, mas não é por culpa de nós mesmos, e sim da classe dominante corrupta, aproveitadora e desprezível (...) que cria monstros pelo monopólio de seus meios de comunicação como a televisão e os jornais.

Cito o meu exemplo:

Apresentado por um amigo, conheci um rapaz chamado "D" [Denizard Bastos de Albuquerque]. Ele me mostrou como é viver no obscuro mundo do crime. Passei a dirigir para ele, pois estava com problemas financeiros. Ele mostrou ser uma pessoa pacata, sincera e confiável. (...) Fui corrompido e prostituído pelo dinheiro (...) como acontece na nossa classe dominante. Mas com uma diferença: eu tenho que pagar e eles só têm que ganhar em dobro.

O desabafo de Chocolate vai se tornando mais dramático:

(...) Eu quero, sim, pagar pelo que fiz. Mas talvez tenha medo de pagar pelo que não fiz (...). Tudo está sendo deturpado pelos jornais, com notícias mentirosas e caluniosas. (...) Às vezes eu me pergunto até quando isso vai durar. Até que eu me apresente para prestar esclarecimentos e morra na cadeia, como "D" morreu? Vocês sabem de que ele morreu? Não! Ninguém sabe! Para a classe dominante, é menos um para lutar pelo direito de viver nessa sociedade podre (...) que não mede sacrifícios para enriquecer arbitrariamente, calcando em cima dos pobres, favelados, crianças subnutridas e doentes morrendo todos os dias nessa cidade. (...) Não sei a quem interessa que eu sirva de bode expiatório.

Quando li pela primeira vez a carta de Alberto Salustiano Borges, tive pena dele. Mais ainda sabendo que provavelmente se matou de vergonha na prisão. Chocolate não tinha antecedentes criminais. Só tempos depois é que me lembrei dos papéis queimados na cela 13 de Bangu Um. Uma cela trancada eletronicamente, onde a polícia não achou fósforos nem isqueiro.

5

O PRIMEIRO SEMESTRE DE 1993 foi calmo na prisão de segurança máxima. Quem conseguiu sair no "trem das transferências" agora estava melhor. A tranca é insuportável. Paulo César Chaves, o PC, está fora. Sérgio Mendonça, o Ratazana, também deixou para trás a "masmorra de concreto". Outros dezesseis presos da elite do crime organizado estão se mantendo em cadeias mais amenas, na Frei Caneca ou em Água Santa. Nesses estabelecimentos penais, é mais fácil o contato com o "mundo livre". Os negócios da organização se articulam. E há mesmo muito o que fazer. Do lado de fora das grades, o grande movimento de drogas está nas mãos dos gerentes dos pontos-de-venda, já que a maioria absoluta dos líderes conhecidos está na cadeia E nem sempre os prepostos dão conta do recado, exigindo a intervenção dos chefes encarcerados. Mas o quadro não é assim tão desanimador, porque não há lutas importantes nas favelas e os únicos problemas à vista são os apertos da polícia Federal nas rotas internacionais de entrada da cocaína. Só nos meses de maio e junho deste ano, o Cartel de Cali perdeu cinco toneladas de pó nas regiões Norte e Centro-Oeste do país. Meia tonelada estava endereçada ao Comando Vermelho – o restante seguiria para a Europa e os Estados Unidos.

O golpe mais duro, no entanto, foi a notícia de que Luiz Paulo Ferreira Medrado, o Tenente Medrado, estava preso na Suíça. Responsável por grandes partidas de cocaína do Cartel de Medellín para o Brasil, havia escapado do cerco dos federais durante a Operação Mosaico. Fez uma cirurgia plástica que mudou completamente o rosto dele. Mas não conseguiu driblar os agentes do tesouro suíço, que o apanharam à frente de um enorme esquema de lavagem de dinheiro. Condenado a nove anos de prisão, o tenente Medrado é acusado também de ter contrabandeado quatrocentos quilos de cocaína pura para a Suíça – apenas um subproduto da atividade principal, a lavagem do dinheiro das drogas.

Depois de mais de uma década no negócio da maconha e da cocaína, o Comando Vermelho aprendeu a diversificar as fontes de abastecimento, ampliando os negócios com os fornecedores bolivianos e alternando os cartéis de Cali e Medellín. O estoque regulador nos pontos de venda também foi aumentado – e agora há perto de duas toneladas de cocaína permanentemente espalhadas pelos pontos de venda. Nas favelas do Rio, até maio de 1993, quatro homens respondem pelo Comando Vermelho. São os mais importantes chefes de quadrilha soltos. Cuidam da administração da "caixinha" e dos investimentos. Criaram sistemas de pagamento das "pensões e benefícios" pelo correio. Respondem pelos milhões de dólares apurados a cada ano com o tráfico em larga escala, resultado do controle férreo de mais de 70% dos quase trezentos pontos de venda espalhados pela cidade.

Em 1993, entre os grandes chefes que estavam em liberdade há uma visível divisão de tarefas. Adlas Ferreira da Silva, o Adão, é o "pinga-fogo", o braço armado da organização. Dominava um território importante, a Favela de Vigário Geral, encravada no coração da Zona Norte. Adão não é um homem de muitas palavras – é da ação armada, do confronto. Tem sob seu comando um número ainda não determinado de "soldados" equipados com o que há de melhor na indústria bélica mundial. Costumava requisitar reforços de outros feudos do Comando Vermelho, toda vez que estava envolvido numa grande ação com características de guerrilha urbana. Em todas as operações violentas – assaltos e seqüestros –, a polícia sempre vê um dedo do bandido, justamente o dedo que aperta o gatilho.

De todos os chefes soltos, Romildo Sousa da Costa, o Miltinho Pacheco, é o mais mal-encarado. Mulato de cabelo cheio, tem o rosto marcado. As sobrancelhas grossas e um duvidoso cavanhaque lhe emprestam um ar sombrio. É jovem ainda – em 93 tinha menos de quarenta anos –, mas traz no corpo incontáveis cicatrizes das batalhas pelo controle das áreas de distribuição de entorpecentes. Senhor todopoderoso dos morros do Dendê e do Barbante, na Ilha do Governador, é ele quem entrega a parte do dinheiro da organização que cabe aos líderes presos e suas famílias. A polícia acredita que Miltinho Pacheco é o novo tesoureiro, responsável pela lendária "caixinha". Outra missão desse homem é a importação do armamento pesado e da munição, logo repartidos nos "territórios vermelhos". Ultimamente, as armas de guerra entram numa escala assustadora. Os traficantes do Comando Vermelho já têm lança-foguetes antitanques operados por *laser*. No domingo, 20 de junho de 1993, soldados da PM escaparam por milagre de um tiroteio no Conjunto Amarelinho, no subúrbio de Irajá. Os traficantes dispararam contra eles com um lança-granadas americano M-203 de 40 milímetros, uma arma devastadora. A coisa é tão preocupante que na semana anterior ao tiroteio, em 16 de junho, o então ministro do Exército, general Zenildo Lucena, já tinha comentado:

– Existe um exército paralelo nas ruas do Rio. Precisamos retomar essas armas.

O terceiro bandido mais procurado pela polícia carioca, nesse mês de maio de 1993, é Nelson da Silva, o Bill do Borel. A favela, no bairro da Tijuca, é considerada um dos mais importantes redutos da organização, logo depois do Jacarezinho. O Morro do Borel se ergue a 150 metros do asfalto, na rua São Miguel. Tem sido palco de intermináveis operações de limpeza das forças especiais da polícia. Bill tem escapado de todas elas, enquanto alguns policiais perderam a vida nessas incursões, encurralados no labirinto da favela. Os traficantes atiram com fuzis americanos e israelenses. Os agentes da lei se defendem com o parco armamento oficial. Na madrugada de 9 de dezembro de 1992, o detetive Paulo Henrique Macedo levou um tiro de fuzil AR-15 na boca, quando participava de uma invasão do Morro do Borel. O projétil desta arma – calibre 7.62 – é capaz de perfurar um colete à prova de balas. O impacto de um tiro de AR-15 corresponde a você se chocar com um objeto de seiscentos quilos voando a uma velocidade de quatrocentos metros por segundo.

A área controlada por Bill, que chefia pessoalmente seus 248 homens em combate, é a mais agitada da geografia do Comando Vermelho. Em abril de 1993, o próprio "comandante Bill" escapou por pouco de um cerco policial. O carro em que ele estava foi metralhado pelo delegado Antônio Nonato da Costa, chefe da DRE. Nonato pediu demissão pouco depois do incidente: estava sendo acusado de enriquecimento ilícito. Outros dois delegados da linha de frente contra o crime organizado – Élson Campello e Otávio Seiler – também se afastaram, sob as mesmas acusações. Neste ano de 1993, as baixas da polícia foram mais importantes do que as do Comando Vermelho.

O inimigo público número um do Rio de Janeiro tinha na época apenas 25 anos de idade. Usava óculos de lentes grossas. É mulato de bigodinho e cabelos bem aparados. Veste-se com elegância, usa telefone celular e carros de luxo. Vinte homens, em dois turnos, fazem a segurança de Ernaldo Pinto Medeiros, o Uê. É o sucessor de José Carlos dos Reis Encina no comando das cinco favelas que formam o império de Escadinha: Juramento, Morro do Adeus, Morro dos Dezoito, Alemão e Primavera. Entrou para a organização ainda adolescente – e logo revelou um talento especial para liderar os grupos armados de traficantes. Foi o mais importante elo de ligação entre os grupos do Comando Vermelho e a liderança presa em Bangu Um. Inteligente, mestre nos disfarces, Uê é educado ao falar e tem um vocabulário rico e fluente. É o menos conhecido dos chefões do crime organizado, mas responde pela compra das drogas no exterior. Dele a DRE tem apenas uma foto – e nenhuma ficha de antecedentes.

Naquele tempo, mesmo perseguido pela polícia as 24 horas do dia, Uê gostava de usufruir de um privilégio que a fartura de dinheiro só permite a poucos brasileiros: o prazer de velejar. Costumava ser visto, nos fins de semana ensolarados da Marina da Glória, embarcando num luxuoso veleiro branco. Uê tem esse vício irrecuperável: deslizar sobre as águas azuis e quentes da baía de Guanabara. Mas Uê não vai ficar muito tempo em liberdade. Todo profissional do crime sabe que uma hora a cana chega. Falta pouco para ele se encontrar com os companheiros trancafiados em Bangu Um, onde segundo os carcereiros está a concentração da "seleção brasileira do crime". No lugar dele vai aparecer Fernando Luís da Costa, o Fernandinho Beira-Mar, que vai se transformar no maior e mais famoso traficante brasileiro.

SALVE, FEDERAÇÃO!

1

O MENINO NÃO ENTENDEU muito bem o que estava acontecendo. Aos sete anos, o mundo jogava com ele uma partida difícil. Estava para ser abandonado pela segunda vez. Quando nasceu, a mãe verdadeira o largou aos cuidados de uma senhora cristã que se prestou a criá-lo. A mãe postiça, sempre preocupada, tentava manter em dia a casa pobre na Zona Leste de São Paulo. Mesmo com muitas carências, era um ambiente aparentemente seguro, onde o garoto crescia com alguma proteção e afeto. Mas o quadro muda de repente. Naqueles dias, José descobriu que a madrasta tinha outros interesses além de cuidar dele. O malabarismo das mulheres pobres às vezes tem desfecho repentino. Aquela arrumou namorado, que virou marido, que não se deu bem com aquele José arredio, enfrentador, cheio de vontades. Um moleque que gostava da companhia dos outros da sua idade, preferia ficar na rua e na bola. Um José que ficava em casa de má vontade e que resistia à presença do homem estranho que havia invadido a sua vida sem pedir licença. Na queda-de-braço com o padrasto – e esta é quase uma regra – o menino perdeu.

A mãe agora o estimulava a ficar na casa de amigos do bairro. Na verdade, queria que o pequeno deixasse de ser um obstáculo naquela relação conjugal que ela lutava para estabilizar. E José foi ficando longe. Tão longe que começou a não voltar. A turma da vizinhança – onde já havia garotos ligados ao crime – pesava decisiva na balança da vida. Daí por diante foi só um passo depois do outro. É a conhecida estrada que tira centenas de milhares de crianças e adolescentes brasileiros do rumo que se espera deles. Que afasta essas crianças daquilo que prevê o próprio Código da Infância no Brasil, um dos melhores do mundo e que não funciona. Sem qualquer tipo de solidariedade, roubando para se vestir e se alimentar, esses meninos escorregam pela maldita rampa da desatenção. Nos sinais de trânsito, são vistos como um inimigo ameaçador. Até que se transformam mesmo em inimigos. Dormem pelas praças. Aprendem cedo e rápido. Formam grupos em que meninas de onze anos já são amantes experientes. Aos treze são mães de outros brasileiros destinados a escorregar pela mesma rampa.

Gente como esse nosso José recebe e revida as pancadas do mundo dos menores abandonados. Vai se juntar a outros como ele na praça da Sé, Centro da capital. Lá estão dezenas de crianças perdidas. José corre da polícia e das outras gangues de meninos. Vira trombadinha. Começa a fumar, cheirar, vender pedras de crack. O roubo, com mãos ágeis, é uma rotina quase ingênua na vida desses meninos. Depois vêm as drogas mais pesadas, os crimes mais pesados. O caminho sem volta. Há no país uma legião de jovens vagando como sonâmbulos no meio desse nevoeiro de falta de cuidados, de assistência social e de esperança. José Márcio Felício foi um dos menores tragados pela bruma da ausência total de cidadania e direitos elementares.

Vai reaparecer trinta anos depois, já bandido formado, chefe de quadrilha, condenado a muitas penas. Lidera, em fevereiro de 2001, a maior rebelião de presos da história do sistema penal no país. Durante 27 horas, esteve, com outros companheiros de origem muito parecida, à frente de 29 levantes simultâneos em cadeias espalhadas por todo o estado de São Paulo. Houve dezesseis mortos e quase cem feridos. Cerca de 30 mil presos amotinados imobilizaram o complexo penitenciário paulista. Mas o saldo principal do conflito, fora a revelação desta força extraordinária, foi a aparição inesperada do Primeiro Comando da Capital (PCC) para o grande público. José Márcio Felício, o Geléia, ou Geleião, é agora um dos líderes do crime organizado. Depois da "grande revolta", como o PCC classifica os acontecimentos que marcam a estréia do "partido do crime", tendo passado por várias prisões em pelo menos quatro estados, o criminoso confidenciou a duas pessoas conhecidas:

– Não quero morrer sem saber quem é a minha mãe. Quero saber como ela é, como viveu, o que faz agora.

A questão, colocada como apelo em telefonema para a repórter Fátima de Souza, da TV-Bandeirantes, soa estranha. O bandido feroz quer reatar o único elo que o une ao mundo comum das pessoas: quer notícias da mãe. Porque criminoso também tem mãe. Fátima Souza é uma repórter premiada. Já recebeu o *Wladimir Herzog*, troféu que representa o maior reconhecimento prestado pelos grupos de direitos humanos no Brasil. Magra demais, cabelos pretos cortados muito curtos, se veste de maneira muito simples. Não é nenhuma das beldades que a televisão cultua. Mas é daquelas poucas repórteres que conseguem trânsito livre tanto do lado da lei quanto do crime. O telefone celular da Fátima recebe ligações espontâneas de delegados especializados, informando que vai haver barulho, e de gente procurada em todo o país. José Márcio Felício é um que liga com frequência para a repórter, inclusive de dentro das cadeias por onde passa. Entre seus contemporâneos, Fátima é respeitadíssima. Foi por seu intermédio que enviei um e-mail com 20 perguntas para o bandido que à época era o chefe do PCC, indagando a respeito das semelhanças entre o grupo paulista e o Comando Vermelho, como vimos na abertura desta reportagem. O Geléia respondeu:

– Tudo que posso dizer é que estamos associados.

José Márcio Felício, nessa ocasião, estava no presídio de Bangu Um, no Rio, em vias de ser transferido para Porto Alegre. Lá seria encarcerado numa solitária por 30 dias. As perguntas que enviei não puderam ser respondidas.

– Vou para a tranca [a solitária] – disse o criminoso, através de uma terceira pessoa. – Não posso dizer nada.

Em julho de 2002, a repórter Fátima de Souza concordou em contribuir para este livro com uma descrição dos antecedentes do PCC e de seus líderes, que ela conhece como poucos. Foi aliás a primeira a revelar

A INDÚSTRIA DO CRIME **373**

a existência da organização, em 1995, no *Jornal da Band*. As autoridades públicas não deram a menor importância ao que a jornalista estava denunciando. Anos depois, o PCC desabou sobre o sistema penal paulista como uma força incontrolável. Vamos acompanhar o relato de Fátima:

> Na cela sempre escura da Casa de Custódia de Taubaté [interior de São Paulo], numa quinta-feira, os seis detentos ainda estavam com as camisas suadas. Tinham jogado [e vencido] mais uma partida de futebol. O talento com a bola tinha rendido a eles fama e liderança na prisão. E também um nome para o time: "Comando da Capital". Transferidos de São Paulo para o interior, foram desafiados pelo time local [da cadeia], formado por presos da terra: "Os Caipiras". Naquela noite, mais uma vitória.
>
> Cesinha, franzino de olhos incrivelmente vivos, questiona os companheiros de penas:
>
> – Nossa união e luta vai se resumir à vitória no futebol? Por que não aproveitamos esta força para lutar pelos nossos direitos? Até quando vamos ser tratados assim, sem respeito?

Esta é uma experiência que lembra diretamente o momento em que os homens do Comando Vermelho deixaram a galeria de isolamento na Ilha Grande e se misturaram à massa carcerária. Lá também foi criado um time de futebol, o "Chora na Cruz", com vimos anteriormente. No interior das cadeias, onde praticamente não existe nenhuma atividade produtiva, o futebol é o ícone das relações humanas. É com a bola que os grupos dentro da prisão se relacionam e se desafiam. O pessoal que domina as partidas – como sempre neste país do futebol – ganha admiração e respeito dos demais. Vamos seguir com a narrativa de Fátima de Souza:

> "Geléia [José Márcio Felício], amigo de coração e de crime de Cesinha [César Augusto Roriz], acompanhou o discurso inflamado do outro e também falou naquela noite:

– Como vamos chamar esse novo 'time'?

– Primeiro Comando da Capital – batizou Cesinha, usando parte do nome do time que os consagrara na cadeia.

Nascia ali o PCC. Em poucos dias as idéias foram colocadas no papel. E até um Estatuto foi manuscrito. Prometiam fidelidade, luta até a morte pelos direitos jamais respeitados dos detentos neste país.

Foi rápido: nas rebeliões, lençóis brancos apareciam com as três letras (PCC) do partido do crime. Subestimado pelo governo, que não conhece a realidade das cadeias, o PCC criou raízes em todo o sistema carcerário paulista. Nas prisões, diretores ultrapassados, da época da repressão [no regime militar], tentavam resolver o problema da maneira em que foram doutrinados: porretes, choques, água fria, porrada... Não foi suficiente. Em menos de três anos, já eram três mil. Em menos de dez anos, 40 mil..."

Aqui encontramos mais coincidências entre a formação do PCC e o Comando Vermelho. Reunindo a massa carcerária contra o sistema, expondo de forma radical a questão da solidariedade entre os presos, inclusive punindo com a morte eventuais desvios de conduta, os homens do crime paulista reproduziram quase literalmente, vinte anos depois, as conquistas dos presos comuns na Ilha Grande. "O inimigo está fora das celas" – a primeira palavra de ordem do CV ecoa nas prisões paulistas. O lema da organização carioca – Paz, Justiça e Liberdade – é adotado pelo novo grupo. Quando ocorreram as grandes rebeliões comandadas pelo PCC nas cadeias paulistas, um dos truques do CV também é revisitado. Nos anos 80, o Comando Vermelho empregava o "Alfabeto Congo" em suas mensagens escritas, um sistema precário de codificação aprendido com os presos políticos. As letras eram substituídas por números que tinham como origem a posição que ocupavam no alfabeto. Por exemplo: o PCC vira 15.33. Ou seja: a letra "P" ocupa a décima quinta posição no alfabeto; a letra "C" ocupa a terceira posição. Ao escrever uma carta, com muitas linhas, sem qualquer vírgula ou parágrafo, o código resulta em um monte de números aparentemente incompreensível.

Na verdade, os presos políticos utilizavam este código de maneira um pouco mais sofisticada, criando fórmulas mais difíceis de traduzir. Exemplo: a fórmula + 4 - 2. Isto significava que as letras do alfabeto deveriam ser substituídas por numeração não-linear. Assim, o PCC viraria TAA – ou 19.11. Inúmeras correspondências do Comando Vermelho, apreendidas pela polícia anos atrás, utilizavam esse tipo de codificação. Há quem diga, inclusive, que foi a primeira versão deste livro que disseminou o "Alfabeto Congo". Isto é o mesmo que dizer que a imprensa "inventou" a violência urbana. Mas vamos deixar isso de lado. O relato da repórter Fátima de Souza é muito mais interessante de acompanhar:

> Cesinha, César Augusto Roriz, e Geléia, José Márcio Felício, têm histórias diferentes. Cesinha nasceu numa família de classe média, filho de pais bem-educados, irmão de pessoas que souberam aproveitar as oportunidades da vida e seguiram caminhos diferentes: estudaram, se formaram e vivem como cidadãos respeitados. (...) Os dois se conheceram na cadeia. E é lá dentro que travam a luta que acreditam ser o ideal de suas vidas. Luta que não ficou só no sonho de uma vida digna para quem está sob a tutela do Estado e já passou pelo crivo e condenação da Justiça, [uma] Justiça cega depois que bate o martelo e declara a sentença. [É] uma luta também com um lado marginal, bandido, criminoso. Com assassinatos, assaltos, extorsões, venda de drogas.
>
> Depois de oito anos de absurda incompetência e absoluta surdez, o governo admitiu a força do PCC dentro de seu sistema. Cesinha e Geléia foram levados para o presídio de segurança máxima em Presidente Bernardes [interior de São Paulo]. Celas à prova de túneis e vidros à prova de balas. Impossível sair de lá. Resta saber o quanto as idéias que espalharam podem ser limitadas pelas muralhas de oito metros de altura...

Ao ouvir histórias de Cesinha e Geléia, é impossível não fazer uma correlação com as histórias de Willian, Lengruber, Escadinha, Viriato, PC, Isaías e tantos outros que os precederam na organização dos criminosos comuns. É um tipo de organização que surge de maneira quase natural, reagindo contra um sistema penal que não educa ninguém – pelo contrário, forma os profissionais do crime. Nos anos da criação da primeira organização de presos comuns do Brasil, o Comando Vermelho se dispôs a tentar mudar o sistema prisional de dentro para fora. Com ações violentas – geralmente rebeliões e matanças – queria mostrar que era impossível continuar vivendo dentro de cadeias onde o método de disciplina lembrava a Idade Média. As lutas da organização criaram o primeiro sistema de visitas íntimas, através do qual o preso casado, ou com mulher constante, podia ter relações sexuais dentro dos limites das penitenciárias. As visitas íntimas – uma conquista dos presos e não uma oferta do sistema penal – serviram para apaziguar a vida dentro das celas e contribuíram de forma objetiva para o fim de estupros e outras agressões. O detento sabe que vai receber a visita da mulher e dos filhos de forma pacífica e tem a esperança de sobreviver ao opressivo programa de encarceramento. Os dias de visita se tornaram algo mais ou menos sagrado nas cadeias. Todas as divergências são temporariamente abandonadas. Tudo conspira para que aquele momento seja de bem-estar coletivo. Muito raramente, a hora da mulher e dos filhos é desrespeitada – exceção para a grande rebelião do PCC. Esta é uma lição da qual as autoridades públicas poderiam tirar algum proveito: o encontro com os entes queridos é o melhor momento de ressocialização dos condenados.

A experiência vivida pelas autoridades carcerárias do Rio, nos anos 80, deveria ser emblemática para todo o país. Ali estão todos os erros e todos os acertos. Não adianta apostar em regimes de tranca, porque o isolamento cruel beneficia o preso, que aparece à frente de seus semelhantes como "forte e inquebrantável". A idéia de espalhar os líderes por todo o sistema, a nível nacional, é muito pouco inteligente. Um condenado do CV ou do PCC chega à cadeia pequena do interior como uma espécie de líder natural – e a sua experiência se multiplica. Lá ele explica aos outros o que deve ser feito para reagir. Romper o vínculo social do crime organizado faz sentido, como foi feito na luta contra a Máfia nos Estados

Unidos, onde um pistoleiro de Chicago cumpria pena no Alasca. Mas para isso seria necessário construir presídios federais em pontos remotos do país, com apoio das Forças Armadas. Os crimes chamados federais – como o tráfico de drogas e o contrabando de armas de guerra – são ditos assim porque podem ameaçar a nação, mais do que a comunidade local. No entanto, as leis brasileiras estabelecem que pessoas condenadas pela Justiça Federal devem cumprir pena nos estabelecimentos locais, "sob a guarda da autoridade estadual". É o mesmo que não precisar de uma Justiça Federal, porque na prática ela não tem nenhuma eficácia. Qualquer preso que tenha filhos consegue cumprir pena próximo à comunidade onde vive a sua família. Mudar isto exige uma profunda reforma da Lei de Execuções Penais, algo que ainda nem se discute no Brasil do presidente Lula.

Em 2002, o governo da França, que tem o melhor modelo de Justiça e de direitos individuais, base até para o Direito no Brasil, discute a redução da responsabilidade penal para 13 anos. Os Estados Unidos querem executar menores de idade condenados à pena máxima. Em Santo André, município da Grande São Paulo, o homem responsável pelo cativeiro do prefeito Celso Daniel, ao decidir eliminar a vítima, chamou um lavador de carros de 17 anos para apertar o gatilho, porque conhecia as conseqüências da lei. As penas alternativas aplicadas por nossos tribunais, como servir num hospital público em caso de atropelamento culposo, nunca consideram a possibilidade de mandar o condenado para uma unidade militar na fronteira Norte do país. Recentemente, o traficante Celsinho da Vila Vintém, preso pela polícia do Rio, disse à televisão e à imprensa em geral que era mesmo traficante e que ia continuar a comandar seus negócios de dentro da prisão. Ele disse isso sorrindo. Como se fosse a coisa mais corriqueira do mundo. E se atribui ao telefone celular a culpa por isso tudo. Como se a presença de um celular na cela do bandido não fosse simplesmente resultado de uma pequena forma de corrupção que envolve o guarda. Para combater isto não há a necessidade de nenhuma política carcerária. Basta reprimir. Mas as nossas autoridades preferem estudar modernas tecnologias capazes de bloquear os sinais telefô-nicos. Por quê? Porque acreditam que no Brasil a corrupção é incombatí-vel. É tamanha a impunidade, que é preciso pensar em algo além do pequeno delito. Perda de tempo e do dinheiro do contribuinte. Alguém vai ganhar dinheiro com isso, através de concorrências milionárias para fornecer os bloqueadores. Só para impedir ligações de telefones celulares no Complexo Penitenciário de Bangu, no Rio, o governo espera gastar 700 mil reais. Este valor – por si só absurdo – vai se tornar três ou quatro vezes mais caro, ao sabor das licitações. Se uma tal verba fosse investida na qualidade da guarda carcerária, os resultados poderiam ser muito melhores. Mas não se cogita.

Na cidade de Nova York, por ocasião do programa "Tolerância Zero", que resultou na diminuição da criminalidade à custa de demissões em massa na polícia, uma das exigências foi que o novo integrante da força pública tivesse diploma universitário. Os salários do policial também tiveram aumento expressivo. Aqui poderíamos pensar que um guarda penitenciário deveria ser um estudante de terceiro ano do curso de Direito. Haveria corrupção mesmo assim? Haveria. Mas num grau muito menor. Soluções práticas como esta não são nem levadas em conta. Por quê? Os especialistas brasileiros em questões penitenciárias – se é que há tal tipo de gente no país, tamanha é a degradação – não percebem que as questões carcerárias afetam a segurança pública de um modo geral. Se fosse possível desentulhar as delegacias policiais da multidão de presos, melhorar os sistemas de relacionamento entre os condenados, colocar na rua os que já cumpriram as penas, talvez não surgissem tantos "coman-dos". Os grupos criminais organizados, além de controlar territórios e populações, em franca liberdade, controlam também o sistema prisional. Ou seja: o crime continua ativo mesmo depois da detenção do criminoso. A polícia gasta dinheiro na captura, a Justiça gasta mais dinheiro e alguma inteligência para decidir o que fazer com o faltoso – e o resultado é nulo. O bandido que consegue sobreviver dentro da cadeia – por quali-dade pessoal ou por associação – aprimora os seus métodos e sai ainda mais preparado para desafiar o sistema. É ingrato, mas é preciso reconhecer: a pena de prisão não chega a ser um castigo temível, porque atrás das grades impera uma norma de resistência ainda mais eficiente do que na rua. Não é à toa que a principal liderança do crime organizado está ativa nas prisões.

No dia 19 de junho de 2002, uma juíza carioca teve a coragem de expedir um mandado de busca e apreensão para autorizar minuciosa revista nas 48 celas da cadeia mais famosa do país, Bangu Um, onde está a liderança do tráfico de drogas do Rio de Janeiro. Sônia Maria Gomes Pinto, da 1ª Vara Criminal de Bangu, atendeu ao pedido de um grupo de promotores públicos. Durante vinte dias, os investigadores gravaram as conversas, pelo celular, dos presos com seus cúmplices na rua, em pelo menos quatro estados, incluindo gente fora do país. As 400 horas de gravação comprovaram o que todo mundo já sabia: mesmo atrás das grades, os homens do Comando Vermelho continuam à frente dos negócios. A ação da justiça surpreendeu inclusive o governo do estado, que não sabia de nada. A então governadora, Benedita da Silva, chegou a dizer apressadamente que houve "abuso de autoridade". Quando percebeu o que realmente tinha acontecido, recolheu-se a declarações mais prudentes. O repórter Francisco Alves Filho, da revista *IstoÉ*, acompanhou de perto a operação do Ministério Público, na qual a juíza determinou o afastamento do diretor do presídio e todos os demais funcionários. Francisco Alves escreveu:

> O trabalho rendeu informações estarrecedoras, como a conversa em que o traficante Chapolim (Marcos Marinho dos Santos), preposto de Fernandinho Beira-Mar (Luiz Fernando da Costa), negocia pelo celular com uma pessoa identificada apenas como Rubinho, de São Paulo, a compra de um míssil Stinger, usado pelo grupo terrorista Al-Qaeda, de Osama Bin Laden.

[Os Stinger foram doados pelo governo americano aos militantes islâmicos que combatiam os russos no Afeganistão, os *mujhaedin*, entre eles Bin Laden, que eram chamados de "heróis da liberdade". Os foguetes, destinados a destruir aviões e helicópteros, também protegem os telhados da Casa Branca. Alguns deles, certamente, entraram para o mercado negro das armas de guerra. Ou não estariam sendo negociados em Bangu Um. Na polícia do Rio há quem acredite que essa história de Stingers não passa de uma brincadeira dos traficantes, que sabiam que as ligações telefônicas estavam grampeadas.)

Nesses tempos do medo, quando ir até a farmácia à noite constitui uma verdadeira aventura para o cidadão comum, cabe perguntar às autoridades: até quando vamos assistir à reprodução do mesmo filme, esse filme antigo que nos separa dos povos mais civilizados? A Polícia Federal, reconhecida mundialmente, atua de forma inexplicavelmente tímida. Para o ano de 2003, o programa de ação da Polícia Federal, aprovado no apagar das luzes de FHC, define como prioridades o acompanhamento da radicalização de movimentos sociais. O crime organizado nem é citado. O novo governo diz que vai travar uma luta contra o crime como nunca se viu – mas não há nenhuma política definida. As Forças Armadas, com treinamento e equipamentos modernos, se recusam a se confundir com "polícias" no combate à violência. É bom lembrar que o Exército participou decisivamente nas duas mais importantes operações já realizadas contra o tráfico de drogas nos últimos 20 anos – as operações Mosaico I e Mosaico II –, além de vários procedimentos de retomada de armas militares em poder de traficantes, nas favelas do Rio. Mas, depois disso, se recolheu a um silêncio constrangedor. Por quê? Talvez porque os militares temam a contaminação de seus efetivos, assediados que seriam pelo negócio lucrativo da droga. Ou talvez porque os políticos temam convocar os militares num país que foi governado por eles durante duas décadas.

Nos últimos anos, os militares receberam fortes investimentos, apesar de, com razão, reclamarem dos salários. A Força Aérea Brasileira (FAB) é atualmente um dos principais clientes das fábricas internacionais de aviões de combate, por causa de seu programa de reaparelhamento com jatos supersônicos. A Marinha foi aquinhoada com a compra de um porta-aviões francês, batizado de *São Paulo*, arma de vanguarda na operação Tempestade no Deserto, contra Saddan Hussein, na Guerra do Golfo de 1991. O porta-aviões também esteve em combate no Líbano, na Bósnia e no Kosovo.

Em 24 de julho de 2002, foi inaugurado o Sistema de Vigilância da Amazônia (Sivam), uma intrincada rede de radares capaz de monitorar o espaço aéreo em toda a região, incluindo a fronteira com a Colômbia, o paraíso mundial da produção de cocaína. Esquadrilhas de aviões militares de pequeno porte, a hélice, os Super Tucanos, estão sendo posicionadas para dar apoio ao Sivan. Produzidos no Brasil, esses aviões são especializados em vôo de baixa altitude e ataque ao solo. Não possuem sistema de combate eletrônico, propriedade dos países mais avançados. Mas o Sivam pode ser os olhos dos pilotos, que carregam metralhadoras, canhões do tipo *airborne* e mísseis. É – sem dúvida – um avanço importante para o país, em termos de controle das fronteiras e soberania. Pode ser uma arma mortal contra o narcotráfico e a infiltração de guerrilhas colombianas que operam nas beiradas do Brasil amazônico.

Outro dado que merece reflexão: temos oito mil quilômetros de litoral Atlântico, mas não temos uma guarda costeira efetiva. Por quê? No meio da noite, sem testemunhas além do murmúrio das ondas à volta de um carregamento de drogas, os rapazes da patrulha naval estariam frente a frente com o dilema: reprimir ou aderir? É isso que nos impede de investir na formação de uma guarda costeira atuante? O medo de contaminação dos militares chega a este ponto? A maior parte dos estudiosos do mundo das drogas e das armas acredita que as grandes partidas vêm pelo mar. É a hipótese mais provável, fácil de entender. Os exportadores colombianos ou asiáticos não dispõem de supermercados, onde o distribuidor do varejo possa ir e escolher comprar dois quilos ou duas toneladas de cocaína. Os barões do narcotráfico vendem por atacado – e esta é a essência do negócio deles. O tráfico que cruza as estradas entre o Brasil e a Bolívia ou o Paraguai, com maconha escondida em caminhões, é o comércio menor das drogas. Fica muito difícil de acreditar que os traficantes de alto bordo possam se arriscar com barreiras policiais nas estradas, com eventualidades do tipo "o pneu furou". A massa crítica do tráfico, que envolve toneladas de drogas e de armas, precisa de um outro tipo de estrada. Esta, possivelmente, é o mar.

Em junho de 2002, os governos de cinco países se uniram para interceptar um navio, navegando entre a América Central e a Europa, sob bandeira de uma empresa de exportações do Cambodja. Levava uma carga de cinco toneladas de cocaína colombiana pura. Ou 25 mil quilos de droga batizada (misturada), quando chegasse ao consumidor. O alerta foi feito pelos Drug Enforcement Administration (DEA) norte-americana. O barco – chamado *The Winner*, o Vencedor – foi parado com tiros de canhão. Face à perspectiva de um naufrágio, depois de dois ou três disparos, a tripulação finalmente se rendeu. Um grupo de comandos tomou o barco de assalto. Por ocasião da apreensão, os governos envolvidos – entre eles a França, Itália, Espanha e Estados Unidos – declararam que o controle dos mares pode representar o controle do tráfico de drogas e de armas, da mesma forma que – séculos atrás – representou o controle do tráfico de escravos. Foi quando a Marinha inglesa declarou guerra aos negreiros, em geral portugueses e espanhóis, traficantes de homens.

Um navio de porte oceânico, carregado de drogas e de armas, a cem milhas de qualquer costa, durante a madrugada, transborda o material para barcos pesqueiros de médio porte. Estes, por sua vez, encontram atracadouro em qualquer parte do litoral de um país como o Brasil. Podem – inclusive – passar a carga para barcos ainda menores, chegando a portos improvisados nos centros urbanos. As autoridades navais brasileiras parecem não aceitar essa possibilidade. Mesmo depois de um incidente exemplar. Há vinte anos, um rebocador de classe oceânica, registrado sob o nome de *Nobistor*, perdeu os motores e encalhou numa praia de Niterói. A embarcação era tripulada por cinco americanos, todos ex-combatentes no Vietnã. Foram presos tomando caipirinha com pescadores locais. Achavam – provavelmente – que se encontravam em alguma

A INDÚSTRIA DO CRIME   *383*

região inóspita das Américas. Os americanos, como sabemos, desconhecem a geografia. A bordo foram encontradas toneladas de armamentos. Os estrangeiros detidos disseram que eram mercenários e que as armas se destinavam à luta revolucionária na África. Exatamente naquele período, curiosamente, acontecia a guerra pelo controle do tráfico de drogas nos morros do Rio. Provavelmente relacionados com a CIA, os prisioneiros desapareceram de uma repartição policial. Nunca se esclareceu o que houve com eles ou com as armas. Vivíamos os últimos anos do regime militar. Mas o episódio do *Nobistor* deixa em aberto uma questão interessante, relacionada com o controle dos mares: devemos ou não devemos aceitar a *possibilidade* de que o tráfico em larga escala venha sobre as ondas?

Entre os temas ligados de forma negativa à luta contra o tráfico de drogas, salta aos olhos a questão da modernização das leis. A reforma do Código Penal, que poderia dotar o Estado brasileiro de instrumentos mais eficazes no combate ao crime, está emperrada no Congresso há mais de uma década. Quando a lavagem de dinheiro se tornou o negócio de maior liquidez do planeta, quando o próprio mercado de capitais se envolve com o financiamento da droga, quando a política se mistura com o crime, por que as leis não são reformadas? Quanto tempo mais vamos ficar vociferando contra o bandido avulso, aquele do sinal de trânsito, enquanto o bandido de colarinho branco continua solto? Este é um nó que o Brasil precisa desatar, para estar habilitado ao convívio dos países desenvolvidos. Realizamos a mais impressionante eleição presidencial da história, com mais de 100 milhões de eleitores, com apuração dos votos em apenas dez horas e sem contestações. O mundo inteiro nos saudou pelo extraordinário exercício da liberdade democrática. Mas de que adianta, se continuamos a viver no porão, num país onde os direitos são adquiridos por renda familiar e não por cidadania?

2

É MEIO-DIA DE DOMINGO. A data é 18 de fevereiro de 2001. Vai entrar para a história como a maior revolta de presos de que se tem notícia no país. Durante a noite de sábado e a madrugada de domingo, os líderes do Primeiro Comando da Capital (PCC), espalhados por presídios em quase todo o estado de São Paulo, decretam a revolta. A principal arma dos revoltosos é o telefone celular, introduzido nas celas com a conivência dos guardas. Os líderes do motim dispõem de facas artesanais, os estoques, e também de pistolas e revólveres. (Há quem diga que havia bombas improvisadas no interior dos pavilhões.) Eles passam horas falando nos pequenos aparelhos telefônicos. Não foram detectados. Mas foram atendidos pela metade de todos os 60 mil encarcerados. A ordem, transmitida pelos celulares, por bilhetes cifrados e conversas reservadas entre os detentos, é muito simples: quando as visitas estiverem dentro dos muros, no domingo, dia quase sagrado de receber os familiares, as crianças, amigos, começa o levante. Esta foi uma das raras vezes em que "o dia da família" foi desrespeitado pelos detentos. Em todo o país, conquistar o direito da visita particular foi resultado de mais de uma década de lutas. De repente, "a grande conquista" foi deixada de lado em troca de um motim com milhares de reféns.

Às seis horas da manhã do domingo, a cantora Simony, estrela da televisão desde os tempos da *Turma do Balão Mágico*, programa da TV Globo nos anos 80, atravessa os portões da Casa de Detenção, no complexo do Carandiru, centro de São Paulo, a maior penitenciária do país, hoje parcialmente implodida. Carrega no ventre o filho de um dos internos do Pavilhão Três, o *rapper* Afro X, uma das revelações artísticas do sistema penal paulista – há outros, como o grupo Pavilhão Nove, que bate recordes de vendas com músicas de protesto. Simony entra na cadeia e assiste ao início da rebelião. Guardas penitenciários são cercados e rendidos. Começa o alvoroço das visitas. Os presos explicam rapidamente aos parentes os objetivos da revolta. Lençóis com as palavras de ordem do PCC são estendidos nas janelas das celas, sobre os telhados. Faixas com os dizeres "as visitas estão aqui" aparecem por todos os lados, junto com "Paz, Justiça e Liberdade", o lema do Comando Vermelho. No interior das galerias, colchões são incendiados. Presos rivais são mortos por grupos armados. Vários foram degolados. Em menos de uma hora, mais de dez presídios estão na mesma situação. Duas horas depois, o número já passa de vinte. A "mãe de todas as rebeliões" está em curso. O governador Geraldo Alkimin é informado, por volta do meio-dia e meio, de que a situação está muito grave, "mas sob controle". A tropa de choque da Polícia Militar convoca todo o seu efetivo, reunindo mais de dois mil policiais. Escudos. Capacetes com proteção especial. Bombas de gás e de efeito moral. Balas de borracha. A força pública cerca os presídios, em dezenas de cidades paulistas. É a estréia do Primeiro Comando da Capital para o grande público.

As negociações entre os líderes encarcerados e as autoridades duraram quase onze horas. A principal – provavelmente única – reivindicação dos presos não pode ser atendida. Eles querem a volta dos chefões do PCC transferidos dois dias antes para presídios no interior. O governo bate o pé: "Não!" Comenta-se que foi o próprio Geraldo Alkimin quem determinou a intransigência. Os rebelados anunciam que vai haver um banho de sangue. Impasse total. Do lado de fora das prisões, uma multidão de parentes dos presos inicia um processo de fustigamento da força pública. Começa a confusão nas ruas à volta do Carandiru. Uma mulher que reclamava dos revoltados quase é linchada pela multidão. Os policiais disparam bombas de efeito moral e balas de borracha. Uma das bombas atinge a menina Ingrid, de três anos de idade, e sua mãe Roseana Ferreira

Gama. A criança sofre queimaduras graves e é obrigada a ficar 20 dias no hospital. É a mãe quem conta o que houve, no jornal *O Estado de S. Paulo* de fevereiro de 2002, quando ainda se comentava a rebelião, mais de um ano depois:

> (...) "Fazia seis meses que não levava a Ingrid para a Penitenciária [para ver o pai]. Quando soubemos da rebelião, voltamos para as celas, mas os rebelados atearam fogo nos colchões." [Ela começou a passar mal, com a fumaça.] De volta ao pátio, Roseana pegou a menina no colo, então com três anos. "A situação estava calma, mas, quando os policiais do Choque jogaram bombas de efeito moral e balas de borracha, começou a confusão e a gritaria." Uma das bombas explodiu entre a mão direita de Roseana e o peito e o rosto de Ingrid, que desmaiou.

A descrição dá uma idéia do que acontecia dentro do presídio. Mas os números oficiais não dão conta da soma final de feridos. Os mortos somam 16, muitos dos quais espancados e perfurados com dezenas de golpes de estoque. Do lado de foras das cadeias, ocorreram inúmeros conflitos entre a polícia e os familiares dos presos, desesperados por alguma notícia. Entre os mortos, a maioria foi assassinada de forma discreta, fora do alcance das visitas. Os crimes – no entanto – foram cometidos de forma brutal. Todos os cadáveres alinhados em 19 de fevereiro de 2001, pertenciam a grupos rivais ao PCC, especialmente à Seita Satânica, especializada em corrupção dos guardas, cujos membros cortam um dos dedos da mão direita, além do CDL (Comitê da Liberdade), que organizava fugas, e outros grupos menores. Com a rebelião, o PCC declarava publicamente a sua hegemonia sobre os presídios paulistas. Uma hegemonia referendada pela própria amplitude da rebelião, que mobilizou 27 mil presidiários. Se o sistema penal decidisse organizar uma festa nas cadeias, dificilmente conseguiria tantas adesões. O PCC conquistou a massa carcerária. E isto é o sinal de importantes mudanças no regime carcerário – tão importantes quanto foram as modificações introduzidas pelo Comando Vermelho nos tempos da Ilha Grande.

O PCC ficou conhecido em 1993, quando pessoas ligadas ao sistema penal paulista escreveram relatórios informando sobre a existência e o crescimento do grupo. Como no caso do major Salmon, que denunciou a formação do Comando Vermelho, nos anos 80, esses relatórios não foram considerados. Em 1995, a repórter Fátima de Souza cita a existência do "partido do crime", pela primeira vez, na televisão. Mas ninguém faz nada. Em 1996, o "estatuto" do Primeiro Comando da Capital começa a circular no interior das penitenciárias. O documento, tornado público durante a rebelião de 2001, foi publicado no *Diário Oficial do Estado de São Paulo* em 1997, por meio de um requerimento encaminhado pela Comissão Parlamentar de Inquérito da Assembléia Legislativa, que discutia a situação dos presídios. Quase quatro anos antes da revolta – sem que nenhuma providência fosse adotada. Aqui está a íntegra do texto, conforme reproduzido no jornal *Folha de S. Paulo* de 25 de maio de 1997, anos antes da "grande revolta". Mantemos algumas violações da ortografia. Mas elas são muito menores do que as violações que propõe o *establishment* do crime organizado em São Paulo. A leitura do documento é de estarrecer:

ESTATUTO DO PCC

1. Lealdade, respeito e solidariedade acima de tudo ao Partido.
2. A Luta pela liberdade, justiça e paz.
3. A união da Luta contra as injustiças e a opressão dentro da prisão.
4. A contribuição daqueles que estão em liberdade com os irmãos que estão dentro da prisão, através de advogados, dinheiro, ajuda aos familiares e ação de resgate.
5. O respeito e a solidariedade a todos os membros do Partido, para que não haja conflitos internos, porque aquele que causar conflito interno dentro do Partido, tentando dividir a irmandade, será excluído e repudiado do Partido.
6. Jamais usar o Partido para resolver conflitos pessoais, contra pessoas de fora. Por que o ideal do Partido está acima de conflitos pessoais. Mas o Partido estará sempre leal e solidário a todos os seus integran-

tes para que não venham a sofrer nenhuma desigualdade ou injustiça em conflitos externos.

7. Aquele que estiver em liberdade "bem estruturado", mas que esquecer de contribuir com os irmãos que estão na cadeia, serão condenado à morte sem perdão.

8. Os integrantes do Partido têm que dar bom exemplo, a serem seguidos. E por isso o Partido não admite que haja: assalto, estupro e extorsão dentro do sistema.

9. O Partido não admite mentiras, traição, inveja, cobiça, calúnia, egoísmo, interesse pessoal, mas sim: a verdade, a fidelidade, a hombriedade, a solidariedade e o interesse comum ao Bem de todos, porque somos um por todos e todos por um.

10. Todo integrante tem que respeitar a ordem e disciplina do Partido. Cada um vai receber de acordo com aquilo que fez por merecer. A opinião de Todos será ouvida e respeitada, mas a decisão final será dos fundadores do Partido.

11. O Primeiro Comando da Capital – P.C.C. –, fundado no ano de 1993, numa luta descomunal e incansável contra a opressão e as injustiças, do Campo de Concentração "anexo" à Casa de Custódia e Tratamento de Taubaté, tem como tema absoluto "a Liberdade, a Justiça e a Paz".

12. O Partido não admite rivalidades internas, disputa do poder na Liderança do Comando, pois cada integrante do Comando sabe a função que lhe compete de acordo com a sua capacidade para exercê-la.

13. Temos que permanecer unidos e organizados para evitarmos que ocorra novamente um massacre, semelhante ou pior ao ocorrido na Casa de Detenção em 02 de outubro de 1992, onde 111 presos foram covardemente assassinados, massacre este que jamais será esquecido na consciência da sociedade brasileira. Porque nós do Comando vamos sacudir o sistema e fazer essas autoridades mudar a prática carcerária, desumana, cheia de injustiça, opressão, tortura, massacres nas prisões.

A INDÚSTRIA DO CRIME 389

14. A prioridade do Comando no montante é pressionar o Governador do Estado a desativar aquele Campo de Concentração, "anexo" à Casa de Custódia e Tratamento de Taubaté, de onde surgiu a semente e as raízes do Comando, no meio de tantas lutas inglórias e a tantos sofrimentos atrozes.

15. Partindo do Comando Central da Capital do QG do Estado, as diretrizes de ações organizadas e simultâneas em todo os estabelecimentos Penais do Estado, numa guerra sem trégua, sem fronteira, até a vitória final.

16. O importante de tudo é que ninguém nos deterá nesta luta porque a semente do Comando se espalhou por todos os Sistemas Penitenciários do Estado e conseguimos nos estruturar também no lado de fora, com muitos sacrifícios e muitas perdas irreparáveis, mas nos consolidamos a nível estadual e a médio e longo prazo nos consolidaremos a nível nacional. Em coligação com o Comando Vermelho – CV e PCC iremos revolucionar o país dentro das prisões e o nosso braço armado será o Terror "dos Poderosos " opressores e tiranos que usam o Anexo de Taubaté e o Bangu Um do Rio de Janeiro como instrumento de vingança da sociedade, na fabricação de monstros.

Conhecemos a nossa força e a força de nossos inimigos. Poderosos, mas estamos preparados, unidos e um povo unido jamais será vencido.

LIBERDADE! JUSTIÇA! E PAZ!!!.

O Quartel General do PCC, Primeiro Comando da Capital, em coligação com Comando Vermelho CV.

UNIDOS VENCEREMOS."

A leitura das regras de conduta do PCC paulista impressiona porque eles são quase uma versão literal do pensamento dos homens que fundaram o Comando Vermelho, vinte anos antes. Os códigos de respeito aos companheiros presos – contra o arbítrio, o estupro e as liberdades de circulação na cadeia – reproduzem as lutas que os internos da Ilha Grande travaram nos anos 80. A exigência de colaboração que o CV ditou nos anos de inauguração do crime organizado, se referindo aos grupos em liberdade, nunca teve uma expressão tão clara quanto no artigo 7º do PCC, reclamando a colaboração externa das quadrilhas em liberdade. O Comando Vermelho cobrava 10% de todas as operações ilegais para financiar uma "caixinha" de sobrevivência, destinada a pagar advogados e preparar a fuga dos companheiros isolados na Ilha Grande. O PCC condena à morte quem não estiver disposto a participar. O CV sempre deixou isso mais ou menos em dúvida. O PCC é explícito.

Outra questão, o compromisso dentro das celas, fica ainda mais definido no "estatuto do PCC", quando assegura que "aquele que causar conflito interno dentro do Partido, tentando dividir a irmandade, será excluído e repudiado (....)". No Rio de Janeiro, ao contrário do que parece estar acontecendo com o PCC, os líderes do crime organizado estão divididos. Trancafiados em Bangu Um, ocupam atualmente lugares em pelo menos quatro organizações – o Comando Vermelho, o CV Jovem, a ADA e o Terceiro Comando. O PCC, pelo que dá a entender seus documentos, ainda vive a fase de uma organização centralizada, onde "a decisão final será dos fundadores do Partido". O que mudou o alinhamento entre os "companheiros de cela", no Rio de Janeiro, foi o rápido crescimento da atividade criminal e a quantidade de dinheiro envolvida nas transações, particularmente em relação ao tráfico de drogas.

Os grupos menores existentes em São Paulo, como o CDL (Comando da Liberdade ou Comitê da Liberdade), a Seita Satânica e o PRCB (Partido Revolucionário da Criminalidade Brasileira), ocupam, no momento, celas de proteção. Durante a grande rebelião de 2001, muitos líderes dessas organizações foram mortos. Os chefes do PCC estão pulverizados por várias cadeias paulistas, em Presidente Bernardes, Taubaté, Guarulhos, Campinas e na capital. Este foi um erro cometido pelas autoridades carcerárias do Rio, que logo voltaram atrás da decisão de separar os líderes do Comando Vermelho. Ficou evidente que a organização se fortalecia na medida em que ganhava novos adeptos. Além do mais, a comunicação entre presos de cadeias diferentes não se interrompia, porque parentes e advogados levavam comunicados e ordens. Com a expansão da telefonia celular, fica ainda mais fácil. O PCC, aprimorando muito as técnicas herdadas do CV, passou inclusive a utilizar centrais telefônicas clandestinas, que confundem a escuta e prejudicam o rastreamento das ligações. Algumas dessas centrais foram desativadas pela polícia, mas não há nenhuma garantia de outras não estejam em pleno funcionamento. O crime organizado, no Rio de Janeiro, já deu um salto de qualidade em matéria de comunicações, utilizando um software de computador que simula uma central com mais de 35 mil linhas telefônicas, introduzindo no sistema oficial números que simplesmente não existem, mas que podem ser usados como se fossem de verdade. O mundo virtual sempre foi um bom espaço para o desenvolvimento de novas idéias. Na era do crime globalizado, fica ainda mais fácil recorrer a meios eletrônicos de burlar a lei.

A descoberta da "companhia telefônica" do Comando Vermelho foi feita a partir da investigação do Ministério Público, em junho de 2002. As gravações das conversas dos prisioneiros revelou o dispositivo, que também seria usado por terroristas internacionais, inclusive da temida Al-Qaeda e do Hizbolah libanês. Numa das fitas, o traficante Chapolim (Marcos Marinho dos Santos) conversa com um certo Rubinho, em São Paulo. Este último disse ao telefone:

> "Não, a Al-Qaeda [organização terrorista chefiada por Osama Bin Laden] estava usando bases aqui no Brasil, as bases de comunicação com o ..." [Neste ponto, a frase é interrompida por Chapolim, que muda de assunto. Para a polícia carioca, a frase completa poderia ser "*as bases de comunicação com o tal software*".

Não chega a ser surpreendente a ligação entre o narcotráfico e o terrorismo político e religioso. Os especialistas do FBI e da DEA acreditam que o mercado de drogas e de armas de guerra se unificou mundialmente, tendo relativamente poucos centros de distribuição. Um relatório do Departamento de Estado dos Estados Unidos acerca do terrorismo global (*Patterns of Global Terrorism*, com dados até o ano 2000 e que pode ser lido no site do FBI) garante que há no mundo sete países diretamente envolvidos com o crime internacional e o terror, além de 28 poderosas organizações. Entre os países citados estão Irã, Iraque, Síria, Líbia, Coréia do Norte, Sudão e Cuba. O documento americano destaca que Irã, Líbia e Cuba, nos últimos anos, se afastaram do financiamento de terroristas e ações criminosas. Entre as organizações que os americanos chamam de FTOs (Foreign Terrorist Organizations), estão aquelas óbvias: Al-Qaeda, Hamas, Hizbollah, Jihad Islâmico. Mas o mesmo relatório inclui três grupos na América Latina, todos da Colômbia: As FARCs, o Exército de Libertação Nacional (ELN) e a Autodefesas Unificadas da Colômbia (AUC), este último formado por traficantes e paramilitares de extrema direita. Em julho de 2002, o líder da AUC, Carlos Castanho, anunciou a dissolução do grupo. Mas quase todos os analistas acham que isso é um artifício para evitar problemas com o novo governo colombiano de linha dura contra a guerrilha. Antes do fim daquele ano, a AUC anunciava uma espécie de reorganização.

Os grandes grupos exportadores de armas e drogas, de acordo com os americanos, estão na América Latina, África, Oriente Médio e sudeste da Ásia. Traficantes de heroína e ópio, plantadores de papoula do Cambodja, Laos, Tailândia e Vietnã possuem milícias armadas de muitos milhares de homens. Nestes países – provavelmente – estão as fontes primárias do fornecimento de armas.

Para que se tenha uma idéia do perigo representado pela associação do terror ideológico com as ações criminosas e o tráfico, basta ler o livro escrito por Osama Bin Laden, no início de 1999, distribuído em alguns países islâmicos. O título é bem sugestivo: *A América e a Terceira Guerra Mundial*. Quem assistiu às estarrecedoras imagens dos ataques contra Nova York e Washington, em 11 de setembro de 2001, entende que aquelas cenas poderiam estar representando o início de um novo tipo de guerra em escala global. O texto de Bin Laden é citado em *O homem que declarou guerra à América*, de Yossef Bodansky, uma analista de questões militares que foi diretor da força-tarefa americana de combate ao terrorismo:

Neste livro, Bin Laden afirma que um decisivo confronto com o Ocidente liderado pelos Estados Unidos, nas esferas cultural e religiosa, e não só na militar, é inevitável e iminente. Assim sendo, ele estabelece as prioridades estratégicas nesta jihad: (1) expulsar os judeus e cristãos do Oriente Médio e criar Estados muçulmanos; (2) transformar o Eixo do Islã (aquela parte do mundo onde a população muçulmana constitui a maioria que determina o caráter sociopolítico da região) num califado; e (3) impor uma ordem muçulmana ao resto do mundo. O califado incentivaria relações comerciais com o Ocidente e a transferência de alta tecnologia, mas proibiria qualquer "importação" de valores judaico-cristãos e do modo de vida democrático. Quando este califado estiver estabelecido, diz Bin Laden em seu livro, o Ocidente será coagido a ter uma relação de subserviência com o mundo islâmico. A *América e a Terceira Guerra Mundial* conclui que, em conseqüência da guerra global, o século XXI será o século do Islã.

O pensamento político do xeque da Al-Qaeda poderia ser entendido apenas como um delírio místico, não fossem as imagens dos Estados Unidos atingidos pelo golpe terrível de 11 de setembro, uma ação surpreendente contra a nação mais poderosa da Terra. Em 7 de outubro, quando era iminente o ataque dos Estados Unidos contra o Afeganistão, onde vivia, Bin Laden fez um discurso que foi gravado em tape e exibido pela Al-Jazeera, uma emissora de televisão do Qatar que é tida como a "CNN árabe". A gravação registra uma frase ameaçadora do terrorista:

> Quanto aos Estados Unidos e seu povo, direi a eles poucas palavras: juro pelo Deus Todo-Poderoso, que ergueu os céus sem pilares, que nem os Estados Unidos nem aqueles que ali vivem terão segurança.

(O discurso de Bin Laden acrescenta que o Ocidente confia demais nos seus dispositivos militares, enquanto os *mudjhadins*, os guerreiros islâmicos, vão para o campo de batalha munidos apenas de "fé e determinação".)

Depois do impacto devastador do ataque contra o Iraque, praticado pelos Estados Unidos e a Inglaterra, em março de 2003, podemos entender

394   CV_PCC *A IRMANDADE DO CRIME*

melhor a frase do terrorista. Quatro mil voluntários se apresentaram para enfrentar os "infiéis". Homens-bomba que mudam o conceito da guerra moderna. Os *mudjhadins*, em pequenos grupos de dez a doze homens, causam enorme transtorno na estratégia militar americana, arrastando o maior exército do planeta a combates pontuais, de casa em casa. Para os brasileiros, distantes em seu recanto tropical, essas ameaças, ainda assim, seriam coisas muito afastadas. Não fosse o fato de a Al-Qaeda ter sido citada em conversas telefônicas da liderança da Comando Vermelho. Pior: os americanos juram que o grupo terrorista islâmico está instalado na região da tríplice fronteira, que liga o sul do Brasil à Argentina e ao Paraguai. O relatório do Departamento de Estado, já citado, assegura:

> Em 1999, os governos da Argentina, Brasil e Paraguai consolidaram esforços para deter atividades de pessoas ligadas aos grupos terroristas islâmicos na região da tríplice fronteira e continuam a cooperar ativamente para promover o contraterrorismo regional. Apesar de alguns sucessos, no entanto, a tríplice fronteira continua sendo o ponto focal para o extremismo islâmico na América Latina".

(Muitas fontes ligadas aos órgãos de informação acreditam que dois atentados terroristas na Argentina, contra a embaixada israelense e o Centro Comunitário Israelita, utilizando carros-bombas e matando dezenas de pessoas, foram planejados na tríplice fronteira pelo Hizbollah.)

O ponto focal do terrorismo nas Américas. O Brasil abriga organizações terroristas islâmicas? A revista *Veja* de 19 de março de 2003 afirma que o arquiinimigo do mundo Ocidental, Osama bim Mohammed bin Laden (Osama, filho de Mohammed, neto de Laden), esteve no sul do país em 1995. A comunidade muçulmana de Foz do Iguaçu desmente categoricamente a informação. Mas vamos acompanhar o que disse a revista:

> Quem diria: Osama bin Laden, o terrorista mais procurado do mundo, andou perambulando pelo Brasil no ano de 1995. Vindo da

A INDÚSTRIA DO CRIME *395*

Argentina, entrou clandestinamente no país, passou três dias agradáveis em Foz do Iguaçu e reuniu-se com alguns membros da comunidade árabe na mesquita sunita da cidade, um imponente prédio erguido há vinte anos. Na mesquita, Bin Laden contou a seus companheiros de fé as agruras que enfrentou no Afeganistão, quando lutava contra a ocupação soviética, conflito que se encerrou no fim da década de 80 [do século passado].

O crime organizado brasileiro tem contato com pelo menos um setor em que guerrilha, terrorismo e narcotráfico se confundem. E um dos expoentes do Comando Vermelho, Luiz Fernando da Costa, o Fernandinho Beira-Mar, se transformou em fenômeno do tráfico de drogas, associado às Forças Armadas Revolucionárias da Colômbia (FARCs), procurado pela justiça de vários países. O governo americano pretende julgá-lo na Suprema Corte, em Washington, e condená-lo a 30 anos de prisão e a multas no valor de 10 milhões de dólares. É bom lembrar que os americanos invadiram o Panamá, em 1989, e prenderam o general-presidente Antônio Noriega, acusado de controlar a rota de entrada da cocaína colombiana nos Estados Unidos. A 101ª Brigada de Cavalaria Aerotransportada invadiu a capital, ocupou o palácio do governo e levou Noriega algemado para uma cadeia americana. Ele estava no poder há seis anos, quando foi atacado. A 101ª Brigada é a mesma que invadiu Bagdá junto com os *Marines*, em 19 de março de 2003.

As forças revolucionárias colombianas, quase explicitamente envolvidas com a plantação de coca e as refinarias de cocaína, estão presentes no Brasil há vários anos. Nosso governo sabe disso. E prefere ter por perto um representante da guerrilha vizinha do que estar totalmente cego em relação aos acontecimentos na Colômbia. Isso se explica pela melhor diplomacia e pela melhor opção militar. Conhecer seus inimigos – cite-se Sun Tzu em *A arte da guerra* – é a melhor estratégia. O nome desse representante das FARCs é o ex-padre católico Francisco Cadena. O Comandante Olivério, como prefere se apresentar, está entre nós desde 1999. Nosso inimigo íntimo, o padre revolucionário, vive no Brasil em completa liberdade.

3

ALGUÉM BATEU NA JANELA da casa paroquial. No meio da noite. O recado foi tão rápido que não deu tempo de abrir as venezianas. Até hoje o padre Francisco Cadena não sabe quem salvou a sua vida. O veneno daquela madrugada já estava pronto contra ele. Um grupo paramilitar ia invadir a igreja, seqüestrar e possivelmente fuzilar o padre. Quando o dia estava para nascer, o padre Cadena pôs o pé na estrada, na direção das montanhas. Ele tinha conhecimento da existência de uma frente guerrilheira na região. Subiu a serra e ficou por lá durante 18 anos. Transformou-se no comandante Olivério Medina, das Forças Armadas Revolucionárias da Colômbia, autodenominadas "Exército do Povo".

Filho de camponeses pobres do interior colombiano ("Não tive dificuldades de me adaptar à vida dura da guerrilha"), o padre Cadena vive hoje no Brasil, numa semiclandestinidade tolerada pelo governo brasileiro. Tolerância, aliás, maculada pela Polícia Federal, que cassou o visto de permanência do padre Cadena e o encarcerou. Ele foi preso no dia 22 de setembro de 2000 e passou 25 dias na cadeia de Foz do Iguaçu. ("Li, dormi, escrevi um pouco.") A Justiça Federal devolveu o passaporte dele e mandou soltá-lo, através de uma liminar do juiz Alexandre Vidigal de Oliveira. A libertação foi comemorada no Planalto, porque o governo brasileiro esteve em vias de perder um importante interlocutor da guerrilha colombiana, uma sombra ameaçadora na fronteira amazônica.

No Brasil, o comandante Olivério costuma desaparecer durante semanas. Utilizando habilidades certamente adquiridas na luta armada em

A INDÚSTRIA DO CRIME   *397*

seu país, dribla a vigilância dos órgãos de informação e fica completamente livre para cuidar de seus negócios, que ele classifica como "atividade diplomática informal".

O guerrilheiro está sempre acompanhado de um rapaz de 20 e poucos anos, muito forte e completamente silencioso. "Este é o meu apoio", diz o colombiano, deixando a entender que é um guarda-costas. Quando me encontrei pela primeira vez com Olivério Medina, havia uma terceira pessoa, também da Colômbia, aquele tipo indígena bem conhecido das regiões andinas. "Esse é um membro da Comissão Internacional das FARCs, um integrante muito importante da organização."

O grupo guerrilheiro mais importante das Américas (um exército irregular de 20 mil homens, com um número desconhecido de militantes civis) dispõe de seis *sites* na Internet, em seis idiomas diferentes, gerados a partir da Cidade do México. No Brasil, o principal endereço eletrônico é ultra@opengate.com.

Em nossas conversas, o colombiano abriu alguns segredos das táticas de guerra das FARCs, entre eles algumas das fontes de financiamento da luta armada.

– Tomamos dinheiro dos traficantes, não dos *cocaleros* (plantadores), que são camponeses e índios que vivem quase na miséria. Fazemos bloqueios nas estradas, uma tátitca que chamamos de "pescaria milagrosa", para tentar a sorte com quem passa. Pode ser um caminhão carregado de folhas de coca e, nesse caso, cobramos um imposto. Pode ser um *terrateniente* (um grande fazendeiro), e a este seqüestramos e cobramos um resgate.

– Mas vi parte das forças das FARCs na região de San Vicente del Caguan, quando havia ali uma área desmilitarizada, parte do esforço de paz do governo Andrés Pastrana, até 2002. Todas as armas, assim como todos os uniformes e botas, eram novos em folha. Manter aquele exército custa milhões de dólares por ano. De onde sai o dinheiro para sustentar tudo isso? Só uma bala de fuzil, no mercado negro, custa um dólar – disse eu ao comandante Olivério.

– Sim, eu sei. Mas nós cobramos impostos altos de grandes empresas. Por exemplo: vamos até as multinacionais do petróleo, como a Exxon, e dizemos a eles: se vocês querem perfurar na Colômbia, têm que ter permissão das FARCs. Quantos barris vão produzir? Nós queremos dez por cento. Negociações como esta são comuns.

Entre as revelações que fez durante os nossos encontros, o guerrilheiro assegura que as FARCs e o Exército Revolucionário do Povo (ELN, a outra guerrilha de esquerda) já estão combatendo nos subúrbios da capital, Bogotá. Nessas ocasiões, a força guerrilheira vai se infiltrando lentamente, dia a dia, e fica hospedada em residências de simpatizantes. Ataca, fere, mata, destrói e desaparece do mesmo modo que chegou.

Olivério garante que a guerrilha não faz negócios com os traficantes de cocaína colombianos, o que é em parte desmentido pelos contatos de Fernandinho Beira-Mar com elementos das FARCs envolvidos com o narcotráfico.

– Somos marxistas, nas áreas liberadas pela guerrilha proibimos o álcool e as drogas.

Os americanos afirmam que as FARCs protegem o refino das drogas em troca de dólares e armas. Aliás, o FBI e a DEA americanos perseguem Olivério no Brasil dia e noite. Quanto à acusação de narcoguerrilha, o comandante comenta com um sorriso irônico:

– Nós não precisamos disto. Já oferecemos ao governo americano erradicar dois milhões de hectares de lavouras de coca em troca de oito bilhões de dólares para fazer a reforma agrária em nosso país. Eles recusaram. Os *cocaleros*, se tivessem ajuda técnica e financeira, trocariam a lavoura clandestina pela agricultura convencional.

As autoridades brasileiras também acreditam que a guerrilha colombiana proteja o tráfico de drogas, mantendo laboratórios para o refino de cocaína dentro das áreas controladas pelas FARCs e pelo ELN. Isto aconteceria, inclusive, junto à fronteira do Brasil. Os estrategistas militares do Planalto pensam que isto é extremamente perigoso, porque facilitaria o tráfico para os Estados Unidos através do Brasil. Mais ainda: setores do governo chegam a acreditar que as linhas de suprimentos de material bélico das FARCs poderiam, eventualmente, armar um conflito de terras no Brasil.

A INDÚSTRIA DO CRIME   *399*

– Olha, nós temos um enorme cuidado diplomático com o Brasil – comenta Olivério Medina. – Sabemos que a posição brasileira de neutralidade e de não-intervenção pode vir a ser fundamental diante das ameaças americanas de intensificar a guerra na Colômbia. Sabemos que muitos dos militares brasileiros defendem a soberania dos povos latino-americanos e a neutralidade nos casos de conflito. Não seríamos nós a começar a fazer provocações na fronteira do Brasil. Não seríamos nós a nos meter nos assuntos políticos internos do Brasil. E, seguramente, não seríamos nós que permitiríamos o contrabando de drogas através do Brasil.

A expressão "não seríamos nós..." deixa em aberto a possibilidade de ocorrerem incidentes na fronteira. As Forças Armadas brasileiras já realizaram inúmeras operações na região, usando tropas por terra, nos rios e até bombardeios aéreos com foguetes. Recentemente, a Operação Cobra, da Polícia Federal, fez aumentar a tensão na região.

As FARCs, diz o comandante, estão em toda a parte.

– Já controlamos a metade do país. Mas posso assegurar que as nossas forças estão distantes da fronteira brasileira. Perto dali, o que existe são tropas do exército colombiano.

Olivério Medina não dá informações detalhadas sobre sua vida. Não diz o lugar onde nasceu. "Foi na roça, na lavoura, no interior." Ele teme represálias contra seus familiares e amigos.

– Não gosto nem de pensar no que pode acontecer. Deixar tudo para trás é o maior preço que temos que pagar. – Mas alguma coisa ele termina contando: – Fui para o seminário muito pequeno ainda. Era um menino. Ordenei-me aos 22 anos. Na guerrilha, todos sabem que fui padre, e me respeitam por isso. Trabalhei com comunidades pobres e terminei incomodando gente poderosa. Tive que fugir. Ninguém entra para a luta armada por opção. A gente entra por falta de opção.

Um padre de armas na mão não chega a ser uma novidade para a América Latina. Na própria Colômbia, o padre-guerrilheiro Camilo Torres fundou, nos anos 60, o ELN, inspirado no exemplo de Che Guevara. Mas é difícil resistir à pergunta:

400 **CV_PCC** *A IRMANDADE DO CRIME*

– Olivério, como fica o não-matarás para um padre-guerrilheiro? Como misturar cristianismo com marxismo e luta armada?

– *Hombre*, isso é muito fácil de entender. Primeiramente, eu gostaria de dizer que o maior pecado é não lutar quando a luta é inevitável. Camilo Torres dizia que o maior pecado dos homens era não serem revolucionários. Quanto à ideologia, também é simples: se você observar os princípios do cristianismo, vai chegar ao socialismo e, portanto, à revolução. A igreja teve, tem e terá um papel fundamental na América Latina.

A Colômbia é um país afogado na violência. A guerra civil, desde 1964, já matou meio milhão de pessoas. De um lado, um governo acossado pelo narcotráfico; do outro lado, a guerrilha comunista e os grupos paramilitares que espalham o terror em todas as regiões do país.

Agora, o conflito ameaça se internacionalizar com o Plano Colômbia, uma superoperação militar contra a guerrilha e os traficantes. Oito bilhões de dólares – o mesmo valor da reforma agrária – virão dos Estados Unidos e da União Européia para financiar a luta do governo colombiano.

– Vai ser um genocídio, uma violência sem precedentes – diz Olivério Medina.

É difícil acreditar que a matança possa aumentar. Vinte e cinco mil pessoas morrem por ano no conflito colombiano. As grandes operações militares das FARCs costumam resultar em dezenas, às vezes centenas de mortes. Entre os mortos – além do inimigo – estão mulheres e crianças.

Os grupos paramilitares e seus esquadrões da morte provocam danos terríveis. Costumam chacinar populações inteiras, nas pequenas vilas que apóiam ou são suspeitas de apoiar a guerrilha comunista. O número de *desplazados*, pessoas expulsas de suas terras ou casas, chega a centenas de milhares. O Alto Comissariado da ONU para Refugiados (Acnur) tenta – e não consegue – encontrar uma solução para o problema. E as conversas de paz – recentemente abandonadas – não conseguem resolver a questão.

– O governo tem muito pouco a nos oferecer – diz Olivério. – As FARCs são uma alternativa de poder na Colômbia e não pretendem abandonar a luta. Estamos em guerra há décadas e já aprendemos muito e nos organizamos muito. Sabemos que podemos enfrentar a situação,

A INDÚSTRIA DO CRIME *401*

mesmo com a pressão e o dinheiro americano. Os Estados Unidos querem transformar a Colômbia no Vietnã do século. Mas eles devem pensar nisso com muito cuidado. E os países da América do Sul também. Porque os americanos chegaram a insinuar que trocariam a dívida externa pela Amazônia.

– Por falar em Estados Unidos – perguntei –, Bush faz alguma diferença?

– Não faz a menor diferença. A política externa americana tem um desenho muito peculiar, que deve ser seguido por qualquer presidente. Kennedy, que era um democrata nos assuntos internos dos Estados Unidos, invadiu Cuba e começou a guerra no Sudeste Asiático.

As FARCs não são uma unanimidade na Colômbia. Se Manuel Marulanda, o Tiro Fijo, chefe da guerrilha, fosse candidato a presidente numa eleição democrática, perderia. Olivério comenta:

– Não há democracia na Colômbia. Não há democracia num lugar onde 25 mil pessoas são mortas por ano.

O padre Cadena já teve muitos nomes. Foi Camilo López, Pancho, El Cura, e agora é Olivério Medina. Ele costuma andar com uma pasta pesada, cheia de papel e agendas. Dentro desta pasta de couro marrom ele carrega também a bandeira das FARCs, que é a bandeira da Colômbia, com o perfil negro de um guerrilheiro empunhando um fuzil Automatik Kalashinikov russo, o AK-47, arma padrão das tropas rebeldes.

A base de Olivério é Brasília, onde mantém contato com parlamentares e gente ligada ao governo. "Já conversei inclusive com militares", diz. Mas o representante das FARCs vem muito a São Paulo e Guarulhos. Anda também pelo sul do país, onde até foi preso. Ninguém sabe ao certo o que ele faz, mas já participou de um movimento para abrir uma faixa na arquibancada do estádio do Morumbi, durante o jogo entre Brasil e Colômbia, com os dizeres: "A Amazônia é nossa!"

A Polícia Federal e os órgãos militares de inteligência costumam rastrear os passos dele, especialmente para verificar quais são os contatos com partidos políticos e movimentos de esquerda. Querem saber, especificamente, se ele tem mantido encontros com o MST. Nesta semilegalidade em que se encontra ("Minha situação no país é normal."), ele termina sendo alvo de muitos interesses. O governo o quer por perto, já que é um porta-voz das FARCs. Os americanos gostariam de vê-lo preso e deportado para a Colômbia, onde quase certamente seria assassinado. Muita gente na Polícia Federal deseja que seja detido ou deixe o Brasil, porque há suspeitas de que ele possa trazer para cá a experiência da luta armada colombiana.

Quando o vi pela última vez, em dezembro de 2000, ele se despediu de mim com a saudação clássica de Che Guevara: *"Hasta siempre."* Até sempre. E lá se foi com a sua pasta de couro marrom.

Olivério Medina, três anos depois, continuava vivo e atuante no Brasil. Ele foi o contato que utilizei para enviar uma equipe de reportagem da TV Bandeirantes ao coração da guerrilha colombiana. Pela primeira vez, uma câmera e um repórter brasileiros estiveram com as FARCs, numa intimidade impressionante. A matéria, exibida no programa *Linha de Frente* e no *Jornal da Band*, obteve grande repercussão. Após a experiência, o jornalista Fábio Pannunzio escreveu *A última trincheira*, livro publicado pela Editora Record, relatando detalhes sobre a guerra civil na Colômbia.

A entrevista que fiz com o comandante Olivério foi publicada com exclusividade pelo *Jornal da Tarde* de 3 de dezembro de 2000.

4

AS ÁGUAS DO RIO NEGRO, na região amazônica, ao norte do Brasil, se movem lenta e silenciosamente. Quase como um óleo espesso, o rio não aparenta se mexer. Sobre o Negro, durante as noites de sexta-feira, uma discreta embarcação de madeira, semelhante a outras centenas de pesca ou de transporte de pessoas, se desloca ao longo do rio. A aparência externa não dá pistas de que, por dentro, o barco guarda um tesouro de tecnologia. Carrega computadores modernos, instalados com *modems* de alta velocidade. Possui antenas de comunicação via satélite e rastreadores de freqüência, tanto de rádio quanto de *transponders* internacionais. Os três homens a bordo podem ouvir os aviões que cruzam a região, podem acompanhar as comunicações entre os barcos da Marinha, ouvem com clareza as lanchas de assalto da Polícia Federal e do Exército, freqüentes na região. Dos três tripulantes, dois cuidam da intrincada navegação, onde troncos de árvore e bancos de areia podem se transformar em armadilhas mortais à navegação noturna. Os jacarés de dois metros de comprimento, habitantes rotineiros do rio, mostram olhos vermelhos rente à superfície, ao menor contato com a luz. Peixes enormes, que poderiam alimentar uma família inteira, além de serpentes sucuris, são encontrados com facilidade nas águas escuras do rio Negro.

O terceiro homem embarcado não se incomoda com os sofisticados instrumentos do barco. Não se preocupa com a biodiversidade amazônica. Olha atentamente para as telas de computador. Suas poderosas CPUs rodam programas de quebra de sistemas de segurança de grandes corpo-

404   CV_PCC *A IRMANDADE DO CRIME*

rações, principalmente os bancos. É um *hacker*, um pirata moderno, dedicado a saquear contas bancárias durante os fins de semana. Sua principal atividade é invadir os grandes conglomerados financeiros e desviar dinheiro para centenas de pequenas contas em todo o país. É uma rede que pode movimentar, em saques eletrônicos, algumas centenas de milhares de dólares durante os sábados e domingos. Desde o ano 2000, o misterioso navegante é perseguido pela polícia e por agências particulares de segurança. Até agora não foi encontrado. As autoridades nem sabem como ele se chama. Não têm idéia de como se parece.

Este é um país de grandes contrastes. Numa das regiões mais pobres do planeta, mais afastadas do mundo civilizado, um solitário representante do crime organizado move as suas teias.

Além do pentacampeonato mundial de futebol, o Brasil detém muitos outros recordes. O de mortes no trânsito, por exemplo. Um Vietnã por ano, com números assombrosos, maior do que as perdas americanas, que foram de 57 mil vidas em 15 anos. No desembarque da Normandia, que abriu as portas da Europa para o fim do nazismo, morreram 7.400 americanos. O trânsito no Brasil mata algo em torno de meia centena de milhares de vidas a cada 12 meses. Somos mesmo um país de grandes números. Cento e setenta milhões de habitantes, mas com menos de 30 milhões de trabalhadores regularmente registrados. A Receita Federal recebe anualmente menos de cinco milhões de declarações de imposto de renda. Entre os números assombrosos do país, a taxa de mortalidade provocada pela violência já é o primeiro lugar entre os jovens de 12 a 19 anos. Nas metrópoles brasileiras, como Rio e São Paulo, o números de mortes violentas – a maioria por armas de fogo – ultrapassa os limites que a ONU estabeleceu para povos que não estão em guerra, 15 mil a cada ano. Rio e São Paulo somam mais de duas dezenas, sem falar do resto do país. Em termos internacionais, haveria um "estado de guerra" nessas duas cidades. Tão forte que caberia recorrer a uma força de paz das Nações Unidas.

Se o jornalismo é um *status* menor para determinar o tamanho da tragédia da juventude brasileira, vamos recorrer aos especialistas em comportamento humano. A professora Zeliah Vieira Meireles, mestre da Universidade do Estado do Rio de janeiro, depois de 12 anos de pesquisas entre comunidades pobres, declarou: "Um em cada quatro jovens entre 10 e 19 anos que moram em favelas tem alguma participação no tráfico de drogas." Outra professora da UERJ, Maria Helena Ruzani, mediu a quantidade de mortes entre os jovens: em cada grupo de 100 mil habitantes, encontrou mais de 67. É um massacre que não tem muitas comparações no mundo.

A luta instalada nos porões da sociedade brasileira, a despeito do que dizem as autoridades públicas, assumiu contornos tenebrosos. O parque militar disponível no campo do crime já se iguala, e muitas vezes supera, o das forças públicas de segurança. E ainda é reforçado pelos próprios militares. Quando deixam as forças de elite, os pára-quedistas do Exército e os Fuzileiros Navais, depois de nove anos de serviços, soldados, cabos e sargentos encontram pela frente uma economia fragilizada e um mercado de trabalho esvaziado. Treinados como "máquinas de guerra", são presa fácil do narcotráfico, que oferece salários, assistência médica e pensão para as viúvas muito acima do que um emprego convencional poderia garantir. Trabalhando para os traficantes do Comando Vermelho – os melhores empregadores –, podem ganhar até dois mil dólares por mês, treinando grupos de 10 a 20 "soldados" do tráfico. As habilidades adquiridas na caserna são extremamente úteis nos "combates" contra grupos rivais. Além disso, as modernas armas à disposição dos criminosos, quase todas disponíveis nos catálogos dos exportadores de armamentos, exigem um certo grau de sofisticação do usuário. Nos enfrentamentos entre as quadrilhas de traficantes, nas favelas do Rio, que podem durar várias horas, quase nunca há mortos e feridos. De um modo geral, as armas são mal empregadas. Os fuzis automáticos, com sistemas que regulam a quantidade de projéteis a serem disparados, são os mais complexos. O uso indevido das travas de segurança, que definem a quantidade de balas a serem disparadas, representa a causa principal de mau uso das armas.

É por isso que os ex-militares viram mão-de-obra disputada no mercado clandestino. No dia 3 de fevereiro de 2002, o jornal *O Globo* publicou uma reportagem de Vera Araújo, sob o título "As forças armadas do tráfico". Um trecho vale destacar:

> As favelas do Rio estão se militarizando. Recém-saídos da caserna, ex-cabos da Brigada Pára-quedistas do Exército (PQDs) treinam traficantes em troca de até R$ 3 mil reais por aula ou R$ 8 mil por mês. Alguns dos ex-militares chegam a ser "gerentes" das bocas-de-fumo. Num morro da Zona Oeste [do Rio], por exemplo, há cinco ex-pára-quedistas responsáveis pelos cursos. Em toda a cidade, pelo menos 15 ex-militares (o governo federal admite, oficialmente, 12 casos) treinam bandidos, num total de 265 jovens, o equivalente a metade de um batalhão da PM (...).

É importante lembrar que o aparelhamento do crime organizado não se destina à proteção contra a polícia ou as entidades de segurança pública. As quadrilhas se armam para a proteção contra os rivais, os inimigos no negócio da drogas, os "alemães". As armas, os especialistas, as bombas e os foguetes são empregados contra os grupos que disputam o controle dos "territórios", que invadem as favelas durante a noite. Entre os invasores, geralmente utilizando uniformes negros, máscaras de camuflagem e capacetes, estão os "outros", possivelmente ex-militares – quase nunca as forças públicas, especialmente porque estas não entram em favelas e periferias durante a noite. Os combates são travados no escuro, porque a primeira providência é detonar os transformadores de energia, mergulhando o bairro na escuridão. É neste cenário que gente treinada pelas Forças Armadas adquire papel preponderante. Sabem se deslocar no labirinto das favelas e bairros pobres. Conseguem ver o inimigo – inclusive com visores noturnos – onde ninguém saberia se orientar. Possuem formação em medicina de guerra. O uso desses equipamentos e táticas foram aprendidos nas Forças Armadas de um país chamado Brasil.

A repórter Vera Araújo, de *O Globo*, conseguiu entrevistar um desses ex-militares. A publicação, em 3 de fevereiro de 2002, impressiona:

> Ex-pára-quedista, PQD treina um exército de 14 jovens traficantes numa favela da Zona Oeste (do Rio), a maioria com idade acima de 18

anos, e impõe sua própria disciplina. Não usa drogas nem admite que seus alunos consumam. Sua voz é firme e sua linguagem, militar.

O GLOBO: Como foi o convite para você treinar os jovens?

PQD: Eu tinha acabado de sair da Brigada Pára-Quedista. Não conseguia arrumar um emprego. O pessoal do tráfico me disse que o "homem" [dono da favela] estava precisando treinar seus seguranças. Eu aceitei.

Nessa extraordinária reportagem, a repórter ouviu do ex-militar coisas de estarrecer. A mim impressiona muito, porque tentei e não consegui um contato como esse. PQD – como ela batizou o soldado – diz ainda que o primeiro ensinamento é usar o fuzil calibre 7.62, considerado padrão dos exércitos em todo o mundo, tanto que o nome completo é 7.62 NATO, o padrão da Organização do Tratado do Atlântico Norte (OTAN), que reúne os Estados Unidos e seus principais aliados. Entre as "dicas" que a repórter alinhava, tendo ouvido do agora bandido, estão as seguintes:

(...) ensino que eles não devem usar armas ou objetos cromados, pois à noite eles brilham. Quem estiver com roupa preta, nunca deve passar em frente a paredes brancas. Com roupa camuflada, eles têm que se esconder na vegetação, tendo o cuidado de não pisar em capim seco. Faz barulho.

(Parece o sargento Elias, vivido pelo ator Willem Dafoe, em *Platoon*, filme notável de Oliver Stone, ensinando os recrutas a só usar o que realmente é necessário num combate.)

A Coordenadoria de Inteligência da Polícia Civil do Rio de Janeiro levou três anos para preparar um documento que mostra o tamanho e a forma de controle dos traficantes sobre as comunidades pobres da cidade. Mais do que isso, mostra como é poderoso o tráfico de drogas na segunda maior cidade do país. O trabalho da área de inteligência resultou no primeiro mapeamento completo do tráfico, envolvendo as quatro principais organizações do Rio: o Comando Vermelho, o Comando Vermelho Jovem, a ADA (Amigos dos Amigos) e o Terceiro Comando. Os dados recolhidos refletem mais ou menos 40% do movimento real de homens, armas, drogas e dinheiro do tráfico. Uma fonte da polícia do Rio de Janeiro, cujo nome não posso revelar, porque solicitou sigilo, diz o seguinte:

> O trabalho de identificação das quadrilhas ligadas ao crime organizado foi feito com base em informes de pessoas ligadas às organizaçõs, seja através do interrogatório de elementos presos, seja através de informantes que estão em liberdade. Além disso, optamos por informações diretas, obtidas com câmeras ocultas e escuta telefônica. ["Muitas vezes realizada sem autorização judicial, mas contando com a concordância das empresas de telefonia".] Informes individuais, em troca de favores, também foram considerados. Isto quer dizer que recebemos informações de pessoas ocultas no mundo do crime, que trocavam a liberdade por favores pessoais. Ou seja: a gente pega o cara envolvido com o movimento [de drogas] e ameaça. Ele se rende. Oferece informações em troca de continuar atuando. Em geral, são pessoas ativas fora das áreas controladas pelas organizações, no meio da classe média, nas boates freqüentadas pelos jovens ricos, nos locais de prostituição. A gente chega lá – geralmente contando com a cumplicidade das meninas – e oferece a possibilidade de continuar livre em troca de informações. Tudo isso junto talvez represente a metade do efetivo do mundo do crime. Sem considerar os "grandões", a respeito dos quais a gente sabe muito pouco.

Este é o mecanismo de operação (e sobrevivência) no mundo do crime. *"Te faço um favor e você me deve um favor"* – no melhor estilo da Máfia. Mas o que levo em consideração nesta reportagem é o resultado do trabalho do setor de inteligência da polícia carioca e os números que foram apurados, entre 1999 e 2002. Uma pessoa que tem contribuído com este livro, desde a sua primeira versão, me conseguiu uma cópia do relatório, que soma mais de 30 páginas. Considerando que tudo representa apenas uma parte do mundo real do movimento de drogas, teríamos o seguinte quadro:

A INDÚSTRIA DO CRIME *409*

Os homens conhecidos do Comando Vermelho, já identificados pela polícia, seriam 2.566, responsáveis diretos pela posse de armas clandestinas e pela proteção do tráfico de drogas. Se isto representar 40% do total, eles seriam 6.415 homens no total. O Comando Vermelho Jovem (CVJ) teria mais 1.653 integrantes conhecidos – ou 4.133, no total. Até aqui a soma já chega a 10.548 homens. Vamos acrescentar os grupos rivais, para ter uma idéia mais clara: Terceiro Comando, 1.247 homens, e a ADA, 721 integrantres – a soma é de 1.968. Acreditando que isto representa 40% do total, o número se elevaria para 4.920. No final de tudo, encontraríamos 15.468 integrantes armados das facções cariocas. E isto sem falar nos muitos milhares que estão presos. O Ministério da Defesa acredita que há quatro mil armas de guerra nas mãos dos bandidos. Considerando que o trabalho deles é proteger a favela 24 horas por dia, o número de armas indicaria um efetivo de 16 mil homens, cada arma servindo a quatro pessoas trabalhando em turnos de seis horas. Mais um dado para quantificar o mundo do crime: no Rio de Janeiro, há perto de 100 mil mandados de prisão a serem cumpridos (150 mil em São Paulo), dos quais 49% são de crimes relacionados com o tráfico de drogas – ou seja: 49 mil envolvidos.

O Comando Vermelho controla 108 favelas e bairros populares no Rio de Janeiro. Seus aliados do Comando Vermelho Jovem estão em mais 35 localidades dentro da capital. O Terceiro Comando está em 45 favelas e conjuntos residenciais. A ADA, a menor das organizações, tem 25 áreas dominadas. São 213 locais densamente povoados sob domínio do tráfico. Como se não bastasse, o Primeiro Comando da Capital (PCC) paulista já opera em sete favelas do Rio. Pelo menos um documento oficial apóia estes dados. Em 3 de setembro de 1999, o então governador do Rio, Anthony Garotinho, entregou à CPI do Narcotráfico, da Câmara Federal, um dossiê admitindo que os bandidos controlavam 180 localidades.

Em relação ao material vendido pelos traficantes, de acordo com a inteligência da polícia carioca, os números são ainda mais assustadores:

O CV e o CVJ, juntos, vendem 860 quilos de cocaína por mês, nas bocas de fumo das favelas. Mais de 13,6 toneladas de maconha ao mês. O faturamento chega a 9,7 milhões de reais. Somando as facções rivais –

410 **CV_PCC** *A IRMANDADE DO CRIME*

Terceiro Comando e ADA – o resultado em dinheiro vai a 12,6 milhões de reais. Como a polícia diz que conhece apenas 40% do movimento do tráfico, é aconselhável refazer as contas: o total de cocaína vendida por mês passaria a 2,8 toneladas; a maconha chegaria a 38,5 toneladas; e o faturamento subiria para 31,7 milhões de reais por mês – ou 380 milhões de reais por ano. Em valores de hoje, com o real a 3,5 em relação ao dólar, o número final chegaria a 108 milhões de dólares. Aqui estamos vendo apenas o movimento de drogas no Rio de Janeiro e arredores – e sem considerar a operação do traficante Fernandinho Beira-Mar, que será examinada a seguir.

Luís Fernando da Costa dirige um negócio milionário e chefia diretamente uma quadrilha de mais de 100 pessoas, com atividades no Rio, em São Paulo, Paraná, Mato Grosso do Sul e Paraíba. Além disso, tem sócios e empregados na Bolívia, no Paraguai e na Colômbia. O relatório da polícia carioca, baseado em investigações da Divisão de Repressão ao Crime Organizado (Draco), informa que Beira-Mar movimenta 70 milhões de reais por mês com o tráfico internacional. (O número citado no relatório é 20 milhões de dólares.) Depois de fazer todos os investimentos necessários, além de remunerar seus empregados e "soldados", lucra 14 milhões de reais por mês (4 milhões de dólares). Em um ano, o faturamento atinge 840 milhões de reais – cerca de 240 milhões de dólares –, com lucro de 168 milhões de reais, aproximadamente 48 milhões de dólares. E Fernandinho Beira-Mar não é tudo em termos de tráfico de drogas no Brasil. Ele tem um importante concorrente, o paraguaio Cabral Arías, que herdou os negócios da poderosa família Morel. O traficante disputa com Fernandinho Beira-Mar as rotas da droga em parte considerável da América do Sul.

Esses valores citados pelas autoridades policiais são impressionantes. Para quem os considera superestimados e absurdos, basta lembrar que uma única área controlada pelos traficantes no Rio, o Complexo do Alemão, fatura 1,4 milhão de reais por mês. Na favela da Rocinha, zona sul da cidade, o negócio da droga chega a quatro milhões de reais a cada 30 dias. A Rocinha, com 48 mil domicílios e aproximadamente 200 mil moradores, é uma grande consumidora de drogas, o que ajuda a explicar o enorme faturamento.

A INDÚSTRIA DO CRIME *411*

5

O CRIME ORGANIZADO se instalou no Rio nos anos 80. Uma década depois começaram a chegar os armamentos militares, especialmente os fuzis automáticos e as granadas. O primeiro fuzil apreendido com traficantes foi em maio de 1992. Agora a polícia recolhe cerca de 80 por mês. A bandidagem tem preferência por algumas marcas: o AR-15 (Colt, norte-americano), AK-47 (Automatik Kalashinikov, russo, mas produzido em vários países do leste europeu e na China), Sig Sauer (Sauer, alemão), Ruger e HKG3 (também alemães), FAL (fuzil automático leve, brasileiro, licenciado do FN-FAL belga). Em maio de 2002, foi apreendido um fuzil austríaco Steyr, considerado a arma de infantaria mais moderna do mundo. Nos anos de 2002 e 2001, as forças de segurança do Rio apreenderam 723 granadas nacionais e 156 estrangeiras. Em matéria de bombas, os traficantes também têm as suas preferências: a granada mais desejada é a FMK2, argentina; entre as brasileiras, a G3 (que explode em mais de 300 pedaços) e a GL 305 (atordoante e de gás). A polícia carioca, só no ano de 2001, apreendeu 99 granadas argentinas. Além disso, as quadrilhas já estão fabricando munição e recarregando cartuchos de fuzil e metralhadora. Bombas, utilizando embalagens metálicas de creme de barba, são feitas em grandes quantidades. Um tipo de mina, fabricada a partir de extintores de incêndio lotados de pólvora, pregos e parafusos, já foi encontrado. Mesmo as granadas são confeccionadas em pequenas oficinas nos morros. A mais conhecida delas é a M64, totalmente rudimentar, mas eficiente. O "M" vem de militar, o "64" vem do fato de que a primeira dessas granadas foi apreendida na área da 64ª Delegacia policial do Rio.

412 CV_PCC *A IRMANDADE DO CRIME*

O delegado Márcio Franco, um dos policiais mais qualificados do Rio, com 43 cursos diferentes no Brasil e no exterior (já esteve até na SWAT de Miami), esteve à frente da Coordenadoria de Recursos Especiais (Core). Nos conhecemos em 1992 e ele foi um dos importantes colaboradores da pesquisa que resultou em *Comando Vermelho – A história secreta do crime organizado*. Ele explica que é muito fácil produzir bombas artesanais, com suprimentos que "podem ser encontrados em qualquer supermercado" e receitas publicadas na Internet:

> Há pouco tempo, descobrimos um site que ensinava a fazer uma bomba. Conseguimos tirá-lo do ar. Era tipo receita de bolo. Eles davam os ingredientes, as quantidades e o modo de preparar – declarou o policial ao jornal *O Globo* de 9 de junho de 2002.

No dia 5 de maio de 2001, presenciei o estrago que um artefato desses pode causar. Cinco meninos da rua em que moro, copiando uma receita de bomba incendiária que encontraram na Internet, num *site* de neonazistas, provocaram uma explosão que os atingiu. Dois ficaram gravemente feridos. Os outros três tiveram as roupas arrancadas e sofreram queimaduras. Foi um tremendo alvoroço no bairro, com o barulho e a gritaria dos garotos feridos. Mas a Internet tem outras surpresas, além das receitas de explosivos. Simpatizantes – ou membros? – do Comando Vermelho e do Terceiro Comando criaram dezenas de *sites*, onde são feitas ameaças aos inimigos e publicadas as letras de *rap* e de *funk* que elogiam as quadrilhas. Num desses sites, administrado por moradores das favelas do subúrbio de Maria da Graça, no Rio, entre elas o Jacarezinho, atacadista de drogas, pode-se ouvir o *Rap da Ronda*:

Alemão [inimigo],
a ronda vai passar por aí.
Se botar a cara, tu vai cair [morrer].
Não precisa nem gritar.

O bonde [bando armado ocupando carros]
vai te massacrar.
O Scooby vem aí de AK.

Outra impressionante letra de *rap* foi publicada pelo jornal *O Globo* de 24 de junho de 2000. O grupo é o Facção Central, que já vendeu mais de 50 mil discos em produção independente. A música dura e violenta desses *rapers* costuma ser cantada aos gritos nas festas das comunidades pobres, onde a juventude adotou de vez uma cultura do terror, expressa abertamente nas ruas, nas roupas, nos gestos e nas palavras de ordem do crime organizado. Acompanhe a letra:

(...) Infelizmente o livro não resolve.
O Brasil só me respeita com o revólver.
O juiz se ajoelha, o executivo chora,
para não sentir o calibre da pistola.
Se eu quero roupa, comida, alguém
tem que sangrar.
Vou enquadrar uma burguesa.
E atirar para matar.
(...) Vai se ferrar, é hora de me vingar.

Não é preciso ser nenhum investigador social para perceber que a música está repleta de ódio de classe. O ódio do pobre contra o rico. Este é o drama de uma sociedade em que o lumpesinato urbano descrito por Karl Marx optou não pela revolução, mas pela anarquia total e criminosa. As meninas desfilam nuas nas festas, imitando o mundo *fashion* da burguesia. Os meninos chegam a babar de tanta droga. Neste ambiente, os soldados do tráfico, exibindo suas armas de guerra, estão perfeitamente à vontade. Os estudiosos da sociedade moderna advertem que a ruptura social através do crime é uma forma de reação dos pobres que pode conduzir a um processo revolucionário. Durante o governo Kerensky, na

Rússia pré-revolucionária de 1917, os operários bolchevistas organizavam milícias armadas para proteger seus bairros do ataque de bandos de assaltantes e saqueadores. Essas milícias se tornaram a primeira semente do que seria o Exército Vermelho de Leon Trotsky, na sua versão de organização em São Petersburgo. Quando há no Brasil milícias particulares que somam quase meio milhão de guardas, este cenário parace repetir preocupantemente o passado.

Pode parecer um exagero. Mas não é. Acompanhe a narrativa de uma noite de terror em Salvador, por ocasião de uma greve da Polícia Militar seguida de um apagão, no ano de 2001. Em conversa comigo e com Fernando Mitre, o jornalista Cláudio Nogueira, diretor-geral da Band Bahia, contou o seguinte:

– No condomínio de casas onde moro, perto da praia e afastado da cidade, a escuridão foi total. Do lado de fora dos muros nós víamos o clarão de um incêndio, gritos e tiros isolados. De repente, percebemos movimentação de gente estranha junto ao portão. Os moradores pegaram armas que tinham em casa e passaram a noite inteira numa vigília terrível. Tínhamos medo de uma invasão. Estávamos abandonados à própria sorte.

Quando o dia amanheceu, o Exército ocupou a capital baiana.

6

A polícia do Rio tem um departamento chamado Coordenadoria de Investigação de Crimes Eletrônicos, que fica brincando de gato e rato com os internautas do crime. Um site sai do ar por ordem do delegado, imediatamente aparecem outros cinco ou seis, no mesmo dia. Parece uma brincadeira inofensiva, mas reflete uma certa tolerância com o narcotráfico. Uma tolerância que chega, inclusive, aos governantes. Não é difícil de entender. O tráfico de drogas é um comércio milionário instalado entre as comunidades pobres, que não afeta diretamente a segurança pública. O traficante não tem interesse no crime pequeno, nos assaltos de sinal de trânsito, nos seqüestros-relâmpago. Não tem interesse na presença da polícia nos morros, atrás de bandidos avulsos. Vale lembrar: os adolescentes que fizeram o famoso "arrastão" na praia de Ipanema, em 1992, saqueando os banhistas e produzindo imagens que foram exibidas em todo o mundo, foram punidos quando chegaram em casa. Formavam dois grupos, um de Vigário Geral ("Chegou, chegou, o bonde do mal de Vigário Geral", cantavam os garotos na praia.) e o outro de Parada de Lucas, favelas vizinhas, mas dominadas por facções rivais. Os traficantes de Vigário Geral, do Comando Vermelho, quebraram uma das mãos de cada garoto com uma marreta – os de Lucas, do Terceiro Comando, deram um tiro de calibre 38, não mortal, em cada um dos alegres meninos que levaram o pânico à elite de Ipanema.

As quadrilhas ligadas ao tráfico impedem o crime na favela, onde o estupro é punido com a pena de morte. Horas antes do jornalista Tim

Lopes, da TV Globo, ter sido assassinado pelo Comando Vermelho, um estuprador foi torturado, morto, esquartejado e incinerado num lugar conhecido como "microondas", na favela da Grota, Complexo do Alemão, um dos endereços do crime organizado no Rio. O jornalista teve o mesmo destino, quando fazia uma reportagem sobre o convívio entre o tráfico e os bailes *funk* da região. Por mais que a gente não entenda, esse convívio existe e não é visto como negativo pelas populações das áreas controladas pelas organizações do crime. Para compreender o fenômeno, é necessário aceitar essa premissa: pobres e bandidos estão no mesmo barco – e o denominador comum se chama sobrevivência. As quadrilhas se metem até em briga de marido e mulher. São a polícia, a justiça, o prefeito e o principal gerador de empregos na comunidade. Os laços ideológicos dos primeiros chefes do crime organizado com as comunidades estão dissolvidos. Mas os pobres terminam confiando mais nos pobres armados do que nos poderes públicos. Além do mais, os bandidos estão armados até os dentes. O terror alimenta a lei do silêncio.

Um em cada cinco habitantes do Grande Rio vive em áreas administradas pelo tráfico. Quase um milhão e cem mil pessoas. Essas comunidades aceitam – e até defendem – os criminosos como parte de suas vidas. Quando eles são atacados pela força pública, os moradores – estimulados pelos traficantes, diz a imprensa – ficam no meio do caminho, formando um escudo humano. Numa cena típica desses conflitos, os favelados descem para os bairros vizinhos, destroem carros e incendeiam ônibus. Centenas de coletivos foram queimados nos últimos anos. As empresas de ônibus, por falar nisso, são chantageadas pelos traficantes. Quando dão festas na comunidade, os bandidos "requisitam" ônibus das empresas que servem à área. E são atendidos. Respeitosamente atendidos. Os coletivos são usados para trazer "convidados" de outras comunidades e usuários de drogas. Um motorista de ônibus, que encontrou publicação em *O Globo* de 16 de junho de 2002, num caderno especial chamado "O Rio está perdendo a guerra contra o tráfico?", disse o seguinte:

Não dá para dizer não. Eles apontam um fuzil para a sua cabeça. No ônibus, andam armados para lá e para cá. Tem menina que entra nua. Todo mundo cheira cocaína ou fuma muita maconha no ônibus.

(O sindicato da categoria, em nota oficial, garante que "diante das diversas manifestações de criminalidade e vandalismo, tanto as empresas quanto os rodoviários sentem-se inseguros e impotentes".)

Estas e outras situações dão a entender que o poder legalmente instituído, pelo voto popular, não tem os instrumentos necessários para fazer valer os ditames do Estado moderno nas áreas pobres do país. Para começar, não oferece as condições básicas de garantir trabalho, moradia, saúde e educação. Como diz a Constituição Federal. Além do mais, a presença da força pública nas áreas pobres das cidades é vista sempre como uma expedição punitiva, onde muitos inocentes são mortos, incluindo crianças. Quando a polícia chega, as mães entram em pânico, correm pelas ruelas para "salvar" seus filhos. É quase como uma agressão estrangeira. O policial, por sua vez, é um joguete nas mãos dos governantes, agindo somente quando um crime vira manchete de jornais. Caso contrário, não estaria subindo o morro ou "invadindo" o bairro da periferia. A cena toda é muito conhecida, chega a ser tediosa, mas há poucos interessados em tirar a conclusão que falta ser publicada: o crime organizado no Brasil já tem um *status* sociologicamente definido. Faz parte da vida nacional, como o marisco faz parte dos rochedos à beira-mar. Em 21 de junho de 2002, o então prefeito do Rio de Janeiro, César Maia, escreveu um artigo surpreendente, onde revela, nas entrelinhas, o que aconteceu com a sua cidade e com os seus governantes em relação ao crime. O próprio título da redação já assusta: "Vinte anos de narcotráfico no Rio". Acompanhe alguns destaques:

(...) Hoje não há inquéritos a serem julgados e, entre 2001 e 2002, seis varas criminais foram fechadas por falta de trabalho. Para oito mil casos anuais de morte violenta com corpos identificados, há apenas 800 presos ou 10%, se imaginarmos penas médias de dez anos.

(...) O fracasso continuado das políticas de segurança públicas em nosso estado dá aos políticos a sensação de que, se fizerem o contrário do que vinha fazendo o governo que sai, terão sucesso. Assim, entra-se num ziguezague entre a permissividade e a repressividade.

(Neste ponto, César Maia ressalta, sem citar, comenta a diferença de atitudes entre os governos de Leonel Brizola e Moreira Franco, ambos no pique da instalação do crime organizado. O primeiro, permissivo; o segundo, repressivo. Em 2002, a governadora Benedita da Silva também optou pelo confronto, transformando algumas áreas da capital em campo de batalha. A violência desse conflito, somando mortos, feridos e prisioneiros, já se enquadra no que a ONU define como "guerra de baixa intensidade". Em 2003, a governadora Rosinha Mateus parece optar por um "clima de pacificação", que pode representar um novo ciclo de permissividade.)

O prefeito do Rio descreve, em seu artigo, aquilo que nenhum político prudente descreveria. Dá a entender que o combate ao narcotráfico iria inflacionar o *street crime*, o crime comum nas ruas, nos sinais de trânsito, nos assaltos a empresas e residências, criando um tipo de pressão quase insuportável para o governante. Acompanhe:

A base humana do crime se expandiu, ampliada pela recessão continuada. Em conversa recente e reservada com os responsáveis pela inteligência policial, disseram que, neste momento, a repressão aos matutos – atacadistas de drogas – é fácil, mas iria transformar em inferno os *street crimes*. Se ficar, o bicho come...

Este artigo do prefeito da segunda maior cidade brasileira precisa ser analisado com profundidade. É claro, de lógica impressionante. Revela um bastidor que somente ele aceitou, corajosamente, desnudar: a continuada miséria a que largo espectro da população está submetida, "ampliada pela recessão continuada", formou a base social para que a atividade criminal entre os carentes se torne uma via legítima de sobrevivência. Se a via do narcotráfico for cortada, pela repressão, o crime há de se espalhar de maneira terrível em toda a sociedade. Por outras palavras, dá para perceber o seguinte: o negócio das drogas é uma forma infeliz, mas politicamente aceitável, de conter o avanço do crime. Caso contrário, seríamos levados a presenciar os saques aos mercados, a invasão dos condomínios, a guerra civil – desta vez declarada.

7

SE VOCÊ TIVESSE SIDO criado numa favela da Baixada Fluminense, sem trabalho, lazer ou escola, como seria possível acessar algum meio de crescimento social? Se você fosse uma pessoa inconformada, favelado dos arredores de uma cidade colombiana, sem trabalho, lazer ou escola, o que faria para mudar de vida? As perguntas – aparentemente tolas – escondem uma verdade amarga: o primeiro personagem, pobre brasileirinho, iria para o crime e o tráfico de drogas – o segundo, colombiano, iria para a luta armada revolucionária.

O balé da história reuniu esses dois tipos no mundo real. Fernandinho Beira-Mar e Tomás Medina Carcas, o Negro Acácio, comandante do Bloco 16 das FARCs, operando na área amazônica de fronteira entre a Colômbia, a Venezuela e o Brasil. O menino Luís Fernando da Costa cresceu na miséria e, como ele mesmo afirma, viu "coisas que até Deus duvida que possam acontecer". Filho de Dona Zelina, lavadeira abandonada pelo marido ainda grávida, Fernandinho chegou à favela Beira-Mar quando o Brasil comemorava a Copa de 70. Naquela época, não havia tanta violência. Os crimes na favela eram por causa de mulher ou bebedeira. Já o menino Tomás Medina cresceu testemunhando os massacres de uma guerra civil que já dura 50 anos e que matou meio milhão de pessoas. De um lado as forças paramilitares sustentadas pela cocaína – de outro, o governo e as milícias revolucionárias. Vilas camponesas inteiras eram destruídas, seus moradores chacinados. Na Colômbia há mais de dois milhões de pessoas expulsas de suas terras e casas, formando a legião dos *desplazados*.

Cada um seguiu o seu caminho – um caminho que os reuniu nas selvas ocupadas pela guerrilha.

Fernandinho, hoje com 36 anos, chefiou uma pequena quadrilha na Favela Beira-Mar, em Duque de Caxias, Baixada Fluminense. Ativo, violento e com uma inteligência muito acima da média de seus conterrâneos, acabou se transformando no maior traficante brasileiro. Um dos mais importantes do mundo. Tudo isso numa carreira de apenas 12 anos. Negro Acácio entrou para a luta armada ainda garoto, cresceu na organização por obra de ações destemidas e vitórias militares. Há 15 anos liderava – até ser preso – uma força de quase 10% das FARCs, tendo como base de operações a região de Barranco Mina, na província de Guaviare. A *Drug Enforcement Administration* (DEA) norte-americana diz que o guerrilheiro controlava 80% da produção de pasta de coca, a matéria-prima da cocaína, na Colômbia. Certamente, um exagero. O DEA também afirma que Fernandinho Beira-Mar é atualmente um dos principais inimigos do Estado americano. Além dele, dois outros brasileiros estão na lista de mais procurados do DEA: Leonardo Dias Mendonça e um outro identificado apenas como Goiano. Os dois – prováveis ex-sócios e atualmente inimigos de Beira-Mar – estariam operando no mercado de maconha na fronteira do Paraguai com o Brasil. Em dezembro de 2002, a Operação Diamante da Polícia Federal resultou na prisão de Léo e outros 22 de seus associados, acusados de trazer para o Brasil 120 toneladas de cocaína por ano. Léo teria oferecido três milhões de dólares pela morte de Fernandinho Beira-Mar. A briga entre os dois teria sido provocada por uma dívida no negócio das drogas, algo em torno de US 1,8 milhão. Seja como for, a Operação Diamante desmontou uma das mais importantes rotas do tráfico de drogas.

Numa ligação telefônica interceptada pela polícia, Fernandinho Beira-Mar teria dito, a propósito de Leonardo Dias Mendonça e sua quadrilha: "Desses aí só vou dispensar as crianças."

8

A PROVÍNCIA DE GUAVIARE é cortada por um rio barrento que serpenteia entre as montanhas. Nas duas margens do Guaviare, que vem desde a Venezuela, Negro Acácio controla enormes plantações de coca. Mais de mil *cocaleros*, em geral índios pobres, trabalham para ele, debaixo da proteção (ou da ameaça) de 150 homens armados com o que há de melhor na indústria bélica mundial. A Colômbia produz 60% de toda a droga consumida no mundo, cerca de 1,5 milhão de quilos de cocaína pura a cada ano. Na ponta do consumo, a droga estará multiplicada por cinco, *batizada* com outras substâncias, como pó de mármore e clorato de sódio. Assim, o número sobe para 7,5 milhões de quilos por ano. Os demais produtores, concentrados na Ásia Central e no Extremo Oriente, produzem mais um milhão de quilos anuais de substâncias entorpecentes. As drogas laboratoriais, como o *ecstasy* e o *skank*, chamadas de sintéticas, não têm ainda uma produção estimada. A fonte dessas informações são os relatórios que a CIA, FBI e o DEA fazem regularmente ao Departamento de Estado e ao Congresso americanos. Tenho o hábito de consultá-los mensalmente pela Internet. Estão lá, ao alcance de qualquer pessoa.

O juiz Walter Maierovitch, que ocupou durante dois anos a Secretaria Nacional Antidrogas, em 1999 e 2000, garante que as drogas sintéticas serão as mais consumidas no século XXI. Faz sentido, porque não exigem extensas lavouras de coca ou de papoula. Com essas drogas laboratoriais, tudo se resume a investimento. Não há centenas de milhares de plantadores, nem guerrilha, nem problemas de estocagem. Não há necessidade de centenas de milhares de hectares de terra produtiva. Para se ter uma idéia: um quilo de pasta básica de coca requer a colheita de 70 sacos de folhas. Na produção da pasta básica, as folhas de coca são picadas com máquinas, levando – só na primeira fase – uma mistura de cimento, uréia, gasolina e soda cáustica. Isto produz a matéria-prima da cocaína, mas fica faltando toda a fase de refino industrial, onde entram éter e outros ácidos, luzes especiais, estufas e mais uma enorme parafernália. A droga sintética precisa só de tecnologia e dinheiro, muito dinheiro. Mas isto não é problema no mundo globalizado das drogas. Um laboratório de droga sintética não precisa mais do que um espaço de 200 ou 300 metros quadrados.

Acompanhe o raciocínio do juiz, em artigo publicado pela *Folha de S. Paulo* de 21 de agosto de 2002:

> Os três grandes centros produtores de drogas sintéticas estão nos EUA, na Europa Ocidental e no Sudeste Asiático. As apreensões giram em torno de 5% a 10% do colocado no mercado. Os dados sobre apreensões são pouco confiáveis, mas servem para algumas constatações. Pelos últimos números levantados, relativos ao biênio 1997/98, no Reino Unido, foram seqüestrados 3 milhões de drágeas. A Holanda apreendeu 1,5 tonelada de cápsulas e as polícias norte-americanas, 1,7 tonelada.

Em outro trecho do trabalho, Walter Maierovitch explica que o narcotráfico já opera através de "associações criminosas transnacionais". Ele apelidou esses grupos de *cartelitos* – a face oculta do crime. Os *cartelitos* do juiz reforçam a tese que este livro defende. Ou seja: a associação do crime organizado em escala mundial. Acompanhe:

> Tal movimentação resulta da nova estrutura organizacional das associações criminosas, conectadas numa *network* planetária. Basicamente, o *cartelito* cuida dos financiamentos, incluídos os dos insumos químicos para a composição das drogas sintéticas e refino de cocaína e

heroína. As firmas cuidam dos laboratórios de produção, dos recursos humanos, do transporte e das entregas. Compete à direção administrar a distribuição da droga pela rede, bem como realizar a lavagem do dinheiro e a reciclagem do capital limpo em atividades formalmente lícitas.

Durante uma entrevista ao programa *Canal Livre*, da Rede Bandeirantes, no intervalo comercial, em conversa informal com os jornalistas Fernando Mitre e Márcia Peltier, o ex-secretário antidrogas comentou que uma importante personagem do mundo financeiro, com sede em Wall Street, comanda a lavagem mundial de dinheiro do tráfico de drogas. Eu estava lá. Ele citou o nome de alguém absolutamente acima de qualquer suspeita. Eu ouvi. Perguntado se repetiria isto ao vivo, respondeu um categórico NÃO. Maierovitch se esqueceu que o sinal das redes de televisão abertas podem ser captados por antenas parabólicas – e são seis milhões em todo o país, na Banda C – mesmo durante os intervalos comerciais. Isto foi o que derrubou o ministro Rubens Ricupero, durante entrevista ao *Bom Dia Brasil*, da TV Globo. Não significa que ele tenha sido ouvido, porque o microfone podia estar "fechado" na mesa de áudio da emissora. Mesmo estando lá, não me lembro da condição operacional daquele microfone. De todo modo, a afirmação do juiz foi simplesmente ousada.

A Polícia Federal brasileira – recordista continental em apreensão de drogas – intercepta e recolhe aproximadamente oito toneladas de cocaína por ano. Foi assim em 2000 e 2001. No mundo do tráfico, todo mundo sabe que 10% do negócio vai se perder com apreensões e propinas. "É o boi de piranha, doutor", eles comentam. Se isto é verdade, o mercado nacional gira em torno de 80 toneladas por ano. Parte fica aqui – outra parte segue para a Europa, em rotas que atravessam o Suriname e viajam pelo mar. Isto nos coloca na posição de segundo maior mercado atacadista de cocaína, seguindo de perto os Estados Unidos.

Acossado pelas polícias estaduais e federal – e até pelos serviços de inteligência militares –, Fernandinho Beira-Mar fugiu do Brasil em 1997, depois de escapar de uma prisão em Belo Horizonte. Estava vivendo em

Minas Gerais, tocando um negócio de construção civil. Já estava condenado a 32 anos de prisão por tráfico de drogas. (A justiça seqüestrou bens do traficante no valor de quatro milhões de dólares. Segundo a revista *Veja* de 18 de setembro de 2002, foram 97 bens: 15 empresas, 30 imóveis residenciais, quatro terrenos, 36 contas correntes e cadernetas de poupança e 12 automóveis.) Ficou sob a proteção de traficantes paraguaios, em fazendas da família Morel, de plantadores de maconha na fronteira. A pressão diplomática do Brasil levou o exército paraguaio a deslocar uma brigada de elite para a região de Capitán Bado, fazendo com que Fernandinho fugisse para a Colômbia, depois da prisão de alguns de seus companheiros. Este é – certamente – o local mais seguro para um traficante. A Colômbia é o "Reino do Pó", a capital do "mundo branco" sonhado por Pablo Escobar. Mas o momento histórico está contra Fernandinho. Começa a "Operação Colômbia", liderada pelos Estados Unidos, para combater o narcotráfico e a guerrilha, envolvendo investimentos na casa de bilhões de dólares. O governo brasileiro está numa posição muito especial em relação às drogas na Colômbia, porque os americanos precisam do nosso apoio para intensificar a guerra no país vizinho, iniciando um processo de vietnamização da luta. O general-comandante do Exército do Sul das forças armadas americanas, o mesmo Thomas Frank que invadiu o Iraque, em visita a Brasília, chegou a propor, reservadamente, a criação de uma força multinacional de intervenção na Colômbia, capitaneada pelo Brasil. Em troca, os Estados Unidos apoiariam a reivindicação brasileira de obter um assento no Conselho de Segurança da ONU. França e Alemanha dão suporte à reivindicação brasileira.

Em março de 2001, uma força-tarefa conjunta americano-colombiana invadiu o território de Negro Acácio. Objetivo: pegar Fernandinho Beira-Mar vivo ou morto. No primeiro enfrentamento entre o grupo de Acácio e os *rangers*, Fernandinho foi ferido. A bala de alta velocidade de um fuzil calibre 223 acertou a mão e o braço direitos do traficante. No dia 21 de abril de 2001, ele foi apanhado junto com o comandante guerrilheiro. O novo confronto ocorreu em Vinchada, a menos de 100 quilômetros da fronteira da Venezuela, para onde a coluna guerrilheira se dirigia em busca de provável proteção (ou tolerância) do governo Hugo Chavez. O então presidente colombiano, Andres Pastrana, declarou, entusiasmado, durante uma conferência no Canadá, ter "capturado a prova viva do envolvimento das FARCs com o narcotráfico":

– Agora (as FARCs) terão que provar que não têm nada a ver com o tráfico de drogas.

O poderoso secretário de Estado americano, Collin Powell, que também estava na conferência em Quebec, declarou:

– (A prisão de Beira-Mar) é um fato positivo não só para os governos do Brasil e da Colômbia, mas também para os povos dos dois países.

No dia 22 de abril de 2001, o *The New York Times*, um dos jornais mais prestigiados do mundo, classificou Fernandinho Beira-Mar como "famoso rei da cocaína" Diz a publicação:

> Luís Fernando da Costa, que passou de pequeno traficante de favela a mais famoso rei da cocaína no Brasil, foi preso na selva colombiana depois de uma perseguição maciça por tropas do exército. (O diário *Miami Herald*, o jornal mais lido por brasileiros nos Estados Unidos, traduziu Beira-Mar para "Freddy Seashore".)

Depois de todo esse estardalhaço na mídia mundial, Fernandinho acabou entregue às autoridades brasileiras. Chegou a Brasília, sob escolta da força de choque da Polícia Federal. (Além da condenação a 32 anos de cadeia, responde a outros dez processos, que podem somar uma sentença de 400 anos de prisão.) Algum tempo depois, foi levado de avião para o Rio de Janeiro, algemado, com oito agentes federais. Foi retirado da cela e conduzido ao aeroporto sem saber o que estava acontecendo. A operação era cercada de sigilo. Ao embarcar para o Rio, percebendo o que estava acontecendo, riu às gargalhadas, de modo tão espalhafatoso que impressionou os agentes federais. Um deles chegou a comentar com amigos: "Ele parecia endemoniado." Fernandinho foi entregue às autoridades judiciárias do estado, mas o governo do Rio não o queria. Seguiu-se uma discussão que os jornais e a televisão registraram: por que Fernandinho está voltando para o Rio? Enfim, uma retórica absurda. Terminaram trancafiando o traficante no presídio de Bangu Um, dito de segurança máxima. O que aconteceu em seguida pode ser acompanhado no próximo capítulo desta história surpreendente.

Enquanto estava foragido no Paraguai, Luís Fernando da Costa deu uma entrevista, por telefone, ao jornal *Tempo,* de Belo Horizonte. Esta – provavelmente – foi a única entrevista detalhada do traficante, na qual fala inclusive de sua vida pessoal. As revelações publicadas neste jornal são de tal ordem, que me impressionaram muito, a ponto de especular sobre a sua autenticidade. Fernandinho, simplesmente, rompeu o silêncio que sempre cercou sua vida e sua carreira no crime. A seguir, alguns trechos destacados:

(...) Eu não estou aqui para passar por santinho, só quero dizer que é muita injustiça o que fazem comigo. (...) Daqui a pouco, quando a Ana Paula Arósio ficar grávida, vão dizer que o filho é meu.

Fernandinho Beira-Mar teve cinco mulheres e cuida de dez filhos, cinco biológicos e cinco adotados. Ele se considera um homem de negócios e um líder revolucionário. A respeito de seu envolvimento com o tráfico, responde de forma surpreendente: "Não fumo, não cheiro, não bebo e não jogo. Eu só tenho dois vícios: um é a família e o outro, bem vulgarmente falando, é mulher."

Luís Fernando da Costa, depois de todas as peripécias paraguaias e colombianas, foi encarcerado em Bangu Um, a penitenciária que o Comando Vermelho chama de "prisão de castigo". A chegada dele mudou radicalmente os hábitos da cadeia. A comida melhorou muito. Os presos desfrutaram de boa bebida e algumas drogas. Entraram armas de fogo e – dizem – até granadas. O melhor foi que as comunicações com o mundo exterior passaram por um *upgrade*, incluindo sofisticados sistemas de telefonia múltipla, ligando celulares a estações distribuidoras que confundiam a polícia. O controle do tráfico a partir de Bangu Um ganhou nova energia. Há modernos aparelhos que permitem criar milhares de linhas telefônicas virtuais a partir de uma única linha real. Os investigadores conseguem chegar a esta linha original, mas logo descobrem que pertence a um cidadão comum que teve o número do telefone clonado. E o mecanismo de disfarce continua operando. Usando sistemas intrincados como este, os chefões de Bangu Um organizaram ainda mais não só o tráfico – eles prepararam a primeira rebelião na cadeia, com um resultado que deve mudar muitos rumos no controle da venda de drogas.

8

Onze de setembro de 2002. Oito e meia da manhã.

O MUNDO ASSISTE pela televisão à cerimônia que marca um ano do atentado que destruiu o World Trade Center, em Nova York. Bombeiros e policiais, vestindo roupas de gala, com gaitas de fole, marcham lentamente dentro do enorme buraco que tragou as torres gêmeas, símbolo do poderio americano. Vinte e um metros abaixo do nível da cidade, a celebração fúnebre é comovente. O nome de cada um dos mortos é lembrado. E são quase três mil. Um ataque maior do que o de Pearl Harbor, que jogou os Estados Unidos na Segunda Guerra Mundial. Na ofensiva contra a base americana no oceano Pacífico, a cinco mil milhas de Nova York, os japoneses usaram toda uma esquadra, dezenas de milhares de soldados e centenas de aviões. Em 11 de setembro de 2001, 19 muçulmanos radicais desarmados se lançaram numa missão suicida sobre Washington e a Big Apple. Investiram contra a nação mais poderosa da Terra usando aviões americanos seqüestrados.

A trama do terrorista Osama bin Muhammed bin Laden, chefe da poderosa Al-Qaeda (A Base), foi minuciosa e pacientemente tecida durante mais de dois anos. Os guerreiros do Islã – os *mudjhadins* – se infiltraram nos Estados Unidos cuidadosamente, a partir de uma base em Hamburgo, na Alemanha. Foram aceitos como estudantes. O plano foi desenvolvido numa rua pacata da cidade alemã, exatamente no número 15 da Mariestrass, onde um pequeno apartamento abrigou a célula principal do ata-

430 CV_PCC *A IRMANDADE DO CRIME*

que contra a América. Todos os benefícios da moderna sociedade americana foram usados para facilitar o ataque. Já em solo americano, os terroristas se matricularam em escolas – especialmente as escolas de pilotagem na Flórida. Curiosamente, não se interessavam muito em pousos e decolagens. Queriam saber como se produzia a navegação aérea, o controle das rotas, o equilíbrio no vôo, as velocidades adequadas. Para quem pretende seqüestrar um avião e lançá-lo contra alvos no solo, decolagem e aterrissagem são matéria subalterna.

A manhã de 11 de setembro de 2002 foi de tristeza numa parte do mundo e de júbilo em outra. Porque vivemos num mundo dividido. Depois da Guerra Fria, as questões separando Oriente e Ocidente surgem na forma de religiosidade radical. Os apelos a Deus correspondem aos apelos às armas. O Ocidente – capitaneado pela América – reage com uma "guerra total ao terrorismo". O luto de Nova York estava no ar, em todas as televisões do mundo, naquela manhã. De repente, as emissoras brasileiras começaram a tratar de um outro assunto.

**Rebelião no presídio de Bangu Um. A primeira –
talvez a última.**

Os presos da galeria A do presídio acordaram cedo naquela quarta-feira. Entre eles estavam Fernandinho Beira-Mar, Márcio dos Santos Nepomuceno, o Marcinho VP, poderoso chefão do Complexo do Alemão (14 favelas, 130 mil moradores, 1,4 milhão de reais com a venda de drogas), Marcos Marinho dos Santos, o Chapolin, uma das pessoas mais próximas de Beira-Mar, e um grupo de outros 12 encarcerados do Comando Vermelho. Durante as celebrações fúnebres de Nova York, dois agentes penitenciários desarmados resolveram fazer um "confere" nas celas do CV. Estavam desarmados, mas carregavam com eles todas as chaves de Bangu Um. Com duas pistolas 9 milímetros, uma 380 e outra 7.65, além de dois revólveres e três granadas, os presos renderam os guardas e invadiram uma área de administração da cadeia, conhecida como "sala comum", fazendo mais seis reféns. Ali tomaram um rifle calibre 12. Os amotinados foram simplesmente abrindo as portas na direção da galeria C, onde estavam os demais integrantes do CV. Armas foram distribuídas, chaves foram divididas. Os presos, agora mais de 30, carregavam garrafas de álcool, facas, barras de ferro e pedaços de madeira. O objetivo é matar os líderes rivais, do Terceiro Comando e da ADA, que estão confinados na galeria D. Ernaldo Pinto de Medeiros, o Uê, considerado o "Judas", o maior traidor do Comando Vermelho, e Celsinho da Vila Vintém são os alvos prioritários do ataque, as "duas torres", como definiu Beira-Mar.

A porta da Galeria D foi aberta e os homens do Comando Vermelho abriram fogo contra os inimigos. Lá havia dez pessoas. Quatro morreram, três ficaram feridas. Ernaldo Pinto de Medeiros, o Uê, levou vários tiros e facadas e ainda teve o corpo carbonizado. Encerrou, com 35 anos de idade, uma carreira de quase duas décadas no crime e uma condenação de 277 anos de prisão. Com ele morreram Wanderley Soares, o Orelha, Carlos Roberto da Costa, o Robertinho do Adeus, e Eupídio Rodrigues Sabino, o Robô. O estrondo das armas disparando dentro de uma galeria de concreto armado, com paredes de trinta centímetros de largura contendo placas de aço por dentro, deixou todos ensurdecidos por um bom tempo. Dentro de uma das doze celas, cercado e com uma faca no pescoço, o traficante Celsinho da Vila Vintém se submeteu ao Comando Vermelho e foi poupado. O corpo de Uê foi coberto com três colchões. Jogaram álcool por cima e tocaram fogo. Todos os móveis e todos os pertences dos integrantes da galeria D foram destruídos. Dos dez detentos do Terceiro Comando e da ADA, sete estavam fora de combate. Os demais também passaram a aceitar as ordens do Comando Vermelho.

O motim em Bangu Um, que durou 23 horas, não teve nenhuma intervenção das forças de segurança. A governadora Benedita da Silva mandou invadir o presídio, mas a ordem não foi obedecida, entre outras razões porque os guardas da cadeia e membros do sindicado dos funcionários do Desipe fizeram um cordão humano no portão. Oficialmente,

432   CV PCC *A IRMANDADE DO CRIME*

disseram que não permitiriam que "a vida dos colegas reféns fosse posta em perigo" com uma invasão. No dia 9 de setembro, apenas 48 horas antes da revolta, houve uma "vistoria em todas as celas do presídio". Nada foi encontrado pelos guardas. Após a rendição dos presos do Comando Vermelho, cercados por 500 policiais, foram apreendidos 10 telefones celulares, seis facas, quatro pistolas e dois revólveres. Durante o tempo em que o homens do CV dominaram a cadeia de segurança máxima, duas ligações telefônicas foram interceptadas pela promotoria pública do estado. A primeira voz era de Fernandinho Beira-Mar, que passou todo tempo falando ao telefone. Dava para ouvir os ruídos a sua volta, gritos, o som de um motim. Até agora não se sabe com quem ele conversava, mas seu interlocutor perguntou:

– Tá tudo bem com vocês aí?

E Fernandinho respondeu, feliz, rindo muito:

– Aqui está tudo bem. Tá dominado, está tudo dominado. As duas torres caíram.

Beira-Mar também se preocupava em saber como era a movimentação policial à volta de Bangu Um e qual a repercussão da revolta. As televisões transmitiam ao vivo – é claro. Perguntado sobre como foram as negociações com os rebelados (ver *O Globo* de 16 de setembro), o então secretário de Justiça do Rio, Paulo Saboya, declarou:

> Eles não queriam negociar nada. Não queriam fugir. Fizeram tudo isso para executar os inimigos. Basta ver que o vice-diretor do Desipe e representantes da comunidade entraram lá desarmados. O Beira-Mar falou que poderia matá-los e eles responderam que antes queriam um cafezinho. Foram corajosos e saíram ilesos. Essa rebelião tem pontos nebulosos.

Não foi um simples acerto de contas entre o Comando Vermelho e seus inimigos. O que aconteceu em Bangu Um não deve ser comparado aos episódios da "Noite de São Bartolomeu", quando a primeira lideran-

A INDÚSTRIA DO CRIME *433*

ça do CV, à frente de centenas de prisioneiros, eliminou seus desafetos na Ilha Grande. Em 18 de agosto de 1979, o Comando Vermelho se ergueu das celas para destruir os grupos rivais e assumir o controle da cadeia. Em Bangu Um, não estava em jogo o controle da prisão de apenas 48 celas, divididas em quatro galerias incomunicáveis. Lá nenhum dos prisioneiros sofre perseguições, torturas ou passa fome. Não ocorrem estupros nem assaltos – não há pedágios nas galerias. Os presos de Bangu Um são a elite do crime. Os presos da Ilha Grande eram uma multidão de miseráveis, submetidos a toda sorte de maus-tratos, na vigência de uma ditadura militar.

A "batalha das duas torres" envolveu menos de 50 pessoas, incluindo os reféns. Mas ali se travava uma disputa cujo alcance estratégico está além das aparências. Se não fosse assim, Celsinho da Vila Vintém não teria sido poupado. O bando dele fatura quatro milhões de reais com a venda de drogas e é um dos mais bem armados da cidade, contando com ex-militares das forças especiais. Outro traficante importante, Marcelo Soares Medeiros, o Marcelo PQD, tido como um desertor do Comando Vermelho, também sobreviveu. Após o massacre, a polícia esperava uma guerra entre as facções, com a invasão das áreas controladas por Uê. Os delegados trocavam telefonemas preocupados e havia a informação de que sete ônibus e alguns caminhões tinham sido roubados no Rio, sinal de que grandes "bondes" iriam se deslocar, levando homens e armas para as favelas do Terceiro Comando. E nada aconteceu. Nos territórios controlados pela ADA tudo estava calmo também. O motim comandado por Fernandinho Beira-Mar e Marcinho VP fez parte de um processo de unificação das organizações ligadas ao tráfico. Mais um passo na construção da Federação do Crime Organizado. O velho sonho de Pablo Escobar – a unificação do tráfico sob uma mesma bandeira – pairou sobre o tiroteio dentro do presídio.

No dia da rebelião, o então secretário de Segurança do Rio, Roberto Aguiar, disse aos jornalistas:

– Beira-Mar está em processo articulado nacionalmente para unificar os comandos. Os que se opõem a isso, ele está eliminando.

Isto foi no dia 11 de setembro de 2002. No dia 13, percebendo o alcance de suas palavras, o secretário mudou completamente o tom da declaração:

– Não acredito em grandes articulações nacionais. Queriam oportunidade de matar. A agenda de negociação era meramente formal.

A Polícia Federal e o Ministério da Segurança investigam essa "articulação nacional" há dois ou três anos. Primeiro chamou a atenção das autoridades o investimento que traficantes do Rio faziam nas lavouras de maconha do nordeste, na segunda metade da década de 90 do século passado. O Comando Vermelho – sabe-se hoje – compra toneladas da droga com os plantadores de Pernambuco, Ceará e Rio Grande do Norte. O Exército já realizou duas grandes expedições contra o chamado "polígono da maconha", envolvendo milhares de soldados. A seguir, depois de instalada a primeira Comissão Parlamentar de Inquérito sobre o narcotráfico, surgiu o envolvimento de deputados com o crime, com destaque para Hildebrando Pascoal, que teve o mandato cassado. No ano de 2002, denúncias muito graves levaram a um pedido de intervenção no estado do Espírito Santo, onde o crime organizado teria alcançado os mais altos postos. O jornal *The New York Times* chegou a chamar Vitória, a capital, de "a Medellín brasileira". Nos últimos anos, os indícios de que o crime organizado se instalou em todo o país foram se acumulando.

Enquanto o Comando Vermelho mata os adversários no Rio, pavimentando com sangue o caminho para a unificação do tráfico, em São Paulo o PCC faz a mesma coisa, destruindo sistematicamente a Seita Satânica e o Comando (ou Comitê) de Liberdade – o CDL. Por outro lado, o PCC vive uma feroz dissidência, com tiroteios e mortes nas ruas e periferias da capital paulista. Acontece – coisa inédita – uma batalha que atinge as próprias famílias dos líderes envolvidos no conflito. O luta interna do PCC também tem a ver com a aliança que a organização realizou com o CV. O setor mais radical do "partido do crime" – comandado por José Márcio Felício, o Geleião, e César Augusto Roriz da Silva, o Cesinha – pretende atacar os poderes públicos com bombas e tiros, para melhorar as condições carcerárias e para reunir o bando. O setor mais *light* – digamos assim – chefiado por Marcos William Herbas Camacho, o Marcola, quer apenas tocar os negócios. Devem existir muitas outras razões para as lutas dentro do PCC, mas isto só é conhecido por gente ligada à organização. Fala-se, inclusive, em razões pessoais.

A unificação do tráfico de drogas vem acontecendo lentamente, atendendo a razões objetivas e não exatamente pela vontade de seus líderes. A principal dessas razões é o fato de que os exportadores de cocaína da Colômbia, que detém a maior fatia do mercado mundial, não querem atuar como donos de supermercados de entorpecentes. Eles não querem estar vendendo pó a varejo. O exportador entrega armas e drogas por atacado, em partidas que chegam a várias toneladas. (A unidade da fonte produtora conduz, pela lógica, à unificação da operação de distribuição.) Gente como Fernandinho Beira-Mar possui aguçado senso comercial e compreende perfeitamente os intrincados caminhos da economia do narcotráfico.

Ele já sabe para onde sopram os ventos. E sabe que na rota dos ventos ainda há uma "torre" bem assentada. O nome é Paulo César Silva dos Santos, o Linho, provavelmente o mais importante traficante solto até agora. Faz parte do Terceiro Comando, à frente de uma uma respeitável quadrilha, com faturamento superior a 1,34 milhão de reais por mês, no Complexo da Maré, zona portuária do Rio, onde a organização mantém sua força armada principal. Linho é ao mesmo tempo o maior rival – mas pode ser o mais importante aliado na construção da Federação. O posicionamento deste homem da distribuição de drogas vai pesar de forma decisiva no arranjo geral do tráfico. Linho não é bobo nem apressado. Encastelado no comando de uma parte significativa do tráfico, deve dizer para seus comandados:

"Vamos esperar um pouco, para ver o que vai acontecer. A gente não tem nenhuma pressa."

Nas cadeias controladas pelo Comando Vermelho, os encarcerados desenvolvem hábitos estranhos. Um deles é fazer um minuto de silêncio às seis horas da tarde, em memória dos mortos da organização. Todos ficam de pé e numa atitude que lembra uma oração. Muita gente chama isso de "a missa do CV". Não que eles sejam muito religiosos: parar todas as cadeias por um minuto é uma demonstração da força e da união do Comando Vermelho. Submetidos a leis muito mais severas do que as da sociedade, eles sabem que desrespeitar este minuto de silêncio é o mesmo que pedir para morrer. No livro *No coração do Comando*, onde o jornalista Júlio Ludemir conta uma moderna história de Romeu e Julieta entre um preso do CV e uma presa do TC, está anotada essa "missa do CV". Lá ele também conta como é que eles se cumprimentam, quando um entra na cela do outro:

– Fé em Deus, Federação!

9

NO ÚLTIMO TRIMESTRE DE 2002, a polícia paulista conseguiu obter muitas provas do acordo entre CV e PCC. Houve apreensões de drogas com a sigla das duas organizações, tanto na capital como no interior. O que chama mais atenção, no entanto, é a descoberta de um estatuto atribuído ao Comando Vermelho. Acredito que o documento possa ser verdadeiro, mas contém erros e referências que não batem com a história da organização. Acompanhe o texto, no qual fiz alterações para respeitar a ortografia e facilitar a compreensão do comunicado:

A organização "Comando Vermelho", C.V.R.L., faz saber que todos os itens a seguir são rigorosos e deverão ser respeitados igualmente por cada integrante dessas facções:

A partir da oficialização, deste estatuto, criado em 12/02/2002, deixamos claro a todos aqueles que fazem parte do crime organizado que:

1º) Respeito, Lealdade, Justiça e União.

2º) Todos da organização ficam cientes que a prioridade de tudo é a LIBERDADE, o RESGATE, a TOMADA NA RUA, em DELEGACIAS, FÓRUM, sem discriminação para todos. É LIBERDADE A QUALQUER CUSTO.

3º) Fica bem claro que, após todos terem conhecimento deste ESTATUTO, os amigos com estrutura que não contribuírem com a ORGANIZAÇÃO, em LIBERDADE COM OS AMIGOS de suas próprias áreas, com advogados e outros meios, e que não ajudem em nada e fiquem usando o nome do COMANDO VERMELHO para fins próprios, serão CONDENADOS À MORTE SEM PERDÃO.

4º) Não serão aceitas mais guerras particulares, muito menos desavenças, entre a [dentro da] organização. Exemplos: tiros em bocas [pontos-de-venda de drogas] de amigos. Qualquer amigo que atentar contra a vida de outro amigo pagará com a vida.

5º) A partir deste ESTATUTO, aqueles que ficam comprando e dando volta [não pagando] em matutos [atacadistas de drogas], fazendo pilantragem e sem-vergonhice, serão cobrados severamente. Eles estão sujando o nome do COMANDO VERMELHO. Isto é luta, é vida, é história, é sangue. Se nós estamos dando continuidade é porque foi sangue derramado e união. É responsabilidade. Com a ajuda de todos os amigos novos e velhos, teremos a VITÓRIA, já que isto é de geração para geração. COMANDO VERMELHO É HISTÓRICO E ETERNO.

6º) COMANDO VERMELHO nasceu na Ilha Grande. Tudo começou em uma luta. Nós lutamos contra a opressão, torturas, confinamentos, quadrilhas que assaltavam, estupravam seus próprios irmãos e matavam por encomendas. E resolvemos os problemas internos. À mesma luta demos continuidade na rua, para chegarmos à LIBERDADE. Mas para isso se foram muitas vidas de bravos guerreiros do COMANDO VERMELHO, covardemente assassinados pelos opressores que até hoje continuam no poder. E esta luta é sem trégua até a vitória final.

7º) Na organização, todos terão a sua opinião a ser respeitada. Mas a decisão final será dela [a organização], para qualquer situação, tomada pelas pessoas capacitadas a resolver. A organização não admitirá qualquer RIVALIDADE ou DISPUTA DE PODER NA LIDERANÇA, pois cada integrante da mesma [a organização] saberá a função que é competente de acordo com suas CAPACIDADES.

8º) A organização é bem clara: aqueles amigos que têm condições [meios, dinheiro] na boca [de fumo] e não ajudam os que trabalham para eles, nem ajudam o COLETIVO PRISIONAL, serão substituídos de imediato. Temos que dar exemplo para os amigos mais jovens que estão chegando na ORGANIZAÇÃO. (...) Não queremos tóxicos [pó], precisamos de material higiênico, advogados, remédios, roupas, calçados, alimentos e muita UNIÃO. Esta é a forma de mostrar a todos a verdadeira união de uma ORGANIZAÇÃO.

9º) Então, vejamos: estamos fazendo um RESGATE DA IDEOLOGIA QUE FUNDAMENTOU O COMANDO VERMELHO. Qualquer erro que venha de encontro aos itens deste ESTATUTO, a sua vida está à mercê. Só assim VEREMOS OS VERDADEIROS AMIGOS.

O décimo item do estatuto do Comando Vermelho está redigido de forma extremamente confusa, apesar de fazer sentido para quem conhece de perto a história do grupo. A redação, no entanto, é a pior de todas. Vou tentar uma adaptação:

10º) Aos que fazem parte da ORGANIZAÇÃO: por vários anos se iniciou uma luta [em] 1988 [ano da construção da penitenciária de Bangu Um]. BANGU I, A OPRESSÃO DAS AUTORIDADES FASCISTAS, DITADORES, TENDO COMO [autoridades carcerárias] UNS [alguns] DOS PIORES TORTURADORES E EXECUTORES [já] PASSADOS PELO SISTEMA PENITENCIÁRIO. [De acordo com as reivindicações do Comando Vermelho, o presídio de Bangu Um seria uma cadeia de castigo – ou de passagem –, na qual os presos ficariam apenas seis meses, no máximo, de acordo com a Lei de Execuções Penais.] Lá estão confinados amigos por vários anos. Lá morreu ROGÉRIO LENGRUBER [um dos líderes históricos do CV]. (...) temos que ter um ideal e transformar [Bangu Um] como castigo, que tem seu prazo determinado por apenas seis meses naquele presídio, como ocorre em "TAUBATÉ, SP". Deixamos claro nossa amizade pelo P.C.C.

11º) Cada responsável por sua área é designado para cumprir uma missão contra a opressão. E, se não cumprir, será severamente cobrado pela organização. (...) a ORGANIZAÇÃO terá seu braço armado para qualquer ação que venha a atingir nossa FAMÍLIA C.V.R.L. Deixamos claro que o objetivo maior é somar: somente a união faz a força, para certeza da vitória, que todos façam sua parte, e cada um receberá o tratamento que merece de acordo com seu comportamento, ações e responsabilidades. (...) AQUELES QUE NÃO FOREM POR NÓS SERÃO CONTRA NÓS.

12º) O COMANDO VEMELHO foi criado no presídio da Ilha Grande, contra os maus-tratos, para derrubar o Sistema Penitenciário, contra a opressão e contra todo tipo de covardia contra os presos, fundamentado no princípio de LIBERDADE, por uma SOCIEDADE JUSTA, que permita que todos tenham o direito de viver com dignidade. O COMANDO VERMELHO É INCONTESTÁVEL, JÁ PROVADO. (...) TODOS QUE FAZEM PARTE DESSA ORGANIZAÇÃO ESTÃO DE PASSAGEM [mas] O COMANDO VERMELHO É HISTÓRICO E CONTÍNUO.

13º) Que fique bem lembrado que o COMANDO VERMELHO nasceu na Ilha Grande nos anos de 1969 [esta data não confere com as pesquisas], quando o país passava por uma crise, em anos de ditadura militar.

A LIBERDADE PRECISA SER CONQUISTADA PELO OPRIMIDO, E NÃO DADA PELO OPRESSOR. LIBERDADE, RESPEITO, LEALDADE, JUSTIÇA E UNIÃO.
COMANDO VERMELHO
CV– RL.

A leitura do documento lembra perfeitamente o tom politizado das primeiras manifestações do Comando Vermelho, nos anos 80 do século passado. Mas algumas expressões e referências não estão de acordo com a história da organização. A menos que tenha havido um erro de redação, a data de 1969 para a fundação do grupo está dez anos adiantada. O CV foi criado na Ilha Grande na virada de 1979 para 1980, tendo se tornado conhecido publicamente no ano seguinte. O relatório do major Salmon, diretor do presídio, revelando a existência da organização, é de 1981. A batalha da rua Altinópolis, entre a polícia e a quadrilha de José Jorge Saldanha, o Zé do Bigode, aconteceu no dia 3 de abril de 1981. As conseqüências do tiroteio de onze horas de duração revelou ao grande público, através da imprensa, que o Comando Vermelho estava em ação. O erro na data apontada no "estatuto" é difícil de compreender.

Outro detalhe que chama atenção é o desaparecimento do *slogan* do grupo. "Paz, Justiça e Liberdade", o lema histórico é substituído por

"Liberdade, Respeito, Justiça e União". Pode representar uma mudança de rumos, apesar de estar no mesmo contexto de fortalecer politicamente o núcleo dirigente do CV, que neste novo documento é chamado de "coletivo prisional". Coletivo, expressão herdada dos presos políticos, é um termo típico do Comando Vermelho. Está presente em todo material escrito por eles nos últimos 20 anos, o que seria um ponto a favor da autenticidade da declaração. Mas há um outro detalhe estranho: os homens do Comando sempre se trataram por "companheiros" – mais uma herança da convivência com a guerrilha comunista – ou "irmãos". Na peça apreendida pela polícia paulista, todos são "amigos".

A adoção das iniciais "RL" na sigla do grupo, um elogio a Rogério Lengruber, faz todo sentido e é mais um ponto para a autenticidade do documento. Mas há uma visível piora no texto, se comparado a outros documentos do CV. O português está muito mais precário e as idéias, confusas. Depois de examinar atentamente as declarações deste "estatuto", fica a sensação de que se trata de uma recriação do Comando Vermelho. Ali está explícito que é necessário um "resgate da ideologia que fundamentou" o grupo nos seus primeiros movimentos, há duas décadas. Mais: eles querem ver os "verdadeiros amigos" e ameaçam os que "usam o nome do Comando Vermelho para fins próprios". Também se fala em dar "exemplo para os novos que estão chegando". Esta é uma clara manifestação do núcleo histórico do CV, reagindo contra a expansão desordenada do grupo e a multiplicação de pequenas lideranças rebeldes. Nas ruas, está no comando das operações a terceira geração de traficantes, a maioria muito jovens, ambiciosos e violentos. Alguns são rapazes de 17 ou 20 anos, que nada têm a ver com os fundamentos da organização, mas que agem sob a bandeira do CV. Este documento, com ameaças de morte em quase todos os parágrafos, pode representar um freio para os interesses da "juventude vermelha".

Pode representar também que uma nova guerra está a caminho. A história das organizações criminosas, mesmo as mais tradicionais, como a Máfia siciliana e a União Corsa francesa, é contada através de matanças e conflitos armados.

10

O MORRO DO DENDÊ fica numa ilha chamada do Governador. E teve, de fato, um governador, o traficante Miltinho do Pó ou Miltinho do Dendê, bandido fundador do Comando Vermelho nos anos 80. No fundo da favela, nas águas oleosas da baía de Guanabara, há um pequeno porto, utilizado por barcos de pesca para descarregar o peixe destinado a mercados populares dos subúrbios do Rio. Durante as madrugadas, por ali também se descarregavam outros peixes: armas e drogas.

A quadrilha do Morro do Dendê tinha importância especial no esquema do crime organizado, porque administrava a famosa "caixinha" do Comando Vermelho. Dinheiro doado pelos bandos de assaltantes e traficantes para obter ajuda jurídica aos presos, financiar fugas e corromper o sistema carcerário. Miltinho foi o tesoureiro da organização. Preso, delegou suas tarefas ao pupilo predileto, Ernaldo Pinto de Medeiros, o Uê, que chegou a ser o mais importante quadro do CV em liberdade. Uê gostava do mar – e nos fins de semana costumava velejar num iate banco que partia do porto do Dendê. Saia ao entardecer, cruzava a ponte Rio–Niterói e ganhava o mar aberto. Nunca se soube se o barco servia apenas aos prazeres da navegação a vela. Muita gente acredita que o traficante voltava trazendo também estranhos peixes. Uê acabou preso num apartamento de luxo na Zona Sul da cidade. Já encarcerado, designou o seu sucessor: Luiz Fernando da Costa, o Fernandinho Beira-Mar, uma espécie de afilhado no bando. Afilhado ingrato, que ordenou a brutal execução de Uê na rebelião de 11 de setembro.

A INDÚSTRIA DO CRIME **443**

Com o assassinato do líder, a quadrilha do Dendê ficou sem rumo. Integrante do Terceiro Comando desde que Uê traiu o CV, o bando esperava a qualquer momento um ataque do "exército vermelho". O ataque veio no dia 9 de outubro de 2002. Dezenas de policiais da Coordenadoria de Recursos Especiais, chefiados pelo delegado Márcio Franco, invadiram a favela debaixo de uma chuva de balas. O "gerente do branco" (da cocaína), Carlos Alberto Januário, o Gordo, foi metralhado. Vinte e cinco bandidos foram presos. Márcio Franco não sabia que estava jogando uma cartada decisiva. Ele não sabia que estava invadindo um território duvidoso na escala de guerra do crime organizado. Simplesmente entrou na favela, certo de que estava cumprindo um dever determinado pela lei. Não levava em conta que o xadrez do crime organizado definia aquela favela como uma área de disputa.

No centro do Dendê, os policiais encontraram uma mansão de 400 metros quadrados, com piso de mármore, sauna, churrasqueira, hidromassagem e todos os demais confortos de uma vida muito rica. O quartel-general do tráfico, que ainda estava em obras, agora parece um navio-fantasma, totalmente abandonado.

Os moradores do Morro do Dendê, uma gente pacata e trabalhadora, vivem nesses dias a expectativa da chegada do "exército vermelho", que desta vez vai encontrar pouca resistência.

11

DEPOIS DE VÁRIOS ANOS afastado do noticiário, cuidando do término da sua pena em regime fechado, Willian da Silva Lima, o lendário Professor do Comando Vermelho, reaparece numa investigação cercada de segredos. Em julho de 2002, o delegado Ricardo Hallak, da Delegacia de Repressão a Ações Criminosas Organizadas (Draco), da polícia do Rio, abriu um inquérito para tentar descobrir se há verdade num boato que corre célere no mundo do crime: Willian seria o cérebro por trás das articulações entre o CV e o Primeiro Comando da Capital, o PCC paulista. As pessoas que conhecem bem a história do líder das prisões nos anos 80 do século passado – como este pesquisador – acreditam que ele não se enquadra mais no *status* de criminoso. Afastado da linha de frente do Comando Vermelho desde os anos 90, o Professor teria se transformado num símbolo histórico da resistência dos sentenciados contra o regime prisional injusto e desumano. Junto com Rogério Lengruber, o RL, já morto, Willian da Silva Lima é o ícone da organização. Porém – pelo menos aparentemente – não se envolve mais com as questões do dia-a-dia do crime organizado e dos negócios da venda de drogas. Aliás, nunca esteve envolvido diretamente com o tráfico.

De longe, o líder mais querido do Comando Vermelho foi Rogério Lengruber, o "Bagulhão" ou "Marechal" ou "Presidente do CV". Como já se viu neste livro, ele morreu de uma crise aguda de diabetes. A organização adicionou a sigla "RL" à assinatura do grupo. É comum encontrar a inscrição CV-RL nos muros das favelas e nas armas e granadas do

Comando Vermelho. Algumas vezes aparece apenas a inscrição "RL" – e todos já sabem que é um território do Comando Vermelho.

Mesmo com 84 anos de penas acumuladas, a que foi condenado, não há na ficha de Willian da Silva Lima qualquer acusação de tráfico. São 13 condenações por roubo armado, principalmente contra instituições financeiras, e uma por seqüestro. Outras acusações serviram para completar quase um século de prisão: porte de arma, formação de quadrilha, falsidade ideológica, resistência à prisão, três fugas das várias cadeias por onde passou. Mas nada de drogas. Willian tem aquele perfil *old fashion* dos criminosos da geração de Lúcio Flávio. Nunca roubou um trabalhador e sempre esteve à frente de lutas ferozes para beneficiar a massa carcerária. A esta altura do campeonato, aos 58 anos de idade, talvez mais, a maior parte dos quais passados nas celas, desde quando era pouco mais do que um menino, fica difícil imaginar Willian à frente do crime organizado. O delegado Ricardo Hallak discorda:

– Há algum tempo investigamos essa aliança [com o PCC]. Recentemente surgiu um informe de que o Professor está envolvido. Muitos nem se lembram dele, mas a influência que tem dentro do CV é grande.

A declaração do policial foi feita ao jornal *Folha de S. Paulo* de 20 de outubro de 2002. A matéria, que contém equívocos, como datar o surgimento do Comando Vermelho nos anos 70 do século passado, afirma o seguinte:

> *Mesmo fora dos holofotes da mídia, Professor desempenha papel importante dentro do CV. Uma das indicações desse poder é, de acordo com o delegado Ricardo Hallak, a função de diretor da Associação Cultural de Bangu 3 [presídio onde está agora], exercida por Professor. Ele está no presídio desde 1997, quando foi transferido de Bangu 1, porque tinha bom comportamento.*

Nos quase 30 anos de penas já cumpridas, Willian da Silva Lima sempre esteve à frente de entidades formadas pelos presos. A maior parte delas foi ele quem criou. Isto – por si só – não atesta que o Professor este-

446 CV_PCC *A IRMANDADE DO CRIME*

ja na liderança atual do crime organizado. Só faz lembrar que este é um mais mais ilustres encarcerados na história das cadeias brasileiras. Estar envolvido com cultura, então, é a marca registrada desse sentenciado que lê sem parar e que escreve muito bem. Dentro das galerias das penitenciárias brasileiras, os mais velhos e com currículo atestado por longas condenações, sempre são respeitados e ouvidos. A experiência de suas carreiras é transmitida através de uma história verbalizada que preenche os tediosos dias de inutilidade dos presos. Willian é – sim – uma dessas vozes.

O novo inquérito da Draco contra o Professor parte do princípio de que os informes que vêm do submundo dão conta de que ele está no comando das negociações com as quadrilhas do PCC paulista, tratando da unificação das organizações e da consolidação da Federação do Crime Organizado. Seu principal interlocutor seria Júlio César Guedes de Moraes, o Julinho Carambola, trancafiado no interior de São Paulo. As estreitas ligações entre CV e PCC não são mais surpresa para ninguém. Nas favelas do Rio e na periferia de São Paulo já existem pichações CV-PCC. O lema do Comando Vermelho – Paz, Justiça e Liberdade – se tornou o *slogan* comum dos dois grupos.

Quando esteve encarcerado na Ilha Grande, na antiga Colônia Correcional de Dois Rios, em 1936, o escritor Graciliano Ramos registrou que não estava ali para se corrigir de nenhum crime – estava ali para morrer. Willian da Silva Lima sobreviveu ao presídio. A cadeia foi demolida. E ele continua de pé. Quando escrevo essas últimas linhas, me lembro dos dias de terror que ele enfrentou. Me lembro – principalmente – das palavras que ele tentou dizer e não conseguiu.

Este é o ponto em que o autor gostaria de escrever FIM. Mas essa história não acabou – nem vai acabar.

Carlos Amorim
6 de abril de 2003

UM GRITO PARADO NO AR

NOS VIMOS TANTAS VEZES, eu e o Tim Lopes, na imensa redação do jornal. Ou nas ruas, cobrindo as mesmas notícias. Trocamos poucas palavras. Mas estivemos juntos, mais de uma vez, em reportagens daquelas típicas de *O Globo*, que envolviam muitas equipes. O jornal – na época em que trabalhamos por lá – era mesmo de repórteres. Quase todos muito jovens e, no entanto, tremendamente experientes. Um de nós escrevia, semanalmente, algo em torno de 60 laudas de texto. Éramos tratados como uma espécie de filhos pródigos, crias de velhos jornalistas como Henrique Caban, José Augusto Ribeiro, Iran Frejat e tantos outros. Aquilo era uma escola – mais do que um emprego. A direção do jornal, especialmente o "chefão", Evandro Carlos de Andrade, cuidava de cada um. Ele ia para casa cedo, acordava de madrugada e lia tudo. Rabiscava nossos textos publicados com caneta vermelha, sugeria estilos, reclamava da falta de precisão em uma determinada informação. A gente aprendia. E tenho certeza de que este aprendizado foi o alicerce de muitas carreiras futuras.

Um dia encontrei o dono de *O Globo*, o jornalista Roberto Marinho, no elevador. E ele me disse:

– Gostei muito daquela sua matéria no domingo.

Me espantou que ele tivesse uma noção tão próxima da realidade da publicação e de seus repórteres. Repórteres iniciantes, que incluíam seu filho mais novo, José Roberto, que foi meu "foca" na redação. (Assim como um rapaz extremamente tímido, Luís Erlanger, hoje um dos poderosos na empresa.) Incluíam um Tim Lopes quase menino, acanhado no espaço da apuração, território de um cão de guarda chamado Eli Moreira. Ali ele começava a mostrar o talento que o levaria para a maior rede nacional de televisão do país. Pouco depois, Tim foi para o *Jornal do Brasil*, onde brilhou com reportagens exclusivas.

O peso de *O Globo* em nossas vidas era tremendo. Mesmo depois de ir embora, muitas vezes sonhei com a velha redação no número 35 da rua Irineu Marinho. Uma agitação inacreditável. Aquilo pulsava em nós. Passávamos a maior parte dos nossos dias dentro do jornal, incluindo os fins de semana e os feriados. Raramente víamos alguém olhando o relógio para ver se "a jornada de trabalho" tinha se esgotado. Não tínhamos uma jornada a cumprir – vivíamos avidamente cada dia no meio daquelas centenas de máquinas de escrever. Enormes bobinas de papel de impressão podiam ser vistas no *hall* dos elevadores, pelos corredores, na porta dos banheiros. O cheiro de tinta impregnava o prédio. Quando você escrevia algo sério, que iria sair na primeira página, era comum acompanhar o fechamento até o fim, para ver a matéria rodar nas espantosas impressoras alemãs. Talvez os novos métodos e conceitos da imprensa tenham liquidado com esses sentimentos um tanto ingênuos. Mas eram extremamente criativos e altamente produtivos.

Na segunda metade dos anos 70, até o início dos 80, vários repórteres do jornal costumavam se encontrar fora da redação. O ponto mais freqüente, com a presença regular de alguns chefes da redação, entre eles Renan Miranda, era um bar que ficava a 200 metros de *O Globo*, entre a Academia de Polícia e o Batalhão de Choque da PM, no bairro da Cidade Nova, centro do Rio. Ali o assunto era sinuca, meninas, cerveja. Outros desses encontros aconteciam na casa de alguns repórteres – particularmente o Marcelo Fagá. No apartamento de poucos móveis, os temas iam das condições sociais brasileiras até "o que é o bom jornalista?". A média das opiniões revelava: um assunto que a época propunha – o jornalismo investigativo – só merecia comentários irônicos.

452 CV_PCC *A IRMANDADE DO CRIME*

– Repórter que aceita a primeira versão de uma notícia não serve para nada. É totalmente incompetente.

Todo mundo acreditava que o jornalista era uma figura sintonizada com a psicologia de seu povo e com o momento histórico. Havia um sentimento de responsabilidade com o leitor – e para com a nação. É claro que tudo isso se via permeado pelo pensamento esquerdista do momento. Mas o fato é que tais coisas eram discutidas – e a sério. Tim Lopes, quando foi atacado e morto por traficantes, estava investigando um modo novo de comportamento cultural nas comunidades pobres do Rio de Janeiro, uma fórmula que soma o *funk* com sexo e drogas. Dominado, usava uma microcâmera digital. Era ao mesmo tempo repórter, produtor e cinegrafista.

Mas essas minhas lembranças são anteriores à modernização do jornal. Estão localizadas num momento anterior ao mundo virtual. Não havia esses sistemas complicados de editoração eletrônica. Todo mundo martelava furiosamente as máquinas Remington de escrever. Um monte de xxxxxxxx era usado para apagar uma palavra mal escrita. Imagine uma centena – ou mais – de pessoas redigindo ao mesmo tempo. Naquela época era permitido fumar na redação. Às oito horas da noite, pique do fechamento, uma neblina azul envolvia o ambiente. Aos vinte e poucos anos de idade, barbudo e com os cabelos quase até os ombros, com óculos redondos ao estilo John Lennon, eu era assistente do editor da Geral de *O Globo*. Tim era um dos repórteres da editoria, cuidava de assuntos ligados à cidade e às ocorrências policiais. Havia outros notáveis: Xico Vianna, Luís Carlos Sarmento Duarte, Marcelo Beraba, Telmo Wambier, Carlos Absalão, Dênis de Morais. Profissionais como Merval Pereira, Marcelo Pontes, Aguinaldo Silva, José Gorayeb, Paulo Toti, eram ícones para o pessoal que vinha chegando.

Xico, certa vez, foi violentamente espancado pela Tropa de Choque da PM, durante um protesto. O jornal, com um dos seus agredido, abriu a primeira página para fotos em oito colunas. Um repórter de *O Globo* não passaria por isso impunemente. Durante o reconhecimento dos agressores, pauta que coube a mim, empurrei um tenente da polícia que apontava discretamente uma metralhadora para o Xico, tentando intimidá-lo. Do alto da arrogância dos vinte anos de idade, disse ao policial:

– Fica na sua, porque a nossa arma é muito mais poderosa do que essa.

Agora já tenho 50 anos – e dizem que essa é a idade do naufrágio de todas as ilusões. Fico aqui, diante da tela âmbar do computador, com um moderníssimo sistema de edição eletrônica, tentando achar as palavras que me tragam de volta a imagem exata dos contemporâneos do jornal e de Tim Lopes. Gostaria de poder reproduzir como eram os nossos plantões, quando costumava vê-lo na área de apuração de notícias, um pequeno andar elevado onde estava o pessoal que não se afastava do telefone. Ou no "mesão" da Geral, quando eu ocupava interinamente a chefia de reportagem e ficava enchendo o saco de todo mundo para checar tal ou qual informação. Neste instante, enquanto termino o livro, tenho ao meu lado uma fotografia da redação. Nela estão Elias Fajardo, do Segundo Caderno, a repórter policial Albeniza Garcia (ela foi um dos jornalistas que libertaram o empresário Roberto Medina) e, de costas, a nossa mascote, Débora, secretária da redação aos 17 anos, com seu cabelo louro quase branco, encaracolado. Moça que inspirou muitas imaginações. Apareço como um garoto magro, tão magro que me espanta que já tenha sido assim. Outra foto mostra o jornalista Xico Vianna, baiano de origem humilde que não sabia usar um chuveiro quando chegou na cidade grande, repórter brilhante que sempre nos impressionava com um francês impecável. ("... e é para que você se lembre sempre de seu companheiro Xico, que esta foto vai ficar entre os seus papéis." – escreveu no verso da imagem agora desbotada, provavelmente com uma das antigas Remington da redação.)

As fotos que vejo do Tim Lopes, espalhadas esta noite sobre a mesa de trabalho, são recortes de jornais recentes, do ano de 2002. Ele agora tem 51 anos, barba branca, bem mais gordo do que quando o conheci. Tim foi morto de forma covarde, cortado em pedaços com um machado, carbonizado, enterrado num lugar esquecido do mundo. Dele só foram encontrados alguns ossos e músculos, farrapos da roupa que vestia e uma pequena câmera destruída. Foi identificado por DNA. Morreu no exercício da profissão – essa mesma que tanto discutimos na juventude. Seus torturadores e assassinos nunca souberam – nem quiseram saber – quem ele foi. Dá vontade de gritar. Um grito que fique suspenso no ar, imóvel. Como memória e como elogio. Como a saudade de um tempo em que o repórter era uma instituição.

FOTOS E DOCUMENTOS

A ESCALADA DO CRIME organizado no Brasil tem produzido uma série muito importante de documentos. Algumas vezes é o poder público que admite haver "territórios controlados" nas grande metrópoles do país. Isto surge não só nas declarações à mídia – infelizmente, está registrado em papéis confidenciais que orientam o próprio combate ao crime, tanto estadual quanto nacionalmente. Políticos, legisladores, policiais e até religiosos são alvo de investigação. E – pasmem – parte considerável dessas suspeitas tem fundamento.

Há momentos em que as manifestações mais significativas acerca do estado de beligerância em que vive a sociedade brasileira vêm do próprio mundo do crime, que formula estatutos, códigos particulares de conduta, monta tribunais onde a pena de morte é condenação irrecorrível. São evidências tão fortes que deveriam entrar para os clássicos da sociologia. Depois de *Comando Vermelho – a história secreta do crime organizado*, que consumiu doze anos de pesquisas, agora a nova publicação já soma mais seis anos e alguns milhares de páginas a mais de informações, entrevistas e depoimentos.

Alguns desses documentos são realmente preciosos para compreender o estágio de subordinação à violência em que nos encontramos. De um modo geral, são peças que não chegam rotineiramente ao conhecimento da opinião pública. Vale, portanto, evidenciar algumas delas. Neste livro estão reproduzidos trechos de depoimentos e textos das autoridades públicas e até dos próprios criminosos. Há fotos também, para que o leitor se familiarize com os tipos, a ideologia e as inclinações pessoais que emergem do submundo.

Não é possível publicar num único livro todos os documentos que ajudem a entender a escalada do crime. Mas alguns deles mereceram destaque.

C. A.

AGRADECIMENTOS

MEUS SINCEROS AGRADECIMENTOS aos repórteres Marcelo Resende, Caco Barcellos, Ana Luiza Guimarães, Fábio Pannunzio, Fátima Souza e Sandro Barbosa. Eles deram uma contribuição voluntária e fundamental. Meu agradecimento também ao amigo e companheiro Marcelo Vaz, pelas informações e pesquisas em São Paulo, durante a preparação da primeira versão desta reportagem. E à produtora Lys Beltrão, que obteve – sabe Deus como! – importantes documentos junto às polícias do Rio de Janeiro. Roberto Cordeiro, Carlos Wanderley e Ida Mayrinck também colaboraram de forma desprendida e solidária na primeira publicação.

À Mariê Sassaki, pela paciência com as minhas insônias. Pelo trabalho lento e determinado de encontrar acentos fora do lugar, uma vírgula ou um ponto a mais. Pela compreensão, certa noite, quando num ataque de ansiedade quebrei o computador e coloquei todo o trabalho em perigo.

Vale repetir: agradeço àqueles que anonimamente – quase clandestinamente – forneceram pistas e dados importantes para reunir as peças desse quebra-cabeça.

C. A.

ÍNDICE ONOMÁSTICO

A

Abrantes, Carlos Henrique de Souza (v. Carlão)
Abravanel, Patrícia, 279
Absalão, Carlos, 453
Adão, 364
Afanassiev, 95
Afro X, 386
Agnaldo Zoinho, 346
Aguiar Filho, Osvaldo, 70
Aguiar, Adilson, 71
Aguiar, Roberto, 42, 434
Ailon, 267
Aires Viana, 169
Albuquerque, Denizard Bastos, 361, 362
Alencar, Marcelo, 287, 315, 288, 289
Alfredo Dedinho, 70
Aliverti, José, 244
Alkimim, Édson Alves, 114
Alkimin, Geraldo, 386
Almeida Camargo, 110
Almeida, Ivaldo Luiz Marques de, 135
Almeida, Sérgio Roberto de, 74
Alves Filho, Francisco, 380
Alves, Alfredo Gonçalves (v. Alfredo Dedinho)
Alves, Roberto, 200
Amaral, Almir do, 113
Amarijó, Miguel Ángel (v. Peruano)
Amorim, José Roberto Silveira de, 169
Amorim, Wanderley Machado, 74
Antero Luís, 194

Antônio Branco, 117, 166, 169-171, 185
Antônio Carlos (v. Tonico)
Antônio Magrinho, 80
Antônio, 227-229
Anunciação, Domingos Pinto da (v. Dominguinhos Sete Dedos)
Anunciação, Nelson Gonçalves da, 113
Apache, 207
Arafat, Iasser, 35
Araújo Júnior, João Marcelo de, 82, 83, 84
Araújo Neto, João Marcelo de, 140
Araújo, Jorge Jordão de (v. Caô)
Araújo, Ricardo Duram de, 115
Araújo, Vera, 407
Archer, Renato, 327
Ari, 264
Arias Mário Sérgio, 345
Arías, Cabral, 411
Arns, Paulo Evaristo, 282
Arósio, Ana paula, 428
Arruda, Manoel Eduardo, 311
Arruda, Orlando Lopes, 147
Azevedo, Eucanan de (v. Canã)
Azevedo, Paulo César de, 269

B

Bacuri, 160, 161
Bagulhão, 60, 102, 115, 116, 186, 189, 198, 213, 315, 319, 334, 350, 376, 440, 442, 445
Balbino, Adílson, 30, 70, 219, 222, 285
Barbosa, Almir, 114

Barbosa, Carlos Ronaldo, 311
Barbosa, Nazareno Tavares, 298-303
Barbosa, Sandro, 21, 276
Barbosa, Vivaldo, 196, 198, 199, 207, 208
Barcellos, Caco, 272, 330
Barroso Filho, Ernani (v. Macarrão)
Barrouin, Cláudio, 241, 248, 251
Bartô, 216
Batista, Luís Carlos, 290
Batista, Pedro José de Assis (v. Tota)
Beato Salu, 216, 332
Beleboni, Renata Cristina, 221
Beltrão, Lys, 230
Benjamin, César Queiroz, 96
Benoliel, Denise, 319
Beraba, Marcelo, 453
Bernardes, Carlos (v. Comandante Bernal)
Berwanger, Pedro Luiz, 249
Bezerra, Gregório, 61, 63, 64
Bezerra, Múcio, 289
Bezerra, Sueli Gonçalves, 309, 310, 312, 314, 318
Bigler da Silva, Jorge (v. Doda)
Biglia da Silva, Luiz Jorge (v. Doda)
Biglia, Jorge (v. Doda)
Bill do Borel, 365, 366
Bira Charuto, 112, 204, 205
Bira, 185, 235, 312
Biscaia, Antônio Carlos, 208
Bittar, Jorge, 329
Bodansky, Yossef, 393
Boi, 191
Bonfim, Paulo Roberto (v. Ponês)
Borel, 312
Borges Fortes, 155
Borges, Alberto Salustiano (v. Chocolate)
Borges, José André, 101
Braekman, Yvonne, 273
Braga, Saturnino, 282
Brindeiro, Geraldo, 39
Brito, Bartolomeu (v. Bartô)
Brito, Celso Assis de, 169, 185
Brito, Elionor Mendes de, 268
Brito, Ubaldo de, 268
Brizola, Leonel de Moura, 195-198, 207, 208, 282, 288, 290, 292, 329, 333, 419
Brolo, Francisco Sérgio Figueiredo (v. Kojac)
Bueno, Cristina, 351
Bulcher, Wilfred, 55, 56
Burunda, 312
Buscetta, Benedetto, 215

Buscetta, Tomazzo, 215
Bush, 402

C
Caban, Henrique, 451
Cabeção, 169
Cabeludo, 218-221
Cadena, Francisco (v. Olivério Medina)
Caldas, Álvaro, 64
Calil, Osvaldo da Silva (v. Vadinho)
Camacho, Marcos William Herbas (v. Marcola)
Campana, Arnaldo, 208
Campello, Élson, 296, 350, 358-360, 366
Canã, 105, 356
Canazzi, Antoine, 215
Caô, 139
Capenga, 116
Capitão Guimarães, 289
Cappula, Luís Ernani, 200
Capriglione, Ana, 89
Cara de Rato, 169
Carcas, Tomás Medina (v. Negro Acácio)
Cardoso (general), 40
Cardoso, Alberto, 16
Cardoso, Fernando Henrique, 16, 25, 35, 38, 39, 41
Careca, 104
Carela, Carlos Alberto Klaus (v. Irmãos Carela)
Carela, Waldir Klaus (v. Irmãos Carela)
Cariveiro, Waldir, 287, 288
Carlão, 70
Carmo, Márcia, 297
Carneiro, Nelson, 291, 292
Carvalho, Apolônio de, 269
Carvalho, Fernando Gomes de (v. Fernando CO)
Carvalho, Sandro Luiz de, 146
Carvalho, Silvio de (v. Silvio Maldição)
Casaline, Guglielmo, 215
Castanho, Carlos, 393
Castilho, Josimar, 147, 153
Castro, Fidel, 265
Castro, Iacy de (v. Iacy)
Castro, Jair de Oliveira, 346
Cavalcante, Antônio de Barros (v. Antônio Branco)
Cavalcanti, Jackson de Oliveira, 153
Cavalcanti, Sandra, 196
Caveirinha, 74, 134
Celeman, Moisés, 153

Celsinho da Vila Vintém, 31, 33, 378, 432, 434
Celso Daniel (prefeito), 22, 41, 378
Cerqueira, Carlos Magno Nazareth, 208
Cerqueira, Nilton, 137, 151
Cesinha, 30, 436, 374-376
Chapolin, 380, 392
Chaves, Irene da Piedade, 104
Chaves, Paulo César (v. PC Branco)
Chavez, Hugo, 427
Che Guevara, Ernesto, 59, 95, 93, 94, 265, 267, 400, 403
Chico Boca Mole, 220
Chocolate, 357-362
Cienfuegos, Camilo, 267
Ciro, 267, 268
CL, 33
Cláudio (v. Portela, Cláudio)
Cláudio Renato, 332
Coelho, Luiz Carlos, 185
Colagrossi Neto, José, 305
Colagrossi, Juca, 306
Collor, Fernando, 255, 274, 295, 305
Comandante Bernal, 36
Comandante Olivério Medina (v. Olivério Medina)
Conceição, Edmilson, 168
Copolla, Francis Ford, 16, 214
Costa e Silva, 107
Costa Júnior, Antônio Vicente da, 83
Costa, André Luiz Miranda, 72
Costa, Antônio Nonato da, 283, 319, 366
Costa, Carlos Roberto da (v. Robertinho do Adeus)
Costa, Darcy Bittencourt da, 117
Costa, Fernando Luís da (v. Fernandinho Beira-Mar)
Costa, Kátia Regina, 152
Costa, Luiz Fernando da (v. Fernandinho Beira-Mar)
Costa, Ozório (v. Caveirinha)
Costa, Romildo Sousa da (v. Miltinho Pacheco)
Costa, Ubiratan Gonçalves da (v. Bira)
Cruz, Dácio da, 136
Cruz, Paulo Roberto (v. Beato Salu)
Cunha, Luiz Fernando da, 185
Cy de Acari, 216, 252

D
Da Donga, 116, 185
Dafoe, Williem, 408

Damiance Neto, João, 147
Danton, 138
David, Aniz Abraão, 289, 290
David, Christian, 215
David, Farid Abraão, 290
Débora, 454
Debray, Régis, 93, 95
Deleuze, Oswaldo, 320
Demontis, Giulliano, 237
Dênis da Rocinha, 29, 216, 292, 323, 355
Dias, Álvaro, 360
Dias, Edgar, 245
Dias, Frank Lino, 237
Dias, José Roberto, 295
Diegues, Júlio Augusto (v. Portuguezinho)
Diniz, Abílio, 261, 271-274
Doda, 298, 334
Dominguinho, 71
Dominguinhos Sete Dedos, 169, 186
Dona Zelina, 421
Dornelles, Carlos, 257
Dr. Léo (v. Leão)
Dragão, Ademir, 115
Drumond, Luizinho, 290
Drumond, Marcos, 290
Duarte, Luís Carlos Sarmento, 453
Dudu, 115, 117
Dutra, Paulo César Pereira (v. Paulo Marrinha)

E
Echeverria, Eduardo Arismendi, 237
Eduardo Paz, 273
El Cura (v. Olivério Medina)
Elbrick, Charles Burke, 62
Eli, 147, 148, 152, 153
Elias Jorge, 295
Elias Maluco, 39
Emiliano José, 89
Encina, Luís Carlos dos Reis (v. Escadinha)
Encina, Paulo César dos Reis (v. Paulo Maluco)
Encina, Rosemar Mateus, 189
Engels, Feriedrich, 95
Enviak, Francisco, 219
Eraldo da Rocinha, 332, 356
Erellano-Feliz, Ramon Eduardo, 27
Erlanger, Luís, 452
Escadinha, 21, 29, 60, 186, 189, 209, 213, 216, 233-235, 252, 291, 301, 309, 320, 333, 353, 366, 376
Escobar, Marcos Sanini, 136

ÍNDICE ONOMÁSTICO *463*

Escobar, Pablo, 27, 31, 33, 235, 237, 426, 434
Espada, Paulo César, 113, 191
Esquenazi, Elias, 207

F
Fagá, Marcelo, 452
Fajardo, Elias, 454
Faria, Claudair Lopes de (v. CL)
Farias Júnior, Gaspar, 257
Farias, Paulo César, 255
Farias, Walter, 154
Feliciano da Silva, Moysés (v. Tenente Moysés)
Felício, José Márcio (v. Geléia ou Geleião)
Felipe, Kenarik Boujikian, 279
Fenemê, 312
Fernandes, Merci da Silva, 70
Fernandinho Beira-Mar, 27, 31, 33, 34, 367, 380, 396, 399, 411, 421, 422, 425, 427, 428, 431-436, 443
Fernando CO, 65
Ferreira, Adelino (v. Seu Parente)
Ferreira, Álvaro Machado (v. Cabeção)
Ferreira, Carlos Arlindo, 74
Ferreira, José Cornélio Rodrigues (v. Preá)
Ferreira, Neudo (v. Mosca)
Figueiredo, João, 207, 282, 298-300
Figueiredo, Jorge Fernandes (v. Pintinha)
Fillipini, Renato, 237
Firmino Neto, João, 71
Flávio (v. Careca)
Fleury Filho, Luís Antônio, 347, 349
Fleury, Sérgio, 73, 160
Foguinho, 179, 180
Fonseca, Célio Tavares (v. Lobisomem)
Fonseca, Hélio dos Santos, 154
Fraga, Armínio, 25
Fragoso, Carlos Alberto Ávila, 201
Franco, Márcio, 413, 444
Franco, Paulo da Cunha, 116
Frank, Thomas, 426
Freitas, Alípio Cristiano de (v. padre Alípio)
Freitas, José Antônio de (v. Toninho do Pó)
Freitas, Marco Antônio Medeiros de, 219
Freitas, Mônica, 244, 247, 287
Freitas, Rosalina da Penha, 152
Frejat, Iran, 451
Frejat, José, 288
Frossard, Denise, 321
Fumero, Emílson dos Santos (v. Cabeludo)

G
Galvão, Aloísio Magalhães, 358-361
Gama, Jorge, 290, 291
Gama, Roseana Ferreira, 386, 387
Garcia, Albeniza, 454
Garcia, Miro (v. Guaracy)
Garotinho, Anthony, 410
Gaspari, Elio, 38
Geisel, Ernesto, 107, 282
Geléia ou Geleião, 30, 371-374, 376, 436
Gerônimo dos Santos, Bueno, 71
Gilberto (v. Pinho, Gilberto Martins de)
Gim Macaco, 74
Glória Maria, 151
Godoy, Roberto, 36
Góes, Walter, 357
Gomes Neto, Avelino, 198
Gomes, Avelino, 208
Gomes, Carlos Alberto (v. Professor)
Gomes, Luiz Orlando (v. Cara de Rato)
Gomes, Manoel Messias, 169
Gomes, Paulo (v. Paulinho de Niterói)
Gongora, david, 266
Gorayeb, José, 453
Gordo, 29, 60, 186, 190, 213, 234, 319
Goulart, João, 82, 195
Granuzzo, Mônica, 316
Gratz, José Carlos, 39
Gregório, José Carlos (v. Gordo)
Grossi, Teresa, 25
Guaracy, 290
Guedes (coronel), 80
Guimarães Jorge, Ailton (v. Capitão Guimarães)
Guimarães, Olivério de Souza (v. Senna, Juarez)
Gulherme, 342

H
Hallak, Ricardo, 445, 446
Hannecker, Martha, 95
Henriquez, Miguel, 276
Heru, 268
Herzog, Wladimir, 107
Hipólito, Adriano, 282
Hobsbawm, E. J., 354
Horroroso, 116, 117
Hubberman, Leo, 95
Hussein, Sadam, 16, 382

I
Iacy, 105
Ingrid, 386, 387

Irmãos Carela, 71
Isaías do Borel, 216, 334, 357, 376

J
J.J. Mendes, 332
Januário, Carlos Alberto, 444
Japonês, 114, 169, 186, 213, 301, 303-305, 315, 319, 320, 325, 333, 376
Jesus, Manoel de, 208
Jesus, Sidneya dos Santos de, 41
Jesus, Valdomiro Alves de (v. Dudu)
João Fofão, 248
João, 180
Jorge da Donga (v. Da Donga)
Jorge Negão, 249
José da Silva, Valderi (v. Maneta)
José Renato, 70
Juarez (v. Senna, Juarez)
Julião, 225
Julião, Francisco, 77
Julinho Carambola, 30
Jupira, 204
Jurandir, 268
Justiniano, Rodolfo Pereira, 245

K
Karp, Rogério Mont, 93, 155, 156
Kemal, Yashar, 353
Kennedy, 402
Kojac, 284, 285
Kouri, Ricardo 300, 301

L
Laden, Osama Bin, 30, 380, 381, 392-396, 430
Lamarca, Carlos, 66, 89, 137, 266
Lampião, Virgulino, 354
Leal, Renato Bonfim, 315, 316
Leandro, Denir, 332
Leão (capitão), 78
Leão, Antônio Ferreira, 207
Leite, Eduardo (v. Bacuri)
Leite, Gabriele Silva, 342
Leite, Jairo, 71
Leite, Jorge, 290, 291
Leite, Otávio, 315
Leite, Romero, 349
Leleu, 71
Lengruber, Julita, 357
Lengruber, Rogério (v. Bagulhão)
Lennon, John, 453
Lilley, Peter, 23

Lima, Antônio Alves de (v. Antônio Branco)
Lima, Joselino Carvalho de, 312
Lima, Willian da Silva (v. Professor)
Linho, 436
Lins e Silva, Técio, 293, 302, 303, 314
Lírio, Lúcio Flávio Vilar (v. Lúcio Flávio)
Lobato, Elvira, 259
Lobianco, Orlando dos Santos, 71
Lobisomem, 169, 190, 235
Lobo, Domingo Jorge (v. Dominguinho)
Lopes, Geraldo, 171
Lopes, Jorge Luiz, 283
Lopes, Jorge Monteiro, 154
López, Camilo (v. Olivério Medina)
Lopez, José Antônio Ramos, 245
Lourenço, Dráuzio, 208
Louzeiro, José, 66, 67
Lucena, Zenildo, 365
Lúcio Flávio, 65-68, 87, 113, 117, 173, 446
Lucivan, 101
Ludemir, Júlio, 437
Luiz, José Amaro, 74
Lula da Silva, Luis Inácio, 16, 35, 274, 295
Luvizaro, Antônio, 243

M
Macarrão, 147
Macedo, Evilázio, 221
Macedo, Paulo Henrique, 365
Macedo, Valdinéia, 116
Machado, Aroldo, 100
Machado, Luiz de Souto, 136
Machado, Nélio, 358-360
Machado, Wilson, 185
Maciel, Luiz Fernando Mata, 206
Magalhães, Jorge Pessoa de, 184
Magalhães, Mauro, 297
Maia, César, 42, 287, 288, 418, 419
Maia, Marcos Gonçalves, 233
Maia, Maurílio Teixeira (v. Xará)
Maierovitch, Walter, 423, 424
Malato, Orlando Hipólito (v. Bira)
Maneta, 70
Marçal, Antônio Carlos, 70
Marcelo PQD, 434
Marcinho VP, 431, 424
Marcola, 30, 436
Marcos (v. Silva, Marco Aurélio)
Marechal (v Bagulhão)
Mariano, Luiz, 295, 296
Mariel Mariscotte, 67, 244, 245

Marighela, Carlos, 59, 92, 94, 158, 264, 265
Marimba, 135
Marina, 342
Marinho Pedro, 170
Marinho, José Roberto, 451
Marinho, Roberto, 273, 451
Mário Traficante, 346
Markun, Paulo, 245
Marques, Cláudio Marcelo Costa (v. Playboy)
Marques, Neline, 70
Marta Rocha, 117
Martins, Roberto, 266, 268
Martins, Sérgio Henrique dos Santos, 317
Marujo, 67
Marulanda, Manuel (v. Tiro Fijo)
Marx, Karl, 95, 414
Masseli, Michelli, 264
Mateus, Rosinha, 37, 419
Mattos, Mariel Mariscotte de (v. Mariel Mariscotte)
Maurinho Branco, 300
Maurinho, 70
Medeiros, Ernaldo Pinto de (v. Uê)
Medeiros, Luís Antônio de (v. Heru)
Medeiros, Marcelo Soares (v. Marcelo PQD)
Medina, Olivério, 276, 277
Medina, Roberto, 26, 140, 202, 284, 296, 298, 300, 305, 306, 326, 334, 343, 350, 351, 357, 358, 361, 454
Medina, Rubem, 282, 297
Medrado, Luiz Paulo Ferreira (v. Tenente Medrado)
Meio-Quilo, 216, 235, 284, 301
Meireles, Zellah Vieira, 406
Mello, Ednardo Dávilla, 107
Mello, Wellington do Nascimento (v. Tim)
Mello, Zélia Cardoso de, 255
Melo, Carlos Vieira de, 206
Melo, Pedro, 194
Mendes dos Santos, Sidney, 201
Mendonça, Leonardo Dias, 422
Mendonça, Pedro Moreira de, 286
Mendonça, Sérgio (v. Serginho Ratazana)
Mendonça, Walter Couto, 318, 319
Menezes, Marçal Borges de, 200
Menezes, Simone Barros Corrêa, 96, 138, 339-341, 343, 348
Mesquita, Carlos Alberto (v. Professor-2)
Miguel Jorge (v. Miguelão)
Miguel, 264
Miguelão, 29, 294-298, 301

Miltinho do Pó, 64, 443
Miltinho Pacheco, 364, 365
Mimoso, 162, 169, 172, 189, 202, 203
Mineirinho, 65
Miranda, Oldack, 89
Miranda, Renan, 452
Mitre, Fernando, 17, 415, 425, 426
Mitrione, Dan, 272
Modesto, Wagner Antônio, 256
Monteiro, Dilermando, 265
Monteiro, José Alberto David (v. Tenente)
Monteiro, Lida, 185
Moraes Neto, Geneton de, 19
Moraes, Alberto Motta, 204, 205
Moraes, Ilma Ramos de, 253
Moraes, Jorge Gomes de (v. Da Donga)
Moraes, Rivaldo Carneiro de (v. Marta Rocha)
Moraes, Roberto de, 71
Morais, Dênis de, 453
Moreira Franco, Celina, 327
Moreira Franco, Nelson, 296
Moreira Franco, Wellington, 29, 242, 288, 290-292, 296-299, 301, 302, 304, 310, 314, 319, 320, 322, 323, 326-328, 359, 419
Moreira Neto, Avelino Gomes, 188
Moreira, Eli, 452
Moreira, Maurílio, 225
Mosca, 71
Mota Macedo, 104
Motta, Cláudia de Oliveira, 352
Moura, Paulo Roberto de, 216
Mugget, Gerson, 284, 349
Muniz, Waldir, 155, 163
MV Bill, 20

N

Nanai, 84, 106, 173, 185
Nascimento, Antônio Rodrigues do, 310
Nascimento, Valdir Pereira do, 72
Nascimento, Wanderlei da Silva, 219
Naval, 71, 135, 169
Nazareno (v. Barbosa, Nazareno Tavares)
Negão Tereza, 71
Negro Acácio, 421-423, 426
Nepomuceno, Márcio dos Santos (v. Marcinho VP)
Nequicé, Osvaldo Gomes, 71
Nestor, 264
Nibbi, Alberto, 237
Nicolau, Antônio José (v. Toninho Turco)

Nicolau, José Antônio, 287, 288
Nicolau, Mussi José, 249, 255
Nijini, 65
Nobre, Alfredo, 361
Nogueira, Araken Roberto (v. Show Man)
Nogueira, Cláudio, 415
Norambuena, Maurício Hernandez, 274
Noriega, Antônio, 396
Nunes Filho, Paulo (v. Careca)

O
Oliveira, Admilson José da Silva, 147
Oliveira, Alexandre Vidigal de, 397
Oliveira, Clarindo Jorge de (v. Negão Tereza)
Oliveira, Cláudio de Souza, 310
Oliveira, Clóvis Franco, 114
Oliveira, Crimaldo de, 208
Oliveira, Cristiano de, 71
Oliveira, Janete Gomes de, 153
Oliveira, José Mendes de (v. J.J. Mendes)
Oliveira, Júlio César Mendonça de (v. Julião)
Oliveira, Marcus José de, 346, 347
Oliveira, Maria de Jesus, 114
Oliveira, Mário Rita de (v. Rita)
Oliveira, Mauro Luiz Gonçalves de (v. Maurinho Branco)
Oliveira, Ubiratan Alves de (v. Bira)
Oliveira, Washington Luís de, 114
Olivério Medina, 38, 277, 396-403
Olivetto, Washington, 26, 261, 273-276, 278, 279
Orejuela, Gilberto Rodríguez, 27
Orejuela, Miguel Rodríguez, 27
Orelha, 432
Oswaldo, 264, 265
Otto, 267

P
Pacheco, Benedito José, 264
Padre Alípio, 77, 78, 79, 80, 81, 86, 98
Paixão, Jorge Marcelo da (v. Gim Macaco)
Palermo, Gerson, 236
Pancho (v. Olivério Medina)
Pannunzio, Fábio, 403
Pantoja dos Santos, Luiz Carlos (v. Parazão)
Parazão, 72, 131, 135
Parazinho, 350
Pascoal, Hildebrando, 435
Pastrana, Andres, 427
Paula, Jorge Francisco de, 323

Paula, Liece de, 117
Paula, Maria Lúcia de, 357
Paulinho de Niterói, 115, 200
Paulino, Adalto, 71
Paulo César (Major), 241, 250
Paulo Maluco, 186, 191, 213, 252, 319, 333
Paulo Marrinha, 320
Paulo Megera, 191
Paz, Humberto Eduardo (v. Eduardo Paz)
PC Branco, 104, 169, 189, 213, 322, 323, 331, 332, 363, 376
Pedro da Silva, Mário (v. Marujo)
Peltier, Márcia, 425
Penha, Jorge Luiz, 317
Penteado, Gilmar, 279
Pereira da Silva, Elias (v. Elias Maluco)
Pereira da Silva, Joanei, 70, 206
Pereira da Silva, Maria Helena, 292
Pereira da Silva, Rubens (v. Rubinho)
Pereira Neto, João Batista, 348
Pereira, Carlos Humberto Alves, 245
Pereira, Merval, 453
Perez, Adolfo, 245
Perez, Jairo Alberto Sanches, 237
Peruano, 169, 235
Pianinho, 216, 217, 319
Pimentel, Jorge Augusto, 151, 152, 153
Pinho, Gilberto Martins de, 147-149, 153
Pinochet, Augusto, 272
Pintinha, 136
Pinto, Edson Luís Fonseca, 250
Pinto, Esdras Dutra, 279
Pinto, Liéce de Paula, 65
Pinto, Sônia Maria Gomes, 380
Playboy, 310
Ponês, 169
Pontes, Marcelo, 453
Porfírio, Pedro, 287
Portela, Cláudio, 147, 148, 154
Portuguezinho, 113, 166, 168, 169, 207
Powell, Collin, 427
Preá, 298, 299
Prestes, Luis Carlos, 267
Professor, 29, 95, 96, 97-99, 103, 108, 127, 132, 138, 139, 151, 166, 168-171, 188, 198, 202, 209, 213, 333, 339-345, 347, 348, 350, 376, 445-447
Professor-2, 92, 93, 103, 104, 188, 199, 202, 203, 213
Puzzo, Mario, 214

Q

Quadros, Vasconcelos, 273
Queschnir, Flávio, 327
Quintanilha, Edgar, 357

R

Ramos, Graciliano, 52, 103, 447
Ramos, Jorge da Silva, 311
Ramos, José da Costa, 71
Ramos, Juarez de Paulo, 114
Ratinho, 74, 134
Rattes, Ana Maria, 303-305
Rattes, Paulo, 304
Reale Jr., Miguel, 38
Reginaldo, 169
Reis, Élcio Merêncio dos, 361
Reis, Samuel de Oliveira, 256
Resende, Jó, 282
Resende, José Evaristo (v. Zé Gordo)
Resende, Marcelo, 319, 359, 360
Ribeiro, Darcy, 288-290
Ribeiro, Dirceu Régis, 268
Ribeiro, José Augusto, 451
Ribeiro, Osmar Severino (v. Jorge Negão)
Ribeiro, Pedro, 219
Ribeiro, Renato, 220
Ricardo (v. Wilker, Ricardo)
Ricupero, Rubens, 425
Rita, 71
Robertinho de Lucas, 225
Robertinho do Adeus, 432
Robô, 432
Robson Caveirinha, 284, 300
Rocha da Silva, Ubirajara Lúcio (v. Bira Charuto)
Rocha, Francisco Spárgoli, 356
Rodrigues, Andrés, 358, 360
Rodrigues, Celso Luiz (v. Celsinho da Vila Vintém)
Rodrigues, Ernesto, 245
Rodrigues, Isaías Costa (v. Isaías do Borel)
Rodrigues, João César (v. João Fofão)
Rodrigues, Jorge da Silva (v. Marimba)
Rodrigues, Júlio Luiz Lopes, 253
Rodrigues, Lúcio, 359, 360
Rogério, Luís Carlos, 219
Romeiro dos Santos, Theodomiro, 60
Ronque, Amâncio Luiz (v. Foguinho)
Rony (v. Gordo)
Roriz, César Augusto (v. Cesinha)
Rosa Maria, 227
Rosa Neto, Zacarias Gonçalves (v. Zaca)

Rosa, José Lourival Siqueira (v. Mimoso)
Rosélio, Raimundo, 272
Rubinho, 176, 380, 392
Russo, Aloísio, 299
Ruzzani, Maria Helena, 406

S

Sabino, Eupídio Rodrigues (v. Robô)
Saboya, Hélio, 247, 299
Saboya, Paulo, 433
Saldanha, José (v. Zé do Bigode)
Salgado, Luiz Carlos, 112
Salles, Eugênio (Dom), 176, 204, 235, 324
Salmon, Nelson Bastos, 50, 54-57, 69, 70, 98, 116, 121-123, 126, 131, 132, 135, 137, 139, 164, 186, 441
Sampaio, Ricardo, 315
Sanches Filho, Artur, 74
Sanches, Francisco, 360
Sanches, Jorge Batista (v. Naval?), 169, 174
Sanches, Paulo Roberto, 74
Santana, Sebastião Prado, 135
Santos Filho, Manoel Elysio dos, 247
Santos, Amandio dos, 266
Santos, André Luiz Teixeira dos, 117
Santos, Antônio dos (v. Burunda)
Santos, Astério Pereira dos, 37
Santos, Cidimar dos, 135
Santos, Coracy Vilhena dos, 245
Santos, Édson Raimundo dos, 135
Santos, Francisco José dos (v. Zezé)
Santos, Manuel, 267, 268
Santos, Marcos Marinho dos (v. Chapolin)
Santos, Maurício dos (v. Maurinho)
Santos, Natalício Ferreira dos, 201
Santos, Nelson Nogueira dos, 84, 110, 128
Santos, Ney dos, 207
Santos, Olivaldo Barbosa dos, 317
Santos, Paulo César Silva dos (v. Linho)
Santos, Paulo Roberto dos (v. Paulo Megera)
Santos, Sérgio Silva (v. Serginho da Ivete)
Santos, Vaginaldo Gomes dos (v. Apache)
Santos, Wellington Soares dos (v. Boi)
Sardinha, 267
Sarney, José, 242
Sarti, Lucien, 215
Schimidt da Silva, Eli (v. Eli)
Schroder, Carlos, 359, 360
Secreto, 147
Seiler, Otávio, 366
Senna, Juarez, 266-271

Serginho da Ivete, 113, 181, 183-185, 190, 209
Serginho Ratazana, 169, 173, 189, 331, 333, 363
Serrão, Walneide, 302
Seu Parente, 312
Severo, Dionísio de Aquino, 21
Show Man, 311
Silva Filho, Darcy da (v. Cy de Acari)
Silva Filho, José Roberto da (v. Robertinho de Lucas)
Silva, Adilson Ferreira da, 264-266, 271
Silva, Adlas Ferreira da (v. Adão)
Silva, Agnaldo, 453
Silva, Antônio José da (v. Tatuagem)
Silva, Benedita da, 380, 419, 432
Silva, César Augusto Rosa da (v. Cesinha)
Silva, Denir Leandro da (v. Dênis da Rocinha)
Silva, Donizete Luiz da, 346
Silva, Eraldo Souza da (v. Eraldo da Rocinha)
Silva, Expedito Rafael da, 113
Silva, Francisco Rosa da (v. Horroroso)
Silva, Íris Gomes da, 71
Silva, João Carlos da (v. Ratinho)
Silva, Jorge da (v. Zé Dumba)
Silva, José Cristiano da, 74, 135
Silva, José Maria da (v. Fenemê)
Silva, Manoel da (v. Leleu)
Silva, Marco Aurélio, 147, 148
Silva, Maria José Ferreira da, 163
Silva, Miquéias Elias da, 317
Silva, Nélson da (v. Bill do Borel)
Silva, Nilo Cunha da, 202, 358-361
Silva, Nilton Alexandre da, 311
Silva, Paulo, 209
Silva, Ricardo da, 174
Silvestre, Raul, 179
Silvino, Antônio, 62
Silvio Maldição, 115, 216
Silvio Santos, 279
Simas, Climério Ribeiro, 112
Simony, 386
Siqueira Filho, Antônio Cavalcanti, 176
Sirkis, Alfredo, 159
Soares, Valter, 319
Soares, Wanderley (v. Orelha)
Sousa Cruz, Alberico de, 319, 359, 360
Souza, Apolinário de (v. Nanai)
Souza, Expedito de (v. Capenga)

Souza, Ezequiel Luiz de, 318, 319
Souza, Fátima de, 373, 376, 388
Souza, Geraldo Lobo de, 312
Souza, Júlio César de, 312
Souza, Marco Antônio de, 219
Souza, Percival de, 73
Souza, Robson Caetano de (v. Robson Caveirinha)
Souza, Rogério Monteiro de, 299
Souza, Sebastião de (v. Tião Medonho)
Souza, Washington de, 289
Stone, Oliver, 408
Szabo, Giovani, 55-57, 69, 71, 92

T
Tatuagem, 74
Tavares, George, 320
Taveira da Silva, José Harley Fernandes, 311
Teixeira, Adauto, 346
Teixeira, Alberto, 268
Teixeira, Miro, 196
Temporal, Valdo de Souza Aguiar, 83
Tenente Medrado, 250, 363, 364
Tenente Moysés, 162, 169, 172
Tenente, 71
Teodoro, Sebastião, 284, 285
Thompson, Augusto Frederico, 110
Tião Medonho, 65
Tim Lopes, 26, 310, 416, 451-454
Tiro Fijo, 402
Tognolli, Cláudio Júlio, 344
Tonico, 185
Toninho do Pó, 285
Toninho Ferro-Velho (v. Toninho do Pó)
Toninho Turco, 238, 242-255, 287, 288
Toninho, 227
Tori, Paulo, 453
Torres, André, 52
Torres, Camilo, 400, 401
Tórtima, José Carlos, 100, 101, 197, 206, 209
Tota, 283, 285
Trombetta, Bruno (Padre), 330-332
Túlio, Sérgio 84
Tuma, Romeu, 247
Turco (v. Toninho Turco)

U
Uê, 29, 31, 33, 285, 366, 432, 434, 443
Urbano, Ronaldo, 26

V

Vadinho, 100
Valle, João, 268
Vargas, Getúlio, 145
Vasconcelos, Leôncio Aguiar de, 198
Vasquez, Manuel Gaviria, 237
Veras, Carlos Alberto (v. Naval)
Viana, Francisco, 64
Vianna, Xico, 453, 454
Vicente, Antônio, 128
Vieira, Francisco José Coelho, 352
Vieira, Georgina, 243
Vieira, Luiz Carlos, 160
Vigio, Hélio, 284, 296, 349
Viriato de Oliveira, Francisco (v. Japonês)
Viriato de Oliveira, Glicéria de Souza
    Miranda, 303

W

Wambier, Telmo, 304, 453
Wilker, Ricardo, 147-149, 153
Wilsão, 67

X

Xará, 112

Y

Yusim, Lily, 234

Z

Zaca, 218-221
Zambi, Jorge (v. Pianinho)
Zé do Bigode, 93, 105, 146-152, 154, 157,
    159, 169, 172, 181, 185, 441
Zé Dumba, 71
Zé Gordo, 356, 357
Zezé, 169

Este livro foi composto na tipografia
Minion Pro, em corpo 11,5/13,8, e impresso em
papel offset no Sistema Digital Instant Duplex
da Divisão Gráfica da Distribuidora Record.